U0932657

“十二五”国家重点图书出版规划项目

CHINA WETLANDS RESOURCES

Guizhou Volume

中国湿地资源

贵州卷

◎ 国家林业局组织编写

中国林业出版社

图书在版编目（CIP）数据

中国湿地资源 · 贵州卷 / 国家林业局组织编写；黎平分册主编 . – 北京：中国林业出版社，2015.12

“十二五”国家重点图书出版规划项目

ISBN 978–7–5038–8321–7

Ⅰ. ①中… Ⅱ. ①国… ②黎… Ⅲ. ①湿地资源 – 研究 – 贵州省 Ⅳ. ① P942.078

中国版本图书馆 CIP 数据核字（2015）第 296652 号

总 策 划：金 旻

策划编辑：徐小英

主要编辑：徐小英 刘香瑞 李 伟
何 鹏 于界芬

美术编辑：赵 芳

出版发行 中国林业出版社（100009 北京西城区刘海胡同 7 号）
http://lycb.forestry.gov.cn
E-mail:forestbook@163.com 电话：(010)83143515、83143543

设计制作 北京天放自动化技术开发公司
北京捷艺轩彩印制版有限公司

印刷装订 北京中科印刷有限公司

版　　次 2015 年 12 月第 1 版

印　　次 2015 年 12 月第 1 次

开　　本 787mm × 1092mm 1/16

字　　数 587 千字

印　　张 23

定　　价 150.00 元

中国湿地资源系列图书
编撰工作领导小组

顾　问：陈宜瑜　李文华　刘兴土

组　长：张永利

副组长：马广仁

成　员：（按姓氏笔画排序）

王文宇　王忠武　王海洋　韦纯良　邓乃平　邓三龙
兰宏良　刘建武　刘艳玲　刘新池　李　兴　李三原
李永林　来景刚　吴　亚　张宗启　陆月星　陈则生
陈传进　陈俊光　林云举　呼　群　金　旻　金小麒
周光辉　降　初　孟　沙　侯新华　夏春胜　党晓勇
徐济德　奚克路　阎钢军　程中才　雷桂龙　蔡炳华
樊　辉

中国湿地资源系列图书
编撰工作领导小组办公室

主　任：马广仁

副主任：鲍达明　唐小平　熊智平　马洪兵

成　员：王福田　姬文元　刘　平　闫宏伟　李　忠　田亚玲
王志臣　张阳武　但新球　刘世好　王　侠　徐小英

《中国湿地资源·贵州卷》
编写组

主　　编： 黎　平

副 主 编： 朱惊毅　郭　颖

编 著 者： 朱惊毅　冉景丞　杨成华　李世杰　刘建忠

主　　审： 杨　龙

地图绘制： 甘桂春　陈晓琳

插图编绘： 陈东升　朱惊毅　刘建忠　冉景丞

照片摄影：（按提供照片数量排序）

杨成华　陈东升　龙圣勇　李贵云　沈惠明　江亚猛　朱惊毅　周秋亮
邓碧林　刘炳辉　匡中帆　冉景丞　张　霆　李　扬　墙忠元　邓　强
郭　轩　许如鹏　张　娅　王子明

总 序

湿地是地球表层系统的重要组成部分，是自然界最具生产力的生态系统和人类文明的发祥地之一。在联合国环境规划署（UNEP）委托世界自然保护联盟（IUCN）编制的《世界自然资源保护大纲》中，湿地与森林和海洋一起并称为全球三大生态系统。湿地具有类型多样、分布广泛的特点；湿地更重要的是还具有多种供给、调节、支持与文化服务功能，是人类重要的生存环境和资源资本。湿地与人类生产生活和社会经济发展息息相关。湿地的重要性受到世界各国和国际社会的普遍关注。早在1971 年，国际社会就建立了全球第一个政府间多边环境公约，即《关于特别是作为水禽栖息地的国际重要湿地公约》（简称《湿地公约》）。同时，该公约也是全球最早针对单一生态系统保护的国际公约。1992 年中国加入《湿地公约》，自此我国湿地保护事业进入了新的发展时期。

我国加入《湿地公约》后，在国家林业局设立了专门的湿地保护和履约机构，对内负责组织、协调、指导和监督全国湿地保护工作，对外负责《湿地公约》的履约工作。近年来，中国各级政府在湿地保护方面开展了大量卓有成效的工作，采取了一系列保护和合理利用湿地资源的措施，在湿地保护规划和重点工程建设、财政补贴政策制定实施、法规制度建设、保护体系建设、科研监测、宣传教育和国际合作等方面取得了长足进步。但我国湿地生态系统仍然面临着盲目围垦与改造、污染、水土流失、泥沙淤积、生物资源过度利用等多种因素的破坏和威胁，导致面积减少，生态功能下降，生物多样性丧失。因此，切实保护和合理利用湿地资源，既是保障生态安全和国土安全的当务之急，更是中国实施可持续发展战略势在必行的要务。

开展湿地资源调查，摸清湿地资源家底，把握湿地资源动态，是所有湿地保护工作的基础，也是履行《湿地公约》各项工作的根基。2009 ～ 2013 年，在中央财政的支持下，国家林业局组织开展了第二次全国湿地资源调查工作。在此期间，我有幸作为第二次全国湿地资源调查专家技术委员会的主任委员，和其他专家一起全程参与了此次湿地资源调查的主要技术环节和成果鉴定。

我认为此次调查具有以下几个特点：一是，此次调查的湿地分类、界定标准、调查方法基本与《湿地公约》规定相接轨，使得调查数据符合《湿地公约》的要求，调查成果易于被国际认可，便于国际间的对比和交流。二是，制定了内容全面、方法科学、符合国际标准的统一技术规程《全国湿地资源调查技术规程（试行）》，进行了同标准、同口径的分期分批调查。三是，本次调查利用“3S”技术与现地验证相结合的技术方法，查清了全国范围内（未包括香港、澳门、台湾）8 公顷以上的湿地资源基本情况。四是，湿地调查分为一般调查和重点调查。重点调查包括，国际重要湿地、国家重要湿地、自然保护区（含自然保护小区）和湿地公园内的湿地以及其他特有、分布濒危物种和红树林等具有特殊保护价值的湿地。五是，组织保障有力。国家层面上，成立了第二次全国湿地资源调查领导小组、专家技术委员会、中央技术支撑单位和国家质量检查组；省级层面上，分别成立了湿地调查专职机构，组建了省级专业调查队伍。

需要指出的是，第二次全国湿地资源调查期间，我国湿地保护事业发展迅速。2009 年，中央启动了“湿地生态效益补偿试点”工作；2010 年开始，中央财政设立了湿地保护补助专项资金；2012 年，党的十八大将建设生态文明纳入中国特色社会主义事业“五位一体”总体布局，提出要“扩大森林、湖泊、湿地面积，保护生物多样性”。期间，国家林业局会同相关部门认真实施了《全国湿地保护工程实施规划 (2005 ～ 2010 年)》和《全国湿地保护工程“十二五”实施规划》。2013 年，国家林业局出台的《推进生态文明建设规划纲要》划定了湿地保护红线，到 2020 年中国湿地面积不少于 8 亿亩。2013 年，国家林业局出台了第一部国家层面的湿地保护部门规章《湿地保护管理规定》。应该说，历时 5 年的湿地资源调查与同期湿地保护事业的发展，是休戚相关，相互促进的。

第二次全国湿地资源调查取得了丰硕成果。在全球范围内，我国率先完成了《湿地公约》倡导的国家湿地资源调查，首次科学、系统地查明了《湿地公约》所定义的我国湿地资源情况。建立了完整的全国湿地资源空间数据库和属性数据库，掌握了近 10 年来湿地资源动态变化情况，建立了稳定的湿地资源调查专业队伍和专家团队，形成了较为完整的湿地资源调查监测技术规范，完成了全国湿地资源总报告、分省报告和多个专题报告，编制了系列成果图。调查成果达到国际先进水平。

党的十八大对建设生态文明作出了全面部署，强调把生态文明建设放在突出地位，融入经济建设、政治建设、文化建设、社会建设各方面和全过程。在全国第二次湿地资源调查成果的基础上，系统编著形成了中国湿地资源系列图书，为新时期我国湿地保护事业奠定了坚实基础。希望本系列图书能够为我国湿地工作者在开展湿地研究、保护与合理利用工作时提供参考和借鉴。

中国科学院院士 陈宜瑜

2015 年 9 月

前　言

贵州省地处云贵高原东部，具有典型的高原喀斯特山地特征，山地和丘陵占全省国土面积的 92.5%。喀斯特（出露）面积 1090.84 万公顷，占全省国土总面积的 61.9%。特殊的地理位置、地形地貌决定了贵州湿地资源极其珍贵、脆弱。贵州湿地特色鲜明，其中河流湿地是贵州分布最多最广的湿地类型；湖泊湿地生物多样性最丰富，也是重要的区域气候调节器；沼泽湿地最具研究价值和最具特色，是贵州高原重要的碳汇、碳源和隐形水库；人工湿地中的库塘正在成为湿地鸟类的重要栖息地，而稻田湿地（特别是梯田湿地）则具有重要的生态和美学价值。特别需要指出的是，湿地是贵州省重要的“物种基因库”，生息繁衍着众多珍贵的水生动植物资源，是很多水鸟的重要越冬栖息地。湿地中分布有国家Ⅰ级、Ⅱ级保护植物云贵水韭、贵州萍蓬草等；国家Ⅰ级、Ⅱ级保护野生动物黑颈鹤、灰鹤、大鲵、胭脂鱼等；贵州特有物种宽阔水拟小鲵、雷山髭蟾、务川臭蛙、长须金线鲃等。此外，近几年中国鸟类新记录种钳嘴鹳也在贵州湿地中出现。

贵州省位于长江、珠江“两江”上游，湿地不仅是全省淡水安全的生态保障，而且也是“两江”水生态安全的重要保障，是“两江”湿地生物多样性的重要载体。贵州湿地的安危直接影响到“两江”湿地生态系统的安全。

当前，贵州正在进入大发展、大跨越时期，在全力推动工业化和城镇化的同时，力求生态发展也必须同步跨越。如何才能在经济加速发展的过程中同时实现青山常在、绿水长流的美好愿景？如何才能让贵州湿地保护事业助力贵州的生态文明建设，为守住“两条底线”和建设全国生态文明先行示范区做贡献？这些都是值得深入思考的问题。由于贵州属于西部欠发达省份，湿地保护工作起步相对较晚，湿地科研相对较薄弱，缺乏对湿地资源的认知制约了贵州省湿地保护、管理及可持续利用。因此，认真做好湿地资源调查、摸清家底，意义重大。

为了查清全省湿地资源现状，掌握湿地资源动态变化，更有针对性地制定湿地保护政策，按照国家林业局统一安排，贵州省于 2012 年组织开展了全省第二次湿地资源调查工作。经过精心部署，湿地资源调查得以有序进行：2011 年 6 月，国家林业局湿地保护管理中心下达调查任务，明确国家林业局中南林业调查规划设计院作为中央技术支撑单位指导贵州省开展调查工作；2011 年 7 月，贵州省林业厅成立了湿地资源调查工作领导小组及办公室，组建了专家组，明确省林业调查规划院为省级技术支撑单位和调查实施牵头单位；2011 年 8 月，组织编制了《贵州省第二次湿地资源调查工作方案》和《贵州省第二次湿地资源调查实施细则》，同时完成了《贵州省第二次湿地资源调查培训方案》编写及教材编写；2011 年 9 月，进行资料收集和物资准备；2011 年 11 ～ 12 月，国家林业局中南林业调查规划设计院组织完成遥感数据处理、判读、信息提取，湿地基础图件的准备工作；2012 年 3 月，召开全省湿地资源调查启动暨培训会，随后各市（自治州）也相继举办了湿地资源调查培训班；2012 年 4 ～ 9 月，组建调查队伍开展外业调查；2012 年 10 ～ 12 月，开展省级质量检查、内业统计、成果制图、建立数据库及报告编写等工作；2013 年 4 月，参加国家林业局组织召开的全国第二次湿地资源调查成果专家鉴定会并顺利通过评审；2014 年 4 月贵州省政府召开全省第二次湿地调查结果新闻发布会，圆满完成调查任务。

贵州第二次湿地资源调查范围是符合湿地定义的全省行政范围内的各类湿地资源，包括面积 8 公顷（含 8 公顷）以上的湖泊湿地、沼泽湿地、人工湿地（不包括稻田）以及宽度 10 米以上、长度 5 公里以上的河流湿地。首次运用了以遥感（RS）为主，地理信息系统（GIS）和全球定位系统（GPS）为辅的“3S”技术与现地调查相结合的调查方法，严格执行首先室内判读遥感数据，然后进行现地验证和实地调查，最后室内修正调查结果的调查流程。调查表明，截至 2012 年年底，全省湿地总面积为 209726.85 公顷，占全省国土面积的 1.19%。其中，自然湿地面积 151651.16 公顷，占全省湿地总面积的 72.31%；人工湿地面积 58075.69 公顷，占全省湿地总面积的 27.69%。全省湿地保护率为 26.53%，自然湿地保护率为 15.31%。贵州湿地分为 4 个湿地类 14 个湿地型（不含稻田 / 冬水田）。

本书编写组成员本着认真负责的态度对全省第二次湿地资源调查数据进行了进一步的分析，对贵州各湿地类型的特征和分布、湿地资源的利用、湿地生态状况、湿地保护与管理等进行了更深入细致的研究，特别是对贵州湿地文化资源进行了发掘和诠释。此外，还结合相关机构和专家的研究成果对湿地动植物资源进行了重新梳理。本次调查共记录到贵州湿地植物 115 科 249 属 518 种（含种下分类等级，下同），其中苔藓植物 18 科 24 属 30 种，维管束植物 97 科 225 属 488 种（包括蕨类植物 14 科 17 属 21 种，被子植物 83 科 208 属 467 种）；共记录到贵州省湿地脊椎动物 5 纲 32 目 103 科 747 种，包括鱼类 7 目 19 科 250 种，两栖类 2 目 9 科 67 种，爬行类 2 目 13 科 89 种，鸟类 12 目 43 科 278 种，哺乳类 9 目 19 科 63 种。

综上所述，本书是对全省第二次湿地资源调查成果的总结、提高和升华，较全面、系统地对全省湿地资源进行了分析和研究，内容翔实、图文并茂，填补了贵州湿地综合研究的空白，可以帮助各级林业工作者和湿地生态爱好者等认识、了解贵州湿地，并为相关工作提供资料。我们相信，有了这本书做基础，会有更多人关心、关注贵州湿地，也期待未来有更多、更深入的贵州湿地研究成果面世。

《中国湿地资源 · 贵州卷》编辑委员会

2015 年 11 月

目　录

第一章
基本情况

第一节
地理位置及行政区域

1 地理位置

贵州省简称"黔"或"贵"，位于中国西南部，地处东经103°36′~109°35′、北纬24°37′~29°13′之间，东接湖南，北邻四川和重庆，西连云南，南界广西。贵州省属长江和珠江上游地区，处于承东启西、连接南北的重要地位，是西南地区南下出海的重要通道和陆上交通枢纽，东西跨约595公里，南北越约509公里，土地总面积176167平方公里，约占全国土地总面积的1.84%。省会贵阳市距重庆长江口岸300多公里，距广西北海直线距离约500公里。贵州是一个山川秀丽、气候宜人、资源丰富的省份，是西部大开发的沃土。

2 行政区划

贵州省共设有9个地级单位，88个县级单位(7个县级市，56个县，11个自治县，1个特区，13个市辖区)(表1-1)。

第二节
自然概况

1 地 势

贵州省地处云贵高原东部，狭义上称贵州高原，是我国地势自西向东呈三大阶梯状下降的第二级阶梯的组成部分，处于长江水系与珠江水系的分水岭地区，平均海拔1100米。显著特征是山地多，山地和丘陵占全省总面积的92.5%。省内最高点在赫章与水城交界处的韭菜坪，海拔2900.6米；最低点在黎平县地坪乡水口河出省界处，海拔148米(图1-1)。

表 1-1 贵州省行政区划(2012 年)

序号	市(州)名称	县级行政单位个数	县(市、区、特区)名称
1	贵阳市	10	南明区、云岩区、小河区、花溪区、乌当区、白云区、清镇市、开阳县、息烽县、修文县
2	六盘水市	4	钟山区、六枝特区、盘县、水城县
3	遵义市	14	红花岗区、汇川区、赤水市、仁怀市、遵义县、桐梓县、绥阳县、正安县、凤冈县、湄潭县、余庆县、习水县、道真仡佬族苗族自治县、务川仡佬族苗族自治县
4	安顺市	6	西秀区、平坝县、普定县、关岭布依族苗族自治县、镇宁布依族苗族自治县、紫云苗族布依族自治县
5	毕节市	8	七星关区、大方县、黔西县、金沙县、织金县、纳雍县、赫章县、威宁彝族回族苗族自治县
6	铜仁市	10	碧江区、万山区、江口县、石阡县、思南县、德江县、沿河土家族自治县、松桃苗族自治县、玉屏侗族自治县、印江土家族苗族自治县
7	黔西南布依族苗族自治州	8	兴义市、兴仁县、普安县、晴隆县、安龙县、望谟县、贞丰县、册亨县
8	黔东南苗族侗族自治州	16	凯里市、黄平县、施秉县、三穗县、镇远县、岑巩县、天柱县、锦屏县、剑河县、台江县、黎平县、榕江县、从江县、雷山县、麻江县、丹寨县
9	黔南布依族苗族自治州	12	都匀市、福泉市、荔波县、贵定县、瓮安县、平塘县、罗甸县、长顺县、龙里县、惠水县、独山县、三都水族自治县

注：此后正文或图表中出现的自治州、自治县都采用简称，如黔西南布依族苗族自治州简称黔西南州、道真仡佬族苗族自治县简称道真县。

总体上看，贵州高原是一个西部高，分别向北、东、南三面倾斜，且南北两坡较陡的垄状高原山地。地势特点是西高东低；中部高，南、北低。即由西向东形成一个大斜坡，由西、中部向南、北再形成两个斜坡带。广大的中西部地区构成贵州高原的主体，地势向东逐步过渡至湘西低山丘陵，从高原中部向南北两侧迅速降低，分别过渡至广西丘陵与四川盆地。从西往东看，贵州地势形成了逐渐降低的 3 个梯级。第一梯级是西部威宁、赫章一带，海拔 2000 ~ 2500 米，地形平坦宽缓，高原地面呈波状起伏，风化残积红土发育深厚，是贵州最典型的高原地貌；第二梯级是中部安顺、黔西、贵阳、瓮安一带，海拔 1000 ~ 1400 米，高原面上喀斯特锥峰、缓丘绵延起伏，盆地、谷地纵横展布，其间河谷深切，形成典型的山原和丘陵分布区；第三梯级是镇远以东的铜仁、松桃、江口、玉屏、锦屏等地，海拔降至 800 ~ 500 米，是典型的低山丘陵，河流切割密度大，地形十分破碎。从南北方向看，贵州地势从中部分别向南、北两面逐渐降低，即由 1000 ~ 1400 米以上逐渐下降至 500 米，从而构成南、北两个斜坡带。这一地势特征造就贵州水系顺应地势由西、中部呈帚状向北、东、南三面分流。

贵州境内分布有大娄山、武陵山、乌蒙山、老王山和苗岭五大山脉，构成了贵州高原的地形骨架。大娄山位于贵州北部，呈东北—西南走向，西起毕节，东北延伸至四川，海拔 1000 ~ 1500 米，是赤水河与乌江的分水岭，也是贵州高原与四川盆地的分界。著名的娄山关位于大娄山主脉

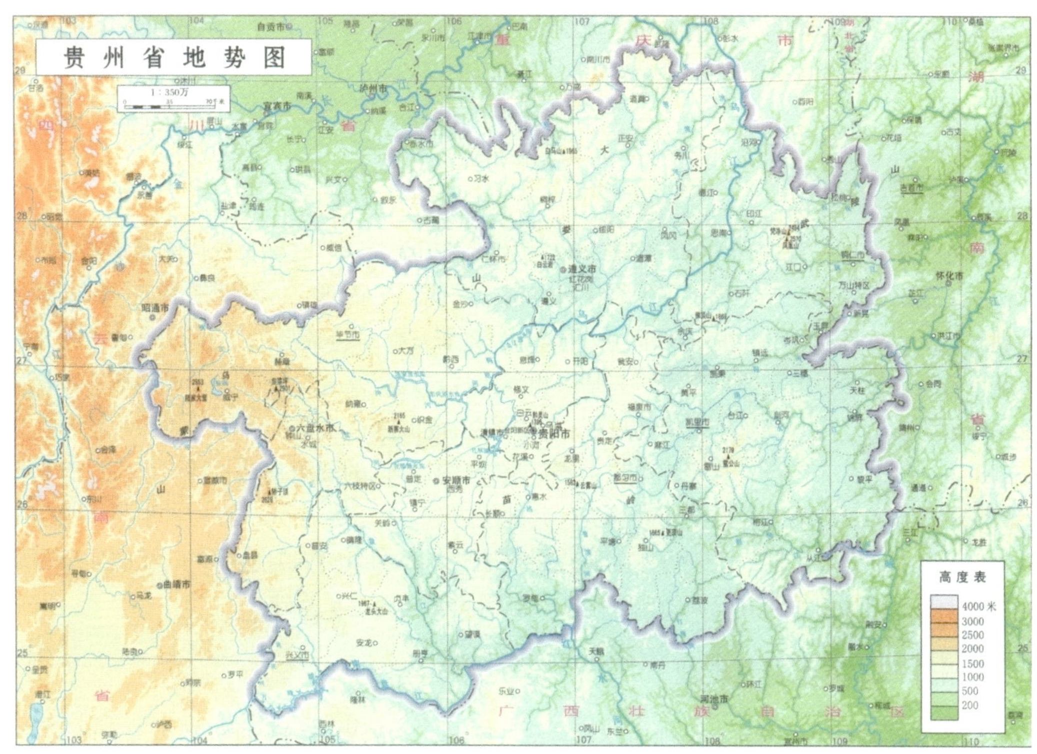

图 **1-1**　贵州省地势图(引自《贵州百科全书》2005 年 12 月)

的脊梁上，是一个沿裂隙溶蚀形成的隘口，海拔 1226 米。大娄山由 3 支并列的山脉组成，西支位于桐梓与习水之间，呈东北—西南走向，南起四川古蔺，经贵州北入四川綦江，海拔 1300 ~ 1500 米，在贵州境内最高峰海拔为 1661 米，是习水河与桐梓河的分水岭；中支由仁怀经桐梓、松坎向北延伸至四川，海拔 1400 ~ 1600 米，在贵州境内的最高峰是箐坝大山，海拔 2028 米，山势南陡北缓呈不对称状，是綦江与芙蓉江分水岭；东支位于桐梓、遵义之间，由金沙向东北延伸至四川，海拔 1600 米以上，贵州境内的最高峰是仙人峰，海拔 1795 米，是芙蓉江与洪渡河的分水岭。武陵山位于贵州东部，呈北北东走向，由湖南延伸入境，海拔 1200 ~ 2572 米，相对高度 700 ~ 1500 米，最高峰是梵净山的凤凰顶，海拔 2572 米，是乌江与沅江的分水岭。乌蒙山位于西部，呈东北—西南走向，由云南延伸入黔，绵延于威宁、赫章等地，海拔 2000 ~ 2900 米，为北盘江、乌江与横江、牛栏江的分水岭，最高峰赫章韭菜坪，海拔 2900.6 米，也是贵州全省海拔最高的山峰，第二高峰是赫章大韭菜坪，海拔 2777 米。乌蒙山区分布有坦荡的夷平面和盆地，湖泊(俗称海子)散布其中，威宁盆地是乌蒙山最大的盆地。老王山位于西南部，北起威宁，经水城、六枝，西达紫云、望漠，呈西北—东南走向，是北盘江与三岔河的分水岭，海拔 1300 ~ 2600 米，相对高差达 700 米以上，山高坡陡，切割明显、脉络清晰，岭谷相间。老王山在韭菜坪与乌蒙山主脉相连，过去习惯把老王山位于六枝以西段称为乌蒙山东南分支，把六枝以东的地段划入苗岭。苗岭横亘于贵州中部，泛指西起六枝，东达锦屏，贵阳以南，独山以北的山岭，海拔多在 1200 ~ 1600 米，是长江水系和珠江水系的分水岭。苗岭在地质构造上无明显脉络，最高峰雷公山，海拔 2178 米。雷公山、香炉山、月亮山并称为苗岭三大名山。在这些山地中，散布着高差一二百米的丘陵，镶嵌着大小不等、形态各异的峡谷、河谷或岩溶盆地。

2 地 质

2.1 地层岩性

贵州是全国地层发育最齐全的省份之一，有“地层古生物宝库”之称。贵州地层具有以下基本特征：一是地层发育齐全、连续，古生物化石丰富，是地层生物研究，特别是厘定一些断代界线层的理想地区；二是地层的生物地理区系多样，特别是三叠系特提斯海生爬行动物化石非常丰富，意义重大，是珍稀地质遗址资源；三是海相碳酸盐岩地层发育、厚度大，成为喀斯特地质环境发育的重要物质基础；四是华夏植物群死亡、埋藏形成的晚二叠世陆源碎屑煤系地层，在贵州东经108°以西地区分布广泛，煤及煤层气丰富，是“江南煤海”的资源基础和环境基础；五是地层时代的区域分布，具有由东向西变新的趋势，其地层组分，也由中新元古界、古生界、中生界下部、中生界中上部、新生界，呈现海相陆源碎屑岩地层、海相碳酸盐岩地层、陆相硅质碎屑岩地层的演变。为贵州喀斯特与非喀斯特两大地质生态空间格局奠定了基础。

2.2 贵州分布的主要岩石类型

各地质年代地层岩性及其含水性质存在差异，因此，各类岩石的水理性质差异也比较明显，为贵州湿地的形成打下了良好的地质基础。贵州分布的主要岩石类型包括：

(1)碳酸盐岩：碳酸盐岩为沉积形成的碳酸盐类矿物质组成的岩石的总称，主要是石灰岩及白云岩，其次为它们的过渡类型。石灰岩是贵州碳酸盐岩中最主要的岩类，种类繁多。在众多种类的石灰岩中，以生物灰岩、生物碎屑岩、生物云灰岩、藻灰岩和颗粒灰岩5类最为重要。白云岩按成因一般可分为原生—准同生白云岩与成岩白云岩两大类，再依其结构还可进一步细分，岩类较多，以颗粒白云岩、藻白云岩、晶粒白云岩最为常见。碳酸盐岩中溶蚀裂隙、溶洞、管道及孔洞十分发育，岩石透水性强，地表干旱，水网稀疏，但地下水丰富。这类岩石在贵州分布广泛，分布在黔中、黔南、黔西北等地，面积约9337375公顷。

(2)碎屑岩：碎屑岩按其形成的环境可分为海相碎屑岩、非海相碎屑岩和过渡相碎屑岩3类。海相碎屑岩厚度较大，种类较多，包括砾岩、砂岩、粉砂岩和泥质岩等众多种类，特别是砂岩发育良好，是碎屑岩中最主要的类型；陆相碎屑岩发育良好、岩类较多，以中粗碎屑岩为主；海陆过渡相碎屑岩发育良好，其岩性主要为黏土岩、粉砂岩和细砂岩，与煤层同为海陆交替相潮坪—潟湖聚煤盆，成为江南最大的煤炭资源富集区。碎屑岩基岩透水性微弱，地表径流活跃，地表水网比较密集，其表面极薄的残坡积物及风化裂隙带是地下水的主要贮存场所。分布面积约3738900公顷。

(3)变质岩：贵州变质岩分为区域变质岩、接触变质岩和错动变质岩3大类。其中区域变质岩发育较好，分布最广。变质岩基岩透水性差，表层风化网状裂隙发育深厚，可达20~40米，为地下水赋存提供了大量空间，因而浅层地下水十分丰富；地表水网发育，河溪流量充沛。变质岩主要分布于黔东南地区，面积约20873公顷。

(4)岩浆岩：岩浆岩主要包括火山岩和侵入岩两类，主要分布于贵州西部，分布零星，出露面积不大，但岩浆活动的方式较多、时间较长、岩类较为齐全。岩浆岩基岩透水性微弱，地下水主要赋存于表层残坡积物及风化裂隙带中，地表水网较发育。

(5)松散岩类：这一类岩石主要是指第四系冲积、洪积砂土及砂砾石层，透水性好，分布于洼地及河谷盆地中，含水丰富。

2.3 地质构造

贵州的浅层构造变形，属于典型的薄皮构造。依据其变形特点及构造样式等的差别，可将贵州浅层构造分4个构造带：即四川盆地南缘平缓褶皱带、鄂渝黔侏罗山式褶皱带、南盘江造山褶皱带、江南造山型褶皱带。受多次地壳构造运动的影响，贵州地层岩石变形强烈，断裂褶皱复杂。不同的构造形式决定着地层岩性的出露特征、地貌的发育及地下水的运动条件。

(1)四川盆地南缘平缓褶皱带：卷入该褶皱区的地层主要为上三叠统至上白垩统陆相碎屑岩，其中以侏罗系、白垩系红层分布最广。区内构造变形较微弱，地层产状一般平缓，有的甚至水平。褶皱作用极其缓慢，仅有一些规模不大的舒缓的背斜和向斜，主要呈近东西向分布。断裂构造亦不发育，仅有一些小型的正断层，但北西、北东及南北向三组大型节理频繁可见，控制着河溪方向，形成角状水系。仅涉及黔北赤水市和习水县。

(2)鄂渝黔侏罗山式褶皱带：贵州属该带南段的典型前陆褶皱冲断带，发育好，分布广。卷入该褶皱带的地层从中元古界至中生界，但各构造区段有所差异。岩性以碳酸盐岩石为主。褶皱形式多样，包括隔槽式、类隔槽式、隔挡式、疏密波状和箱状等类型，但以隔槽式褶皱最为发育和典型，由一系列的紧密向斜和平缓背斜相间平行排列而成，在平面上和剖面上呈雁形排列。在广大范围内，普遍发育有与褶皱轴(主要是背斜轴)平行的冲断层，与上述褶皱一起构成褶皱—推覆构造。冲断面产状一般较为平缓，有时出现飞来峰或构造窗；有的则形成双重构造或叠瓦状冲断岩片。占据贵州大部分地区。

(3)南盘江造山褶皱带：泛指黔西南，属右江造山带北段。卷入该褶皱带的地层为上古生界至中生界，碳酸盐岩分布广泛，中上三叠统陆源碎屑岩大面积出露，构造变形强烈。常见连续线性紧密褶皱，区域性板劈理发育，并有复杂的中小型构造，如大型平卧褶皱、同斜褶皱、扇形褶皱和尖楞褶皱也屡见不鲜，且十分壮观。值得指出的是，本区三叠系的变形不同于一般简单的劈理直立褶皱，具有一定的特殊性：由于这套地层的岩性较为复杂，从而形成复合的褶皱样式，不仅包括无劈理和少劈理的同心—等厚—箱状褶皱，而且还有同劈理的尖棱褶皱，以及它们之间的过渡类型；伴随褶皱劈理、板劈理还出现折射劈理等。

(4)江南造山型褶皱带：卷入该褶皱带的地层主要是上元古界浅变质岩的陆源碎屑岩，褶皱轴向为北东向。该区北东向及北北东向两组剪切断裂十分发育，交织形成菱块状结构。局部有晚古生代碳酸盐岩层，未整合于元古界地层中，残存于北北东向开阔的向斜之中。涉及凯里市以东的黔东南地区。

3 地　貌

贵州省地貌上属于中国西部高原山地，素有“九山半水半分田”之说。全省地貌可概括分为高原山地、丘陵和盆地，是一个以高原、山地为主的地区。据统计，贵州全省山地、丘陵面积占总面积的92.50%，地形平均坡度为17.78°。这些不同类型的地貌，不仅形态和海拔高度不同，而且成因及组成物质也各不相同。高原多由夷平面组成，大部分是岩溶作用造成，少数由剥蚀侵蚀作用形成。山地是贵州分布面积最大的地貌类型，成因各异，有些是岩溶作用于碳酸盐岩层形成的，有些是流水侵蚀褶皱断裂形成的。按其海拔高度，可分为低山(海拔900米以下)、低中山(海拔900～1600米)、中山(海拔1600～1900米)、高中山(海拔1900～2900米)。丘陵分布在高原的边缘和高原面上，成因各不相同，有的是侵蚀作用形成的，有的是岩溶作用形成的，有的则主要是受岩性及岩层的控制，因侵蚀作用发育而成的单面山、桌状山。盆地(俗称“坝子”)形态多样，按海拔高度可分为低盆地(海拔900米以下)、中盆地(海拔900～1900米)和高盆地(海拔1900米以上)；按成因，有因断裂构造活动形成的断陷盆地，因河流侵蚀形成的河谷盆地(图1-2)，因岩溶作用形成的溶蚀盆地。这些盆地散布于贵州各地，其共同特征是规模不大，故贵州面积超过万亩的大坝子为数不多。

图**1-2** 黔南州平塘六硐

贵州省多样而复杂的地貌是各类岩石经受内外营力长期作用的结果。燕山运动、喜山运动及新构造运动是地貌演进的内营力，是塑造贵州地貌的主导营力，形成了背斜山、向斜谷、断裂谷等构造地貌。溶蚀、侵蚀剥蚀及堆积是塑造贵州地貌的外营力，是由岩石性质、水热条件以及地貌发育历史的不同而产生的。根据外营力性质，将贵州地貌划分为溶蚀、侵蚀剥蚀及堆积3大成因类型，这3大成因类型的地貌影响着贵州各类型湿地的分布。

3.1 溶蚀地貌

溶蚀地貌是贵州高原最主要的地貌类型，是可溶性碳酸盐岩(石灰岩和白云岩等)受以化学溶蚀为主的外力作用形成的地貌，又称岩溶地貌或喀斯特地貌(图1-3)。其最大特征是具有十分发育的地下管道系统，地表水文网稀疏，干旱，地下水则十分丰富。组成该地貌类型的岩石主要为石灰岩和白云岩，局部夹有碎屑岩。

图**1-3** 兴义万峰林

溶蚀地貌主要分布于贵州中西部地区，地貌形态主要有落水洞、漏斗、谷地、盆地(坡立谷)、溶丘、锥峰及塔峰等，其组合形态类型主要有丘峰、溶原、溶丘洼地、峰林盆地、峰林洼地、峰丛洼地及峰丛峡谷等。在西部威宁县、毕节市、赫章县，中部安顺市、平坝县、贵阳市、黔西县，南部独山县、长顺县，西南部兴仁县、兴义市、安龙县等地的高原山原及宽缓的河间分水岭上，广泛分布着丘峰、溶原、溶丘洼地、峰林盆地及峰林洼地，宽缓的溶蚀盆地及洼地分布其中。如兴义纳灰盆地、独山基长盆地、水城盆地、威宁盆地等，面积都达20平方公里以上。

这些喀斯特地貌类型的海拔一般为900~1400米，但在西部威宁、赫章一带则达1800~2400米。其间地下水埋藏浅而丰富，地表明流与地下伏流交替出现，喀斯特大泉、喀斯特潭、湖(塘)等水文地质现象频繁可见。宽阔平坦的喀斯特高原山原面上，高数十至百余米的溶丘及锥峰分布其中。或分散林立，或聚集丛生，河溪在其中曲折萦回，两岸则分布着良田沃土，是贵州高原喀斯特地区中最富庶的区域，也是最主要的水稻产区。这类锥峰高差较小，基面(负地形面)宽阔平坦，且风化残积红土覆盖较广的喀斯特峰林地貌，是形成时代较老的喀斯特地貌，一般认为是“山盆期”(新近纪)的产物。

由于新构造运动大幅度抬升，河流强烈下切，导致高原面上若干地区的喀斯特回春发育，从而形成相对高差甚大的峰丛洼地、峰丛漏斗及峰丛峡谷等地貌类型。在中西部乌江、北盘江、南盘江及其支流的深切河谷沿岸，南部樟江、六硐河、曹渡河及蒙江等深切河谷沿岸，大面积分布着这种喀斯特峰丛地貌。在这些地方，落水洞、漏斗及洼地等负向喀斯特形态星罗棋布，一般峰洼高差300~400米，局部可达500~600米。河谷形态多为深切峡谷及嶂谷，从谷缘至谷底一般高差500~800米，谷中常有伏流及天生桥发育。深埋藏的地下水，常以地下河的形式集中排泄于深切峡谷地带，如荔波的小七孔地下河、罗甸的大小井地下河等。这些区域生态环境恶劣，地表干旱，水网稀疏、地下水埋藏甚深、土被稀少，石山裸露。

溶蚀地貌类型的分布规律，在空间分布上常遵循丘峰溶原→峰林盆地→溶丘洼地→峰林洼地→峰丛洼地→峰丛漏斗→峰丛峡谷方向，从宽坦的高原山原面向深切河谷逐步过渡。循此方向，海拔高程不断降低，峰洼高差不断增大，盆地、洼地、漏斗等的规模及土被面积由大变小，石山面积则由小变大，地下水埋藏由浅变深；生态环境则越变越恶劣。喀斯特高原峡谷地貌以黔中乌江沿岸、黔西南北盘江及马岭河沿岸最为典型。

3.2　侵蚀剥蚀地貌

侵蚀剥蚀地貌是仅次于溶蚀地貌的第二大成因类型。此类型的岩石地貌是变质岩、火山岩、陆源碎屑岩，以侵蚀作用为主、剥蚀作用次之为主要外营力塑造而成的山地丘陵地貌。大面积分布于贵州东部，东南部，北部赤水市和习水县，西南部册亨县、贞丰县一带。主要特征是地表水文网密集，河谷、沟谷切割密度和强度大，山体高大、山脊绵延，山地斜坡上以崩塌、滑坡及岩屑泻溜为主的物理地质作用比较活跃。山地剥夷面发育，一般可分2~3级，多分布在山地斜坡上部和山顶部位，地形开阔平缓，浅丘常呈波状起伏，古风化残积物保存较好，近代物理地质作用比较微弱。

贵州东部及东南部元古界浅变质岩区的丘陵山地是省境最大的一片侵蚀剥蚀地貌。一般海拔高度小于800米，相对高度差200~400米，河流切割密度大，河川径流比较充沛。但各地地貌差异也明显。其中尤以梵净山、雷公山的差异抬升最为显著，形成了气势雄伟的高大山体。水系呈放射状分布，河流侵蚀、切割强烈，河谷狭窄，山坡陡峻，瀑布跌水众多。梵净山区一般海拔1500~2500米，最高峰凤凰山海拔2572米，一般相对高差为700~1500米，发育了海拔1400米及1800米两级山地剥夷面。雷公山区一般海拔1200~1800米，最高峰海拔2178米，一般地形高差500~1000米，发育形成了海拔1100~1450米、1500~1700米及1800~2000米三级山地剥夷面。这些宽缓的山地剥夷面上均分布有沼泽湿地。

贵州北部赤水市、习水县地貌是发育在侏罗系、白垩系红层(紫红、砖红色砂岩及泥岩)中的丘陵山地，是极富岩性和构造特色的侵蚀、剥蚀地貌。侏罗系紫红色砂页岩主要形成低缓的丘陵及台地，海拔高度一般小于500米，相对高差多小于200米。沟谷浅切，形态宽缓，坳沟、浅凹常见。而白垩系砖红色砂岩及泥岩，岩层倾斜平缓，河流强烈深切，常形成高耸的缓倾单面山、平顶山及桌状山等，一般海拔高度1000~1400米，轿子山海拔达1751米。河谷切割深度一般500~800米，局部可达1000米以上。河谷十分狭窄，谷坡60°~80°，形态多为陡立的嶂谷，悬崖绝壁频见。以崩塌为主的重力侵蚀作用极为发育，是形成陡峻谷坡的重要营力。水网密度较大，河流纵剖面陡，瀑布跌水极为常见。赤水市宽度3米以上的瀑布有4000多处，享有“千瀑之乡”的美誉。

北盘江下游及红水河北岸，册亨县—贞丰县—罗甸县一带，由中上三叠统砂岩及页岩形成的丘陵山地分布广泛，一般地面海拔1000米，最高可达1718米，河谷地带下降至500m，海拔高差200~600米。此区域水网密度大、沟谷密集发育，地形破碎、森林植被覆盖率低，冲沟侵蚀切割强烈，水土流失严重。

此外，在贵州西部、北部及南部的褶皱构造区中，以砂岩为主的碎屑岩常沿褶皱轴部成片出露，形成背斜山、向斜谷底等构造地形。一般背斜山山地高耸，轴部泥盆系、石炭系砂页岩倾斜平缓，由岩层面或剥夷面组成的山顶，地形宽缓，遍布沼泽湿地。如黔南惠水县西关(海拔1487米)、都匀市斗篷山(海拔1961米)及独山县更顶山(海拔1665米)。一般向斜盆地(谷底)低缓，轴部三叠系砂页岩区河网密集、地形破碎，波状缓丘密布，河流阶地十分发育，以黔南平塘、荔波等向斜谷地最为明显。在贵州西北地区分布的向斜盆地多由三叠系、侏罗系紫红色砂岩、页岩及泥岩组成，森林植被覆盖率低，泥石流灾害强烈发育，水土流失严重。

3.3 堆积地貌

堆积地貌主要指第四纪松散沉积物(特别是水流搬运的松散物质)堆积形成的地貌，其地貌形态主要有冲洪积锥、冲洪积扇、河漫滩、冲积阶地及湖岸阶地等。山区的谷地和盆地(特别是宽坦的大型谷地和盆地)是第四纪松散沉积物集中分布的场所，是控制堆积地貌发育和分布最重要的地形条件，总体可分河谷盆地堆积和溶蚀盆地堆积两大类型。

(1)河谷盆地堆积：河谷盆地堆积是河流冲积物沿宽缓谷底、向斜盆地及断陷盆地等发生堆积形成的。堆积物岩性以冲积砂砾石层为主，厚度一般数米至10余米，局部可达40~50米。普遍形成4~5级阶地，低阶地(1~3级)一般高出河数米至20米，多为堆积阶地，分布广泛，阶面平坦，其沉积物常具有明显的二元结构(上部为沙、亚砂土，下部为砂砾石层)；高阶地则常为基座阶地，一般高出河水面40~90米，常被侵蚀切割而成等高的平台或圆丘，其上零星覆盖砂砾石层及黏土砾石层。还有一种意见，认为这类高阶地上的黏土砾石层(又称“泥砾”)属冰川及冰水沉积。向斜河谷盆地堆积以贵州中南部最为普遍，以惠水县、平塘县、都匀市、贵定县、荔波县等地的规模较大。断陷盆地堆积以榕江县、黄平县旧洲镇为代表。以河流侧向侵蚀为主的宽缓谷地堆积也极为常见，以三都县大河镇、雷山县、剑河县施洞镇为代表。在这些河谷盆地中，地形宽坦、土壤肥沃、水量充沛、稻田广布，是农业生产最发达的地区。

(2)溶蚀盆地堆积：溶蚀盆地堆积泛指残坡积、冲积、洪积、湖沼沉积等分布比较广泛的盆地堆积。位于高原山原面上的喀斯特盆地，一般仅有小河或间歇性河流通过，沉积物多为残坡积、冲积成因的黏土、亚黏土、亚砂土及碎屑角砾，厚度仅数十厘米至数米。盆地中地下水埋藏浅，喀斯特大泉多，土地肥沃。在中西部高原山原面上广泛分布有这类盆地，其大小相差悬殊，面积通常小于500公顷，大者则可达2000~3000公顷，如兴义市纳灰盆地、独山县基长盆地。此外，若干晚近构造活动带上溶蚀盆地堆积也较为常见，其中常充填厚度较大且地质年代较早的湖沼沉积，如威宁县、水城县、施秉县等地的盆地，特别是威宁草海盆地规模甚大，发育了自晚新近纪以来一套巨厚的河湖及沼泽相沉积，厚度达85.80米。这些以残坡积、冲积、湖沼沉积为主的喀斯特盆地或断陷盆地，其盆底都十分宽坦，土肥水丰，稻田广布，是十分重要的水稻产区。在喀斯特峰洼地区，还有一种以洪积物为主的溶蚀盆地堆积。在这类盆地的底部常有更新世早期的湖沼沉积，上部则为扇状分布的洪积物广泛覆盖。但这套沉积物，亦有冰川、冰水成因之说。这类盆地底部常有倾斜起伏，地下水埋藏甚深，地表干旱缺水，如盘县地坪及黔西南州晴龙县碧痕营等地的盆地。

4 气 候

贵州省位于副热带东亚大陆的季风区内，气候类型属中国亚热带高原季风湿润气候。中部和东半部为全年湿润的东南季风区，西部则为东南季风向西南季风的过渡带，气候亦由干湿季节不明显转为明显。气候总的特征是冬无严寒，夏无酷暑；雨量丰沛，雨热同季，四季分明。同时，由于本省地处低纬度山区，地势高低悬殊，气候特点是在垂直方向上差异较大，立体气候明显。由于东、西部之间的海拔高差在2500米以上，故随着从东到西的地势不断增高，各种气象要素有明显不同。如西部的威宁较中部的贵阳海拔增高1163米，年太阳辐射较贵阳多96兆焦耳/平方米，年平均气温低4.8℃，故威宁气候高寒，贵阳则气候温和。再将东部的铜仁与中部的贵阳作一比较，前者比后者海拔降低787米，年太阳辐射少234兆焦耳/平方米，年平均气温高1.6℃，7月平均气温高3.7℃，1月平均气温高0.3℃，故铜仁的气候特点是冬暖夏热，贵阳则是冬暖夏凉。在水平距离不大但坡度较陡的地区，立体气候特征明显，具有山区气候的垂直差异性，有“一山分四季，十里不同天”的说法。

4.1 年平均气温

省内年平均气温为12~18℃。各地气温的变化不仅与纬度高低相关，而且受地形地势的影响也极明显。年均温的高值区主要分布在海拔较低、地形封闭的河谷区，包括省北部赤水河下游，年均气温18.1℃；省南部望谟县、罗甸县、册亨县、荔波县、三都县、榕江县和从江县等地，年平均气温都大于18℃，其中以罗甸县年平均气温最高(19.6℃)。年均温小于12℃的低值区分布在省西部高海拔的威宁县、大方县等地，其中威宁县最低(10.5℃)。省内大部地区的温度变化，基本上是从西向东由13℃逐步升高至16℃。

温度的季节变化，以夏季(以7月为代表)最高，冬季(以1月为代表)最低。夏季，省内各地气温高低差值10℃左右。省西部水城县、威宁县平均气温不足20℃，其中威宁县以西小于18℃；而在沿河县、赤水市等地河谷地带，平均气温则达28℃。其余广大地区夏季气温变化的总体规律是，从低海拔向高海拔，从东往西，7月均温由25℃逐渐降低至22℃。冬季1月，大部分地区平均气温介于2~8℃之间。以威宁县、大方县为最低，1月均温分别为1.9℃和1.6℃；以罗甸县为最高，1月均温可达10.1℃；赤水河下游，乌江下游和南部边缘地区，1月均温一般大于6℃；其余大部分地区，1月均温则为2~6℃，其总体变化趋势是由东向西降低。

省内极端最高气温超过40℃者不多，仅发生在海拔低、地形狭窄的河谷地区，以铜仁市、沿河县、赤水市、镇远县、罗甸县等地的高温极值比较突出。铜仁市极端最高气温为42.5℃(1953.8.18)，是全省之冠，其余依次是沿河县41.6℃(1971.8.6)，赤水市41.3℃(1962.7.19)。在西部高寒地区，极端最高气温则不足33℃，其中威宁县极端最高气温为32.3℃(1952.7.5)。其余大部分地区出现的极端最高温度多在35℃至38℃之间。省内极端最低气温，在东部的三穗县曾达-13.1℃(1977.1.30)；在西部和中部地势较高的毕节市、安顺市和水城县等地，出现过-10℃极端低温的范围较广，最低值为威宁-15℃(1977.2.9)；赤水河和红水河一带的极端低温值在-4℃以上；省内其余地区的极端最低气温在-8~-6℃之间。

一年中日最高气温大于或等于30℃的日数，在红水河和都柳江河谷可超过100天；罗甸县最多达131天；而在中西部海拔较高的地区则不超过10天，其中威宁县最少，不足1天。一般省东部地区约为80天，北部地区约40天，中部地区约30天。省境内年平均日最高气温大于或等于35℃的地区不多，赤水河可达25天；芙蓉江流域、乌江下游、㵲阳河、清水江下游、红水河、都柳江等地，每年为5天以上。多年平均日最低气温小于或等于零度的日数，在赤水市约1天左右，红水河地区约为2天左右，都柳江、乌江河谷约为7天；而西部高海拔地区却多达30天以上，最多为威宁县，69天；其余地区则一般为20天。

4.2　年平均降水量

贵州降水量的空间分布，受东南季风和西南季风分别从太平洋和印度洋带来暖湿气流的影响，从南到北、从东到西逐渐减少，但在地区分布上受地形的影响十分突出。全省各地年平均降水量为800~1700毫米，其中年降水量大于1300毫米的多雨区有4个：第一个是乌江上游及南、北盘江之间的广大地带，特别是沿织金县、六枝县、晴隆县、普安县至兴义市一线，年降水量达1400毫米以上，晴隆县一带最多可达1588.2毫米；第二个是清水江与都柳江上游及其附近，包括都匀市、雷山县、丹寨县、三都县、独山县和荔波县等地，其中丹寨县最高，达1505.8毫米；第三个是东部铜仁及梵净山地区；第四个是清水江下游黎平县、锦屏县一带。这些多雨区的形成都与主要山脉迎风坡对气流的阻挡及抬升作用有关。西部威宁、赫章一带，年降水量最小，平均不足1000毫米，是因位于乌蒙山背风坡所致。其余广大地区，年平均降水量多为1000~1200毫米。

一年中降水量的季节分配不均，以夏季(5~7月)为最多，冬季(12月至翌年2月)最少。夏季各地降雨量一般为450~600毫米，但在乌江上游及南、北盘江之间的织金县至兴义市一带的多雨区均超过600毫米，其中兴义市、晴隆县一带降雨特多，分别达827.7毫米及814.8毫米。省境北部降雨量较少，一般小于500毫米。夏季降雨量分布的总趋势是从东北向西南逐渐增多，占年降水总量的40%～55%。冬季降雨量仅占全年降水量的4%～8%，大部分地区降水量为50～100毫米，东部黎平最多为154毫米，西部赫章最少仅为24.9毫米。冬季云雨天气多，降水范围广，但雨量小，持续时间长。地势较高的威宁、大方一带，常有较长时期的雨凇出现。

各地年平均降雨日数为160～220天(比同纬度的我国东部地区多40天以上)中西部地区一般超过180天；兴义以北，毕节、大方以南，中部的开阳，北部的习水等地，降雨日多超过200天。各地年平均暴雨日数多在2天左右；在苗岭以南的两个多雨区多达4天以上；而在乌蒙山区赫章县一带则不足1天。暴雨多发地区，常有日降水量达100毫米以上的大暴雨发生，其中1976年5月24日发生于罗甸的特大暴雨，日降水量达336.7毫米。

各地年降水变率为10%～14%；月降水变率则为40%～60%，尤以冬末春初，秋末冬初最为突出。在地区分布上，12月份西北部变率小，东南部变率大；3月则北部变率小，西南部变率大。月降水变率的总体变化规律是南部及西南部大于北部，因此这些地区春旱比较频繁。

全省大部分地区的年相对湿度高达82%，而且不同季节之间的变幅较小，各地湿度值之大以及年内变幅之平稳，是同纬度的我国东部平原地区所少见。

4.3 日 照

贵州省年日照时数比同纬度的我国东部地区少1/3以上，是全国日照最少的地区之一。全省大部分地区年日照时数在1200～1600小时之间，地区分布特点是西多东少，即省西部约1600小时，中部和东部为1200小时。

4.4 气候带

根据气温、降雨量、日照、湿度以及地形海拔等综合性指标，将贵州气候划分为南亚热带、中亚热带、北亚热带、暖温带4个气候带及冬湿润夏半湿润型、冬夏半湿润型、冬半干燥夏湿润型、冬干燥夏湿润型4个气候类型。

4.4.1 南亚热带

南亚热带包括红水河及南盘江、北盘江河谷的狭长地带，东段罗甸县一带海拔在500米以下，中段册亨县、望谟县一带海拔在600米以下，西段兴义市一带海拔在800～900米以下。年平均气温19～20℃，日平均气温≥10℃的天数在290天以上；无霜期长达350天左右；年降水量1200毫米上下。本带为冬干燥、夏湿润型气候。

4.4.2 中亚热带

中亚热带包括赤水河、芙蓉江、乌江下游、锦江、㵲阳河、清水江、都柳江和红水河北岸除南亚热带以外的地带。本带具有冬湿润夏半湿润型、冬夏半湿润型、冬半干燥夏湿润型、冬干燥夏湿润型4种气候型。

4.4.3 北亚热带

北亚热带主要位于贵州高原中部及东部地带，海拔1000米上下。有4种干湿气候型，但以冬夏半湿润和冬半干燥夏湿润2个气候型的面积最大。梵净山以东除中亚热带以外的地区，三穗县一带地势较高的地区，属冬湿润夏半湿润型；梵净山西坡地势较高地区，雷公山以东苗岭山区和黔北、黔中北地势较高的地区，属冬夏半湿润型；黔中广大地区和习水附近地势较高地带，属冬半干燥夏湿润型；黔西南地势较高地区，紫云以南及其地势较高地区，属冬干燥夏湿润型。

4.4.4 暖温带

暖温带尽管分布面积不大，但4个气候型都存在。梵净山海拔1400~2000米及以上地带，为冬湿润夏半湿润型；大娄山海拔1500米以上地带，为冬夏半湿润型；雷公山海拔1600米以上和毕节以东海拔1700米以上地区，属冬半干燥夏湿润型；西部高原海拔1800~2400米及以上地带，为冬干燥夏湿润型，夏季凉爽，冬季多冷冻。

5 水 文

5.1 河流及水文特征

贵州省境内河网密布，全省河网密度为每百平方公里河长17.10公里。河流分布规律是省的南部多于北部，东部多于西部，山区多于河谷地带。全省河流水系顺应垄状高原山地的地势格局向北、东、南三面作扇状分布；以苗岭为分水岭，分属长江和珠江水系。苗岭以北属长江水系，流域面积115747平方公里，占全省总面积的65.70%，主要河流有乌江、赤水河、牛栏江、松坎河、清水江等；以南属珠江流域，流域面积60420平方公里，占全省总面积的34.30%，主要河流有南盘江、北盘江、红水河、都柳江等。另外，贵州为内陆省份，与重庆、四川、云南、湖南、广西接壤，大小交界河流共有29条，其中出境河流26条，入境河流3条。全省长度大于10公里的河流有984条，流域面积大于100平方公里的河流556条。其中大于10000平方公里的河流有7条，即乌江、六冲河、清水江、赤水河、北盘江、红水河(包括上源南盘江)及都柳江。水网发育密度与地层岩性密切相关：东部梵净山、雷公山浅变质岩区，河网密度甚大，一般为0.85~1公里/平方公里；而在西部、南部碳酸盐岩大面积分布区，河网密度甚小，一般仅为0.14~0.30公里/平方公里。

贵州河流都是雨源性河流，水源补给方式主要是大气降水补给，其次是地下水补给，河流具暴涨暴落的特点。全省地表水多年平均径流深，各地变化甚大，从200~1100毫米不等，大部分地区为500~700毫米。地表径流量的变化基本与降雨量的变化分布趋势一致。例如乌江上游的三岔河、六冲河及北盘江中上游各支流，在5~9月的汛期，河川径流量可占全年的69%以上，洪枯水量的变幅可达124~264倍。但在每年12月至翌年4月的干旱季节，降雨量很少，地下水对河水的补给则占有重要位置。

据贵州省水利厅发布的《2012水资源公报》，2012年，全省地表水资源量974.03亿立方米，折合径流深552.90毫米，比上年增多55.50%，比多年平均偏少8.30%，属于平水年份。按行政区划，铜仁年径流深最大，721.30毫米；毕节年径流深最小，461.80毫米(表1-2)。

杨明德(1985)研究贵州高原喀斯特地貌结构及演化规律时把贵州河流分为正常型、反常型、阶梯型。正常型河流纵剖面呈上陡下缓的凹型曲线，坡降由上游至下游变小，河谷横剖面上游窄下游宽。汇入干流的地下河也具同等纵剖面特征，地下水埋藏深度由上游往下游，由分水岭至河谷逐渐减小。上游瀑布跌水较多，下游河谷两岸梯田层层。黔东沅水、锦江等流域的河流多为正常型河流。反常型河流纵剖面呈上缓下陡的凸型曲线，且常以河谷裂点为界，裂点处常见瀑布、

表 1-2 2012 年贵州各行政区年径流量

行政区	面积（平方公里）	当年径流量（亿立方米）	当年径流深（毫米）	上年径流量（亿立方米）	上年径流深（毫米）	多年平均径流量（亿立方米）	多年平均径流深（毫米）
贵阳	8034	48.821	607.7	27.516	342.5	561.9	77.4
遵义	30762	153.208	498.0	107.982	172.392	560.4	41.9
安顺	9267	60.314	650.8	34.590	62.174	670.9	74.4
黔南州	26193	161.281	615.7	112.252	162.538	620.5	43.7
黔东南州	30337	155.456	512.4	128.189	192.069	633.1	21.3
铜仁	18003	129.861	721.3	68.718	125.632	697.8	89.0
毕节	26853	124.000	461.8	68.869	134.399	500.5	80.1
六盘水	9914	52.121	525.7	26.834	53.822	542.9	94.2
黔西南州	16804	88.970	529.5	51.396	113.797	677.2	73.1
总　计	176167	974.032	552.9	626.346	1061.970	602.8	55.5

跌水。河流上游谷宽、水缓、比降小，阶地和河漫滩发育较好，下游峡谷水急、比降大。由分水岭至河谷，乌江水系一、二级支流流域的河流多为反常型。阶梯型河流由上游至下游，河流干流纵剖面缓坡降与陡坡段交替呈梯状，缓坡段谷宽水缓，比降小，阶地相对发育，陡坡段河谷深切，多为峡谷，比降大，两者交界处多形成瀑布、跌水或连续急滩，甚至出现天生桥(河流的裂点)。黔南、黔西南、南北盘江及其一、二级支流多为阶梯型。河流裂点多、比降大的特点造就了贵州河流水能极为丰富。闻名遐迩的黄果树就位于北盘江二级支流打邦河上。马岭河峡谷则位于南盘江一级支流马岭河上，是河水切割形成的一条狭窄、幽深的地缝峡谷，两岸众多的支流因下切速度滞后于主流，故形成上百条高逾百米的瀑布坠入谷底，峡谷长 74.80 公里，谷宽 50 ~150 米，谷深 120 ~280 米。这种结构在全球极为罕见。

5.2 水体物理化学性质

从总体上看，贵州地表水的水化学性质变化不大。但由于受地层岩性、土壤及植被等的影响，各地还是有所差异。发源于中西部以碳酸盐岩区为主的河流，例如乌江中上游及其支流、北盘江、樟江、曹渡河、涟江等河流，年平均 pH 值一般为 7.1 ~7.9，年平均总硬度为 9 ~20 德国度，矿化度 100 ~300 毫克/升，水质类型以重碳酸钙型及重碳酸钙镁型为主。发源或主要流经碎屑岩、浅变质岩区的河流，例如清水江及其支流、都柳江等河流，年平均 pH 值一般为 7.48，总硬度为 0.79 ~3.93 德国度，矿化度一般为 50 ~100 毫克/升。但在这些河流上游及河源地带，此类化学指标都有明显降低。例如雷公山山区的河流，pH 值一般降至 6.5 ~7，总硬度仅为 0.14 ~0.36 德国度，矿化度仅为 10 ~21 毫克/升，水化学类型为重碳酸钠钙型及重碳酸钙型。从水质上看，无论是出自哪类岩石地区的河流，按水的酸碱度分类，都属于中性水；按水的硬度分类，主要属于微硬水—极软水；按水的矿化度分类，则全属于淡水。这显然是适宜于湿地生物生存的良好水化学环境。

贵州地表水的水温与气温关系密切，季节性变化明显。贵州属亚热带湿润季风气候，年平均气温 12 ~18℃，因此各河系的干流及主要支流均无冰冻发生，冬春水温高于气温，夏秋则水温低于气温。这种水温受制于气温的季节性变化幅度，由于地形条件的复杂影响，各地差异甚大。据概略统计，在一般的情况下，冬春水温高于气温约 5 ~10℃，夏秋水温则低于气温约 3 ~8℃。在各大河流的深切峡谷区，日照稀少，特别是喀斯特深切峡谷区地下水补给充沛，因此河流水温的季节性波动幅度相对较小，即便是在炎热的夏天，水温也不过 21℃左右，入水游泳颇有冰凉刺骨之感。但在流量较小的众多次级支流中，水温与气温的变化幅度更为贴近，两者相差一般小于 3 ~4℃。

贵州河流水体的透明度，主要受季节性降雨的影响。每年雨季(5 ~9 月)丰水期，洪水屡发，水量剧增，河水极其浑浊，水体透明度极低，一般仅为 0. 1 ~0. 3 米；枯水期(1 ~4 月)基流量主要靠地下水补给，河水多较清澈，此时透明度最高，一般可达 2 ~3 米以上；平水期透明度则居于两者之间。由于各河流的侵蚀模数及输沙量相差悬殊，因而造成各河流水体的透明度相差甚大。全省河流含沙量主要来自流域面上的泥沙侵蚀，它与暴雨强度、地形、土壤、植被、地质及土地利用情况有关。每年第一、二场暴雨或久旱后暴雨时，雨后洪水含沙量较大；年内含沙量在 5 ~9 月较大，1 ~4 月和 10 ~12 月较小。2012 年全年输沙量 4677 万吨，平均含沙量为 0. 480 公斤/立方米，平均输沙模数 265 吨/平方公里。其中，长江流域全年输沙量 3681 万吨，平均含沙量为 0. 586 公斤/立方米，平均输沙模数 318 吨/平方公里；珠江流域全年输沙量 996 万吨，平均含沙量为 0. 288 公斤/立方米，平均输沙模数 165 吨/平方公里。全省各三级流域河流含沙量见表 1-3。

表 1-3　2012 年贵州三级流域河流含沙量

一级流域	三级流域	年平均含沙量（公斤/立方米）	输沙模数（吨/平方公里）	年输沙量（万吨）
珠江区	北盘江	0. 667	344	722
	南盘江	0. 209	116	89
	柳江	0. 132	79	124
	红水河	0. 060	38	60
长江区	金沙江石鼓以下干流	0. 970	306	150
	乌江思南以上	0. 866	458	2349
	乌江思南以下	0. 636	350	544
	宜宾至宜昌干流	0. 451	198	47. 3
	赤水河	0. 404	198	226
	沅江浦市镇以上	0. 204	123	353
	沅江浦市镇以下	0. 072	77	11. 85
总　计		0. 480	265	4677

注：数据源自《2012 年贵州水资源公报》。

地下河发育，分布广泛是贵州省一大特色。地下水径流主要是管流和隙流两种形式，前者主要发育于碳酸盐岩地层中，后者多见于碎屑岩、岩浆岩和变质岩分布区。岩溶地区的地下水径流与地表水径流关系密切，相互转化频繁。管流和隙流两种不同的径流形式，虽然性质各异，但亦常共存于同一个径流场中，互相转换。地下水排泄方式主要有两种：一是通过地下水出口集中排泄；二是以泉水形式分散排泄。地下水排泄，受地表水系控制最明显，在众多地表河流的两岸，均可见到地下河排入河谷中。在天然状态下，地下水多为无味、无臭、无色透明、低矿化度(矿化度小于500毫克/升)、微硬(硬度8.4~16.8德国度)的碳酸钙水，水质良好。

近年来，贵州地表河流水质状况均出现一些问题，部分河段出现不同污染物质超标，诸如氨氮、亚硝酸盐氮、硝酸盐氮、挥发性酚、氧化物、砷、汞、六价铬、镉、铅、氟化物等超标。此外，生化需氧量、化学需氧量也超出正常值范围。根据《2012贵州省水资源公报》，贵州主要河流水质状况如下：赤水河全年期水质状况为Ⅱ类水质；乌江全年期39.4%的监测评价河段Ⅱ类水质，10.4%的河段Ⅲ类水质，51.2%的河段劣Ⅴ类水质，主要污染物是总磷和氟化物；清水江全年期25.5%的河段Ⅱ类水质，9.5%的河段Ⅲ类水质，65.0%河段为劣Ⅴ类水质，主要污染物为总磷、氨氮；南盘江监测河段全年期均为Ⅱ类水质；北盘江全年期44.0%的监测评价河段Ⅱ类水质，56.0%的河段Ⅲ类水质；都柳江监测评价河段全年期水质状况为Ⅱ类水质。2012全省监测14座水库，其富营养化程度分别是：阿哈水库、兴西湖水库和乌江渡水库为轻度富营养化；窑上、玉舍、北郊、南郊、红枫湖、百花湖、利民、倒天河、普定、里禾、茶园水库为中营养。

6 土 壤

贵州省属中亚热带红壤、黄壤地带，由于特殊的地理环境形成了不同类型的土壤。如受到纬度、海拔、大气环境、生物、气候、地质地貌等因素影响，形成的地带性土类有黄壤、黄红壤、红壤、黄棕壤、山地草甸土；受岩性影响发育为石灰土、紫色土；受侵蚀形成的粗骨土，以及在河谷地带受近代河流作用形成的洪积冲积土等。主要土壤类型及分布情况如下：

6.1 黄 壤

黄壤是中亚热带常绿林下形成的地带性土壤，是省内分布最广的土壤类型。其地域分布特征是除西部威宁县、赫章县，西南部南盘江及红水河北岸，北部赤水市、习水县等地以外，其余各地均有大面积分布，尤以东部最为集中。其分布高程是东部起于海拔600米以上的低山丘陵，西部达海拔1900米的高原山地；北起海拔500米以上的峡谷，南至海拔1600米的低中山。分布区的岩石主要为碎屑岩及浅变质岩。发育于温暖湿润的湿性常绿阔叶林生物气候条件下，钙、镁、钾、钠元素淋失较多，土壤呈酸性，心土层显黄及浅黄等色，表层生物富集作用明显，有机质含量较丰富。

6.2 黄红壤

黄红壤是中亚热带常绿林植被下形成的地带性土壤，是黄壤与红壤的过渡类型。垂直分布比黄壤低但比红壤高，贵州省以梵净山以东，雷公山东南面分布比较集中，红水河、南盘江低山地带亦有分布。东部地区海拔800米以下，南部900米以下，母质以砂页岩、轻度变质岩、第四纪红黏土为主。土壤剖面发育明显，在森林植被下，具有较深厚的腐殖质层，心土具有明显的由黄到红的分化，黏粒含量较高，多呈酸性反应。

6.3 红 壤

红壤是常绿阔叶林下形成的地带性土壤。主要分布在黔东海拔600米以下，黔南海拔800米以下，黔西南红水河及南盘江北岸海拔1000米以下的地带。发育于热量、雨量丰富，干湿季节明显的半湿性常绿阔叶林生物气候条件下的浅变质岩及碎屑区，其矿物风化较黄壤强，腐殖质含量低，可溶性盐基大量淋失；生物合成与分解较强，土壤呈酸性。有机质及全氮含量低于黄壤，铁铝相对积累，铁在干旱条件下氧化为赤铁矿，因此典型心土呈红、浅红及黄红等色，呈酸性反应。

6.4 黄棕壤

黄棕壤是北亚热带气候条件下发育的地带性土壤。主要分布于省境西部海拔1900米以上的高原山地，尤以威宁、赫章、水城一带最为集中；在其他地区则零星分布在海拔1400米以上的山地，在东部雷公山、梵净山等地有较多分布。发育于温凉湿润的常绿落叶阔叶林生物气候条件下，其矿物风化和盐基淋溶作用均较黄壤弱，土壤呈酸性，有机质积累多，自然肥力较高，黏粒含量较少，心土层呈黄棕及暗棕色。质地疏松，多呈强酸性反应。

6.5 山地草甸土

山地草甸土分布于山地、山原的山顶或分水岭平缓的山脊地带，受东南季风影响比较强烈，湿度较大。如雷公山、梵净山、梅花山、乌蒙山大小韭菜坪以及各地残留高山顶部。多在黄壤或黄棕壤的上限之上，海拔一般在1500~2500米。由于所处地带冷凉湿润，受风大及灌丛草甸的生物气候影响，具有草甸化和腐殖质化等成土过程特点，即土壤浅薄，矿物风化度低，发生层不明显，湿润，土壤呈强酸性。

6.6 石灰土

石灰土为受碳酸盐类岩石影响发育的土壤，属非地带性岩成土。分布于贵州省岩溶地貌地区，以黔中、黔南、黔西南分布较集中。因成土过程受母岩影响深刻，矿物风化度低，黏粒含量少，土层薄，土被不连续，因此地表多有基岩出露，抗旱性差。受成土母岩影响，土体中仍保留一定的钙离子，盐基饱和度高，土壤多呈中性和微碱性，有机质含量丰富，结构良好，表面颜色灰黑，自然肥力高。

6.7 紫色土

紫色土是紫色岩石上发育的岩成土，在贵州省赤水市、习水县、仁怀县、桐梓县分布最集中，省中西部亦有零星分布。因母岩抗风化能力弱，风化速度快，易流失，土层发育度浅，矿物风化度低，土体中通常夹有半风化母质碎块。因母质不同，常有酸性紫色土和中性紫色土。

6.8 粗骨土

粗骨土主要分布于侵蚀剥蚀山地的分水岭或洪积扇地形上，土层浅，石砾和砾砂多，发生层不明显，地表植被生长很弱。

6.9 洪积冲积土

洪积冲积土主要分布于贵州省大河系的谷地地带。由近代河流流水影响的洪积冲积形成，多为异源性母质发育的土壤，发生层不明显，时有交错层出现。

6.10 水稻土

水稻土广泛分布于全省各地，主要分布于黔东、黔中和黔南，尤以各类盆地、宽缓洼地和谷地分布最为集中。其中绝大多数分布在海拔 1400 米以下的地区，分布上限海拔可达 2300 米。其土质因自然条件、耕作措施的不同和耕作时间的长短而存在差异。水稻土是由黄壤、红壤、石灰土、紫色土等自然土和旱作土经水耕熟化而成的人为土壤。在耕作的初期阶段保留有起源土壤的一些属性，如大眼泥田有石灰土的微碱性、结构好、肥力高的优点；在高熟化阶段，土壤有机质和养分含量、盐基饱和度都大有提高，土壤供肥与水稻等作物的生理需要相协调。酸碱度以中性居多，有机质和全氮含量较高。

6.11 沼泽土

沼泽土主要分布在低洼地区，由于长期积水并生长喜湿植物，其表层积聚大量分解程度低的有机质或泥炭，土壤呈微酸性至酸性反应，底层常有低价铁、锰存在。沼泽土地下水位都在 1 米以上，具有沼生植物的生长。其形成过程称为沼泽化过程，包括了潜育化过程、腐泥化过程或泥炭化过程。沼泽土在省内主要分布在威宁县、赫章县、盘县、水城县等地。

6.12 泥炭土

泥炭土分布于冷湿地区的低洼地。该地带由于长期积水，水生植被茂密，在缺氧情况下，大量分解不充分的植物残体积累并形成泥炭层的土壤。泥炭土是具有厚度大于 50 厘米泥炭层的潜育性土壤。地表可有厚 20 ~ 30 厘米的草根层，草根层下为泥炭层和矿质潜育层，有时泥炭层下还有腐殖质过渡层。泥炭土在省内主要分布在赫章县、盘县、水城县、龙里县、荔波县、雷山县等地。

贵州省湿地土类主要有沼泽土、泥炭土、山地草甸土和水稻土。

7 动植物资源概况

7.1 植物资源

贵州省植物种类十分丰富，全省共有维管束植物 259 科 1765 属 8491 种。其中蕨类植物 54 科 148 属 922 种；裸子植物 10 科 32 属 70 种；被子植物 195 科 1585 属 7499 种。植物区系以热带及亚热带性质的地理成分占明显优势，泛热带分布、热带亚洲分布、旧世界热带分布等地理成分占较大比重，温带性质的地理成分也有不同程度存在。此外，还有较多的中国特有成分。全省列入《国家重点保护野生植物名录(第一批)》(1999 年)的珍稀濒危植物 74 种，其中国家Ⅰ级保护野生植物有银杏、银杉、珙桐、红豆杉等 15 种；国家Ⅱ级保护野生植物有桫椤、连香树、马尾树、水青树等 59 种。根据它们在科学研究上的意义及在国民经济上作用的不同，可分为 4 类：其一是起源古老的孑遗植物，如桫椤、珙桐、马尾树等；其二是中国特有植物(贵州是中国特有植物分布中心之一，共有特有属 62 属，数量仅次于云南和四川)，如银杉、梵净山冷杉、掌叶木等；其三是具重要经济价值的珍贵植物，包括优良用材树种、药用植物、观赏植物等，如楠木、天麻、杜仲等；其四，贵州特有稀有植物，主要分布在东北部梵净山区、南部雷公山—月亮山区和北部大娄山—赤水河一带，如贵州萍蓬草、贵州杜鹃、青岩油杉等。

贵州省植被具有明显的亚热带性质，其组成种类繁多，类型复杂，地域分异明显。贵州植被划分为 1 个植被带(即亚热带常绿阔叶林带)，2 个植被亚带，3 个植被地带，9 个植被地区，22 个植被小区。由于人为活动的影响，贵州省植被又具有较强的次生性。在水平方向上，植被的分布表现出明显的纬度和经度地带性。在南北方向上，由北部、中部的中亚热带常绿阔叶林逐渐向南部的南亚热带具热带成分的常绿阔叶林、沟谷季雨林过渡；在东西方向上，由于水分条件的差异，黔中、黔东地区的地带性植被为典型的湿润性(偏湿性)中亚热带常绿阔叶林，而黔西地区则发育了半湿润(偏干性)常绿阔叶林。在垂直方向上，植被的分布又具有明显的垂直地带性分布规律，在若干大高差、高海拔的山区，常形成亚热带山地垂直带谱。

全省自然植被共分为 3 个系列，9 个植被型组，26 个植被型、146 个群系。按植被生长发育的土壤—基质条件的不同划分为酸性土植被、钙质土植被、水生植被及沼泽植被。主要植被类型包括以下几种：

(1)半常绿季雨林：半常绿季雨林为以热带型常绿树种为主，混生有部分落叶树种的森林植被。主要分布在属于南亚热带范围的西南部南盘江、北盘江、红水河河谷地带，也称南亚热带河谷季雨林。包括河谷季雨林和山地季雨林 2 个类型。目前原生性半常绿季雨林留存较少，仅在局部边远河谷地带零星分布。

(2)常绿阔叶林：常绿阔叶林指由常绿阔叶乔木组成的森林植被，是亚热带地带性植被，以中亚热带常绿阔叶林最为典型。种类组成十分丰富，除常绿阔叶林的优势科壳斗科、樟科、山茶科、木兰科的种类外，还有金缕梅科、冬青科、山矾科、卫矛科、杜鹃花科、杜英科的一些种类，也常混生一些亚热带扁平叶型的常绿针叶树种，如粗榧、三尖杉、红豆杉、福建柏等。贵州省的常绿阔叶林包括中亚热带常绿阔叶林、中亚热带常绿硬叶林和喀斯特山地常绿阔叶林 3 个植被型。常绿阔叶林在贵州山地植被垂直带中以基带的地位出现，其上限在东部地区大约在海拔 1300 ~ 1400 米，向西逐渐升高，黔中一带大约在海拔 1600 米，西部威宁一带可达海拔 2000 米。由于人为活动的影响，常绿阔叶林已留存不多，且多零星分散分布。

(3)常绿落叶阔叶混交林：为常绿阔叶林与落叶阔叶林之间的过渡类型，是贵州山地常见的植被类型。分为山地常绿落叶阔叶混交林和喀斯特常绿落叶阔叶混交林 2 个类型，分布在梵净山、雷公山、宽阔水、佛顶山、斗篷山等山体上部以及茂兰等喀斯特丘陵山地。常绿树种有粗穗石栎、硬斗石栎等；落叶树种有亮叶水青冈、水青冈、花楸、中华槭等。

（4）落叶阔叶林：指以冬季落叶的阔叶树种为优势组成的森林植被。贵州的落叶阔叶林有3个类型：一是中山、高中山落叶阔叶林，为原生性落叶阔叶林，分布在相对高度较大的山体上部海拔1800～2100米地段，如梵净山、雷公山等山体上部，组成种类比较丰富，主要树种有水青冈、亮叶水青冈、中华槭、扇叶槭、水青树等。二是丘陵山地落叶阔叶林，广泛分布在各地丘陵山地，自海拔400米的东部丘陵河谷至2200米的西部高原山地都有分布，一般是由地带性植被破坏后发育形成，故为次生性落叶阔叶林，优势树种有栓皮栎、光皮桦、响叶杨等，也常混生马尾松、杉木等针叶树种。三是喀斯特落叶阔叶林，分布在喀斯特极其发育、基岩大面积裸露的山脊和山体上部，黔中、黔北较为常见，优势树种有云贵鹅耳枥、朴树、灯台树、圆果化香等。黔中一带分布的云贵鹅耳枥林为典型的此类森林。

（5）暖性针叶林：暖性针叶林指在亚热带丘陵山地生长发育的以松科、柏科、杉科等裸子植物为主要成分的森林植被。贵州的暖性针叶林在全省范围内广泛分布。重要的类型有4个：一是马尾松林，在东部、中部酸性丘陵山地广泛分布，分布上限在海拔1200米左右，除马尾松外，常有杉木、红豆杉等针叶树种和少量的阔叶树种混生。二是杉木林，广泛分布在省内各地，东南部的清水江、都柳江流域为其分布中心之一。杉木林的垂直分布幅度较大，从东南部的地山丘陵海拔400～800米，直到西部高原山地海拔2000米以上都有分布。杉木林多为人工种植或后逃逸为野生，故多为纯林，是本省主要的用材林。三是柏木林，分布在喀斯特丘陵山地，本省各地都有分布，东部、北部分布较多。林中除柏木外还有侧柏、圆柏、滇柏及白栎、苦楝等阔叶树种混生。四是云南松林，分布在西部半湿润季风气候的高地山地，垂直分布幅度在1400～2400米之间。林中乔木除云南松外，还常有华山松、刺柏等。此外贵州的针叶林还有细叶云南松林（红水河河谷分布）、大明松林（梵净山分布）、华山松林（西部高原分布）、银杉林（北部道真、桐梓分布）、黄杉林（西部威宁、东北部松桃分布）、青岩油杉林（贵阳、惠水分布）、台湾杉林（雷公山分布）、福建柏林（西部和北部分布）等。

（6）温性针叶林：温性针叶林指在亚热带山地垂直带上分布的、能适应温凉气候或寒冷气候的针叶林植被。包括温凉性针叶林和寒温性针叶林两大类。贵州仅具温凉性针叶林，分布在东北部梵净山山体上部，有两个类型。一是冷杉林，分布在山体上部海拔2100～2350米地段山脊线以北的陡峭山坡，由梵净山冷杉为主构成，此外还有铁杉及少数落叶阔叶树种，如扇叶槭、野樱、毛序花楸等；二是铁杉林，分布于山体海拔1900米以上地带，除铁杉外，在上部常有冷杉林的成分，在下部则可见米心水青冈、褐叶青冈、木荷等阔叶树种。

（7）竹林：指由禾本科竹亚科的多种竹类为主构成的一类特殊植被类型。贵州的竹类植物十分丰富，据20世纪80年代统计，全省共有竹类植物63种（变种）。主要有两个类型：一是低山丘陵河谷竹林，分布于地势较低的低山丘陵和河谷地带的酸性土山坡，又分为有由毛竹、慈竹、斑竹、麻竹等组成的大径竹林和由淡竹、水竹组成的小径竹林。主要分布在赤水、习水的毛竹林经济价值较高，集中生长在赤水河及其支流河谷和两侧斜坡，大面积连片分布。二是中山高中山竹林，分布在高大山体中上部，组成种类均为小径竹，以方竹、金佛山方竹、大箭竹等为主。其中方竹林主要分布在北部遵义、桐梓、正安、赤水、习水和东南部的雷公山；大箭竹林在省内各地较高海拔都有零星分散分布。

（8）灌丛：灌丛是以灌木为优势组成的植被类型。贵州有8个主要类型：一是高中山常绿针叶灌丛，分布在梵净山山体上部海拔2200~2500米的凤凰山等地，以高山柏为主要构成。二是中山、高中山常绿阔叶灌丛，分布于梵净山、雷公山和西部海拔较高的山地，由多种常绿杜鹃为主构成。三是丘陵山地常绿落叶灌丛，分布于省内各地酸性土丘陵山地，叶片多为常绿革质阔叶，主要种类有石栎、油茶等。四是河滩灌丛，零星分布于省内各地河流的河漫滩，主要种类有窄叶蚊母树、水柳、小叶女贞等。五是山地落叶灌丛，广泛分布于省内各地丘陵山地酸性土坡，以落叶阔叶种类为优势，常见种类有茅栗、川榛、映山红等。六是喀斯特藤刺灌丛，广泛分布于喀斯特丘陵山地，组成种类十分复杂，既有常绿种类，又有落叶种类，优势种有火棘、南天竹、圆果化香、多种野蔷薇、多种悬钩子和多种荚蒾等。七是肉质多浆灌丛，分布于南部和西南部的喀斯特丘陵山地，少数非喀斯特地区也有分布。组成种类在喀斯特地区以肉质和多浆汁的仙人掌、量天尺为主；在黔北西部习水酸性土河谷地带，有小面积的霸王鞭肉质多浆灌丛分布。八是竹类灌丛，分布于各地山地或山体中上部，组成种类以竹类为主，有箭竹、大箭竹、冷箭竹等。此外在丘陵山地，还有以箬竹、箬叶竹为主的竹类灌丛分布。

(9)灌草丛：灌草丛是以多年生草本植物为主，其中散生有少量灌木的植物群落。贵州的灌草丛多是森林植被反复被破坏后退化形成的，有3个类型：一是中亚热带山地灌草丛，广泛分布于各地丘陵山地。优势植物以蕨类和多年生禾草为主，常见的是铁芒萁、蕨、五节芒、芒、画眉草，以及部分豆科、菊科、蔷薇科的种类；散生的灌木主要有马桑、美丽胡枝子、构树等。二是南亚热带河谷灌草丛，分布在西南部和南部的河谷地带，是河谷季雨林破坏后形成的次生植被，分布很广。群落由禾本科的高草组成，高1.5~3米，常见的优势种类有类芦、粽叶芦等，散生有少量乔木和灌木，如木棉、余甘子、大叶紫珠等，形成干热河谷稀树灌草丛类型。三是喀斯特山地灌草丛，广泛分布于喀斯特丘陵山地，主要由禾本科草本和蕨类植物组成，草层较低，主要有五节芒、芒等，散生的灌木主要有大叶紫珠、圆叶乌桕、算盘子、悬钩子等。

(10)山地草甸：山地草甸是由中生性多年生草本植物为主体，在水分条件适中的生境中发育形成的草本植物群落。贵州的草甸多发育在中山、高中山或高原面上，故称为山地草甸。主要分布于威宁、赫章、水城、盘县、纳雍、大方等地。以温性草本植物为主，常见的优势种有委陵菜、喜马拉雅野古草、知风草等，次优势种有珠芽蓼、火绒草、多种龙胆、马先蒿、鹅观草等，是西部地区重要的牧用草地。

(11)喀斯特植被：喀斯特植被指生长发育在碳酸盐类岩石风化壳或其发育形成的钙质土壤等基质上的植物群落，又称石灰岩植被或岩溶植被。贵州喀斯特植被在我国最为典型，主要有以下特点：一是植被的种类组成上，在中亚热带常见的科是榆科、桦木科、樟科、蔷薇科、豆科、壳斗科、五加科等，常见的种类有云贵鹅耳枥、朴树、圆果化香、香叶树、云南樟、多种青冈、椤木石楠、女贞、南天竹、月月青等；在南亚热带常见的科是桑科、大戟科、梧桐科、楝科、豆科、大风子科等，常见的种类有榕树、山黄麻、樟叶荚蒾、圆叶乌桕等。二是植被适应喀斯特生态环境形成岩生性、旱生性、嗜钙性等一系列生态特性。①岩生性：植物的根系具有高度岩生适应，主根常生长在狭长的岩石缝隙中，或直接附着在岩石上生长；②旱生性：植物有高度耐旱适应，有的叶小而硬、角质层厚，有的茎或叶肉质肥厚，有的为硬叶具刺灌木；③嗜钙性：植物的生境富钙，因此群落中适应钙质土生态环境的植物较多，更有一些钙质土指示植物。喀斯特植被类型主要有喀斯特针叶林、喀斯特阔叶林和喀斯特灌丛及灌草丛等类型。喀斯特植被广泛分布于贵州中部、南部和北部的喀斯特区。

(12)水生植被：指由水生植物组成，生长在河流、湖泊、水塘等水域环境中的植被类型。属于非地带性植被。贵州水生植被的组成种类较为简单，其中以单子叶植物种类较多。主要可分为挺水植被、浮水植被、沉水植被3大类群。①挺水植被：群落分布于河流、湖泊、水库、水塘等水体的浅水处，植物体上部露出水面，常见种类有野荸荠、灯心草、水葱、豆瓣菜、水芹、泽泻、菖蒲、慈姑、荆三棱等。②浮水植被：分布于各水塘、小河流及水田，植株悬浮在水面上，包括漂浮植物和浮叶植物，常见种类有莕菜、芡实、浮萍、满江红、槐叶萍等。③沉水植被：分布于各地水体，植物生长在水体底部，扎根于底泥之中，主要种类有金鱼藻、黑藻、轮藻、狐尾藻、海菜花、菹草、竹叶眼子菜、龙须眼子菜等。

(13)人工植被：贵州人工植被类型多样，据统计，全省共有人工植被2个大类(草本类和木本类)3个类型20个组合型。贵州省人工植被的3个类型。①农田植被：农田植被又可划分为旱地植被和水田植被。贵州的旱地植被有自东向西、由低到高逐渐增多的分布规律，集中分布在西北部高原山区的毕节地区、六盘水市，此外在西南部山地、大娄山以北的北部山地和中部丘陵山地都有广泛的分布，作物以玉米、小麦、马铃薯、红薯、豆类、烤烟等为主。水田植被的分布有由东向西逐渐减少的趋势，雷公山以东的清水江、都柳江下游地区分布最为集中，省的中部、北部及东北部所占比重较大，西部毕节地区最少，作物以水稻为主，并与小麦、油菜等搭配。②经济林：经济林主要有常绿经济林和落叶经济林2个类型。常绿经济林以油茶、茶为主；落叶经济林类型较多，主要有油桐林、乌桕林、漆树林、核桃林等，在省内占用重要地位。③果木林：贵州省果木林也分为常绿果木林和落叶果木林2类，常绿果木林主要是多种柑橘类和小面积的杨梅；落叶果木林主要由苹果、梨、桃、李、樱桃等暖温带果木所组成。

7.2　动物资源

在全国动物地理区划中，贵州被划为东洋界中印亚界，大部分属于华中区(Ⅳ)西部山地高原亚区(ⅣB)，仅西部属于西南区(Ⅴ)的西南山地亚区(ⅤA)。贵州脊椎动物物种生态地理动物群为亚热带林灌、草地—农田动物群，按生态地理学观点划分为6个类群，即山地森林动物群、灌丛灌草丛动物群、河流溪沟水域动物群、林缘耕地动物群、村寨居民点动物群和喀斯特洞穴动物群。

根据《贵州省野生动物名录》记载，全省共有陆生、水生野生动物24纲117目782科11442种(亚种)。其中，哺乳纲9目29科141种，鸟纲18目57科509种(亚种)，爬行纲2目14科104种(亚种)，两栖纲2目10科74种(亚种)，鱼纲6目19科225种。

野生脊椎动物中，有国家Ⅰ级保护动物18种，国家Ⅱ级保护动物72种。其中，鱼类中国家Ⅰ级保护动物有达氏鲟、白鲟2种，国家Ⅱ级保护动物有胭脂鱼1种；两栖类中国家Ⅱ级保护动物有虎纹蛙、大鲵、细痣疣螈、贵州疣螈4种；爬行类中国家Ⅰ级保护动物有蟒，国家Ⅱ级保护动物有山瑞鳖；鸟类中国家Ⅰ级保护动物有白鹳、黑鹳、白颈长尾雉、中华秋沙鸭、金雕、黑颈鹤等9种，国家Ⅱ级保护动物有白琵鹭、鸳鸯、红腹锦鸡、白腹锦鸡、白冠长尾雉、灰鹤等53种；哺乳类中国家Ⅰ级保护动物有黔金丝猴、黑叶猴、云豹、豹、虎、林麝7种，国家Ⅱ级保护动物有猕猴、藏酋猴、穿山甲、豺、黑熊、黄喉貂、水獭、斑林狸、大灵猫、小灵猫等14种。

贵州省级重点保护动物有毛冠鹿、赤麂、小麂、灰雁、斑头雁、杜鹃(所有种)、戴胜、啄木鸟(所有种)、黄鹂(所有种)、大山雀、蛇(所有种)、蛙(所有种)、荔波壁虎等。此外，还分布有众多的中国或贵州特有种，哺乳类中有贵州特有种黔金丝猴；两栖类中有贵州特有种贵州疣螈、尾斑瘰螈、雷山髭蟾、威宁趾沟蛙、务川臭蛙等；鱼类中有我国特有种青鱼、草鱼、赤眼鳟、鳙、鲢等。

7.3 湿地动植物

经调查整理，贵州省湿地脊椎动物有747种，隶属5纲32目103科。其中，鸟类物种数最多，其次是鱼类，再次是爬行类，两栖类和哺乳类物种数最少。湿地动物中有国家Ⅰ级保护动物11种，国家Ⅱ级保护动物45种，中国特有动物102种。鱼类有7目19科250种，占贵州省湿地脊椎动物物种数的33.47%。鱼类中有国家Ⅰ、Ⅱ级保护野生动物3种，分别是达氏鲟、白鲟和胭脂鱼，还有22种中国特有种类，包括岩原鲤等。两栖类有2目9科67种，占贵州省湿地脊椎动物物种数的8.97%。其中有国家Ⅱ级保护野生动物4种，分别是贵州疣螈、细痣疣螈、大鲵和虎纹蛙；中国特有种类46种，包括宽阔水拟小鲵、水城拟小鲵、雷山髭蟾等。爬行类有2目13科89种，占贵州省湿地脊椎动物物种数的11.91%。其中有国家Ⅰ、Ⅱ级保护野生动物2种，蟒和山瑞鳖；中国特有种类22种，包括荔波壁虎、丽纹龙蜥等。鸟类有12目43科278种，占贵州省湿地脊椎动物物种数的37.22%。鸟类中有41种国家重点保护野生动物。其中，国家Ⅰ级保护野生动物有东方白鹳、黑颈鹤等7种；国家Ⅱ级保护野生动物有白头鹮鹳、灰鹤等34种。中国特有种类有棕噪鹛、蓝鹀等3种。哺乳类有9目19科63种，占贵州省湿地脊椎动物物种数的8.43%。有国家Ⅰ、Ⅱ级保护动物黑叶猴、水獭等6种。中国特有种类9种，包括大绒鼠、贵州菊头蝠等。

贵州的湿地植物种类丰富。经调查统计，共有115科249属518种(含种下分类等级，下同)，其中，苔藓植物18科24属30种，维管束植物97科225属488种(蕨类植物14科17属21种，被子植物83科208属467种)。属国家Ⅰ级保护植物的有云贵水韭、辐花苣苔；属国家Ⅱ级保护植物的有桫椤、水蕨、金毛狗、贵州萍蓬草和莲(野生)。

第三节 社会经济状况

1 人口与民族

1.1 人 口

根据《贵州统计年鉴2012》，全省2011年末户籍人口4238.44万人，常住人口为3469.00万人。全省常住人口中，男性人口为1801.21万人，占51.92%；女性人口为1667.79万人，占48.08%。全省常住人口中，城镇人口为1212.76万人，占34.96%；乡村人口为2256.24万人，占

65.04%(表1-4)。

表1-4　贵州省人口统计表

市(州)名称	人口数量(万人)	市(州)名称	人口数量(万人)	市(州)名称	人口数量(万人)
贵阳市	439	安顺市	228	黔西南州	280
六盘水市	285	毕节市	652	黔东南州	346
遵义市	610	铜仁市	308	黔南州	321

1.2　民　族

贵州省是一个民族众多的省份，少数民族人口数量较多，仅次于广西和云南，居全国第三位。全省共有49个民族，其中，少数民族48个，民族文化丰富多彩。世居民族有汉族、苗族、布依族、侗族、土家族、彝族、仡佬族、水族、回族、白族、瑶族、壮族、毛南族、蒙古族、仫佬族、羌族、满族等17个。据全省2010年第六次人口普查数据显示，少数民族人口为1254.8万人，占全省人口的比重达36.11%。在少数民族中，人口超过10万人的有9个。这9个民族分别是：苗族396.84万人，占全省少数民族人口总数的32.39%，主要分布在黔东南、黔南、黔西南3个州，安顺、毕节2个市以及松桃县；布依族251.06万人，占全省少数民族人口总数的20.49%，主要分布在黔南、黔西南2个州，安顺市南部及贵阳市郊；侗族143.19万人，占全省少数民族人口总数的11.69%，主要分布在黔东南州和铜仁地区南部(图1-4)；土家族143.70万人，占全省少数民族人口总数的11.73%，主要分布在铜仁市北部和遵义市的东北部；彝族83.45万人，占全省少数民族人口总数的6.81%，主要分布在毕节市和六盘水市；仡佬族49.52万人，占全省少数民族人口总数的4.04%，主要分布在遵义市、安顺市、毕节市及六盘水市东郊；水族34.87万人，占全省少数民族人口总数的2.85%，主要分布在三都县、荔波县、独山县、都匀市和丹寨县；回族18.48万人，占全省少数民族人口总数的1.51%，主要分布在威宁县、兴仁县、平坝县、六枝特区、普安县、安顺市及贵阳市郊；白族17.95万人，占全省少数民族人口总数的1.47%，主要分布在毕节市的威宁县、纳雍县、大方县和赫章县。

图**1-4**　榕江乐里镇侗族女孩

2　经济发展及工农业生产情况

根据《贵州统计年鉴2012》，全省2011年实现生产总值(GDP)5701.84亿元。其中第一产业726.22亿元，第二产业2194.33亿元，第三产业2781.29亿元，产业结构比例为12.7∶38.5∶48.8。人均生产总值16413元，全省工业总产值1829.20亿元，财政总收入1329.99亿元。城镇居民家庭人均可支配收入16495元；农村居民家庭人均纯收入4145元。

工业生产保持较快增长。全省规模以上工业企业数达到3687家，完成工业增加值1723.58亿元。其中，国有企业349家，完成增加值485.22亿元；集体企业68家，完成增加值3.09亿元；股份合作企业50家，完成增加值4.73亿元；股份制企业140家，完成增加值854.72亿元；外商及港澳台商投资企业47家，完成增加值41.39亿元；其他企业2983家，完成增加值334.43亿元。轻工业842家，完成增加值563.48亿元；重工业2845家，完成增加值1160.10亿元。

农业经济运行态势总体良好。2011年，全省农林牧渔总产值达1165.46亿元，其中农业产值655.30亿元，林业产值46.66亿元，牧业产值381.95亿元，渔业产值19.90亿元，农林牧渔服务业61.65亿元。全省农作物播种面积502.12万公顷。粮食总产量876.90万吨，其中稻谷产量303.93万吨，小麦50.38万吨，玉米243.71万吨，豆类7.11万吨，薯类239.31万吨。油料作物总产量78.85万吨，其中油菜籽71.81万吨，花生6.07万吨。甘蔗总产量43.60万吨，烤烟总产量32.50万吨，蔬菜总产量1250.05万吨。林牧渔业稳步发展，全省植树造林总面积13.13万公顷；全省肉类产量179.97万吨；奶类产量4.85万吨；禽蛋类产量13.65万吨；水产品总产量为10.88万吨。

第二章 湿地类型

第一节 湿地类型与面积

1 湿地分类

1.1 湿地类型划分标准

根据《GB/T 24708—2009 湿地分类》标准并结合贵州省实际，将贵州湿地划分为4类15型，即河流湿地、湖泊湿地、沼泽湿地和人工湿地4个湿地类以及永久性河流、季节性或间歇性河流、洪泛平原湿地、喀斯特溶洞湿地、永久性淡水湖、季节性淡水湖、藓类沼泽、草本沼泽、灌丛沼泽、森林沼泽/喀斯特森林沼泽、沼泽化草甸、库塘、输水河、水产养殖场、稻田/冬水田15个湿地型，各类型及其划分标准见表2-1。

需要特别说明的是：按全国统一规定，贵州省在第二次湿地资源调查中未将稻田/冬水田列入调查范畴，但在以下各章节相关部分中都会有介绍。

贵州省湿地资源分布图，如图2-1。

贵州省重点调查湿地分布图，如图2-2。

1.2 各湿地类型介绍

1.2.1 河流湿地

贵州省河流湿地包括永久性河流、季节性或间歇性河流、洪泛平原湿地、喀斯特溶洞湿地4个湿地型。

1.2.1.1 永久性河流

贵州河流分属长江、珠江两大水系，以苗岭为界，苗岭以北为长江水系，以南为珠江水系。省境内河长大于10公里、流域面积大于20平方公里的河流有984条，其中流域面积大于100平方公里的河流有556条，流域面积大于300平方公里的河流有167条，流域面积在10000平方公里以上的河流有7条，即乌江、六冲河、清水江、赤水河、北盘江、红水河(包括上源南盘江)、都柳江。这7大河流的具体情况如下。

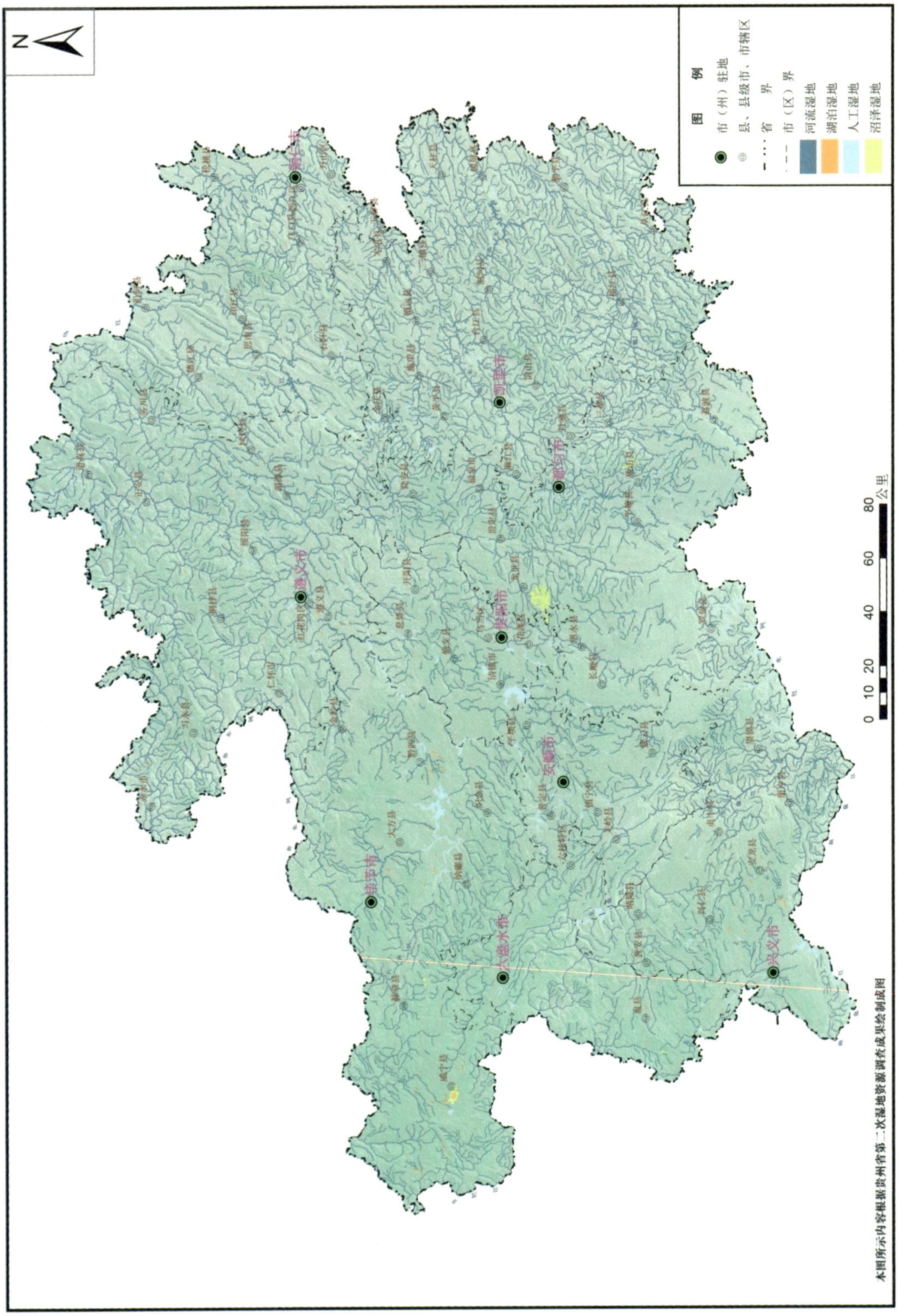

本图所示内容根据贵州省第二次湿地资源调查成果绘制成图

图 2-1 贵州省湿地资源分布

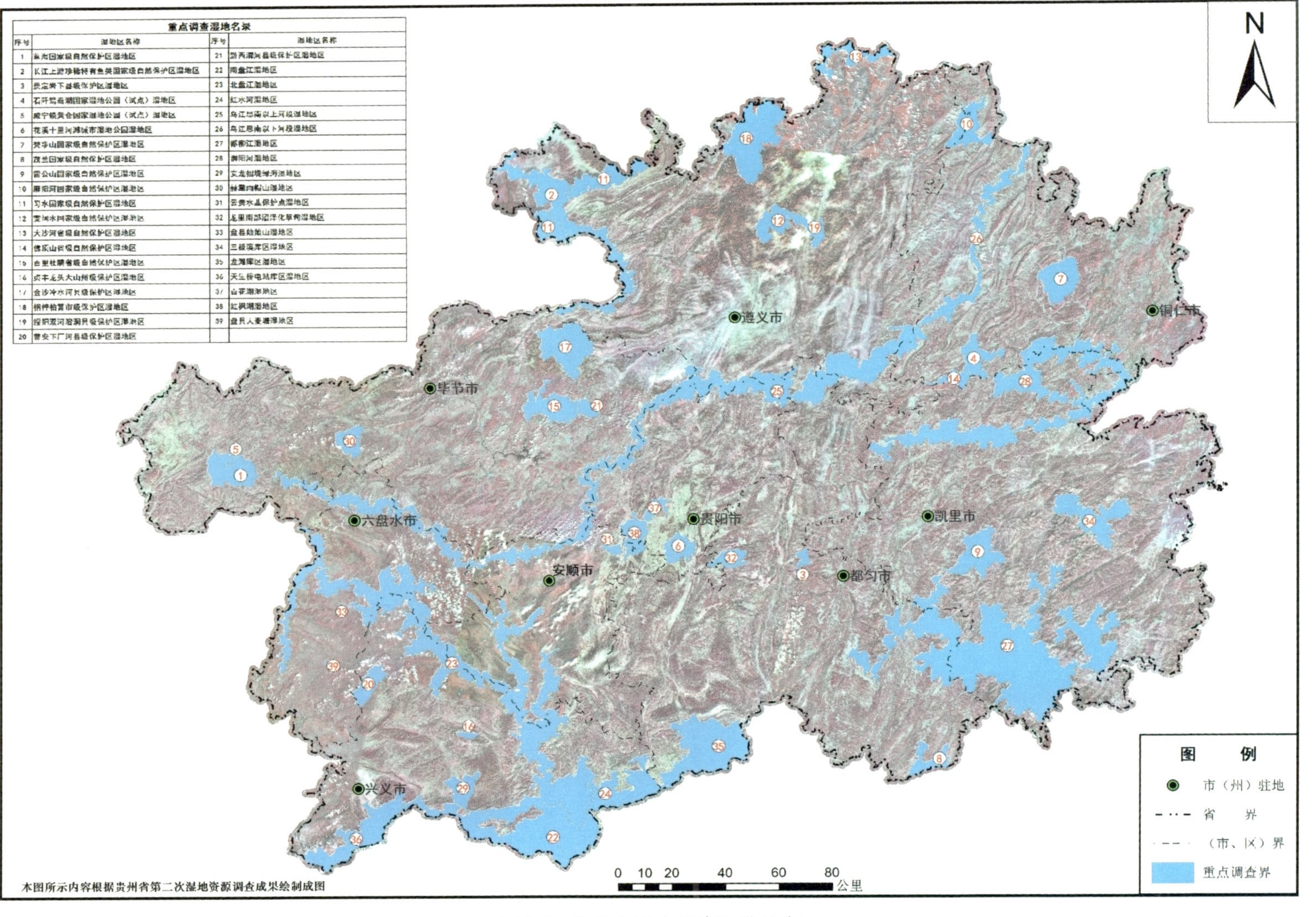

重点调查湿地名录

序号	湿地区名称	序号	湿地区名称
1	草海国家级自然保护区湿地区	21	黔西潮河县级保护区湿地区
2	长江上游珍稀特有鱼类国家级自然保护区湿地区	22	南盘江湿地区
3	贵定岑下县级保护区湿地区	23	北盘江湿地区
4	石阡鸳鸯湖国家湿地公园（试点）湿地区	24	红水河湿地区
5	威宁锁黄仓国家湿地公园（试点）湿地区	25	乌江思南以上河段湿地区
6	花溪十里河滩城市湿地公园湿地区	26	乌江思南以下河段湿地区
7	梵净山国家级自然保护区湿地区	27	都柳江湿地区
8	茂兰国家级自然保护区湿地区	28	舞阳河湿地区
9	雷公山国家级自然保护区湿地区	29	安龙招堤城河湿地区
10	麻阳河国家级自然保护区湿地区	30	赫章内船山湿地区
11	习水国家级自然保护区湿地区	31	云贵水韭保护点湿地区
12	宽阔水国家级自然保护区湿地区	32	龙里南部沼泽化草甸湿地区
13	大沙河省级自然保护区湿地区	33	盘县娘娘山湿地区
14	佛顶山省级自然保护区湿地区	34	三板溪库区湿地区
15	百里杜鹃省级自然保护区湿地区	35	龙滩库区湿地区
16	贞丰龙头大山州级保护区湿地区	36	天生桥电站库区湿地区
17	金沙冷水河县级保护区湿地区	37	百花湖湿地区
18	桐梓柏箐市级保护区湿地区	38	红枫湖湿地区
19	绥阳双河溶洞县级保护区湿地区	39	盘县人麦塘湿地区
20	普安下厂河县级保护区湿地区		

图 2-2　贵州省重点调查湿地分布

表 2-1 贵州湿地类型及划分标准

序号	湿地类	湿地型	划分技术标准
1	河流湿地	永久性河流	遥感影像图上有明显河道和水流痕迹，常年有河水径流的河流，仅包括河床部分
		季节性或间歇性河流	遥感影像图上有明显河道痕迹，一年中只是季节性(雨季)或间歇性有河水径流的河流
		洪泛平原湿地	河床至河流多年平均最高水位所淹没的河滩、河心洲等
		喀斯特溶洞湿地	喀斯特地貌下形成的溶洞集水区或地下河/溪
2	湖泊湿地	永久性淡水湖	由淡水组成的永久性湖泊
		季节性淡水湖	由淡水组成的季节性或间歇性淡水湖
3	沼泽湿地	藓类沼泽	以苔藓植物为优势群落的淡水沼泽
		草本沼泽	以水生和沼生的草本植物为优势群落的淡水沼泽
		灌丛沼泽	以灌丛植物为优势群落的淡水沼泽
		森林沼泽/喀斯特森林沼泽	以乔木森林植物为优势群落的淡水沼泽，或者是分布于喀斯特原生森林中的淡水沼泽
		沼泽化草甸	为典型草甸向沼泽植被的过渡类型，是在地势低洼、排水不畅、土壤过分潮湿、通透性不良等环境条件下发育起来的
4	人工湿地	库塘	以蓄水、发电、农业灌溉、城市景观、农村生活为主要目的而建造的积水区
		运河/输水河	为输水或水运而建造的人工河流湿地，包括以灌溉为主要目的的沟、渠
		水产养殖场	以淡水养殖为主要目的修建的鱼、虾池等
		稻田/冬水田	能种植一季、两季的水稻田或者是冬季蓄水或浸湿的农田

(1)乌江：乌江又称黔江，是长江上游右岸最大支流，贵州第一大河。乌江有南北两源，南源三岔河，北源六冲河，习惯上以三岔河为乌江干流。三岔河发源于威宁县盐仓镇营洞村石缸洞，于黔西县化屋基与六冲河汇合后称鸭池河，至息烽县乌江渡始称乌江，在重庆涪陵注入长江。流域面积 69313 平方公里(贵州省境内为 66807 平方公里)，全长 1037 公里，贵州省境内长 889 公里。整个乌江水系呈羽状分布，在贵州省境内的主要支流包括六冲河、野济河、偏岩河、湘江、六池河、洪渡河、芙蓉江、猫跳河、清水河、余庆河、石阡河、印江河、甘龙河等。流域内喀斯特发育，地形以高原、山原、中山及低山丘陵为主，地势由西向东倾斜，全程天然落差 2123.50 米，平均比降 0.2%。历史上的乌江以流急、滩多、谷狭而闻名于世，号称“天险”。乌江水急滩多，水能资源丰富，年水流量相当于黄河的流量，可开发的水电资源相当于半个三峡电站的电力装机容量，为我国“十三大水电基地”之一。

(2)六冲河：六冲河为毕节市境内最大的河流，乌江最大的一级支流，发源于贵州省毕节市赫章县可乐乡老水营。干流流经毕节市、纳雍县、大方县等，最后在黔西县化屋基与三岔河交汇后汇入乌江。流域呈西北东南走向，流域面积 9988 平方公里(含省外共 10665 平方公里)，干流全长 268 公里。河道沿途多为峡谷，河谷深切，伏流河段较多，主要支流包括妈姑河、六曲河、红岩河、马场河、后河、伍佐河、白甫河、木白河、凹水河、织金河等，其中较大的支流是白甫河和红岩河。流域中上游为高寒山区，气温低，年雨量较少，雨季较迟，是贵州省少雨干旱区。

(3)清水江：清水江以水之清纯而闻名，是沅江的主源，发源于贵州省都匀市谷江乡西北部。在都匀市境内河段称剑江，都匀以下称马尾河，至岔河口重安江汇入后始称清水江，于天柱县瓮洞镇流入湖南，至湖南黔城与㵲阳河汇合后称沅江。流域面积 17145 平方公里，干流全长 459 公里，干流流经都匀市、麻江县、凯里市、台江县、剑河县、锦屏县。其中流域面积在 1000 平方公里以上的主要支流有重安江、巴拉河、巫密河、六洞河、亮江等。

(4)赤水河：赤水河(图 2-3、图 2-4)是长江右岸的一级支流，发源于云南省威信县雨河乡。干流进入贵州省西部毕节市后成为川黔界河，流经金沙县、习水县、赤水市后，于四川省合江县城注入长江。全长 378 公里(其中贵州境内 299 公里)，贵州省境内流域面积 11412 平方公里，流域面积 1000 平方公里以上的主要支流包括二道河、桐梓河、习水河 3 条。河口处多年平均流量 175 立方米/秒，多年平均径流量 55.3 亿立方米。含沙量高达 0.93 公斤/立方米，每年涨水季节水呈赤红色。

图 **2-3**　赤水河

图 **2-4**　赤水大白岩瀑布

(5)北盘江：北盘江为珠江水系西江上游左岸支流，发源于云南省宣威市板桥乡西南部。源头自西向东经宣威，至都格入贵州，再折向东南往茅口、盘江桥、白层至望谟县蔗香乡双江口与南盘江汇合。全长 450 公里(贵州境内 352 公里)，流域面积 26538 平方公里(贵州境内 20982 平方公里)。流域地处云贵高原东翼，流域内岩溶发育，多地下河。海拔一般在 500 ~ 1500 米之间，地形起伏大，河流坡降大，著名的黄果树瀑布(图 2-5)就位于北盘江的二级支流打邦河支流白水河上。其流域面积大于 1000 平方公里的支流有拖长江、乌都河、麻沙河、可渡河、月亮河、打邦河、红辣河、大田河等。北盘江流域水土流失较为严重，是珠江流域泥沙的主要来源区。

(6)红水河(包括上源南盘江)：红水河是珠江流域西江上游的别称，因流经红色岩系地区，河水呈红褐色而得名。其上源南盘江发源于云南省沾益县马雄山，流经滇、黔、桂交界处的三江口(即黄泥河口)后，成为黔、桂两省区的界河。南盘江干流在贵州境内长 263 公里，流域面积 7651 平方公里，流域面积在 1000 平方公里以上的主要支流有黄泥河和马别河。南盘江至双江口与北盘江汇合后称为红水河。红水河自西向东在黔、桂交界处流过 106 公里后折向东南进入广西境内，在贵州省内流域面积 15978 平方公里。主要支流有蒙江、六洞河。南盘江、红水河蕴藏可开发的水力资源居珠江水系之首，位列全国第六位。

(7)都柳江：都柳江是珠江流域西江水系第二大支流柳江的上游(图2-6)。干流发源于贵州省独山县的拉林乡，自西向东流经三都、榕江、从江等县，于从江县八洛入广西后称柳江。贵州境内河长330公里，流域面积11586平方公里。流域面积在1000平方公里以上的支流有寨筒河、平江、双江。

图**2-5**　黄果树瀑布

图**2-6**　都柳江

贵州永久性河流多为雨源性河流，具暴涨暴跌的水文特征，河流裂点多、比降大，造就了河流湿地动植物分布不均匀。河流陡坡段河谷深切，多为峡谷，湿地动植物资源相对较少；缓坡段谷宽水缓，比降小，湿地动植物资源相对丰富。近些年，随着水库和水电站数量逐渐增多，河流湿地生物多样性也在发生变化，洄游性鱼类几乎灭绝，急流型鱼类在减少；但某些水禽种类和数量有所增加。从河流湿地生态完整性角度看，自由流淌的赤水河是贵州乃至全国的典范。赤水河是长江上游唯一一条没有修建干流大坝的一级支流，保持了河流的天然状态。河流较长的流程和自然的水文节律，为漂浮性卵鱼类提供了良好的繁殖条件。2007年中国水产科学研究院长江水产研究所学者在赤水河流域进行鱼类资源调查表明：赤水河分布有鱼类119种(亚种)，为达氏鲟、胭脂鱼、中华倒刺鲃等珍稀鱼类提供了栖息场所。其中，34种为长江上游特有鱼类，宽唇华缨鱼则为赤水河所特有。贵州还有一些河流分布在盆地中，如贵阳花溪河、安顺邢江河等。这些河流湿地地势平缓，湿地生物多样性丰富，水生植物以蔗草、狐尾藻、竹叶眼子菜等为主，湿地鸟类则以鸳鸯、骨顶鸡、小鸊鷉等小型水禽为主。

1.2.1.2　季节性或间歇性河流

贵州大部分地区为喀斯特地貌，石灰岩具透水性，由于地表水下渗形成季节性或间歇性河流。有些河流平时河水潜入河床底下，暴雨时才见河水；有些河流枯水季节会出现断流现象；还有些季节性河流的形成与筑坝引水有关。贵州各市(州)都存在季节性河流，但规模较小，均较短且窄，由于季节性缺水，湿地动物资源相对贫乏而湿地植物资源相对丰富。

1.2.1.3　洪泛平原湿地

贵州地处珠江、长江上游且为山区省份，地形地貌决定了省境内的洪泛平原湿地不甚丰富，只在谷宽、水缓、比降小的河段才有分布，包括河漫滩、河心洲。当水流通过弯道时，在惯性离心力的作用下水流趋向凹岸，使凹岸水位抬高，从而产生横比降及横向力，横向力从水面向河底递减，这样就产生表流向凹岸和底流向凸岸的横向环流。在环流作用下，凹岸及岸下的河床受侵蚀，岸坡发生崩塌而后退，同时形成深槽。崩塌下的物质则由底流带到凸岸，一部分堆积下来形成小边滩。边滩的出现又促进环流运动，使边滩不断扩大。随着谷底进一步加宽，河床内外的水文条件产生了显著的差异。洪水期来临时，边滩水层减薄，流速大大降低，水中大量悬移物质就在那里堆积下来。因此，在面积较大的边滩的粗粒推移质冲积物（又称河床相冲积物）上就盖上了比较细小的悬移质冲积物（又称河漫滩相冲积物）。这样，边滩就发展成为河漫滩（图 2-7）。心滩的形成与复式环流有关，由于河床横剖面形态多不规则，水流常被分离成两股或数股主流线形成复式环流。在河床某些地方正好受两股相向底流作用，被流水推移的泥沙就在此堆积下来形成了心滩。心滩继续堆积高出水面，当洪水泛滥时，在其顶部覆盖上悬移质泥沙，则成为河心洲。

洪泛平原湿地生物多样性丰富，近年来，随着水利工程修建加上人们开垦利用，贵州的洪泛平原湿地已所剩无几。在 20 世纪 90 年代，望谟、罗甸一带红水河畔还存在河漫滩，但龙滩水库建成后已不复存在。

1.2.1.4　喀斯特溶洞湿地

贵州是我国碳酸盐岩分布最广泛的省份之一，也是世界喀斯特地貌发育最典型的地区之一，喀斯特溶洞湿地（俗称“地下河”）十分发育。由于调查难度较大，目前国际国内尚无技术对其面积进行精确统计。据估计，全省喀斯特溶洞湿地应该与河流面积不相上下。贵州省第二次湿地调查统计的喀斯特溶洞湿地面积仅为 17.83 公顷，只能算是掀开了冰山一角，希望今后再次进行湿地资源调查时能攻克这一难题。

在漫长的演化过程中，地表河流与地下河之间是相辅相成，相互转化的。岩溶发育初期，地下水和地表水共同对碳酸盐岩产生岩溶作用塑造着地貌。岩溶作用包括化学过程（溶蚀等）和机械过程（流水的侵蚀和沉积、重力崩塌、坍陷和堆积等）。部分地表水转入地下循裂隙进行溶蚀，此时裂隙扩大不多，地面河流仍居优势。此后，裂隙不断扩大，岩体内形成许多独立的洞穴系统。在较大的洞穴系统内，地下水面的位置较低；较小的洞穴系统内，地下水面的位置较高，一般无统一的地下水面。随着地下洞穴充分发育，独立的洞穴逐渐归并，成为一个完整的系统，并形成一个统一的地下水面。地下水面以上的溶洞干涸，地下水面附近的洞穴内有地下河。此时，地下水的垂直分带十分明显，地面河流已大部转入地下，地表成为非常缺水的蜂窝状地面。再后来，由于长期的溶蚀和侵蚀，地面逐渐被蚀低，离地面较浅的溶洞，因洞顶崩塌而出露地表，于是地下河的某些河段出露地表，明流与暗流交替出现（图 2-8）。最后，地下河又逐渐转变为地面河流。

贵州是世界上地下河最多、最集中的地方之一，规模不一，长度几百米至数十公里不等，流域面积从几平方公里至上千平方公里。据研究表明，目前贵州全省常年有水、长度在 2 公里以上的地下河共有 1130 条，总长度 6246 公里。其中，长度 30 公里，汇水面积大于 300 平方公里的特大型地下河 6 条。贵州地下河可分为单管型、树枝型、网络型、“人”字型等多种类型。多集中分布在喀斯特强烈发育的中南部及西南部，其中特别是苗岭分水岭以南的石炭系、二叠系碳酸盐岩大面积分布区，地下河密度达 1.2 公里/平方公里，为中国地下河发育密度最大的地区。该区自东而西主要有洞腮（荔波县）、小七孔（荔波县）、架桥（独山县）、天生桥（平塘县）、大小井（罗甸县）及从里（罗甸县）等地下河。其中罗甸县大小井地下河，长约 143 公里，流域面积 1943.2 平方公里，枯季流量达 6633.30 升/秒，为目前贵州最大的地下河。荔波小七孔地下河，长约 60 公里，流域面积 460 平方公里，枯季流量达 2000 升/秒，沿途地表明流与伏流频繁相间，地下河天窗、溶潭、瀑布、跌水屡见。在黔西南及乌江中上游地区，地下河发育，其密度一般为0.80公里/平方公里。其中长度大于20公里、枯季流量大于1000升/秒的地下河主要有水城布寨、镇宁哑呀、晴隆龙摆尾及晴隆达南等地下河。贵州最著名的喀斯特溶洞湿地是安顺龙宫，有"地下漓江""中国最美水溶洞"之称，长达15公里，其入口处的龙门瀑布是中国最大洞中瀑布。此外，龙宫还有全世界最多、最集中的水旱溶洞群。

图 **2-7** 石阡河河漫滩

图 **2-8** 大方九洞天地下河

贵州地下河的流量变化对降雨反映比较灵敏，一般峰值出现在雨后1~3日。流量过程曲线陡起陡落，具有快速变化的特点，其动态变化系数(洪枯流量比值)一般为10~50。但在一些喀斯特强烈发育、溶蚀管道比较短小或形态比较单一的地下河系中，其流量变化对降雨反映更为敏感，一般在雨后一日甚至数小时内即达峰值，具有暴涨暴落的水文特性，其动态变化系数达50~100，甚至更大。

喀斯特溶洞湿地生态系统很奇特，尽管缺少阳光，没有最基础的能量来源，但并不是个寂静的世界，里面生存着众多奇特的洞穴生物。如荔波地下河分布有东方墨头鱼、金线鲃、盲米虾、钩虾、珍蟹、巨须金线鲃等洞穴生物。洞穴生物构成不同的食物链进而形成食物网，于是就有了特定的物质和能量的交换，形成了与地表湿地生态系统完全不同的地下湿地生态系统。根据在洞内生活时间的长短和对洞穴水体环境的依赖，洞穴生物可分为全洞穴动物(真洞穴动物)、半洞居动物和洞栖动物3类。其中，全洞穴动物是喀斯特溶洞湿地特有的动物群。它们无眼(盲目)、无色、不能调节体温，嗅觉、触觉器官特别发达，只能在洞穴中生存，以洞穴鱼类最奇妙。截至目前，全世界已知典型洞穴鱼类10目9科53属122种，基本分布在北纬40°至南回归线之间，中国共发现43种，而贵州特有种为10种。科学家至今都不能确定洞穴鱼类到底起源于哪个时期，但可以肯定的是，为了生存，为了适应潮湿、无光、缺少食物和比较恒定的气温，洞穴鱼类产生了新的形态特征。如，原本用来探测道路、寻找食物的眼睛的功能被侧线系统取而代之，还在体侧和头部皮肤下形成众多短的侧线管，其侧线的发达程度远远超过了地表的同属种。此外还形成了身体透明、代谢缓慢等特征。另外，由于长期生活在稳定的、有较强缓冲能力的环境中，很多洞穴鱼类明显地显示出古老的系统演化过程，保留着大量的祖征。

1.2.2 湖泊湿地

湖泊在贵州俗称"海子"，是由溶蚀洼地、盆地(坡立谷)及谷地等排泄不畅所形成的常年有水或季节性有水的区域，是贵州高原一种宝贵的自然湿地。贵州省地表崎岖，岩溶地貌分布广，较大的湖泊不多，在《中国湖泊志》中贵州湖泊仅收录了草海。按《GB/T 24708—2009 湿地分类》标准并结合贵州省实际，贵州湖泊可分为永久性淡水湖和季节性淡水湖。但按成因，则又分为岩溶湖、堰塞湖。贵州湖泊多为岩溶湖，典型的岩溶湖是由碳酸盐岩地层经流水的长期溶蚀所产生的岩溶洼地、岩溶漏斗或落水洞等被堵，经汇水而形成的。湖面积不大且较浅，形状或为圆形或为椭圆形，有时也可呈长条形，排列无一定方向。因受湖区四周风化残积红土深厚覆盖的影响，贵州湖泊的透明度一般较低，夏秋季浑浊度较大，冬春季透明度则较高。由于湖水流速甚小，多处于静止状态，加之水浅且蓄水量不大，故其水温季节性变化较河水更为明显，夏秋季较气温略低，冬春季较气温略高。湖水的化学成分受湖区地层岩性的影响十分明显，一般 pH 值为 6.8 ~8，矿化度 80 ~300 毫克/升，总硬度 8 ~5 德国度，水质类型主要为重碳酸钙及重碳酸钙镁型。喀斯特湖水的物理化学性质一般都比较良好，湖中水草茂盛，是适宜于水生生物生存的良好湿地环境，是贵州水禽最重要的栖息地。

1.2.2.1　永久性湖泊

永久性湖泊主要分布在毕节市威宁县、赫章县、黔西县、七星关区、大方县，黔西南州兴义市、安龙县、贞丰县，六盘水市盘县、水城县等地。由于这些地方古老的喀斯特剥夷面保存完好，风化残积红土发育深厚，广泛覆盖在宽缓的溶蚀盆地及洼地中，大量充填于喀斯特地下管道及裂隙里，有效地防止了大气降水及地表径流迅速下渗，因而大小不一的喀斯特湖泊得以形成。如贵州省最大的湖泊草海形成于 15 万年前(图 2-9)。早在更新世初期，草海雏形是古河道，是长江上游洛泽河的支流河段。中更新世末，由于地质构造运动使草海断块下陷而积水成湖。在距今 3000 多年前，因下游地下裂隙通道、落水洞等岩溶作用发育及河流溯源侵蚀，草海因漏水而消亡。至 1857 年，“落雨四十昼夜，山洪暴发，夹沙抱木”，其下游出水口的地下河管道被堵塞，草海又得以恢复。草海经历的数度兴衰，都与地下河排泄管道的堵塞与疏通密切相关。同时，贵州湖泊形成还与高原喀斯特地貌面上近代溶蚀作用比较微弱，以及碳酸盐岩之间的碎屑岩夹层的阻水作用有关。但在喀斯特强烈向深发育的峰丛洼地区，喀斯特湖也时有所见。例如，位于六冲河南岸喀斯特峰丛洼地区的织金县八步镇碧云湖，系 1974 年雨季落水洞突然堵塞而形成，面积 8.57 公顷。此外，在非喀斯特区也有湖泊分布，如遵义市赤水市、习水县等地。

值得一提的是，毕节市黔西县分布有众多大小不一的永久性天然岩溶湖，很具特色和代表性。其中，在金碧镇和绿化乡的海子是成群分布的，在不足 5 平方公里范围内出露近 30 个天然岩溶湖，组成了 2 个天然岩溶湖群，当地人称为柯家海子群和大海子群。柯家海子群主要以金碧镇所辖新富村内分布的湖泊为主，包括柯家海子、甘家海子、龚家海子等。大海子群以绿化乡大海子村内分布的湖泊为主，包括大海子、小海子、榨孔塘等。其中，榨孔塘湖水较浅，多鱼虾，吸引众多钳嘴鹳栖息于此。据相关文献记载，元代初年，朝廷为征战和运输的需要，在全国办起了 14 个大型牧场，亦溪不薛牧场(亦溪不薛是彝语，水西之意)名列第十位，其牧马场就在现今黔西柯家海子群和大海子群一带，如今，尚留存洗马槽遗址。黔西海子群属乌江水系，分布在六冲河和野济河上游分水岭地带缓丘起伏的剥夷面上，海拔 1200 ~1300 米之间，其成因是岩溶地下河系的长期溶蚀、坍塌，形成了一连串的天窗落水洞、漏斗，部分天窗落水洞、漏斗底部被冲刷而来的淤泥、残渣堵塞，地表水不能与地下河贯通而逐渐积水成湖。

除岩溶湖外，贵州另一类湖泊是堰塞湖，也属于永久性淡水湖，是由于地壳运动引起山崩滑坡体等堵截河谷或河床后贮水而成的。曾经有过的印江县岩口堰塞湖就属于这种类型。印江河是长江水系乌江一级支流，发源于梵净山，流经印江县木黄、永义、郎溪等 7 个乡(镇)37 个行政村。1996 年 9 月 18 日凌晨，在靠近印江县城的岩口发生了前所未有的山体大滑坡，形成 270 万立方米的堆积大坝，阻断印江河水形成了岩口堰塞湖，其最大容量 6240 万立方米，最宽水面 321.50 万平方米，最长回水线 10.62 公里，水深达 42.24 米。据专家考证，此为当时全亚洲最大的山体滑坡，故称“亚洲第一垮”。为防溃堤和漏水，当地人用水泥加固了垮塌山石组成的堆积坝。1996 年 9 月 26 日，贵州省人民政府办公会议决定对印江县岩口特大型滑坡实施抢险救灾整治工程，开掘导流兼泄洪洞……如今，唯有坝上“天下奇观”4 个字留存，记录着那转瞬即逝的湖泊和大自然惊世骇俗之举。遵义市习水县的天鹅池则是白垩系红色岩系顺层滑塌堵塞河道形成的堰塞湖，位于习水国家级自然保护区实验区内(图 2-10)。湖面积 14.06 公顷，湖盆谷底海拔 952 ~ 976 米，四周山体海拔 1402 ~ 1685 米。从高处俯视湖面呈蝌蚪状，湖周是丹霞山形成的陡峭绝壁。

图 **2-9** 威宁草海

图 **2-10** 习水天鹅池

这些分布在不同地貌部位，且形成条件也不尽相同的天然湖泊，其湿地生态环境也显然是有差异的。它们的补给和排泄方式随所处地貌部位及形成条件而异：分布在分水岭或河流源头的湖泊主要靠大气降水及地下水补给，通过蒸发及地表径流排泄；由河流盲谷入水口被堵塞而形成的湖泊，其补给以地表径流为主，大气补给及地下水补给次之，主要排泄方式则为蒸发及缓慢的下渗；由溶蚀盆地积水而成者，除了大气降水和蒸发的补、排形式外，地下通道的集中补、排亦是重要方式。

1.2.2.2 季节性湖泊

贵州省季节性岩溶湖仅在毕节市威宁县、纳雍县、黔西南州兴义市有分布，面积均不大，因其湖底有落水洞与地下河联通，夏季多雨时节来不及消水而积水成湖，冬季枯水时则湖水干涸。

1.2.3 沼泽湿地

沼泽湿地是一种比较特殊的湿地类型，绝大多数贵州人对此缺乏认识和了解，因此贵州沼泽湿地一直鲜为人知，直到近两年才逐渐进入人们的视野。

通常只有具备以下 3 个特征，才能算是沼泽湿地：一是地表经常过湿或有薄层积水；二是生长有湿生、沼生、水生植物；三是有泥炭积累或虽无泥炭积累，但土壤层中具有明显的潜育层。按《GB/T 24708—2009 湿地分类》标准并结合贵州省实际，贵州沼泽湿地分为藓类沼泽、草本沼泽、灌丛沼泽、森林沼泽/喀斯特森林沼泽、沼泽化草甸5个湿地型。

根据多年来的调查，贵州沼泽多分布在山顶，主要见于海拔1500米以上的山地剥夷面或平缓的山顶面上。这些地方地形平缓具轻微波状起伏，通常地下岩石层是火山玄武岩或者是覆盖着厚厚土层的石灰岩山地剥夷面，由于海拔高，终年湿度大，造就了沼泽湿地的发育。这些沼泽里都生长着泥炭藓、金发藓或者曲尾藓。雨天，它们犹如海绵般吸纳水分并贮存在体内、叶片或者假根间的空隙中；天晴后缓缓将水分释放出来，形成地表径流，再汇成条条溪流顺着山势向低处流淌汇聚，最终形成瀑布从山顶跌入谷底(图2-11)。

图 **2-11** 贵州沼泽湿地示意

全省沼泽分布以黔南州最为集中，主要分布点包括贵定县与龙里县之间的顶耳山，龙里县五里坪、坪山、亮山一带，都匀市斗篷山、大坪山、烂龙背、螺蛳壳，惠水县龙塘山，独山县甲定、翁台、水岩、兔场一带，荔波县茂兰洞落、比巴至洞多、白鹇山一带，黔东南州雷山县雷公山的大、小雷公坪(图2-12)、黑水塘、清水塘，黔西南州安龙县北部与兴仁县、贞丰县等县接界处龙头大山，安龙县仙鹤坪，铜仁市江口县梵净山九龙池及山脊，遵义市桐梓县箐坝山、柏芷山，贵阳市花溪高坡云顶草场边缘，毕节市威宁草海周边、纳雍县大坪箐(图2-13至图2-15)、大方县普底方家坪、赫章大韭菜坪至雨帽山一带，六盘水市盘县与水城县交界的娘娘山、盘县牛棚梁子等地。这些地方，沼泽湿地成片分布，其面积数百至数千公顷不等。在这些沼泽中，有些地方灰黑松散的草甸土常厚达数米；有些地方长年滞水，被水饱和呈流塑状态；还有些地方甚至形成水塘。这类水丰草茂的山顶沼泽湿地，无一例外的都是山下河溪长流不断的补给源泉，

图 **2-12** 雷公山保护区大雷公坪沼泽

图 **2-13** 纳雍大坪箐藓类沼泽

图 **2-14** 纳雍大坪箐草本沼泽

图 **2-15** 纳雍大坪箐灌丛沼泽

如雷公坪附近的黑水塘、清水塘枯季径流模数常达 15 升/(秒·平方公里)以上。其单位产水量如此巨大，无疑对于改善山地水文地质环境，特别是河流水文地质环境具有极为重要的作用。推究贵州沼泽湿地的形成，主要与高耸山岭上部降雨量大，地形平缓且具波状起伏，降雨日数多、空气湿度大、蒸发量小，山顶古风化残积泥质物隔水性强，以及森林植被覆盖率高等诸多因素有关。

通常，贵州的沼泽湿地都是藓类沼泽、灌丛沼泽、草本沼泽、森林沼泽/喀斯特森林沼泽、沼泽化草甸这 5 种湿地型的组合分布(即绝大多数沼泽分布地都不是单一存在一种沼泽湿地型，而是几种沼泽湿地型共同存在)，但各种沼泽分布呈一定规律性。如纳雍大坪箐，泥灰藓沼泽多分布在山丘间地势低洼、水源充沛处，许多区域已演替为草本沼泽，主要湿地植物群落为“灯心草＋通泉草－泥炭藓”“棒头草＋大理薹草－泥炭藓”等。泥灰藓沼泽周边地势略高、相对干燥的地方，则分布有金发藓沼泽。厚厚的金发藓在地表形成高矮起伏的藓丘。地势相对较高处的金发藓沼泽则演替为草本沼泽，主要湿地植物群落为“灯心草＋通泉草－金发藓”“棒头草＋大理薹草－金发藓”等。

地势再高些的地方，分布着灌丛沼泽。这里的主要湿地植物群落为“贵州金丝桃－曲尾藓”、“西南绣球－曲尾藓” 等。在许多山丘上还分布有森林沼泽，从外部看来只是普通的阔叶林，深入其中就会发现林下生长着厚厚的曲尾藓，其植株较金发藓纤细且短小，生物量极大，主要湿地植物群落为“桃叶杜鹃＋小果南烛－曲尾藓”“硬斗石栎＋丝栗栲－曲尾藓”“小果南烛＋山矾＋山茶林－曲尾藓”。

在贵州，也有某些区域的沼泽湿地型分布相对单一，即只存在一种单一的沼泽湿地型，或者某种湿地型占主导地位。如六盘水市盘县牛棚梁子的某些区域，黔南州龙里县五里坪、坪山及亮山一带，毕节市大方县普底方家坪。

1.2.3.1 藓类沼泽

全省具有一定规模且最具代表性的藓类沼泽分布在六盘水市盘县牛棚梁子(即盘县四格坡上牧场)，这里的大金发藓是绝对优势种，在地表形成了一个个圆形藓丘(图 2-16)。

1.2.3.2 草本沼泽

全省最具代表性的草本沼泽分布在黔南州龙里县五里坪、坪山及亮山一带，面积很大，以禾本科、莎草科及泥炭藓为建群种，泥炭藓资源丰富。

1.2.3.3 灌丛沼泽

全省最具代表性的灌丛沼泽分布在毕节市大方县普底方家坪，以桃叶杜鹃、卵叶泥炭藓为建群种(图 2-17)。

图 **2-16** 盘县牛棚梁子藓类沼泽

图 **2-17** 大方普底方家坪灌丛沼泽

1.2.3.4 森林沼泽/喀斯特森林沼泽

全省天然形成的森林沼泽目前只在毕节市纳雍县大坪箐发现。这里地表生长的是曲尾藓，其上密布硬斗石栎、丝栗栲等组成的原生林。六盘水娘娘山顶的森林沼泽则是半人工性质的，由人工种植的柳杉和金发藓等构成(图 2-18)。

贵州最特别的森林沼泽是喀斯特森林沼泽，主要分布在茂兰国家级自然保护区(图 2-19)。其中，尤以板寨东南喀斯特峰丛洼地区的白鹇山、四方洞一带最为典型。这里分布有喀斯特高位湖——白鹇湖，其与山脚相对高差达 250 米，水面不大，约 0.20 公顷，季节性出现。夏季湖水碧蓝，冬季湖水干涸、露出湖底。经测量，其湖底沼泽土层有 2 米多厚，周围则分布地表潮湿的沼泽。许多地方，破碎的土面不能完全覆盖地表，但却生长有不少湿地植物，如水绵、轮藻、驴蹄菜、野荸荠等都很常见。茂兰保护区科研人员通过多年的定位观测后推断：在喀斯特森林里中，茂密的植物根系对岩石机械破坏作用强烈，物质分解产生大量有机酸使地表岩石裂隙发育，但由于原生林的存在，产生大量的森林凋落物腐烂以后形成泥炭土附着在岩石表面，阻堵了可溶岩导管和裂隙，减缓了水分的直接下渗速度；另一方面，森林树冠对暴雨、大雨的冲刷具有很好的缓解作用，大气降水通过树冠、地被物截流持水后，较少形成地表径流，保证了森林中的湿度，滞留了大气降水，调节了森林小气候，因此，在茂兰的喀斯特原生林中，尽管土层极薄，碳酸盐岩透水，但地表水源丰富，森林沼泽随处可见。在沼泽水塘及充水的溶蚀裂隙带中常有鱼类、两栖类及其他水生生物繁衍，如蟾蜍、细痣疣螈、树蛙等经常可见。不言而喻，是喀斯特原生森林造就了这类森林沼泽湿地，它是喀斯特原始自然森林生态系统环境中一种独特的湿地类型，是原

图 **2-18** 娘娘山森林沼泽

生性喀斯特森林生态系统的重要景观，也是最为特别的喀斯特景观。

1.2.3.5 沼泽化草甸

沼泽化草甸是较为特殊的一个湿地型，不完全具备沼泽的3个特征，是在地势低洼、排水不畅、土壤过分潮湿、通透性不良等环境条件下发育起来的。沼泽化草甸中植物种类组成比较贫乏，其中莎草科植物占有重要地位，毛茛科的湿生种类也极为常见。它们中的许多物种具有发达的通气组织，与沼生植物有相似之处。此外，还有多年生的禾本科、蔷薇科、菊科、豆科、蓼科等植物，一年生植物、小半灌木和灌木一般处于从属地位。独山都柳江江源湿地省级自然保护区内有许多地方分布有沼泽化草甸(图2-20)。

图 **2-19** 茂兰国家级自然保护区的喀斯特森林沼泽

图 **2-20** 独山都柳江江源湿地省级自然保护区沼泽化草甸

1.2.4 人工湿地

贵州省人工湿地分为库塘、运河/输水河、水产养殖场、稻田/冬水田4个湿地型。

1.2.4.1 库 塘

贵州省库塘湿地包括水库或水电站库区、农业用池塘、城市公园景观水面等。水库是省境内分布甚广的一种人工湿地类型，遍及各大水系的干、支流。因贵州属于山区省份，缺少大型水面，故兴建水库或者水电站后形成的库区都被统称为湖。水库是人工和自然相结合的贮水体，充分体现了贵州人利用和改造河流湿地的智慧。从20世纪50年代末开始，贵州各地陆续兴修水利工程，或为蓄水灌溉、或为发电。各大、中、小型水库和水电站如雨后春笋般出现在各大水系干、支流上，形成了一个个大小不一的人工湖，镶嵌于群山之中，如贵阳红枫湖与百花湖、余庆飞龙湖、思南白鹭湖、兴义万峰湖、罗甸高原千岛湖、剑河仰阿莎湖、毕节支嘎阿鲁湖等。

贵州水库包括宽谷型水库、峡谷型水库两种类型，因分布于不同地貌及地层岩性地区，受人类活动的影响程度不同，其湿地环境也有显著区别。宽谷型水库包括分布于宽缓喀斯特高原山原面及河流侵蚀循环裂点以上的各类宽谷区的水库。其主要特征是河流比降小，河谷宽缓，库区水面开阔，库水较浅，光照比较充足。中西部喀斯特高原面上的大中型宽谷型水库常建在城镇附近，其功能主要是供水、发电、旅游，次为灌溉及养殖。例如清镇红枫水库、贵阳百花水库、花溪水库、松柏山水库、阿哈水库(图2-21)、安顺虹山水库、镇宁桂家湖水库、兴义锅底河水库、独山大河水库等。这类水库的集水范围内常常人口稠密、工厂林立，因此水质污染问题比较突出。由于多为饮用水源地，各地治理的力度也很大，水质均在恢复过程中。东部低山丘陵区的宽谷型水库，常以中小型为主，其功能主要是灌溉，次为养殖，一般污染少，湿地生态环境比较好。宽谷型水库的水温季节性变化十分明显，夏秋较气温略低，冬春较气温略高，与湖泊十分相

图 **2-21** 阿哈水库

似，是水生生物良好的生存场所。峡谷型水库包括喀斯特区及非喀斯特区峡谷中的水库，其主要特征是河谷深切、河流坡降较陡、沿岸地形陡峻、人类活动强度一般较小，库坝高大、库区狭窄、水深度大、光照不足。其功能主要是发电，次为旅游及养殖。省境内喀斯特区峡谷型水库较多，例如乌江峡谷中的乌江渡水库、东风水库，乌江支流猫跳河峡谷中的修文水库、红岩水库，㵲阳河峡谷中的红旗水库等。绝大多数喀斯特区峡谷型水库水体水化学性质与所在河流无异，但也有一些库区因受上游工矿排污等的影响而造成水质变差。此外，一些库区上游强烈的水土流失对库区水体的物理性质造成不良影响，特别是丰水季节，水体几乎持续混浊。库水温度年变化幅度相对较小，在某种程度上具有冬暖夏凉的特点。非喀斯特区的峡谷型水库，例如省境东部元古界浅变质岩区的黎平八舟水库、锦屏大同水库，西部中生界红色碎屑岩区的习水红旗水库、赤水风溪水库等，其上游森林植被覆盖率高，工矿及城镇污染较少，自然生态环境破坏较小，因此库区水体的物理化学性质都保持良好水平。

水库、水电站的建设在防洪、灌溉、发电、航运、城乡供水、养殖等方面都起到主要作用。目前贵州境内建库时间较长的水库或水电站形成的库区都已成为湿地鸟类的越冬地、栖息地，如石阡鸳鸯湖成了上千对鸳鸯的栖息地，甚至部分鸳鸯已经成为留鸟。红枫湖成为斑嘴鸭、骨顶鸡等的栖息地，也因此与草海一起被列入《中国重要湿地名录》。而且随着时间推移，新建的水库、水电站的生态系统趋于稳定，会有越来越多的库区成为湿地鸟类的栖息地，水库不只是简单贮水体，已成为承载生命和活力的载体，必须加以严格保护，确保其水质不破坏是今后一项很重要的工作。同时，我们也应该看到水库和水电站的负面影响，如阻碍了鱼类的洄游，使急流型鱼类等失去栖息地，底栖动物种类发生了变化等。

城市公园景观水面以贵阳黔灵山公园的黔灵湖和观山湖区的观山湖为代表。黔灵湖面积18.17 公顷，是 1954 年拦大罗溪水筑坝形成的。

池塘则是指为美化城镇而建造的景观池塘和人工开挖用于蓄水灌溉或饮用的山塘，以安龙招堤为代表。它位于黔西南安龙县城东北 0.5 公里处，清代著名学者朱逢甲曾以“水光涵山色，荷香杂稻香”的联语描绘它的特色。此处原是天然湖泊——陂塘海子。为护城和保护农田，清康熙三十三年(1694)，驻军安龙的中营游击招国遴自捐俸银，率工匠采石沿陂塘海子修筑堤坝，筑起长八十余丈宽八尺的石堤，后人取名“招堤”。道光二十八年(1848)兴义府知府张英将招堤加高五尺，并在堤侧开辟荷池种植荷花。后经历代培植，形成了十里荷塘(图 2-22)。20 世纪五六十年代，大部分荷塘改为农田种植水稻，现又基本恢复了“十里荷塘”景观，成为许多小型水鸟的栖息地。

图 **2-22** 安龙招堤荷塘

1.2.4.2 输水河与水产养殖场

贵州输水河的宽度和面积都不大，但它们保障了农田灌溉，确保了农业生产丰收。由于受地形地貌及水资源等的影响，贵州水产养殖几乎都在水库库区或者稻田中进行，极少有专门用于水产养殖的规模化水面。目前，全省能达到起调面积的水产养殖场分布于茂兰国家级自然保护区的董倒寨，主要养殖七星鱼，面积 8.33 公顷。

1.2.4.3 稻田/冬水田

稻田是贵州分布最广的一种人工湿地类型，能种植一季、两季或冬季蓄水、浸湿的稻田都有。其分布特征从垂直上讲，主要集中于海拔400～1500 米的地段；从水平上讲则遍及全省，但省境西部及西北部分布较少。稻田，按地貌条件及水源、灌溉情况，可分为坝田、沟田(冲田)、梯田(塝田)3 种类型。根据《贵州统计年鉴 2012》，贵州省稻田面积约 752200 公顷。

坝田泛指分布于各类盆地、宽缓谷地(俗称“坝子”)中的稻田，土层深厚，土壤肥力高，河溪水源充沛，灌渠纵横交织，农田水利化程度高，几乎全为稳产高产田。其连片面积小者百余亩，大者上万亩(图 2-23)。全省万亩以上的坝子近 20 个，面积 1.93 万公顷左右。在广阔的喀斯特高原及山原区，五千亩以上的喀斯特盆地中坝田甚多，因其所处地海拔较高，大多在海拔 1000 米以上的河流上游或河源及分水岭地带，主要是利用地下水诸如喀斯特潭、泉等进行灌溉。例如黔中贵阳市、平坝县、安顺市，黔北绥阳县、凤冈县，黔南独山县，黔西南兴义市、兴仁县、安龙县，以及黔西北水城县等地。在非喀斯特区的大型盆地中坝田面积更大，大多分布在海拔 800 米以下的河谷地带，其上游常有较大的汇水面积，因而河川径流量十分丰富，是农田水利化程度最高的保灌区。例如黔东南的黄平县旧州、榕江县，遵义市的余庆县等地。

沟田(冲田)系指分布在沟谷或狭窄低洼地带的稻田，主要分布于侵蚀剥蚀地貌区。省境东部及东南部浅变质岩山地丘陵区是沟田集中分布最多的地区。这里森林植被覆盖率高，岩石风化，

图 **2-23** 荔波水尧友谊桥坝田

网状裂隙水丰富，灌溉水源充沛。因大部田地分布在侵蚀切割较深的沟谷中，光照不足，地下水温低，故常形成不少的冷浸田、烂泥田。在中西部碎屑岩成片分布的地区亦常有较大面积沟田分布。由于煤系地层区常有酸性较强的煤锈水流出，故常形成产量甚低的锈水田。从总体上看，虽然沟田的水稻单产远不如坝田，但作为一种不易干旱的稻田湿地类型，对于不少水生生物而言，其生态环境显然是有特殊意义的。

梯田(塝田)是指分布于山地、谷地或盆地斜坡上的稻田，主要集中于侵蚀剥蚀地貌区。贵州作为一个以山地占绝对优势的省份，梯田分布极为广泛，

梯田所处地海拔多较高，部分梯田分布比较分散，为“望天田”；而绝大多数梯田则是分布集中、规模较大。其中尤以黔东南浅变质岩区梯田面积最广，这主要是由于该区斜坡土层比较深厚、森林植被覆盖率高、降雨量大、岩石裂隙含水丰富等条件造成的。例如雷山县雷公山地区的梯田，沿山麓斜坡层层叠置，累计高度一般达 300 ~400 米(图 2-24)。雷公山雷公坪以西的方祥、斗寨一带的梯田尤为壮观，从山麓层层环绕至山顶，其最高与最低层之间高差竟达 700 米。黔东南梯田是贵州省稻田湿地的代表，最具地域特色。这里世代生活着苗族、侗族人民，他们的梯田文化蕴涵着天人合一的生态理念。另外，在桐梓柏箐、黄莲市级自然保护区(以下文中简称桐梓柏箐市级保护区)，大面积出露的志留系砂页岩形成的高旷斜坡上部覆盖有平行不整合的二叠系石灰岩，构成高差约 1500 米的喀斯特台原地貌景观。从狮溪镇河谷至学堂塞高差 800 米的砂页岩斜坡上梯田密布、沟渠如网，靠上部喀斯特台原森林区丰沛的地下水进行着自流灌溉，旱涝保收，是黔北山区少有的富庶之乡。

贵州梯田众多，具有代表性的梯田还有黔东南州从江县月亮山加榜梯田(图 2-25)、黔东南州丹寨县高要多彩梯田、黔东南州黎平县堂安梯田、黔东南州雷山县西江梯田、遵义市余庆县大乌江镇红渡梯田、黔南州惠水县摆榜梯田、遵义市赤水市宝源梯田、贵阳市花溪高坡梯田、六盘水市北盘江野钟梯田、铜仁市松桃县盘石镇云海梯田等。在稻田湿地中，除水稻外往往伴生一些湿、水生植物形成的杂草层，但施用除草剂后多消失。

图 **2-24**　雷公山梯田

图 **2-25**　从江月亮山梯田

1.3　湿地流域划分

贵州省湿地在全省 9 个市(州)88 个县(市、区)均有分布。根据《全国水资源区划标准》，全省流域区划以中部偏南的苗岭为分水岭，北部属长江流域，南部属珠江流域。长江流域面积 115747 平方公里，分为金沙江石鼓以下、乌江、宜宾至宜昌以及洞庭湖水系 4 个二级流域，石鼓

以下干流、思南以下、思南以上、宜宾至宜昌干流、赤水河、沅江浦市镇以下及沅江浦市镇以上等7个三级流域，范围涉及安顺市、毕节市、贵阳市、六盘水市、黔东南州、黔南州、铜仁市以及遵义市等8个市(州)的70个县(市、区)，流域面积占全省总面积的65.70%。珠江流域面积60420平方公里，分为南、北盘江及红柳江2个二级流域，北盘江、南盘江、红水河以及柳江等4个三级流域，范围涉及安顺市、毕节市、贵阳市、六盘水市、黔东南州、黔南州以及黔西南州等7个市(州)的36个县(市、区)，流域面积占全省总面积的34.30%。具体河流水系划分见表2-2。

表2-2 贵州省流域水系划分(平方公里)

一级流域	二级流域	三级流域	流域面积	涉及县(市、区)
珠江区	南北盘江	北盘江	20982	安顺市(关岭县、普定县、西秀区、镇宁县、紫云县)、毕节市(威宁县)、六盘水市(六枝特区、盘县、水城县、钟山区)、黔西南州(安龙县、册亨县、普安县、晴隆县、望谟县、兴仁县、兴义市、贞丰县)
		南盘江	7651	六盘水市(盘县)、黔西南州(安龙县、册亨县、普安县、晴隆县、望谟县、兴仁县、兴义市)
		小　计	28633	
	红柳江	柳江	15809	黔东南州(从江县、丹寨县、剑河县、雷山县、黎平县、榕江县)、黔南州(都匀市、独山县、荔波县、三都县)
		红水河	15978	安顺市(平坝县、西秀区、紫云县)、贵阳市(花溪区)、黔南州(都匀市、独山县、贵定县、惠水县、龙里县、罗甸县、平塘县、长顺县)、黔西南州(望谟县)
		小　计	31787	
	共　计		60420	
长江区	金沙江石鼓以下	石鼓以下干流	4888	毕节市(赫章县、威宁县)
	乌江	思南以下	16215	黔东南州(岑巩县、施秉县、镇远县)、铜仁市(德江县、江口县、石阡县、思南县、松桃县、沿河县、印江县)、遵义市(道真县、凤冈县、湄潭县、绥阳县、桐梓县、务川县、正安县)
		思南以上	50592	安顺市(平坝县、普定县、西秀区)、毕节市(大方县、赫章县、金沙县、纳雍县、七星关区、黔西县、威宁县、织金县)、贵阳市(白云区、花溪区、开阳县、南明区、清镇市、乌当区、息烽县、小河区、修文县、云岩区)、六盘水市(六枝特区、水城县、钟山区)、黔东南州(黄平县、麻江县、施秉县、镇远县)、黔南州(都匀市、福泉市、贵定县、龙里县、瓮安县、长顺县)、铜仁市(石阡县、思南县)、遵义市(凤冈县、红花岗区、汇川区、湄潭县、仁怀市、绥阳县、桐梓县、余庆县、遵义县)
		小　计	66807	
	宜宾至宜昌	宜宾至宜昌干流	2390	遵义市(赤水市、绥阳县、桐梓县、习水县、正安县)
		赤水河	11412	毕节市(大方县、金沙县、七星关区)、遵义市(赤水市、汇川区、仁怀市、绥阳县、桐梓县、习水县、遵义县)
		小　计	13802	

（续）

一级流域	二级流域	三级流域	流域面积	涉及县(市、区)
长江区	洞庭湖水系	沅江浦市镇以下	1536	铜仁市(松桃县、印江县)
		沅江浦市镇以上	28714	黔东南州(岑巩县、丹寨县、黄平县、剑河县、锦屏县、凯里市、雷山县、黎平县、麻江县、榕江县、三穗县、施秉县、台江县、天柱县、镇远县)、黔南州(都匀市、福泉市、贵定县、三都县、瓮安县)、铜仁市(碧江区、江口县、石阡县、松桃县、万山区、印江县、玉屏县)
		小　计	30250	
	共　计		115747	
总　计			176167	

2　湿地面积

2.1　全省湿地总面积

贵州省第二次湿地资源调查范围是符合湿地定义的贵州境内分布的各类湿地资源，包括面积8公顷以上的湖泊湿地、沼泽湿地、人工湿地及宽度10米以上，长度5公里以上的河流湿地。调查表明，全省湿地总面积为209726.85公顷，占全省国土面积的1.19%。其中自然湿地(包括河流湿地、湖泊湿地、沼泽湿地)面积为151651.16公顷，占全省湿地总面积的72.31%；人工湿地58075.69公顷，占全省湿地总面积的27.69%。

2.2　各湿地类、型的面积

2.2.1　各湿地类的面积

贵州省的湿地分为河流湿地、湖泊湿地、沼泽湿地和人工湿地4个湿地类。其中，以河流湿地面积最大，为138154.76公顷，占全省湿地总面积的65.87%；湖泊湿地面积最小，为2517.70公顷，占全省湿地总面积的1.20%；沼泽湿地面积10978.70公顷，占全省湿地总面积的5.23%；人工湿地面积58075.69公顷，占全省湿地总面积的27.70%。全省各湿地类面积构成比例如图2-26。

2.2.2　各湿地型的面积

第二次湿地资源调查表明，贵州省湿地分为14个湿地型(不包括稻田/冬水田)，即永久性河流、季节性或间歇性河流、洪泛平原湿地、喀斯特溶洞湿地、永久性淡水湖、季节性淡水湖、藓类沼泽、草本沼泽、灌丛沼泽、森林沼泽/喀斯特森林沼泽、沼泽化草甸、库塘、输水河、水产养殖场。各湿地型的面积及所占比例见表2-3。

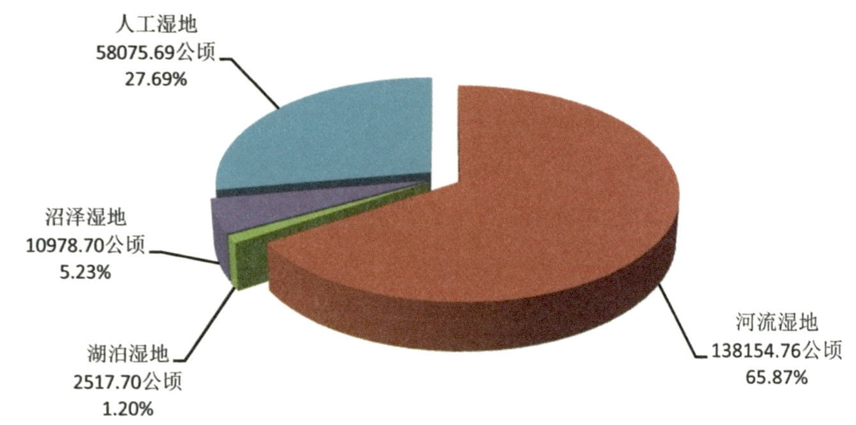

图 **2-26** 贵州省各湿地类面积与比例构成

表 2-3 贵州省湿地型概况

序号	湿地型	面积(公顷)	比例(%)
1	永久性河流	135386.06	64.55
2	季节性或间歇性河流	1999.95	0.95
3	洪泛平原湿地	750.92	0.36
4	喀斯特溶洞湿地	17.83	0.01
5	永久性淡水湖	2446.63	1.17
6	季节性淡水湖	71.07	0.03
7	藓类沼泽	677.53	0.32
8	草本沼泽	1757.24	0.84
9	灌丛沼泽	153.78	0.07
10	森林沼泽/喀斯特森林沼泽	39.20	0.02
11	沼泽化草甸	8350.95	3.99
12	库塘	56811.67	27.09
13	运河/输水河	1255.69	0.60
14	水产养殖场	8.33	0
合 计		209726.85	100

在14个湿地型中，以永久性河流的面积最大，为135386.06公顷；其次是库塘，面积56811.67公顷；第三是沼泽化草甸，面积8350.95公顷；水产养殖场面积最小，为8.33公顷(图2-27)。

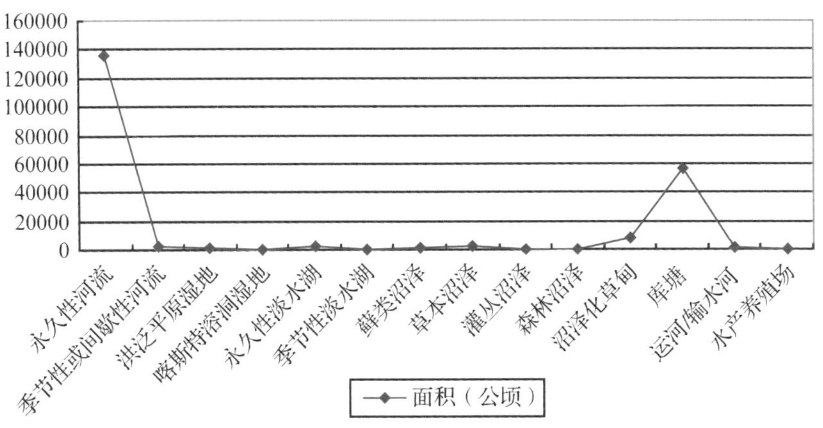

图 **2-27** 贵州省各湿地型面积折线图

第二节
湿地的分布规律

1 按湿地类型论述

1.1 概 述

全省河流湿地总面积为 138154.76 公顷，包括永久性河流、季节性或间歇性河流、洪泛平原湿地和喀斯特溶洞湿地 4 个湿地型。各湿地型的面积及在全省河流湿地中所占比例见表 2-4。需要特别说明的是，由于喀斯特溶洞湿地调查难度较大，目前国际国内尚无技术对其面积进行精确统计，故第二次湿地资源调查中贵州喀斯特溶洞湿地面积统计数据远小于其真实面积。

表 2-4 贵州省河流湿地各湿地型面积及所占比例

湿地型	面积(公顷)	所占比例(%)
永久性河流	135386.06	98.00
季节性或间歇性河流	1999.95	1.45
洪泛平原湿地	750.92	0.54
喀斯特溶洞湿地	17.83	0.01
总 计	138154.76	100

全省湖泊湿地面积 2517.70 公顷，包括永久性淡水湖和季节性淡水湖 2 个湿地型，各湿地型的面积及在全省湖泊湿地中所占比例见表 2-5。

表 2-5 贵州省湖泊湿地各湿地型面积及所占比例

湿地型	面积(公顷)	所占比例(%)
永久性淡水湖	2446.63	97.18
季节性淡水湖	71.07	2.82
总 计	2517.70	100

全省永久性淡水湖有69个，总面积2446.63公顷，占全省湖泊湿地总面积的97.18%。主要分布在毕节市、黔西南州、遵义市、黔南州、黔东南州、六盘水市等地的部分市(区、县、自治县)。面积从大到小前10位分别是：威宁县草海(1097.73公顷)、威宁县锁黄仓湿地(139.29公顷)、威宁县穿洞海子(83.7公顷)、安龙县瓢把塘(75.42公顷)、遵义县共青湖(60.02公顷)、安龙县落水洞(55.89公顷)、兴仁县唐家海子(51.5公顷)、大方县瓦厂塘(48.86公顷)、安龙县绿海子(45.78公顷)和威宁县干海子(40.08公顷)。共青湖，古名大水田，清代称播雅天池，是黔北最古老的水利工程形成的水域。现存乾隆年间万世永赖碑载："粤稽大水田堰肇自唐时"。《续遵义府志》载："播雅天池在城南三十里，即《明史》所称大水田也，周广十余里，勘蓄溉田，当始在宋元间"。因形成历史久远，本次调查将其列为天然湖泊。

全省季节性淡水湖有5个，总面积71.07公顷，占湖泊湿地总面积的2.82%。分别是纳雍县塘坝(25.48公顷)、兴义市马槽洞湖(19.81公顷)、纳雍县水淹坝(8.99公顷)、威宁县瓦厂海子(8.62公顷)和威宁县哑巴山水塘(8.17公顷)。

全省沼泽湿地10978.70公顷，包括藓类沼泽、草本沼泽、灌丛沼泽、森林沼泽/喀斯特森林沼泽和沼泽化草甸5个湿地型，各湿地型的面积及在全省沼泽湿地中所占比例见表2-6。需要特别说明的是，由于贵州为山区省份，多云多雾是常态，而且贵州沼泽都位于山区，故从遥感影像图上根本无法判读沼泽湿地的相关数据，只能依靠实地调查。但参加实地调查的队员普遍缺乏对沼泽湿地的判定能力，故遗漏现象很普遍，造成沼泽面积的调查数据未能真实反映全省沼泽湿地资源的实际情况，有待全国启动泥炭地调查后进行补充完善。

表 2-6 贵州省沼泽湿地各湿地型面积及所占比例

湿地型	面积(公顷)	所占比例(%)
藓类沼泽	677.53	6.17
草本沼泽	1757.24	16.01
灌丛沼泽	153.78	1.40
森林沼泽/喀斯特森林沼泽	39.20	0.35
沼泽化草甸	8350.95	76.07
总 计	10978.70	100

全省人工湿地58075.69公顷，包括库塘、输水河、水产养殖场3个湿地型，各湿地型的面积及在全省人工湿地中所占比例见表2-7。本次调查采用的主要是中巴CBERS-CCD数据，数据源获取时间为2008年1月9日至2009年10月2日，故近几年新建的水库未统计在内。

表 2-7　贵州省人工湿地各湿地型面积及所占比例

湿地型	面积(公顷)	所占比例(%)
库塘	56811.67	97.82
输水河	1255.69	2.16
水产养殖场	8.33	0.02
总　计	58075.69	100

需要特别说明的是，稻田/冬水田也属人工湿地，而且贵州的稻田/冬水田极具地域特色。但根据国家林业局统一要求，第二次湿地调查未对其面积进行统计。

1.2　河流湿地的分布规律

1.2.1　河流湿地在各流域的分布规律

1.2.1.1　在一级流域中的分布

按照《全国水资源区划标准》，贵州省一级流域分为珠江区和长江区。珠江区河流湿地面积43466.50公顷，占全省河流湿地总面积的31.46%。其中，永久性河流湿地面积42927.81公顷，占珠江区河流湿地面积的98.76%；季节性或间歇性河流湿地面积520.86公顷，占珠江区河流湿地面积的1.20%；喀斯特溶洞湿地面积17.83公顷，占珠江区河流湿地面积的0.04%。长江区河流湿地面积94688.26公顷，占全省河流湿地总面积的68.54%。其中，永久性河流湿地面积92458.25公顷，占长江区河流湿地面积的97.64%；季节性或间歇性河流湿地面积1479.09公顷，占长江区河流湿地面积的1.56%；洪泛平原湿地面积750.92公顷，占长江区河流湿地面积的0.80%。可见，长江区河流湿地面积明显大于珠江区(表2-8)。

表 2-8　贵州省一级流域河流湿地各湿地型面积统计(公顷)

一级流域	河流湿地各湿地型面积				合　计
	永久性河流	季节性或间歇性河流	洪泛平原湿地	喀斯特溶洞湿地	
珠江区	42927.81	520.86	0	17.83	43466.50
长江区	92458.25	1479.09	750.92	0	94688.26
总　计	135386.06	1999.95	750.92	17.83	138154.76

1.2.1.2　在二级流域中的分布

按照《全国水资源区划标准》，贵州省二级流域包括南盘江、北盘江、红柳江、金沙江石鼓以下、乌江、宜宾至宜昌和洞庭湖水系6个流域(表2-9)。

贵州省二级流域层面，以乌江流域河流湿地面积最大，为47930.22公顷，占长江区河流湿地面积的50.62%，占全省河流湿地面积的34.69%；以金沙江石鼓以下流域的河流湿地面积最小，为2217.05公顷，占长江区河流湿地面积的2.34%，占全省河流湿地面积的1.60%。永久性河流以乌江流域面积最大，为46777.48公顷，占乌江流域河流湿地面积的97.59%，占长江区河流湿

表 2-9 贵州省二级流域河流湿地各湿地型面积统计(公顷)

二级流域	河流湿地各湿地型面积				合 计
	永久性河流	季节性或间歇性河流	洪泛平原湿地	喀斯特溶洞湿地	
南、北盘江	20090.34	274.97	0	0	20365.31
红柳江	22837.47	245.89	0	17.83	23101.19
金沙江石鼓以下	1965.03	252.02	0	0	2217.05
乌江	46777.48	1134.35	18.39	0	47930.22
宜宾至宜昌	8577.81	51.43	60.63	0	8689.87
洞庭湖水系	35137.93	41.29	671.90	0	35851.12
总 计	135386.06	1999.95	750.92	17.83	138154.76

地面积的49.40%，占全省河流湿地面积的33.86%；以金沙江石鼓以下流域永久性河流面积最小，为1965.03公顷，占金沙江石鼓以下流域湿地面积的88.63%，占长江区河流湿地面积的2.08%，占全省河流湿地面积的1.42%。季节性或间歇性河流面积最大的也是乌江流域，为1134.35公顷，占乌江流域河流湿地面积的2.37%，占长江区河流湿地面积的1.20%，占全省河流湿地总面积的0.82%；季节性或间歇性河流面积最小是洞庭湖流域，为41.29公顷，占洞庭湖水系河流湿地面积的0.12%，占长江区河流湿地面积的0.04%，占全省河流湿地总面积的0.03%。洪泛平原湿地面积最大的是洞庭湖流域，为671.90公顷，占洞庭湖水系河流湿地面积的1.87%，占长江区河流湿地面积的0.71%，占全省河流湿地面积的0.49%；南、北盘江流域、红柳江流域、金沙江石鼓以下流域没有洪泛平原湿地分布。喀斯特溶洞湿地只在红柳江流域有统计(图2-28)。

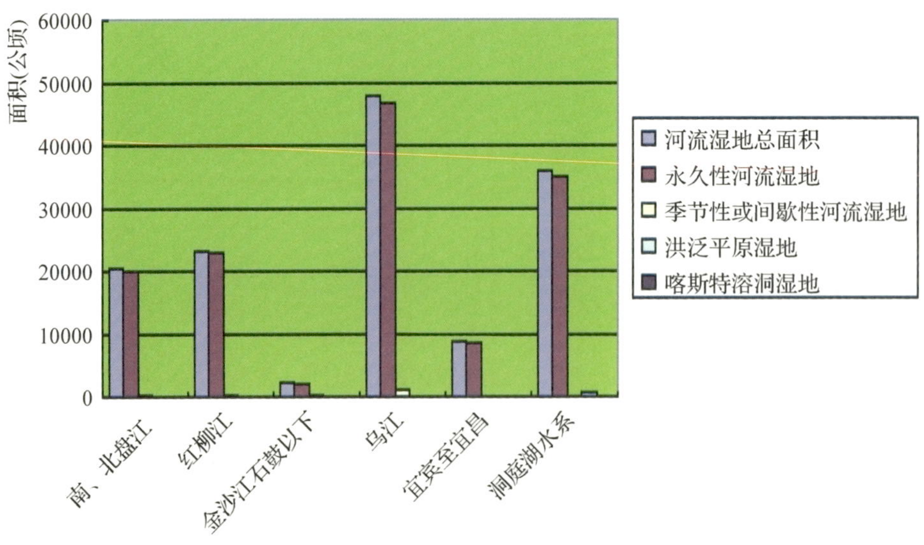

图2-28 贵州省二级流域河流湿地各湿地型分布柱状图

1.2.1.3 在三级流域中的分布

按照《全国水资源区划标准》，贵州三级流域包括北盘江、南盘江、柳江、红水河、石鼓以下干流、思南以下、思南以上、宜宾至宜昌干流、赤水河、沅江浦市镇以下、沅江浦市镇以上 11 个流域(表 2-10)。

表 2-10 贵州省三级流域河流湿地各湿地型面积统计(公顷)

一级流域	二级流域	三级流域	总面积	河流湿地各湿地型面积			
				永久性河流	季节性或间歇性河流	洪泛平原湿地	喀斯特溶洞湿地
珠江区	南、北盘江	北盘江	14788.37	14558.12	230.25	0	0
		南盘江	5576.94	5532.22	44.72	0	0
		小　计	20365.31	20090.34	274.97	0	0
	红柳江	柳江	15037.96	14861.07	159.06	0	17.83
		红水河	8063.23	7976.40	86.83	0	0
		小　计	23101.19	22837.47	245.89	0	17.83
	共　计		43466.50	42927.81	520.86	0	17.83
长江区	金沙江石鼓以下	石鼓以下干流	2217.05	1965.03	252.02	0	0
	乌江	思南以下	18372.66	18043.95	310.32	18.39	0
		思南以上	29557.56	28733.53	824.03	0	0
		小　计	47930.22	46777.48	1134.35	18.39	0
	宜宾至宜昌	宜宾至宜昌干流	1199.49	1177.22	22.27	0	0
		赤水河	7490.38	7400.59	29.16	60.63	0
		小　计	8689.87	8577.81	51.43	60.63	0
	洞庭湖水系	沅江浦市镇以下	1413.37	1413.37	0	0	0
		沅江浦市镇以上	34437.75	33724.56	41.29	671.90	0
		小　计	35851.12	35137.93	41.29	671.90	0
	共　计		94688.26	92458.25	1479.09	750.92	0
总　计			138154.76	135386.06	1999.95	750.92	17.83

珠江区三级流域层面，以柳江流域河流湿地面积最大，为 15037.96 公顷，占红柳江流域河流湿地面积的 65.10%，占珠江区河流湿地面积的 34.60%；河流湿地面积最小的是南盘江流域，为 5576.94 公顷，占南、北盘江流域河流湿地面积的 27.38%，占珠江区河流湿地面积的 12.83%。其中，永久性河流湿地面积最大的是柳江流域，面积 14861.07 公顷，占红柳江流域河流湿地面积的 64.33%，占珠江区河流湿地面积的 34.19%；面积最小的是南盘江流域，为 5532.22 公顷，占南、北盘江流域河流湿地面积的 27.16%，占珠江区河流湿地面积的 27.16%。季节性或间歇性河流面积最大的是北盘江流域，为 230.25 公顷，占南、北盘江流域河流湿地面积的 1.13%，占珠江区河流湿地面积的 0.53%；面积最小的是南盘江流域，为 44.72 公顷，占南、北盘江流域河流湿地面积的 0.22%，占珠江区河流湿地面积的 0.10%。珠江区 4 个三级流域均未分布洪泛平原湿

地。本次调查只记录到柳江流域有喀斯特溶洞湿地分布，面积 17.83 公顷(图 2-29)。

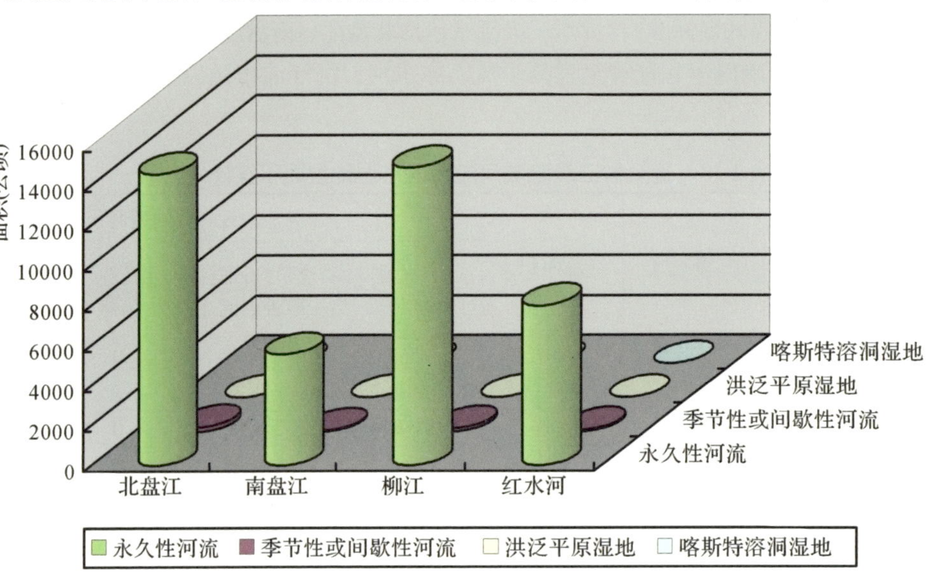

图 **2-29** 贵州省珠江区三级流域河流湿地面积示意

长江区三级流域层面，河流湿地面积最大的是沅江浦市镇以上流域，面积为 34437.75 公顷，占洞庭湖水系河流湿地的 96.06%，占长江区河流湿地面积的 36.37%；面积最小的是宜宾至宜昌干流流域，1199.49 公顷，占宜宾至宜昌流域河流湿地面积的 13.80%，占长江区河流湿地面积的 1.27%。其中，永久性河流湿地面积最大的是沅江浦市镇以上流域，为 33724.56 公顷，占洞庭湖水系河流湿地的 94.07%，占长江区河流湿地面积的 35.62%；面积最小的是宜宾至宜昌干流流域，1177.22 公顷，占宜宾至宜昌流域河流湿地面积的 13.55%，占长江区河流湿地面积的 1.24%。季节性或间歇性河流面积最大的是思南以上流域，为 824.03 公顷，占乌江流域河流湿地面积的 1.72%，占长江区河流湿地面积的 0.87%；沅江浦市镇以下流域没有季节性或间歇性河流分布。洪泛平原湿地面积最大的是沅江浦市镇以上流域，面积为 671.9 公顷，占洞庭湖水系河流湿地的 1.87%，占长江区河流湿地面积的 0.71%；石鼓以下干流、思南以上、宜宾至宜昌干流、沅江浦市镇以下 4 个三级流域均无洪泛平原湿地。全省第二次湿地资源调查未统计到长江区三级流域喀斯特溶洞湿地的面积与分布(图 2-30)。

在贵州省三级流域层面，全省 11 个三级流域中，河流湿地面积最大的是沅江浦市镇以上流域，为 34437.75 公顷，占全省河流湿地面积的 24.93%；面积最小的是宜宾至宜昌干流流域，为 1199.49 公顷，占全省河流湿地面积的 0.87%。其中，永久性河流湿地面积最大的是沅江浦市镇以上流域，为 33724.56 公顷，占全省河流湿地面积的 24.41%；面积最小的是宜宾至宜昌干流流域，为 1177.20 公顷，占全省河流湿地面积的 0.85%。季节性或间歇性河流面积最大的是思南以上流域，为 824.03 公顷，占全省河流湿地面积的 0.60%，面积最小的是沅江浦市镇以下流域，没有季节性或间歇性河流。全省只有思南以下、赤水河、沅江浦市镇以上 3 个三级流域分布有洪泛平原湿地，其中面积最大的是沅江浦市镇以上流域，为 671.9 公顷，占全省河流湿地面积的 0.49%。本次调查只统计到柳江流域少量喀斯特溶洞湿地的面积与分布(图 2-31)。

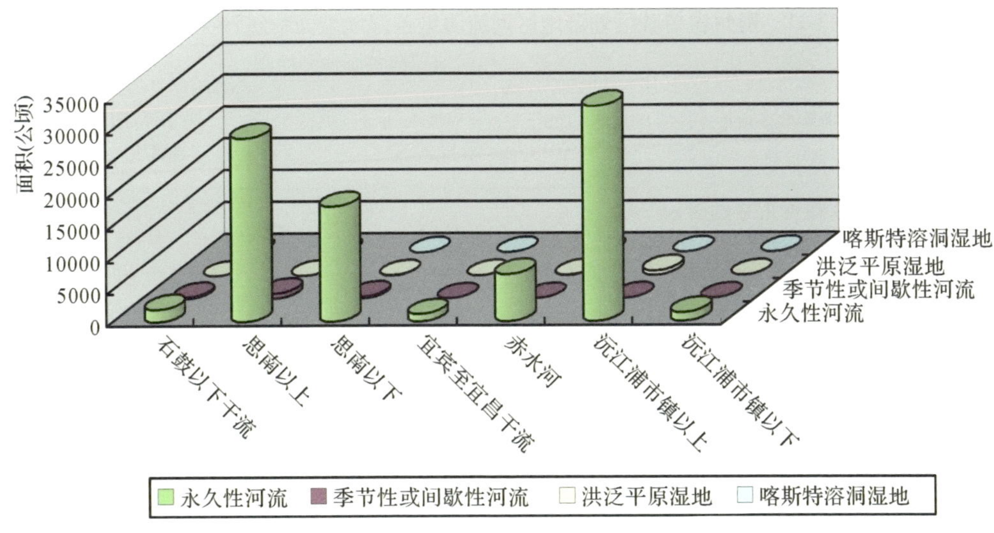

图 **2-30** 贵州省长江区三级流域河流湿地面积示意

总体看来，贵州河流湿地以长江区占主导，其中又以长江区永久性河流湿地占主导。季节性或间歇性河流、洪泛平原湿地面积很少，必须加以严格保护，确保其面积不减少是今后一项很重要的工作。

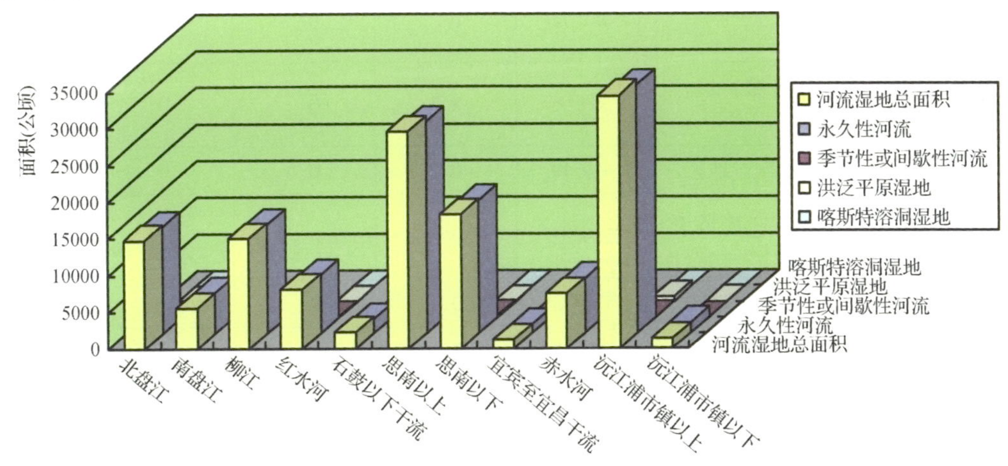

图 **2-31** 贵州省三级流域河流湿地各湿地型面积示意

1.2.2 河流湿地在各湿地区的分布规律

1.2.2.1 在单独区划湿地区的分布

第二次湿地调查中，贵州省单独区划的湿地区共 39 个。其中，草海国家级自然保护区湿地区、盘县娘娘山湿地区和盘县大麦塘湿地区 3 个湿地区河流湿地面积为零，但并不是真正的没有河流湿地分布，只是其宽度和长度没达到起调要求。河流湿地在各单独区划湿地区的面积详见表 2-11。由于部分单独区划湿地区范围是基于保护区划定的，但其通常大于各保护区的面积，故单独区划湿地区内的湿地面积实际上是相关保护区及周边部分区域的湿地面积。

表 2-11 贵州省单独区划湿地区河流湿地各湿地型面积统计(公顷)

序号	单独区划湿地区名称	河流湿地各湿地型面积				合 计
		永久性河流	季节性或间歇性河流	洪泛平原湿地	喀斯特溶洞湿地	
1	长江上游珍稀特有鱼类国家级自然保护区湿地区	1874.99	11.90	47.89	0	1934.78
2	贵定岩下县级保护区湿地区	27.97	0	0	0	27.97
3	石阡鸳鸯湖国家湿地公园(试点)湿地区	353.73	0	0	0	353.73
4	威宁锁黄仓国家湿地公园(试点)湿地区	14.67	0	0	0	14.67
5	花溪十里河滩城市湿地公园湿地区	125.20	0	0	0	125.20
6	梵净山国家级自然保护区湿地区	416.21	0	0	0	416.21
7	茂兰国家级自然保护区湿地区	9.58	0	0	17.83	27.41
8	雷公山国家级自然保护区湿地区	377.74	0	0	0	377.74
9	麻阳河国家级自然保护区湿地区	305.96	8.26	0	0	314.22
10	习水国家级自然保护区湿地区	419.19	0	0	0	419.19
11	宽阔水国家级自然保护区湿地区	289.92	0	0	0	289.92
12	大沙河省级自然保护区湿地区	123.73	0	0	0	123.73
13	佛顶山省级自然保护区湿地区	87.96	0	0	0	87.96
14	百里杜鹃省级自然保护区湿地区	82.43	6.48	0	0	88.91
15	贞丰龙头大山州级保护区湿地区	17.63	0	0	0	17.63
16	金沙冷水河县级保护区湿地区	233.80	0	0	0	233.80
17	桐梓柏箐市级保护区湿地区	504.25	22.27	0	0	526.52
18	绥阳双河溶洞县级保护区湿地区	106.91	8.70	0	0	115.61
19	普安下厂河县级保护区湿地区	102.58	0	0	0	102.58
20	黔西渭河县级保护区湿地区	138.29	0	0	0	138.29
21	南盘江湿地区	3391.28	12.32	0	0	3403.60

（续）

序号	单独区划湿地区名称	河流湿地各湿地型面积				合　计
		永久性河流	季节性或间歇性河流	洪泛平原湿地	喀斯特溶洞湿地	
22	北盘江湿地区	8609. 88	61. 94	0	0	8671. 82
23	红水河湿地区	137. 04	0	0	0	137. 04
24	乌江思南以上河段湿地区	7029. 23	12. 42	0	0	7041. 65
25	乌江思南以下河段湿地区	4581. 68	0	0	0	4581. 68
26	㵲阳河湿地区	4703. 16	13. 83	32. 21	0	4749. 20
27	都柳江湿地区	8227. 79	29. 22	0	0	8257. 01
28	安龙招堤绿海湿地区	36. 50	0	0	0	36. 50
29	赫章雨帽山湿地区	30. 13	9. 00	0	0	39. 13
30	云贵水韭保护点湿地区	61. 54	0	0	0	61. 54
31	龙里南部沼泽化草甸湿地区	30. 72	0	0	0	30. 72
32	三板溪库区湿地区	5265. 83	0	65. 53	0	5331. 36
33	龙滩库区湿地区	496. 21	19. 08	0	0	515. 29
34	天生桥电站库区湿地区	241. 88	0	0	0	241. 88
35	百花湖湿地区	67. 76	0	0	0	67. 76
36	红枫湖湿地区	63. 47	0	0	0	63. 47
单独区划湿地区合计		48586. 84	215. 42	145. 63	17. 83	48965. 72
总　计		135386. 06	1999. 95	750. 92	17. 83	138154. 76

1. 2. 2. 2　在零星湿地区的分布

第二次湿地调查中，贵州省零星湿地区共 88 个，河流湿地在各零星湿地区的面积见表 2-12。

表 2-12　贵州省零星湿地区河流湿地各湿地型面积统计（公顷）

序号	零星湿地区名称	河流湿地各湿地型面积				合　计
		永久性河流	季节性或间歇性河流	洪泛平原湿地	喀斯特溶洞湿地	
1	南明区零星湿地区	151. 07	0	0	0	151. 07
2	云岩区零星湿地区	50. 99	0	0	0	50. 99
3	花溪区零星湿地区	238. 99	0	0	0	238. 99
4	乌当区零星湿地区	554. 14	18. 28	0	0	572. 42
5	白云区零星湿地区	92. 17	8. 22	0	0	100. 39
6	小河区零星湿地区	66. 19	0	0	0	66. 19

（续）

序号	零星湿地区名称	河流湿地各湿地型面积				合 计
		永久性河流	季节性或间歇性河流	洪泛平原湿地	喀斯特溶洞湿地	
7	开阳县零星湿地区	949.73	19.95	0	0	969.68
8	息烽县零星湿地区	418.49	10.29	0	0	428.78
9	修文县零星湿地区	471.75	0	0	0	471.75
10	清镇市零星湿地区	523.36	7.99	0	0	531.35
11	钟山区零星湿地区	58.81	0	0	0	58.81
12	六枝特区零星湿地区	479.61	10.51	0	0	490.12
13	水城县零星湿地区	612.34	27.11	0	0	639.45
14	盘县零星湿地区	1263.63	21.75	0	0	1285.38
15	红花岗区零星湿地区	394.82	2.13	0	0	396.95
16	汇川区零星湿地区	354.00	6.83	0	0	360.83
17	遵义县零星湿地区	2093.86	384.67	0	0	2478.53
18	桐梓县零星湿地区	1133.73	0	0	0	1133.73
19	绥阳县零星湿地区	1024.30	35.98	0	0	1060.28
20	正安县零星湿地区	1978.93	128.45	0	0	2107.38
21	道真县零星湿地区	1528.49	27.04	0	0	1555.53
22	务川县零星湿地区	1219.07	33.50	0	0	1252.57
23	凤冈县零星湿地区	1312.86	9.57	0	0	1322.43
24	湄潭县零星湿地区	1218.28	0	0	0	1218.28
25	余庆县零星湿地区	878.24	0	0	0	878.24
26	习水县零星湿地区	1365.03	0	0	0	1365.03
27	赤水市零星湿地区	890.21	0	0	0	890.21
28	仁怀市零星湿地区	661.32	5.18	12.74	0	679.24
29	西秀区零星湿地区	780.56	22.41	0	0	802.97
30	平坝县零星湿地区	530.93	5.85	0	0	536.78
31	普定县零星湿地区	146.79	120.67	0	0	267.46
32	镇宁县零星湿地区	272.15	10.39	0	0	282.54
33	关岭县零星湿地区	200.23	0	0	0	200.23
34	紫云县零星湿地区	949.17	0	0	0	949.17
35	碧江区零星湿地区	2159.40	0	53.16	0	2212.56
36	江口县零星湿地区	1831.92	5.97	8.05	0	1845.94

（续）

序号	零星湿地区名称	河流湿地各湿地型面积				合　计
		永久性河流	季节性或间歇性河流	洪泛平原湿地	喀斯特溶洞湿地	
37	玉屏县零星湿地区	165.60	0	0	0	165.60
38	石阡县零星湿地区	942.98	0	0	0	942.98
39	思南县零星湿地区	1288.04	3.33	0	0	1291.37
40	印江县零星湿地区	1436.10	28.49	18.39	0	1482.98
41	德江县零星湿地区	875.45	20.17	0	0	895.62
42	沿河县零星湿地区	1131.24	6.83	0	0	1138.07
43	松桃县零星湿地区	2303.71	0	0	0	2303.71
44	万山区零星湿地区	554.30	0	0	0	554.30
45	兴义市零星湿地区	785.73	12.60	0	0	798.33
46	兴仁县零星湿地区	483.83	0	0	0	483.83
47	普安县零星湿地区	433.40	13.75	0	0	447.15
48	晴隆县零星湿地区	296.86	18.90	0	0	315.76
49	贞丰县零星湿地区	481.40	20.53	0	0	501.93
50	望谟县零星湿地区	843.15	23.11	0	0	866.26
51	册亨县零星湿地区	295.36	11.08	0	0	306.44
52	安龙县零星湿地区	751.11	0	0	0	751.11
53	七星关区零星湿地区	1825.54	0	0	0	1825.54
54	大方县零星湿地区	1403.55	5.62	0	0	1409.17
55	黔西县零星湿地区	1024.95	5.58	0	0	1030.53
56	金沙县零星湿地区	969.88	0.85	0	0	970.73
57	织金县零星湿地区	1393.23	33.34	0	0	1426.57
58	纳雍县零星湿地区	1039.26	46.21	0	0	1085.47
59	威宁县零星湿地区	2511.54	296.10	0	0	2807.64
60	赫章县零星湿地区	1305.00	67.71	0	0	1372.71
61	凯里市零星湿地区	1298.48	0	0	0	1298.48
62	黄平县零星湿地区	1126.63	0	0	0	1126.63
63	施秉县零星湿地区	796.51	8.15	8.15	0	812.81
64	三穗县零星湿地区	734.06	0	0	0	734.06

（续）

序号	零星湿地区名称	河流湿地各湿地型面积				合 计
		永久性河流	季节性或间歇性河流	洪泛平原湿地	喀斯特溶洞湿地	
65	镇远县零星湿地区	534.40	0	0	0	534.40
66	岑巩县零星湿地区	243.78	13.34	0	0	257.12
67	天柱县零星湿地区	2660.82	0	268.85	0	2929.67
68	锦屏县零星湿地区	1483.49	0	18.70	0	1502.19
69	剑河县零星湿地区	2077.66	0	164.41	0	2242.07
70	台江县零星湿地区	1179.85	0	44.82	0	1224.67
71	黎平县零星湿地区	2768.23	0	8.02	0	2776.25
72	榕江县零星湿地区	893.15	0	0	0	893.15
73	从江县零星湿地区	1314.89	0	0	0	1314.89
74	雷山县零星湿地区	678.24	0	0	0	678.24
75	麻江县零星湿地区	981.33	0	0	0	981.33
76	丹寨县零星湿地区	449.62	0	0	0	449.62
77	都匀市零星湿地区	1772.96	0	0	0	1772.96
78	福泉市零星湿地区	1305.44	5.16	0	0	1310.60
79	荔波县零星湿地区	1637.96	91.88	0	0	1729.84
80	贵定县零星湿地区	1257.74	34.66	0	0	1292.40
81	瓮安县零星湿地区	1062.90	0	0	0	1062.90
82	独山县零星湿地区	894.01	27.30	0	0	921.31
83	平塘县零星湿地区	1568.74	11.39		0	1580.13
84	罗甸县零星湿地区	836.81	27.33	0	0	864.14
85	长顺县零星湿地区	501.92	0	0	0	501.92
86	龙里县零星湿地区	769.90	4.53	0	0	774.43
87	惠水县零星湿地区	1561.97	13.19	0	0	1575.16
88	三都县零星湿地区	1010.96	10.66	0	0	1021.62
零星湿地区合计		86799.22	1784.53	605.29	0	89189.04
总 计		135386.06	1999.95	750.92	17.83	138154.76

1.2.3 河流湿地在各市级行政区的分布规律

河流湿地在全省各地均有广泛分布，全省 9 个市(州)河流湿地面积见表 2-13。

表 2-13　贵州省各市级行政区河流湿地各湿地型面积统计(公顷)

序　号	行政区	河流湿地各湿地型面积				合　计
		永久性河流	季节性或间歇性河流	洪泛平原湿地	喀斯特溶洞湿地	
1	贵阳市	5120.55	64.73	0	0	5185.28
2	遵义市	21269.19	681.28	60.63	0	22011.10
3	安顺市	5014.34	188.39	0	0	5202.73
4	铜仁市	19604.97	80.76	111.81	0	19797.54
5	黔东南州	34716.74	42.94	578.48	0	35338.16
6	黔南州	17466.09	266.43	0	17.83	17750.35
7	黔西南州	13241.12	120.62	0	0	13361.74
8	六盘水市	5451.20	83.91	0	0	5535.11
9	毕节市	13501.86	470.89	0	0	13972.75
	总　计	135386.06	1999.95	750.92	17.83	138154.76

黔东南州河流湿地面积居 9 个市(州)之首，为 35338.16 公顷，占全省河流湿地总面积的 25.58%；遵义市河流湿地面积位居全省第二，为 22011.10 公顷，占全省河流湿地总面积的 15.93%；铜仁市河流湿地面积居全省第三，为 19797.54 公顷，占全省河流湿地总面积的 14.33%；贵阳市河流湿地面积最小，为 5185.28 公顷，占全省河流湿地总面积的 3.75%。其中，永久性河流湿地面积最大的是黔东南州，为 34716.74 公顷，占全省河流湿地面积的 25.13%；面积最小的是安顺市，为 5014.34 公顷，占全省河流湿地总面积的 3.63%。季节性或间歇性河流面积最大的是遵义市，为 681.28 公顷，占全省河流湿地总面积的 0.49%；面积最小的是黔东南州，为 42.94 公顷，占全省河流湿地面积的 0.03%。洪泛平原湿地只分布在遵义市、铜仁市、黔东南州。喀斯特溶洞湿地只统计到黔南州的少量面积(图 2-32)。

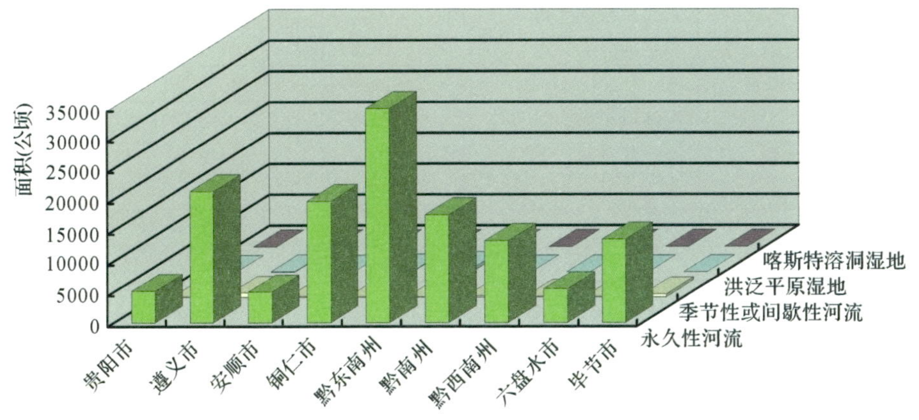

图 2-32　贵州各市级行政区河流湿地面积示意

1.3 湖泊湿地的分布规律

1.3.1 湖泊湿地在各流域的分布规律

1.3.1.1 在一级流域中的分布

贵州省一级流域层面，珠江区湖泊湿地面积494.92公顷，占全省湖泊湿地总面积的19.66%。其中，以永久性淡水湖湿地为主体，面积466.49公顷，占珠江区湖泊湿地面积的94.26%；季节性淡水湖湿地面积28.43公顷，占珠江区湖泊湿地面积的5.74%。长江区湖泊湿地面积2022.78公顷，占全省湖泊湿地总面积的80.34%。其中，永久性淡水湖湿地面积1980.14公顷，占长江区湖泊湿地面积的97.89%；季节性淡水湖湿地面积42.64公顷，占长江区湖泊湿地面积的2.11%。长江区湖泊湿地面积明显大于珠江区(表2-14)。

表2-14 贵州一、二、三级流域湖泊湿地面积统计(公顷)

一级流域	二级流域	三级流域	湖泊湿地各湿地型面积		
			永久性淡水湖	季节性淡水湖	合 计
珠江区	南、北盘江	北盘江	273.73	8.62	282.35
		南盘江	176.30	19.81	196.11
		小 计	450.03	28.43	478.46
	红柳江	柳江	0	0	0
		红水河	16.46	0	16.46
		小 计	16.46	0	16.46
	共 计		466.49	28.43	494.92
长江区	金沙江石鼓以下	石鼓以下干流	1401.52	8.17	1409.69
		小 计	1401.52	8.17	1409.69
	乌江	思南以下	28.66	0	28.66
		思南以上	483.91	34.47	518.38
		小 计	512.57	34.47	547.04
	宜宾至宜昌	宜宾至宜昌干流	0	0	0
		赤水河	28.89	0	28.89
		小 计	28.89	0	28.89
	洞庭湖水系	沅江浦市镇以上	37.16	0	37.16
		沅江浦市镇以下	0	0	0
		小 计	37.16	0	37.16
	共 计		1980.14	42.64	2022.78
总 计			2446.63	71.07	2517.70

1.3.1.2 在二级流域中的分布

贵州省二级流域层面，全省6个二级流域都有湖泊湿地分布，以金沙江石鼓以下流域湖泊湿地面积最大，为1409.69公顷，占长江区湖泊湿地面积的69.69%，占全省湖泊湿地面积的55.99%；乌江流域的湖泊湿地面积位居第二，为547.04公顷，占长江区湖泊湿地面积的27.04%，占全省湖泊湿地总面积的21.73%；南、北盘江流域的湖泊湿地面积位居第三，为478.46公顷，占珠江区河流湿地面积的96.67%，占全省湖泊湿地面积的19.00%；面积最小的是宜宾至宜昌流域，为 28.89 公顷，占长江区湖泊湿地面积的 1.43%，占全省湖泊湿地面积的 1.15%。其中，永久性湖泊面积最大的是金沙江石鼓以下干流流域，为 1401.52 公顷，占长江区湖泊湿地面积的 69.29%，占全省湖泊湿地面积的 55.67%；面积最小的是宜宾至宜昌流域，为 28.89 公顷。季节性淡水湖湿地以乌江流域面积最大，为 34.47 公顷，占长江区湖泊湿地面积的 1.70%，占全省湖泊湿地面积的 1.37%；此外，红柳江、宜宾至宜昌、洞庭湖 3 个二级流域没有季节性淡水湖湿地分布(图 2-33)。

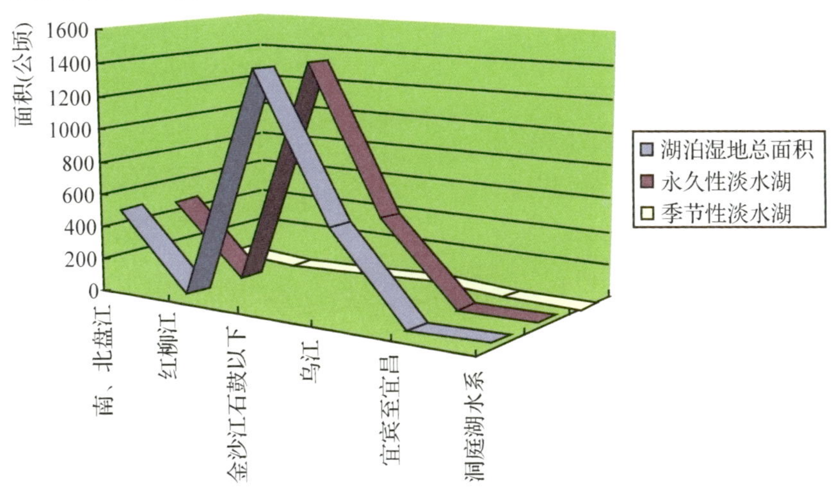

图 **2-33** 贵州省二级流域湖泊湿地分布示意

1.3.1.3 在三级流域中的分布

贵州省珠江区三级流域层面，以北盘江流域湖泊湿地面积最大，为 282.35 公顷，占南、北盘江流域湖泊湿地面积的 59.01%，占珠江区湖泊湿地面积的 57.05%；柳江流域面积最小，没有湖泊湿地。其中，永久性淡水湖湿地以北盘江流域最大，为 273.73 公顷，占南、北盘江水系湖泊湿地面积的 57.21%，占珠江区湖泊湿地面积的 55.31%；以柳江流域最小，没有湖泊湿地分布。季节性淡水湖湿地以南盘江流域面积最大，为 19.81 公顷，占南、北盘江湖泊湿地面积的 4.14%，占珠江区湖泊湿地面积的 4%；此外，柳江流域、红水河流域均无季节性淡水湖分布(图 2-34)。

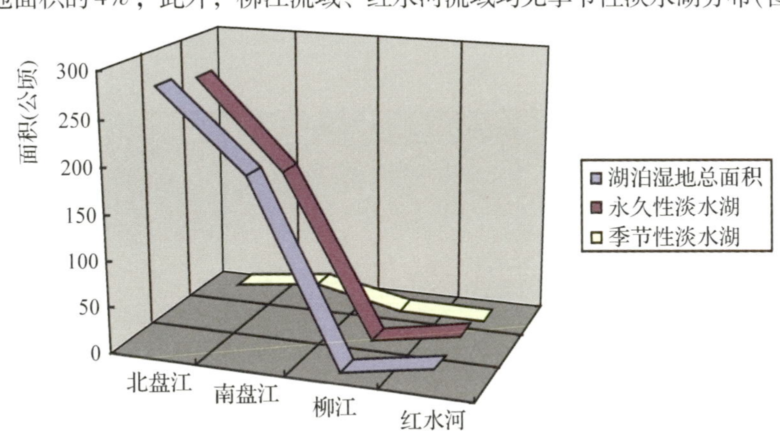

图 **2-34** 贵州省珠江区三级流域湖泊湿地面积示意

贵州省长江区三级流域层面，以石鼓以下干流流域湖泊湿地面积最大，为1409.69公顷，占长江区湖泊湿地面积的69.69%；宜宾至宜昌干流流域、沅江浦市镇以下流域没有湖泊湿地分布。其中，永久性湖泊湿地面积最大的是石鼓以下干流流域，为1401.52公顷，占金沙江石鼓以下流域湖泊湿地面积的99.42%，占长江区湖泊湿地面积的69.29%；柳江、宜宾至宜昌干流、沅江浦市镇以下3个流域没有永久性湖泊湿地分布。季节性湖泊湿地面积最大的是思南以上流域，为34.47公顷，占乌江流域湖泊湿地面积的6.30%，占长江区湖泊湿地面积的1.70%；宜宾至宜昌干流、思南以下、沅江浦市镇以上、沅江浦市镇以下4个流域均无季节性淡水湖湿地分布(图2-35)。

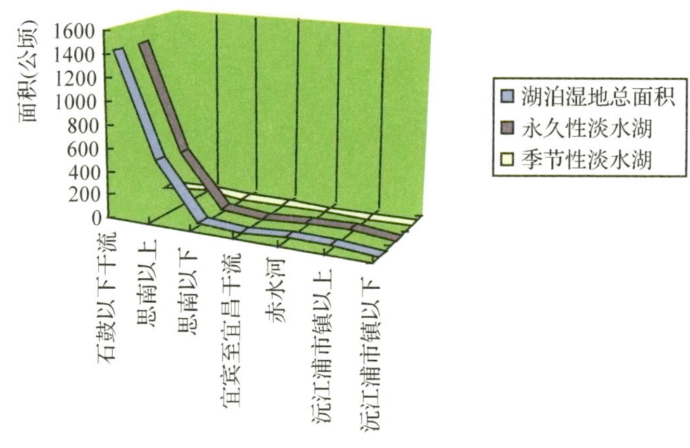

图2-35 贵州省长江区三级流域湖泊湿地面积示意

在全省三级流域层面，以石鼓以下干流流域湖泊湿地面积最大，占全省湖泊湿地面积的55.99%；思南以上流域湖泊湿地面积位居第二，占全省湖泊湿地总面积的20.59%；北盘江流域的湖泊湿地面积位居第三，占全省湖泊湿地面积的11.21%；柳江、宜宾至宜昌干流、沅江浦市镇以下3个流域没有湖泊湿地分布。其中，永久性湖泊湿地面积最大是石鼓以下干流流域，占全省湖泊湿地面积的55.67%；柳江、宜宾至宜昌干流、沅江浦市镇以下3个流域均无永久性湖泊分布。季节性淡水湖湿地以思南以上流域面积最大，占全省湖泊湿地面积的1.37%；柳江、红水河、思南以上、赤水河、宜宾至宜昌干流、沅江浦市镇以上、沅江浦市镇以下7个流域均无季节性湖泊分布(图2-36)。

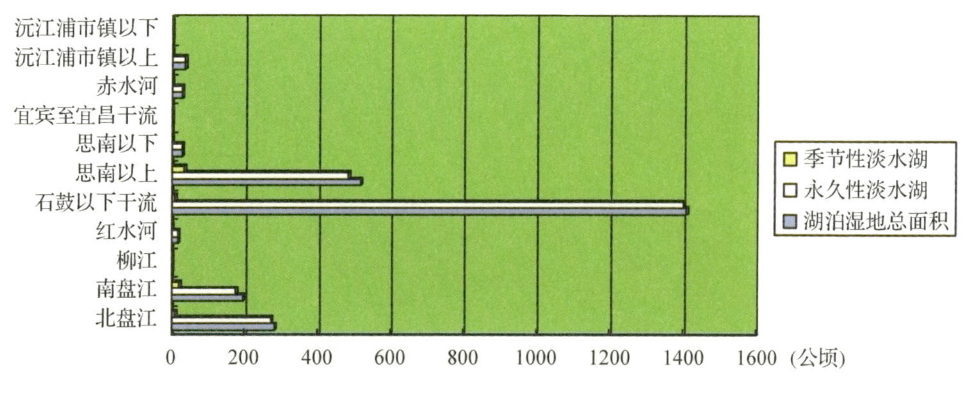

图2-36 贵州省三级流域湖泊湿地面积示意

总体看来，贵州省湖泊湿地资源不甚丰富，在珠江区中有 2 个二级流域 3 个三级流域有湖泊湿地分布；在长江区中有 4 个二级流域 5 个三级流域有分布。全省以长江区湖泊湿地占主导，湖泊湿地的湿地型中又以长江区永久性湖泊湿地占主导，但面积不大。季节性湖泊湿地面积更小，必须加以严格保护，确保其面积不减少是今后一项很重要的工作。

1.3.2　湖泊湿地在各湿地区的分布规律

1.3.2.1　在单独区划湿地区中的分布

全省 39 个单独区划湿地区有 6 个分布有湖泊湿地，见表 2-15。

表 2-15　贵州省单独区划湿地区中湖泊湿地面积统计(公顷)

序号	湿地区名称	湖泊湿地各湿地型面积		
		永久性淡水湖	季节性淡水湖	小　计
1	乌江思南以上河段湿地区	9.78	0	9.78
2	草海国家级自然保护区湿地区	1146.63	0	1146.63
3	威宁锁黄仓国家湿地公园(试点)湿地区	139.29	0	139.29
4	安龙招堤绿海湿地区	61.06	0	61.06
5	三板溪库区湿地区	13.19	0	13.19
6	盘县大麦塘湿地区	25.40	0	25.40
单独区域湿地区合计		1395.35	0	1395.35
全省总计		2446.63	71.07	2517.70

1.3.2.2　在各零星湿地区中的面积与分布

全省 88 个零星湿地区中有 20 个湿地区分布湖泊湿地，见表 2-16。

表 2-16　贵州省零星湿地区湖泊湿地面积统计(公顷)

序号	湿地区名称	湖泊湿地各湿地型面积		
		永久性淡水湖	季节性淡水湖	小　计
1	云岩区零星湿地区	18.17	0	18.17
2	水城县零星湿地区	12.20	0	12.20
3	盘县零星湿地区	8.08	0	8.08
4	遵义县零星湿地区	97.95	0	97.95
5	绥阳县零星湿地区	28.66	0	28.66
6	习水县零星湿地区	14.06	0	14.06
7	赤水市零星湿地区	14.83	0	14.83
8	江口县零星湿地区	23.97	0	23.97
9	兴义市零星湿地区	29.71	19.81	49.52
10	兴仁县零星湿地区	51.50	0	51.50

（续）

序号	湿地区名称	湖泊湿地各湿地型面积		
		永久性淡水湖	季节性淡水湖	小 计
11	安龙县零星湿地区	164.32	0	164.32
12	七星关区零星湿地区	21.89	0	21.89
13	大方县零星湿地区	141.31	0	141.31
14	黔西县零星湿地区	163.21	0	163.21
15	织金县零星湿地区	8.57	0	8.57
16	纳雍县零星湿地区	0	34.47	34.47
17	威宁县零星湿地区	225.66	16.79	242.45
18	赫章县零星湿地区	10.73	0	10.73
19	长顺县零星湿地区	8.03	0	8.03
20	惠水县零星湿地区	8.43	0	8.43
零星湿地区合计		1051.28	71.07	1122.35
全省总计		2446.63	71.07	2517.70

1.3.3 湖泊湿地在各市级行政区的分布规律

全省9个市(州)中除安顺市外，其他市(州)均有湖泊湿地分布，其面积分布详见表2-17。其中，毕节市、黔西南州和遵义市湖泊湿地相对较多，其面积列全省第一、二、三位，分别是1908.55公顷、326.4公顷、165.28公顷，分别占全省湖泊湿地总面积的75.81%、12.96%、6.56%。

表2-17 贵州省各市级行政区湖泊湿地面积统计(公顷)

序号	行政区	湖泊湿地各湿地型面积		合 计
		永久性淡水湖	季节性淡水湖	
1	贵阳市	18.17	0	18.17
2	遵义市	165.28	0	165.28
3	安顺市	0	0	0
4	铜仁市	23.97	0	23.97
5	黔东南州	13.19	0	13.19
6	黔南州	16.46	0	16.46
7	黔西南州	306.59	19.81	326.4
8	六盘水市	45.68	0	45.68
9	毕节市	1857.29	51.26	1908.55
总 计		2446.63	71.07	2517.7

各市级行政区湖泊湿地以永久性淡水湖为主，季节性淡水湖只在黔西南州、毕节市有分布，面积均不大，分别为 19.81 公顷、51.26 公顷(图 2-37)。

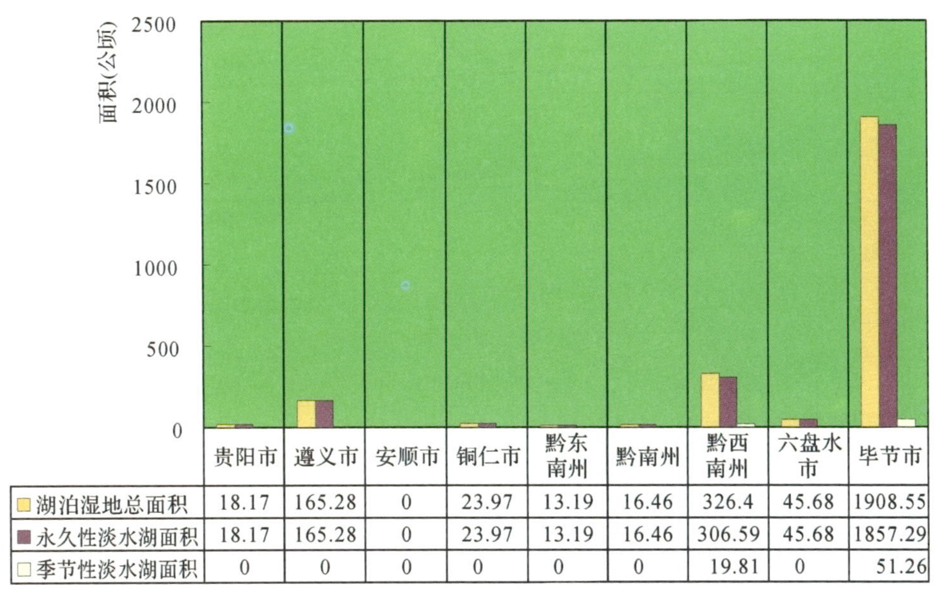

	贵阳市	遵义市	安顺市	铜仁市	黔东南州	黔南州	黔西南州	六盘水市	毕节市
湖泊湿地总面积	18.17	165.28	0	23.97	13.19	16.46	326.4	45.68	1908.55
永久性淡水湖面积	18.17	165.28	0	23.97	13.19	16.46	306.59	45.68	1857.29
季节性淡水湖面积	0	0	0	0	0	0	19.81	0	51.26

图 **2-37**　贵州省各市级行政区湖泊湿地面积示意

1.4　沼泽湿地的分布规律

1.4.1　沼泽湿地在各流域的分布规律

1.4.1.1　在一级流域中的分布

第二次湿地调查结果显示，贵州省一级流域层面，珠江区沼泽湿地面积 3337.06 公顷，占沼泽湿地总面积的 30.40%；长江区沼泽湿地面积 7641.64 公顷，占沼泽湿地总面积的 69.60%(表 2-18)。

1.4.1.2　在二级流域中的分布

在贵州省二级流域层面，全省 6 个二级流域中，南、北盘江流域沼泽湿地面积 853.68 公顷，其中藓类沼泽湿地面积 47.69 公顷，草本沼泽湿地面积 686.61 公顷，灌丛沼泽湿地面积 119.38 公顷；红柳江流域沼泽湿地面积 2483.38 公顷，其中藓类沼泽湿地面积 388.92 公顷，森林沼泽/喀斯特森林沼泽湿地面积 39.20 公顷，沼泽化草甸湿地面积 2055.26 公顷；金沙江石鼓以下流域沼泽湿地面积 1070.63 公顷，均为草本沼泽；乌江流域沼泽湿地面积 6530.91 公顷，其中藓类沼泽湿地面积 200.82 公顷，灌丛沼泽湿地面积 34.4 公顷，沼泽化草甸湿地面积 6295.69 公顷；洞庭湖水系沼泽湿地面积 40.10 公顷，均为藓类沼泽；宜宾至宜昌流域没有沼泽湿地分布。

1.4.1.3　在三级流域中的分布

在珠江区三级流域层面，北盘江、柳江、红水河 3 个三级流域有沼泽湿地分布，南盘江流域无分布。在长江区三级流域层面，石鼓以下干流、思南以上和沅江浦市镇以上 3 个流域有沼泽湿地分布，思南以下、宜宾至宜昌干流、赤水河、沅江浦市镇以下 4 个流域无沼泽湿地分布。

表 2-18 贵州省一、二、三级流域沼泽湿地分布统计(公顷)

一级流域	二级流域	三级流域	沼泽湿地各湿地型面积					
			藓类沼泽	草本沼泽	灌丛沼泽	森林沼泽/喀斯特森林沼泽	沼泽化草甸	合 计
珠江区	南、北盘江	北盘江	47.69	686.61	119.38	0	0	853.68
		南盘江	0	0	0	0	0	0
		小 计	47.69	686.61	119.38	0	0	853.68
	红柳江	柳江	0	0	0	39.20	59.31	98.51
		红水河	388.92	0	0	0	1995.95	2384.87
		小 计	388.92	0	0	39.20	2055.26	2483.38
	共 计		436.61	686.61	119.38	39.20	2055.26	3337.06
长江区	金沙江石鼓以下	石鼓以下干流	0	1070.63	0	0	0	1070.63
		小 计	0	1070.63	0	0	0	1070.63
	乌江	思南以下	0	0	0	0	0	0
		思南以上	200.82	0	34.40	0	6295.69	6530.91
		小 计	200.82	0	34.40	0	6295.69	6530.91
	宜宾至宜昌	宜宾至宜昌干流	0	0	0	0	0	0
		赤水河	0	0	0	0	0	0
		小 计	0	0	0	0	0	0
	洞庭湖水系	沅江浦市镇以下	0	0	0	0	0	0
		沅江浦市镇以上	40.10	0	0	0	0	40.10
		小 计	40.10	0	0	0	0	40.10
	共 计		240.92	1070.63	34.40	0	6295.69	7641.64
全省	总 计		677.53	1757.24	153.78	39.20	8350.95	10978.70

1.4.2 沼泽湿地在各湿地区的分布规律

1.4.2.1 在各单独区划湿地区的分布

第二次湿地调查结果显示，贵州省 39 个单独区划湿地区中只有 7 个有沼泽湿地，其面积分布见表 2-19。

表 2-19 贵州各湿地区沼泽湿地分布统计表(公顷)

序号	湿地区名称	沼泽湿地各湿地型面积					
		藓类沼泽	草本沼泽	灌丛沼泽	森林沼泽/喀斯特森林沼泽	沼泽化草甸	小 计
1	雷公山国家级自然保护区湿地区	40.10	0	0	0	0	40.10
2	草海国家级自然保护区湿地区	0	1675.15	0	0	0	1675.15
3	茂兰国家级自然保护区湿地区	0	0	0	39.20	0	39.20
4	赫章雨帽山湿地区	196.48	0	0	0	0	196.48
5	龙里南部沼泽化草甸湿地区	0	0	0	0	8291.64	8291.64
6	都柳江湿地区	0	0	0	0	59.31	59.31

（续）

序号	湿地区名称	沼泽湿地各湿地型面积					
		藓类沼泽	草本沼泽	灌丛沼泽	森林沼泽/喀斯特森林沼泽	沼泽化草甸	小　计
7	盘县娘娘山湿地区	47.69	0	119.38	0	0	167.07
8	盘县零星湿地区	0	82.09	0	0	0	82.09
9	纳雍县零星湿地区	4.34	0	34.40	0	0	38.74
10	独山县零星湿地区	388.92	0	0	0	0	388.92
全省总计		677.53	1757.24	153.78	39.20	8350.95	10978.70

1.4.2.2　在各零星湿地区的分布

第二次湿地调查结果显示，贵州全省88个零星湿地区中只有盘县零星湿地区、纳雍县零星湿地区和独山县零星湿地区有沼泽湿地分布，其面积见表2-18。沼泽湿地调查主要依靠实地踏查，然而调查队员都是首次参加湿地调查，普遍缺乏实地判断能力，故第二次湿地调查的沼泽湿地面积未能真实反映资源情况，存在缺憾。

1.4.3　沼泽湿地在各市级行政区的分布规律

贵州省9个市(州)中仅有六盘水市、毕节市、黔东南州和黔南州4个市(州)分布有沼泽湿地，其面积见表2-20。全省沼泽湿地面积较大的是黔南州和毕节市，分别为8779.07公顷、1910.37公顷，分别占全省沼泽湿地总面积的79.96%、17.40%。

表2-20　贵州省各市级行政区沼泽湿地分布统计(公顷)

序号	行政区	沼泽湿地各湿地型面积					
		藓类沼泽	草本沼泽	灌丛沼泽	森林沼泽/喀斯特森林沼泽	沼泽化草甸	合　计
1	黔东南州	40.10	0	0	0	0	40.10
2	黔南州	388.92	0	0	39.20	8350.95	8779.07
3	六盘水市	47.69	82.09	119.38	0	0	249.16
4	毕节市	200.82	1675.15	34.40	0	0	1910.37
总　计		677.53	1757.24	153.78	39.20	8350.95	10978.70

1.5　人工湿地的分布规律

1.5.1　人工湿地在各流域的分布规律

1.5.1.1　在一级流域中的分布

在贵州省一级流域层面，珠江区人工湿地面积22224.63公顷，占全省人工湿地面积的38.27%。其中，库塘21891.46公顷，占全省人工湿地面积的37.69%；输水河324.84公顷，占全省人工湿地面积的0.56%；水产养殖场8.33公顷，占全省人工湿地面积的0.01%。长江区人工湿地面积35851.06公顷，占全省人工湿地面积的61.73%。其中，库塘34920.21公顷，占全省人工湿地面积的60.13%；输水河930.85公顷，占全省人工湿地面积的1.60%；长江区没有起调面积以上的水产养殖场(表 2-21)。

表 2-21 贵州省一、二、三级流域人工湿地分布统计(公顷)

<table>
<tr><th rowspan="2">一级流域</th><th rowspan="2">二级流域</th><th rowspan="2">三级流域</th><th colspan="4">人工湿地各湿地型面积</th></tr>
<tr><th>库 塘</th><th>输水河</th><th>水产养殖场</th><th>合 计</th></tr>
<tr><td rowspan="7">珠江区</td><td rowspan="3">南、北盘江</td><td>北盘江</td><td>5564.07</td><td>139.50</td><td>0</td><td>5703.57</td></tr>
<tr><td>南盘江</td><td>7846.63</td><td>26.45</td><td>0</td><td>7873.08</td></tr>
<tr><td>小 计</td><td>13410.70</td><td>165.95</td><td>0</td><td>13576.65</td></tr>
<tr><td rowspan="3">红柳江</td><td>柳江</td><td>570.70</td><td>66.59</td><td>8.33</td><td>645.62</td></tr>
<tr><td>红水河</td><td>7910.06</td><td>92.30</td><td>0</td><td>8002.36</td></tr>
<tr><td>小 计</td><td>8480.76</td><td>158.89</td><td>8.33</td><td>8647.98</td></tr>
<tr><td colspan="2">共 计</td><td>21891.46</td><td>324.84</td><td>8.33</td><td>22224.63</td></tr>
<tr><td rowspan="12">长江区</td><td rowspan="2">金沙江石鼓以下</td><td>石鼓以下干流</td><td>596.38</td><td>0</td><td>0</td><td>596.38</td></tr>
<tr><td>小 计</td><td>596.38</td><td>0</td><td>0</td><td>596.38</td></tr>
<tr><td rowspan="3">乌江</td><td>思南以下</td><td>2222.81</td><td>103.76</td><td>0</td><td>2326.57</td></tr>
<tr><td>思南以上</td><td>28135.47</td><td>517.27</td><td>0</td><td>28652.74</td></tr>
<tr><td>小 计</td><td>30358.28</td><td>621.03</td><td>0</td><td>30979.31</td></tr>
<tr><td rowspan="3">宜宾至宜昌</td><td>宜宾至宜昌干流</td><td>26.76</td><td>0</td><td>0</td><td>26.76</td></tr>
<tr><td>赤水河</td><td>605.92</td><td>26.45</td><td>0</td><td>632.37</td></tr>
<tr><td>小 计</td><td>632.68</td><td>26.45</td><td>0</td><td>659.13</td></tr>
<tr><td rowspan="3">洞庭湖水系</td><td>沅江浦市镇以下</td><td>236.17</td><td>16.27</td><td>0</td><td>252.44</td></tr>
<tr><td>沅江浦市镇以上</td><td>3096.70</td><td>267.10</td><td>0</td><td>3363.80</td></tr>
<tr><td>小 计</td><td>3332.87</td><td>283.37</td><td>0</td><td>3616.24</td></tr>
<tr><td colspan="2">共 计</td><td>34920.21</td><td>930.85</td><td>0</td><td>35851.06</td></tr>
<tr><td colspan="3">总 计</td><td>56811.67</td><td>1255.69</td><td>8.33</td><td>58075.69</td></tr>
</table>

1.5.1.2 在二级流域中的分布

在贵州省二级流域层面，全省 6 个二级流域中都有人工湿地分布。其中，人工湿地面积最大的是乌江流域，为 30979.31 公顷，占长江区湿地面积的 86.41%，占全省湿地总面积的 53.34%；其次是南、北盘江流域，为 13576.65 公顷，占珠江区湿地面积的 61.09%，占全省湿地总面积的 23.38%；最小的是金沙江石鼓以下流域，为 596.38 公顷，占长江区湿地面积为 1.66%，占全省湿地总面积的 1.03%。人工湿地中，库塘面积最大的是乌江流域，为 30358.28 公顷，占长江区湿地面积的 84.68%，占全省湿地总面积的 52.27%；其次是南、北盘江流域，为 13410.70 公顷，占珠江区湿地面积的 60.34%，占全省湿地总面积 23.09%；面积最小的是金沙江石鼓以下流域，为 596.38 公顷，占长江区湿地面积的 1.66%，占全省湿地总面积的 1.03%。输水河面积最大的是乌江流域，为 621.03 公顷，占长江区湿地面积的 1.73%，占全省湿地总面积的 1.07%；其次是洞庭湖水系，为 283.37 公顷，占长江区湿地面积的 0.79%，占全省湿地总面积的 0.49%；面积最小的是宜宾至宜昌流域，为 26.45 公顷，占长江区湿地面积的 0.07%，占全省湿地总面积的 0.05%。水产养殖场只在红柳江流域有少量分布，面积 8.33 公顷。由此可见，人工湿地在二级流域层面主要集中分布在乌江和南、北盘江流域(图 2-38)。

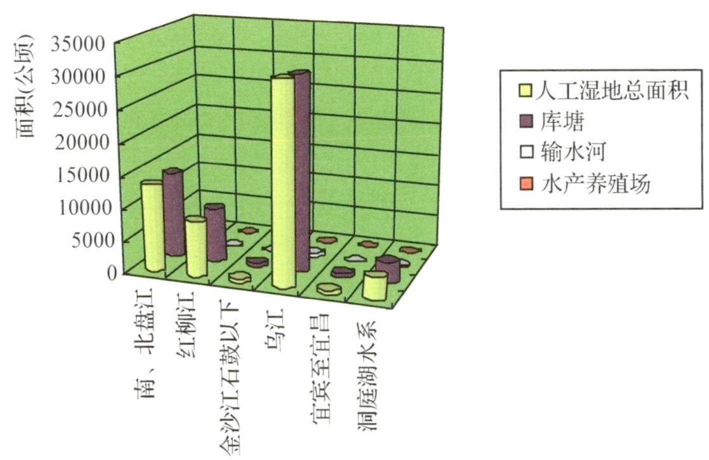

图 **2-38** 贵州省二级流域人工湿地面积示意

1.5.1.3 在三级流域中的分布

在贵州省珠江区三级流域层面，人工湿地分布面积最大的是红水河流域，为8002.36公顷，占红柳江流域人工湿地面积的92.53%，占珠江区人工湿地总面积的36.01%；人工湿地分布面积最小的是柳江流域，为645.62公顷，占红柳江流域人工湿地面积的7.47%，占珠江区人工湿地总面积的2.90%。人工湿地中，库塘面积最大的是红水河流域，为7910.06公顷，占红柳江流域人工湿地面积的91.47%，占珠江区人工湿地总面积的35.59%；库塘面积最小的是柳江流域，为570.70公顷，占红柳江流域人工湿地面积的6.60%，占珠江区人工湿地总面积的2.57%。输水河面积最大的是北盘江流域，为139.50公顷，占南、北盘江人工湿地面积的1.03%，占珠江区人工湿地总面积的0.63%；输水河面积最小的是南盘江流域，为26.45公顷，占南、北盘江人工湿地面积的0.19%，占珠江区人工湿地总面积的0.12%。水产养殖场在柳江流域有分布，面积为8.33公顷(图2-39)。

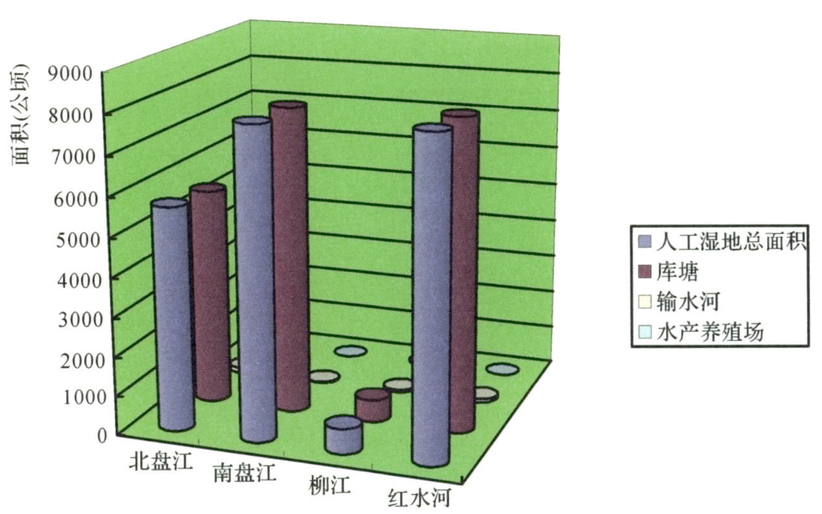

图 **2-39** 贵州省珠江区三级流域人工湿地面积示意

在贵州省长江区三级流域层面，人工湿地面积最大的是思南以上流域，为28652.74公顷，占乌江流域湿地总面积的92.49%，占长江区湿地总面积的79.92%；人工湿地面积最小的是长江宜宾至宜昌干流流域，为26.76公顷，占宜宾至宜昌流域湿地面积的4.06%，占长江区湿地面积的0.07%。人工湿地中，库塘面积最大的是思南以上流域，为28135.47公顷，占乌江流域湿地面积的90.82%，占长江区湿地总面积的78.48%；库塘面积最小的是宜宾至宜昌干流流域，为26.76公顷，占宜宾至宜昌流域湿地面积的4.06%，占长江区湿地总面积的0.07%。输水河面积最大的是思南以上流域，为517.27公顷，占乌江流域湿地面积的1.65%，占长江区湿地总面积的1.44%；石鼓以下干流流域、宜宾至宜昌干流流域，没有输水河分布(图2-40)。

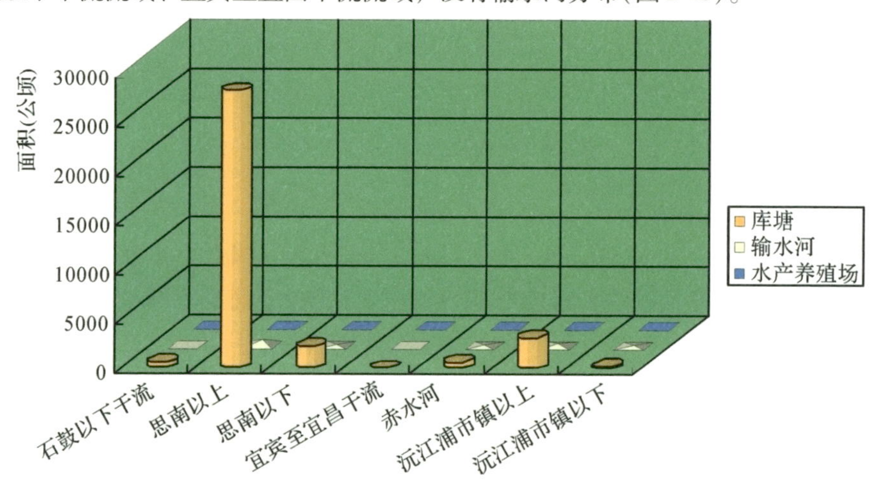

图 **2-40** 贵州省长江区三级流域人工湿地面积示意

在贵州省11个三级流域中，人工湿地面积最大的是思南以上流域，为28652.74公顷，占全省人工湿地总面积的49.34%；其次是红水河流域，为8002.36公顷，占全省人工湿地总面积的13.78%；面积最小的是宜宾至宜昌干流流域，为26.76公顷，占全省人工湿地总面积的0.05%。人工湿地中，库塘面积最大的是思南以上流域，为28135.47公顷，占全省人工湿地总面积的

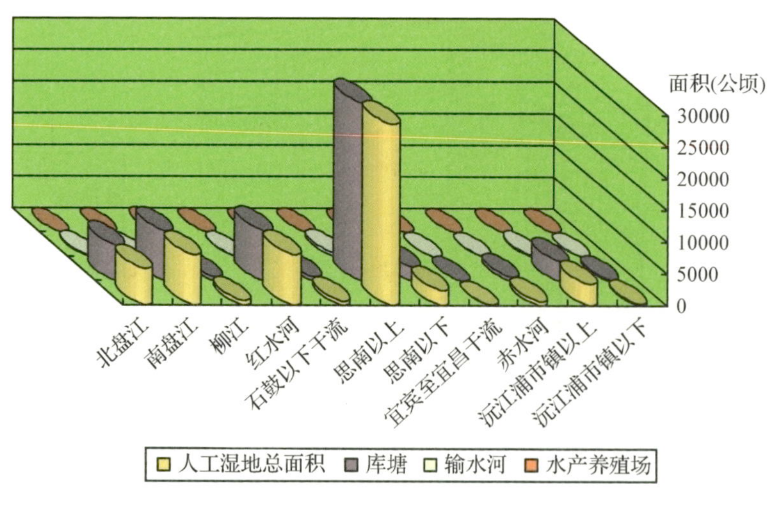

图 **2-41** 贵州省三级流域人工湿地面积示意

48.45%；其次是红水河流域，面积7910.06公顷，占全省人工湿地总面积的13.62%；库塘面积最小的是宜宾至宜昌干流流域，为26.76公顷，占全省人工湿地总面积的0.05%。输水河面积最大的是思南以上流域，为517.27公顷，占全省湿地总面积的0.89%；其次是沅江浦市镇以上流域，为267.10公顷，占全省人工湿地总面积的0.46%；石鼓以下干流流域、宜宾至宜昌流域，没有输水河。全省水产养殖场只分布在柳江流域，面积8.33公顷(图2-41)。

总体看来，贵州省人工湿地以长江区占主导，其中又以长江区库塘湿地为主体；输水河面积较小；水产养殖场几乎没有。

1.5.2 人工湿地在各湿地区的分布规律

1.5.2.1 在各单独区划湿地区中的分布

贵州省39个单独区划湿地区中有21个分布人工湿地，各单独区划湿地区内人工湿地的面积及分布见表2-22。

表2-22 贵州省单独区划湿地区人工湿地分布统计(公顷)

序号	湿地区名称	人工湿地各湿地型面积			
		库 塘	输水河	水产养殖场	小 计
1	宽阔水国家级自然保护区湿地区	47.42	0	0	47.42
2	习水国家级自然保护区湿地区	12.06	0	0	12.06
3	金沙冷水河县级保护区湿地区	87.57	9.85	0	97.42
4	乌江思南以上河段湿地区	6561.03	2.28	0	6563.31
5	都柳江湿地区	116.22	27.32	0	143.54
6	乌江思南以下河段湿地区		14.20	0	14.20
7	㵲阳河湿地区	572.67	84.64	0	657.31
8	长江上游珍稀特有鱼类国家级自然保护区湿地区	8.51	0	0	8.51
9	花溪十里河滩城市湿地公园湿地区	391.10	0	0	391.10
10	北盘江湿地区	3811.26	14.39	0	3825.65
11	红水河湿地区	2575.41	0	0	2575.41
12	草海国家级自然保护区湿地区	417.00	0	0	417.00
13	安龙招堤绿海湿地区	100.19	4.69	0	104.88
14	茂兰国家级自然保护区湿地区	0	0	8.33	8.33
15	百里杜鹃省级自然保护区湿地区	59.99	0	0	59.99
16	云贵水韭保护点湿地区	11.49	0	0	11.49
17	石阡鸳鸯湖国家湿地公园(试点)湿地区	53.52	0	0	53.52

（续）

序号	湿地区名称	人工湿地各湿地型面积			
		库　塘	输水河	水产养殖场	小　计
18	龙滩库区湿地区	4550.29	8.47	0	4558.76
19	天生桥电站库区湿地区	6316.64	0	0	6316.64
20	百花湖湿地区	1179.52	5.42	0	1184.94
21	红枫湖湿地区	5370.82	0	0	5370.82
单独区划湿地区合计		32242.71	171.26	8.33	32422.3
全省总计		56811.67	1255.69	8.33	58075.69

1.5.2.2 各零星湿地区中的分布

贵州省88个零星湿地区中有87个分布有人工湿地，唯从江县零星湿地区没有人工湿地分布，各零星湿地区人工湿地的面积及分布见表2-23。

表2-23 贵州省零星湿地区人工湿地分布统计(公顷)

序号	湿地区名称	人工湿地型			
		库　塘	输水河	水产养殖场	小　计
1	南明区零星湿地区	35.08	0	0	35.08
2	云岩区零星湿地区	34.06	0	0	34.06
3	花溪区零星湿地区	128.63	6.12	0	134.75
4	乌当区零星湿地区	85.78	0	0	85.78
5	白云区零星湿地区	67.95	0	0	67.95
6	小河区零星湿地区	410.97	0	0	410.97
7	开阳县零星湿地区	208.94	15.13	0	224.07
8	息烽县零星湿地区	82.75	30.34	0	113.09
9	修文县零星湿地区	284.01	0	0	284.01
10	清镇市零星湿地区	111.88	0	0	111.88
11	钟山区零星湿地区	132.18	48.40	0	180.58
12	六枝特区零星湿地区	118.43	0	0	118.43
13	水城县零星湿地区	229.21	0	0	229.21
14	盘县零星湿地区	357.17	0	0	357.17
15	红花岗区零星湿地区	408.98	0	0	408.98
16	汇川区零星湿地区	120.30	0	0	120.30
17	遵义县零星湿地区	601.16	107.56	0	708.72
18	桐梓县零星湿地区	109.38	0	0	109.38

（续）

序号	湿地区名称	人工湿地型			
		库　塘	输水河	水产养殖场	小　计
19	绥阳县零星湿地区	173.50	106.25	0	279.75
20	正安县零星湿地区	128.25	0	0	128.25
21	道真县零星湿地区	55.25	0	0	55.25
22	务川县零星湿地区	114.35	0	0	114.35
23	凤冈县零星湿地区	457.53	0	0	457.53
24	湄潭县零星湿地区	220.84	0	0	220.84
25	余庆县零星湿地区	680.51	0	0	680.51
26	习水县零星湿地区	163.10	0		163.10
27	赤水市零星湿地区	79.63	0	0	79.63
28	仁怀市零星湿地区	180.57	10.06	0	190.63
29	西秀区零星湿地区	855.71	113.66	0	969.37
30	平坝县零星湿地区	338.09	0	0	338.09
31	普定县零星湿地区	138.58	90.90	0	229.48
32	镇宁县零星湿地区	314.46	4.46	0	318.92
33	关岭县零星湿地区	34.90	11.86	0	46.76
34	紫云县零星湿地区	53.73	0	0	53.73
35	碧江区零星湿地区	297.12	0	0	297.12
36	江口县零星湿地区	57.12	0	0	57.12
37	玉屏县零星湿地区	128.37	6.76	0	135.13
38	石阡县零星湿地区	40.69	0	0	40.69
39	思南县零星湿地区	124.01	5.55	0	129.56
40	印江县零星湿地区	94.11	10.93	0	105.04
41	德江县零星湿地区	199.92	20.59	0	220.51
42	沿河县零星湿地区	906.80	0	0	906.80
43	松桃县零星湿地区	368.52	26.81	0	395.33
44	万山区零星湿地区	155.08	0	0	155.08
45	兴义市零星湿地区	953.33	5.10	0	958.43
46	兴仁县零星湿地区	129.00	9.09	0	138.09
47	普安县零星湿地区	156.41	21.35	0	177.76
48	晴隆县零星湿地区	24.10	0	0	24.10
49	贞丰县零星湿地区	193.36	14.80	0	208.16

（续）

序号	湿地区名称	人工湿地型			
		库 塘	输水河	水产养殖场	小 计
50	望谟县零星湿地区	14.93	0	0	14.93
51	册亨县零星湿地区	18.55	0	0	18.55
52	安龙县零星湿地区	122.35	0	0	122.35
53	七星关区零星湿地区	198.16	6.34	0	204.50
54	大方县零星湿地区	2909.41	32.05	0	2941.46
55	黔西县零星湿地区	2742.85	61.36	0	2804.21
56	金沙县零星湿地区	151.65	17.82	0	169.47
57	织金县零星湿地区	2488.35	4.31	0	2492.66
58	纳雍县零星湿地区	786.39	0	0	786.39
59	威宁县零星湿地区	240.56	0	0	240.56
60	赫章县零星湿地区	157.38	0	0	157.38
61	凯里市零星湿地区	57.66	0	0	57.66
62	黄平县零星湿地区	54.31	0	0	54.31
63	施秉县零星湿地区	108.80	26.47	0	135.27
64	三穗县零星湿地区	31.63	7.30	0	38.93
65	镇远县零星湿地区	19.61	16.23	0	35.84
66	岑巩县零星湿地区	104.57	0	0	104.57
67	天柱县零星湿地区	254.81	34.26	0	289.07
68	锦屏县零星湿地区	307.88	1.07	0	308.95
69	剑河县零星湿地区	8.04	0	0	8.04
70	台江县零星湿地区	172.42	0	0	172.42
71	黎平县零星湿地区	172.55	13.14	0	185.69
72	榕江县零星湿地区	30.23	0	0	30.23
73	雷山县零星湿地区	0	6.46	0	6.46
74	麻江县零星湿地区	11.53	0	0	11.53
75	丹寨县零星湿地区	44.31	0	0	44.31
76	都匀市零星湿地区	411.06	55.90	0	466.96
77	福泉市零星湿地区	50.83	9.52	0	60.35
78	荔波县零星湿地区	41.72	0	0	41.72
79	贵定县零星湿地区	97.63	30.19	0	127.82
80	瓮安县零星湿地区	324.50	14.87	0	339.37

（续）

序号	湿地区名称	人工湿地型			
		库 塘	输水河	水产养殖场	小 计
81	独山县零星湿地区	264.71	60.75	0	325.46
82	平塘县零星湿地区	10.36	0	0	10.36
83	罗甸县零星湿地区	69.80	0	0	69.80
84	长顺县零星湿地区	404.28	13.03	0	417.31
85	龙里县零星湿地区	46.77	4.20	0	50.97
86	惠水县零星湿地区	116.12	3.44	0	119.56
87	三都县零星湿地区	178.45	0	0	178.45
零星湿地区合计		24568.96	1084.43	0	25653.39
全省总计		56811.67	1255.69	8.33	58075.69

从总体上看，全省127个湿地区中有108个湿地区分布人工湿地，面积最大的是乌江思南以上河段湿地区，面积6563.31公顷；其次是天生桥电站库区湿地区，面积6316.64公顷；第三位的是红枫湖湿地区，面积5370.82公顷。其中，库塘湿地面积最大，排名前三位的分别是：乌江思南以上河段湿地区、天生桥电站库区、红枫湖湿地区，面积分别为6561.03公顷、6316.64公顷和5370.82公顷。

1.5.3 人工湿地在各市级行政区的分布规律

人工湿地在贵州省9个市级行政区都有分布，见表2-24。

表2-24 全省各市级行政区人工湿地分布统计（公顷）

序号	行政区	人工湿地各湿地型面积			合 计
		库 塘	输水河	水产养殖场	
1	贵阳市	9115.16	57.01	0	9172.17
2	遵义市	4073.17	226.15	0	4299.32
3	安顺市	4794.09	235.27	0	5029.36
4	铜仁市	2806.93	84.84	0	2891.77
5	黔东南州	1947.70	216.89	0	2164.59
6	黔南州	6844.66	200.37	8.33	7053.36
7	黔西南州	12167.15	55.03	0	12222.18
8	六盘水市	2261.21	48.40	0	2309.61
9	毕节市	12801.60	131.73	0	12933.33
总 计		56811.67	1255.69	8.33	58075.69

其中，毕节市人工湿地面积最大，为12933.33公顷，占全省人工湿地面积的22.27%，境内有大量库塘分布，面积最大的是洪家渡水库，乌江渡电站水库次之；黔西南州人工湿地面积排名第二，为12222.18公顷，占全省人工湿地面积的21.05%，境内面积最大的库塘是天生桥电站库区；贵阳市人工湿地面积排名第三，为9172.17公顷，占全省人工湿地面积的15.80%，境内面积最大的库塘是红枫湖，其次是百花水库。人工湿地面积最小的是黔东南州，为2164.59公顷，占全省人工湿地面积的3.73%。输水河在各市(州)均有少量分布，安顺市面积最大，有235.27公顷，占全省人工湿地面积的0.41%；面积最小的是六盘水市，仅有48.40公顷，占全省人工湿地面积的0.08%。水产养殖场只在黔南州有分布(图2-42)。

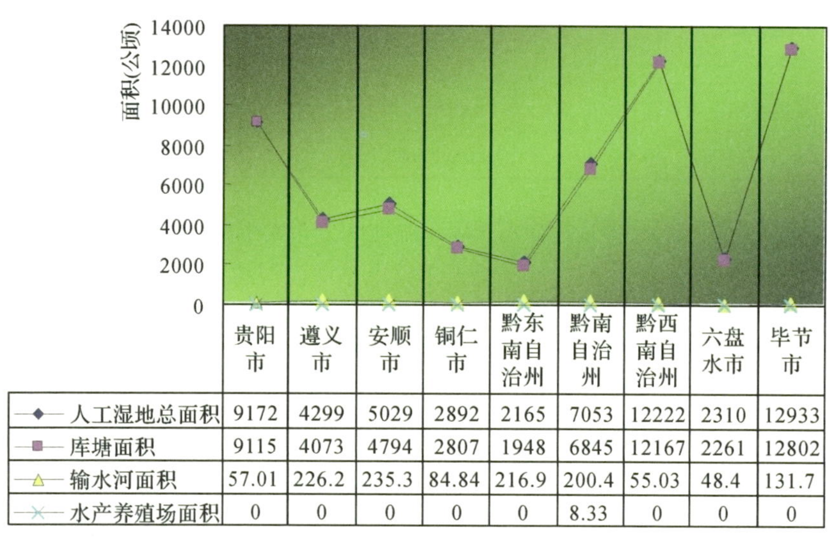

	贵阳市	遵义市	安顺市	铜仁市	黔东南自治州	黔南自治州	黔西南自治州	六盘水市	毕节市
人工湿地总面积	9172	4299	5029	2892	2165	7053	12222	2310	12933
库塘面积	9115	4073	4794	2807	1948	6845	12167	2261	12802
输水河面积	57.01	226.2	235.3	84.84	216.9	200.4	55.03	48.4	131.7
水产养殖场面积	0	0	0	0	0	8.33	0	0	0

图2-42 贵州省各市级行政区人工湿地分布示意

2 按湿地分区论述

2.1 概 述

全国第二次湿地调查区划是按照省→湿地区→湿地斑块的区划系统组织进行的。湿地区是指由多块湿地斑块组成的，具有一定的水文联系和生态功能的湿地复合体。在划分湿地区时，充分考虑了湿地生态系统的完整性和地貌单元的独立性，省境内凡属于国家重要湿地或者根据湿地保护管理需要必须保持整体性的湿地均单独划为一个湿地区。其他零星湿地则以县域为单位区划，并按县级行政区域名称进行命名。湿地斑块是湿地资源调查、统计的最小单位。凡具备下列区划因子之一的，单独划分湿地斑块：三级流域不同、湿地型不同、县级行政区域不同、土地所有权不同、保护状况不同、湿地受威胁等级不同、湿地主导利用方式不同。此外，单块湿地面积小于8公顷，湿地型相同但相互之间距离小于160米的，区划为同一湿地斑块。

根据《全国湿地资源调查技术规程(试行)》和《贵州省第二次湿地资源调查实施细则》规定，全省划为127个湿地区，其中单独区划湿地区39个，零星湿地区88个。

2.2　在单独区划湿地区中的分布规律

在单独区划湿地区中，湿地面积最大的是乌江思南以上河段湿地区，面积13614.74公顷；北盘江湿地区次之，面积12497.47公顷；第三是都柳江湿地区，面积8459.86公顷。其中，河流湿地面积最大的是北盘江湿地区，面积8671.82公顷；都柳江湿地区次之，面积8257.01公顷。湖泊湿地面积最大的是草海国家级自然保护区湿地区，面积1146.63公顷。沼泽湿地面积最大的是贵州龙里南部沼泽化草甸湿地区，面积8291.64公顷。人工湿地在大部分湿地区中皆有分布，其中乌江思南以上河段湿地区面积最大，为6563.31公顷(表2-25)。

表2-25　贵州省单独区划湿地区中各湿地类面积统计(公顷)

序号	湿地区	各湿地类面积				小　计
		河流湿地	湖泊湿地	沼泽湿地	人工湿地	
1	草海国家级自然保护区湿地区	0	1146.63	1675.15	417.00	3238.78
2	长江上游珍稀特有鱼类国家级自然保护区湿地区	1934.78	0	0	8.51	1943.29
3	贵定岩下县级保护区湿地区	27.97	0	0	0	27.97
4	石阡鸳鸯湖国家湿地公园(试点)湿地区	353.73	0	0	53.52	407.25
5	威宁锁黄仓国家湿地公园(试点)湿地区	14.67	139.29	0	0	153.96
6	花溪十里河滩城市湿地公园湿地区	125.20	0	0	391.10	516.30
7	梵净山国家级自然保护区湿地区	416.21	0	0	0	416.21
8	茂兰国家级自然保护区湿地区	27.41	0	39.20	8.33	74.94
9	雷公山国家级自然保护区湿地区	377.74	0	40.10	0	417.84
10	麻阳河国家级自然保护区湿地区	314.22	0	0	0	314.22
11	习水国家级自然保护区湿地区	419.19	0	0	12.06	431.25
12	宽阔水国家级自然保护区湿地区	289.92	0	0	47.42	337.34
13	大沙河省级自然保护区湿地区	123.73	0	0	0	123.73
14	佛顶山省级自然保护区湿地区	87.96	0	0	0	87.96
15	百里杜鹃省级自然保护区湿地区	88.91	0	0	59.99	148.90
16	贞丰龙头大山州级保护区湿地区	17.63	0	0	0	17.63
17	金沙冷水河县级保护区湿地区	233.80	0	0	97.42	331.22
18	桐梓柏箐市级保护区湿地区	526.52	0	0	0	526.52
19	绥阳双河溶洞县级保护区湿地区	115.61	0	0	0	115.61
20	普安下厂河县级保护区湿地区	102.58	0	0	0	102.58

（续）

序号	湿地区	各湿地类面积				小 计
		河流湿地	湖泊湿地	沼泽湿地	人工湿地	
21	黔西渭河县级保护区湿地区	138.29	0	0	0	138.29
22	南盘江湿地区	3403.60	0	0	0	3403.60
23	北盘江湿地区	8671.82	0	0	3825.65	12497.47
24	红水河湿地区	137.04	0	0	2575.41	2712.45
25	乌江思南以上河段湿地区	7041.65	9.78	0	6563.31	13614.74
26	乌江思南以下河段湿地区	4581.68	0	0	14.20	4595.88
27	都柳江湿地区	8257.01	0	59.31	143.54	8459.86
28	㵲阳河湿地区	4749.20	0	0	657.31	5406.51
29	安龙招堤绿海湿地区	36.50	61.06	0	104.88	202.44
30	赫章雨帽山湿地区	39.13	0	196.48	0	235.61
31	云贵水韭保护点湿地区	61.54	0	0	11.49	73.03
32	龙里南部沼泽化草甸湿地区	30.72	0	8291.64	0	8322.36
33	盘县娘娘山湿地区	0	0	167.07	0	167.07
34	三板溪库区湿地区	5331.36	13.19	0	0	5344.55
35	龙滩库区湿地区	515.29	0	0	4558.76	5074.05
36	天生桥电站库区湿地区	241.88	0	0	6316.64	6558.52
37	百花湖湿地区	67.76	0	0	1184.94	1252.70
38	红枫湖湿地区	63.47	0	0	5370.82	5434.29
39	盘县大麦塘湿地区	0	25.40	0	0	25.40
单独区划湿地区合计		48965.72	1395.35	10468.95	32422.3	93252.32
全省总计		138154.76	2517.70	10978.70	58075.69	209726.85

2.3 在零星湿地区中的分布规律

在零星湿地区中，湿地面积最大的是大方县零星湿地区，为4491.94公顷；其次是黔西县零星湿地区，为3997.95公顷；第三是织金县零星湿地区，为3927.80公顷。其中，河流湿地面积最大的是天柱县零星湿地区，为2929.67公顷；湖泊湿地面积最大的是威宁县零星湿地区，为242.45公顷；沼泽湿地仅在盘县零星湿地区、纳雍县零星湿地区和独山县零星湿地区有分布；人工湿地分布广泛，以大方县零星湿地区分布面积最大，为2941.46公顷；黔西县零星湿地区次之，为2804.21公顷(表2-26)。

表 2-26 贵州省零星湿地区中各湿地类面积统计(公顷)

序号	湿地区	各湿地类面积				小 计
		河流湿地	湖泊湿地	沼泽湿地	人工湿地	
1	南明区零星湿地区	151.07	0	0	35.08	186.15
2	云岩区零星湿地区	50.99	18.17	0	34.06	103.22
3	花溪区零星湿地区	238.99	0	0	134.75	373.74
4	乌当区零星湿地区	572.42	0	0	85.78	658.20
5	白云区零星湿地区	100.39	0	0	67.95	168.34
6	小河区零星湿地区	66.19	0	0	410.97	477.16
7	开阳县零星湿地区	969.68	0	0	224.07	1193.75
8	息烽县零星湿地区	428.78	0	0	113.09	541.87
9	修文县零星湿地区	471.75	0	0	284.01	755.76
10	清镇市零星湿地区	531.35	0	0	111.88	643.23
11	钟山区零星湿地区	58.81	0	0	180.58	239.39
12	六枝特区零星湿地区	490.12	0	0	118.43	608.55
13	水城县零星湿地区	639.45	12.20	0	229.21	880.86
14	盘县零星湿地区	1285.38	8.08	82.09	357.17	1732.72
15	红花岗区零星湿地区	396.95	0	0	408.98	805.93
16	汇川区零星湿地区	360.83	0	0	120.30	481.13
17	遵义县零星湿地区	2478.53	97.95	0	708.72	3285.20
18	桐梓县零星湿地区	1133.73	0	0	109.38	1243.11
19	绥阳县零星湿地区	1060.28	28.66	0	279.75	1368.69
20	正安县零星湿地区	2107.38	0	0	128.25	2235.63
21	道真县零星湿地区	1555.53	0	0	55.25	1610.78
22	务川县零星湿地区	1252.57	0	0	114.35	1366.92
23	凤冈县零星湿地区	1322.43	0	0	457.53	1779.96
24	湄潭县零星湿地区	1218.28	0	0	220.84	1439.12
25	余庆县零星湿地区	878.24	0	0	680.51	1558.75
26	习水县零星湿地区	1365.03	14.06	0	163.10	1542.19
27	赤水市零星湿地区	890.21	14.83	0	79.63	984.67
28	仁怀市零星湿地区	679.24	0	0	190.63	869.87
29	西秀区零星湿地区	802.97	0	0	969.37	1772.34
30	平坝县零星湿地区	536.78	0	0	338.09	874.87
31	普定县零星湿地区	267.46	0	0	229.48	496.94
32	镇宁县零星湿地区	282.54	0	0	318.92	601.46

（续）

序号	湿地区	各湿地类面积				小 计
		河流湿地	湖泊湿地	沼泽湿地	人工湿地	
33	关岭县零星湿地区	200.23	0	0	46.76	246.99
34	紫云县零星湿地区	949.17	0	0	53.73	1002.90
35	碧江区零星湿地区	2212.56	0	0	297.12	2509.68
36	江口县零星湿地区	1845.94	23.97	0	57.12	1927.03
37	玉屏县零星湿地区	165.60	0	0	135.13	300.73
38	石阡县零星湿地区	942.98	0	0	40.69	983.67
39	思南县零星湿地区	1291.37	0	0	129.56	1420.93
40	印江县零星湿地区	1482.98	0	0	105.04	1588.02
41	德江县零星湿地区	895.62	0	0	220.51	1116.13
42	沿河县零星湿地区	1138.07	0	0	906.80	2044.87
43	松桃县零星湿地区	2303.71	0	0	395.33	2699.04
44	万山区零星湿地区	554.30	0	0	155.08	709.38
45	兴义市零星湿地区	798.33	49.52	0	958.43	1806.28
46	兴仁县零星湿地区	483.83	51.50	0	138.09	673.42
47	普安县零星湿地区	447.15	0	0	177.76	624.91
48	晴隆县零星湿地区	315.76	0	0	24.10	339.86
49	贞丰县零星湿地区	501.93	0	0	208.16	710.09
50	望谟县零星湿地区	866.26	0	0	14.93	881.19
51	册亨县零星湿地区	306.44	0	0	18.55	324.99
52	安龙县零星湿地区	751.11	164.32	0	122.35	1037.78
53	七星关区零星湿地区	1825.54	21.89	0	204.50	2051.93
54	大方县零星湿地区	1409.17	141.31	0	2941.46	4491.94
55	黔西县零星湿地区	1030.53	163.21	0	2804.21	3997.95
56	金沙县零星湿地区	970.73	0	0	169.47	1140.20
57	织金县零星湿地区	1426.57	8.57	0	2492.66	3927.80
58	纳雍县零星湿地区	1085.47	34.47	38.74	786.39	1945.07
59	威宁县零星湿地区	2807.64	242.45	0	240.56	3290.65
60	赫章县零星湿地区	1372.71	10.73	0	157.38	1540.82
61	凯里市零星湿地区	1298.48	0	0	57.66	1356.14
62	黄平县零星湿地区	1126.63	0	0	54.31	1180.94
63	施秉县零星湿地区	812.81	0	0	135.27	948.08
64	三穗县零星湿地区	734.06	0	0	38.93	772.99

（续）

序号	湿地区	各湿地类面积				小 计
		河流湿地	湖泊湿地	沼泽湿地	人工湿地	
65	镇远县零星湿地区	534.40	0	0	35.84	570.24
66	岑巩县零星湿地区	257.12	0	0	104.57	361.69
67	天柱县零星湿地区	2929.67	0	0	289.07	3218.74
68	锦屏县零星湿地区	1502.19	0	0	308.95	1811.14
69	剑河县零星湿地区	2242.07	0	0	8.04	2250.11
70	台江县零星湿地区	1224.67	0	0	172.42	1397.09
71	黎平县零星湿地区	2776.25	0	0	185.69	2961.94
72	榕江县零星湿地区	893.15	0	0	30.23	923.38
73	从江县零星湿地区	1314.89	0	0	0	1314.89
74	雷山县零星湿地区	678.24	0	0	6.46	684.70
75	麻江县零星湿地区	981.33	0	0	11.53	992.86
76	丹寨县零星湿地区	449.62	0	0	44.31	493.93
77	都匀市零星湿地区	1772.96	0	0	466.96	2239.92
78	福泉市零星湿地区	1310.60	0	0	60.35	1370.95
79	荔波县零星湿地区	1729.84	0	0	41.72	1771.56
80	贵定县零星湿地区	1292.40	0	0	127.82	1420.22
81	瓮安县零星湿地区	1062.90	0	0	339.37	1402.27
82	独山县零星湿地区	921.31	0	388.92	325.46	1635.69
83	平塘县零星湿地区	1580.13	0	0	10.36	1590.49
84	罗甸县零星湿地区	864.14	0	0	69.80	933.94
85	长顺县零星湿地区	501.92	8.03	0	417.31	927.26
86	龙里县零星湿地区	774.43	0	0	50.97	825.40
87	惠水县零星湿地区	1575.16	8.43	0	119.56	1703.15
88	三都县零星湿地区	1021.62	0	0	178.45	1200.07
零星湿地合计		89189.04	1122.35	509.75	25653.39	116474.53
全省总计		138154.76	2517.70	10978.70	58075.69	209726.85

3 按流域论述

3.1 概 述

根据《全国水资源区划标准》，贵州省划分为 2 个一级流域、6 个二级流域、11 个三级流域。其中，一级流域划分为珠江区和长江区。珠江区包括南、北盘江及红柳江 2 个二级流域和北盘江、南盘江、柳江、红水河4个三级流域。长江区包括金沙江石鼓以下、乌江、宜宾至宜昌、洞庭湖水系4个二级流域和石鼓以下干流、思南以下、思南以上、宜宾至宜昌干流、赤水河、沅江浦市镇以上、沅江浦市镇以下7个三级流域。各流域湿地类分布见表2-27。

表2-27 贵州省各流域分布的湿地类面积统计(公顷)

一级流域	二级流域	三级流域	各湿地类面积				合 计
			河流湿地	湖泊湿地	沼泽湿地	人工湿地	
珠江区	南、北盘江	北盘江	14788.37	282.35	853.68	5703.57	21627.97
		南盘江	5576.94	196.11	0	7873.08	13646.13
		小 计	20365.31	478.46	853.68	13576.65	35274.10
	红柳江	柳江	15037.96	0	98.51	645.62	15782.09
		红水河	8063.23	16.46	2384.87	8002.36	18466.92
		小 计	23101.19	16.46	2483.38	8647.98	34249.01
	共 计		43466.50	494.92	3337.06	22224.63	69523.11
长江区	金沙江石鼓以下	石鼓以下干流	2217.05	1409.69	1070.63	596.38	5293.75
		小 计	2217.05	1409.69	1070.63	596.38	5293.75
	乌江	思南以下	18372.66	28.66	0	2326.57	20727.89
		思南以上	29557.56	518.38	6530.91	28652.74	65259.59
		小 计	47930.22	547.04	6530.91	30979.31	85987.48
	宜宾至宜昌	宜宾至宜昌干流	1199.49	0	0	26.76	1226.25
		赤水河	7490.38	28.89	0	632.37	8151.64
		小 计	8689.87	28.89	0	659.13	9377.89
	洞庭湖水系	沅江浦市镇以下	1413.37	0	0	252.44	1665.81
		沅江浦市镇以上	34437.75	37.16	40.10	3363.80	37878.81
		小 计	35851.12	37.16	40.10	3616.24	39544.62
	共 计		94688.26	2022.78	7641.64	35851.06	140203.74
总 计			138154.76	2517.70	10978.70	58075.69	209726.85

3.2 在一级流域中的分布规律

贵州省一级流域包括珠江区和长江区，各湿地类分布面积所占百分比如图2-43。

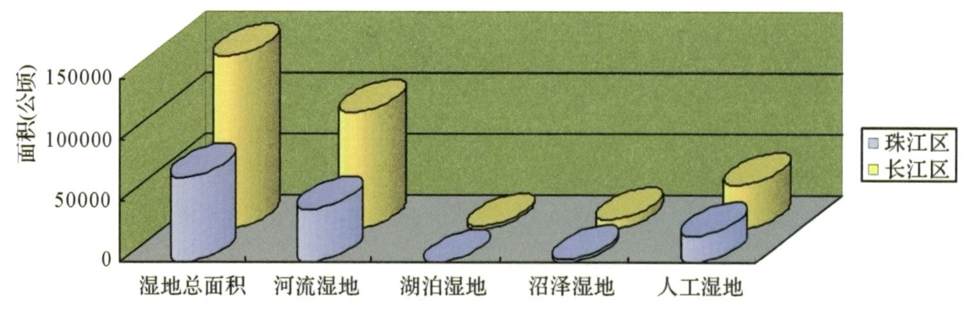

图2-43 贵州省一级流域各湿地类面积示意

珠江区湿地面积 69523.11 公顷，占全省湿地总面积的 33.15%。其中，自然湿地面积 47298.48 公顷，占珠江区湿地面积的 68.03%，占全省湿地总面积的 22.55%。自然湿地中，河流湿地 43466.50 公顷，占珠江区湿地面积的 62.52%，占全省湿地总面积的 20.73%；湖泊湿地 494.92 公顷，占珠江区湿地面积的 0.71%，占全省湿地总面积的 0.24%；沼泽湿地 3337.06 公顷，占珠江区湿地面积的 4.8%，占全省湿地总面积的 1.59%；人工湿地 22224.63 公顷，占珠江区湿地面积的 31.97%，占全省湿地总面积的 10.6%。

长江区湿地面积 140203.74 公顷，占全省湿地总面积的 66.85%。其中，自然湿地总面积 104352.68 公顷，占长江区湿地面积的 74.43%，占全省湿地总面积的 49.76%。自然湿地中，河流湿地 94688.26 公顷，占长江区湿地面积的 67.54%，占全省湿地总面积的 45.15%；湖泊湿地 2022.78 公顷，占长江区湿地面积的 1.44%，占全省湿地总面积的 0.96%；沼泽湿地 7641.64 公顷，占长江区湿地面积的 5.45%，占全省湿地总面积的 3.64%；人工湿地 35851.06 公顷。占长江区湿地面积的 25.57%，占全省湿地总面积的 17.09%。

3.3　在二级流域中的分布规律

贵州省二级流域包括南北盘江、红柳江、金沙江石鼓以下、乌江、宜宾至宜昌、洞庭湖水系 6 个二级流域。从湿地总面积层面分析，以乌江流域湿地面积最大，为 85987.48 公顷，占长江区湿地面积的 61.33%，占全省湿地总面积的 41%。其中，自然湿地面积 55008.17 公顷，人工湿地面积 30979.31 公顷；湿地面积最小的是金沙江石鼓以下，为 5293.75 公顷，占长江区湿地面积的 3.78%，占全省湿地总面积的 2.52%。其中，自然湿地 4697.37 公顷，人工湿地 596.38 公顷（图 2-44）。

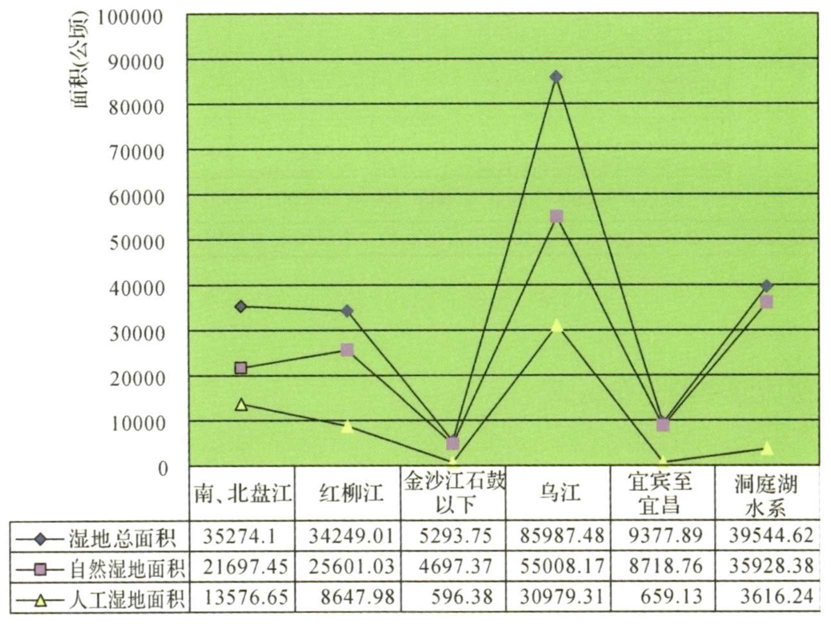

	南、北盘江	红柳江	金沙江石鼓以下	乌江	宜宾至宜昌	洞庭湖水系
湿地总面积	35274.1	34249.01	5293.75	85987.48	9377.89	39544.62
自然湿地面积	21697.45	25601.03	4697.37	55008.17	8718.76	35928.38
人工湿地面积	13576.65	8647.98	596.38	30979.31	659.13	3616.24

图 2-44　贵州省二级流域湿地面积示意

各湿地类中，河流湿地以乌江流域面积最大，为47930.22公顷，占乌江流域湿地面积的55.74%，占长江区湿地总面积的34.19%，占全省湿地总面积的22.85%；金沙江石鼓以下河流湿地面积最小，为2217.05公顷，占金沙江石鼓以下流域湿地面积的41.88%，占长江区湿地面积的1.58%，占全省湿地总面积的1.06%。湖泊湿地面积最大的是金沙江石鼓以下流域，为1409.69公顷，占金沙江石鼓以下流域湿地面积的26.63%，占长江区湿地面积的1%，占全省湿地总面积的0.67%；湖泊湿地面积最小的是红柳江，为16.46公顷，占红柳江湿地面积的0.05%，占珠江区湿地面积的0.02%，占全省湿地总面积的0.01%。沼泽湿地以乌江流域面积最大，为6530.91公顷，占乌江流域湿地面积的7.60%，占长江区湿地面积的4.66%，占全省湿地总面积的3.11%；面积最小的是宜宾至宜昌流域，没有沼泽分布。人工湿地面积以乌江流域面积最大，为30979.31公顷，占乌江流域湿地面积的36.03%，占长江区湿地面积的22.10%，占全省湿地总面积的14.77%；面积最小的是金沙江石鼓以下流域，为596.38公顷，占金沙江石鼓以下流域湿地面积的11.27%，占长江区湿地面积的0.43%，占全省湿地总面积的0.28%（图2-45）。

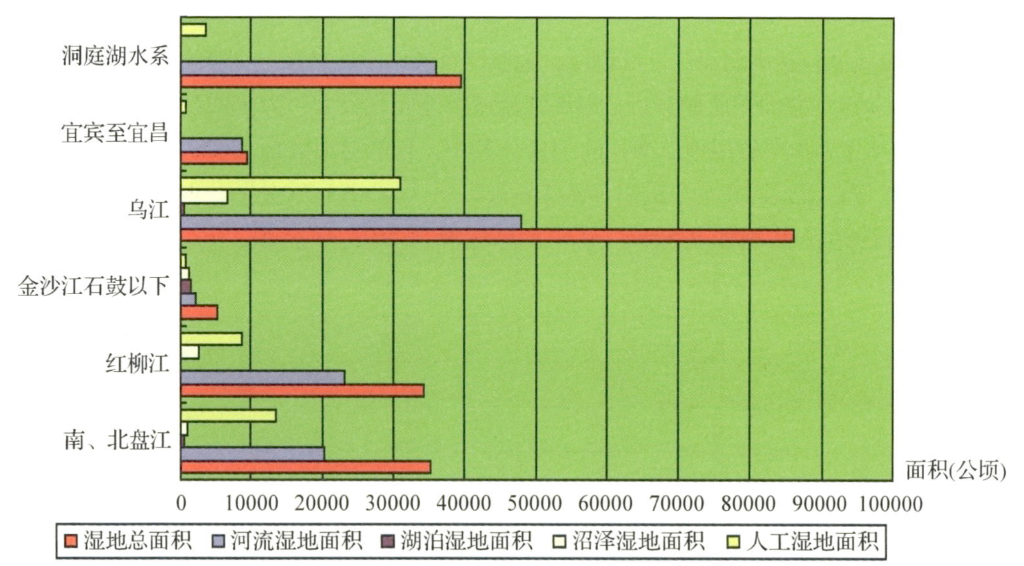

图**2-45** 贵州省二级流域湿地类面积示意

3.4 在三级流域中的分布规律

贵州省三级流域包括北盘江、南盘江、柳江、红水河、石鼓以下干流、思南以下、思南以上、宜宾至宜昌干流、赤水河、沅江浦市镇以下、沅江浦市镇以上11个。其中，湿地面积最大的是思南以上流域，为65259.59公顷，占乌江流域湿地面积的75.89%，占长江区湿地面积的46.55%，占全省湿地总面积的31.12%；湿地面积最小的是宜宾至宜昌干流流域，为1226.25公顷，占宜宾至宜昌流域湿地面积的13.08%，占长江区湿地面积的0.87%，占全省湿地总面积的0.58%。自然湿地中，面积最大是思南以上流域，为36606.85公顷，占乌江流域湿地面积的42.57%，占长江区湿地面积的26.11%，占全省湿地总面积的17.45%；面积最小的是宜宾至宜昌干流流域，为1199.49公顷，占宜宾至宜昌流域湿地面积的12.79%，占长江区湿地面积的0.86%，占全省湿地总面积的0.57%(图2-46)。

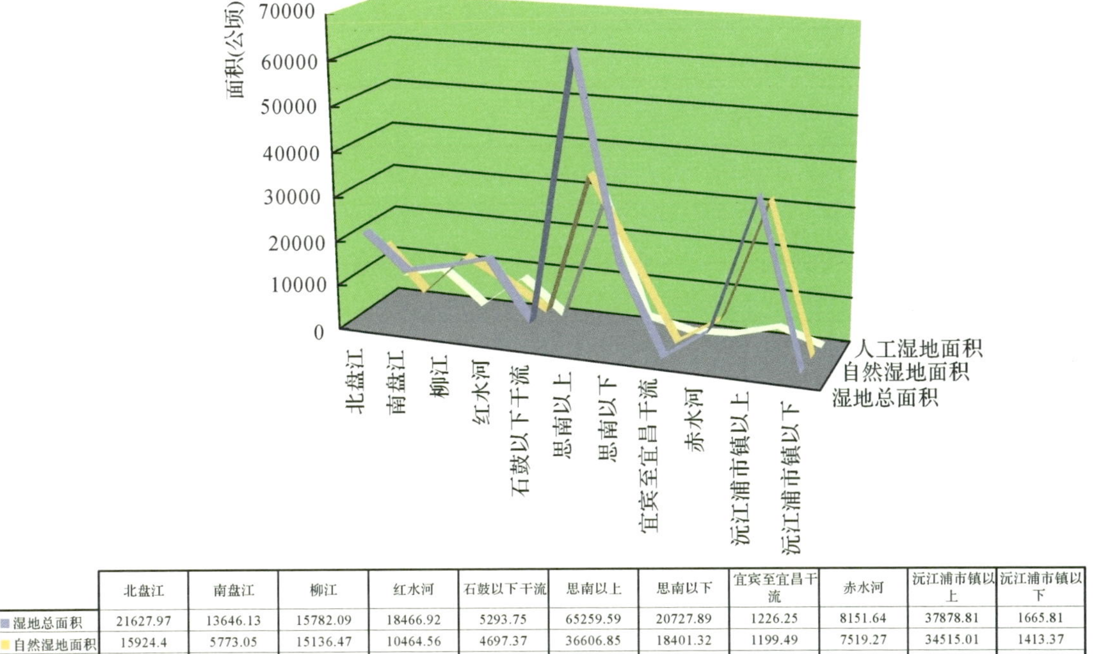

	北盘江	南盘江	柳江	红水河	石鼓以下干流	思南以上	思南以下	宜宾至宜昌干流	赤水河	沅江浦市镇以上	沅江浦市镇以下
湿地总面积	21627.97	13646.13	15782.09	18466.92	5293.75	65259.59	20727.89	1226.25	8151.64	37878.81	1665.81
自然湿地面积	15924.4	5773.05	15136.47	10464.56	4697.37	36606.85	18401.32	1199.49	7519.27	34515.01	1413.37
人工湿地面积	5703.57	7873.08	645.62	8002.36	596.38	28652.74	2326.57	26.76	632.37	3363.8	252.44

图**2-46**　贵州省三级流域湿地面积示意

其中，河流湿地面积最大是思南以上流域，为29557.56公顷，占乌江流域湿地面积的34.37%，占长江区湿地面积的21.08%，占全省湿地总面积的14.09%；河流湿地面积最小的是宜宾至宜昌干流流域，为1199.49公顷，占宜宾至宜昌流域湿地面积的97.82%，占长江区湿地面积的0.86%，占全省湿地总面积的0.57%。湖泊湿地以石鼓以下干流流域的面积最大，为1409.69公顷，占金沙江石鼓以下流域湿地面积的26.63%，占长江区湿地面积的1%，占全省湿地总面积的0.67%；柳江流域、宜宾至宜昌干流流域、沅江浦市镇以下流域，没有湖泊分布。沼泽湿地以思南以上流域的面积最大，为6530.91公顷，占思南以上流域湿地面积的10%，占乌江流域湿地面积的7.60%，占长江区湿地面积的4.66%，占全省湿地总面积的3.11%；南盘江流域、思南以下流域、赤水河流域、宜宾至宜昌干流流域、沅江浦市镇以下流域没有沼泽分布。人工湿地面积以思南以上流域的面积最大，为28652.74公顷，占思南以上流域湿地面积的43.91%，占乌江湿地面积的33.32%，占长江区湿地面积的20.44%，占全省湿地总面积的13.66%；宜宾至宜昌干流流域的面积最小，为26.76公顷，占宜宾至宜昌干流流域湿地面积的2.18%，占宜宾至宜昌流域湿地总面积的0.29%，占长江区湿地面积的0.02%，占全省湿地总面积的0.01%(图2-47)。

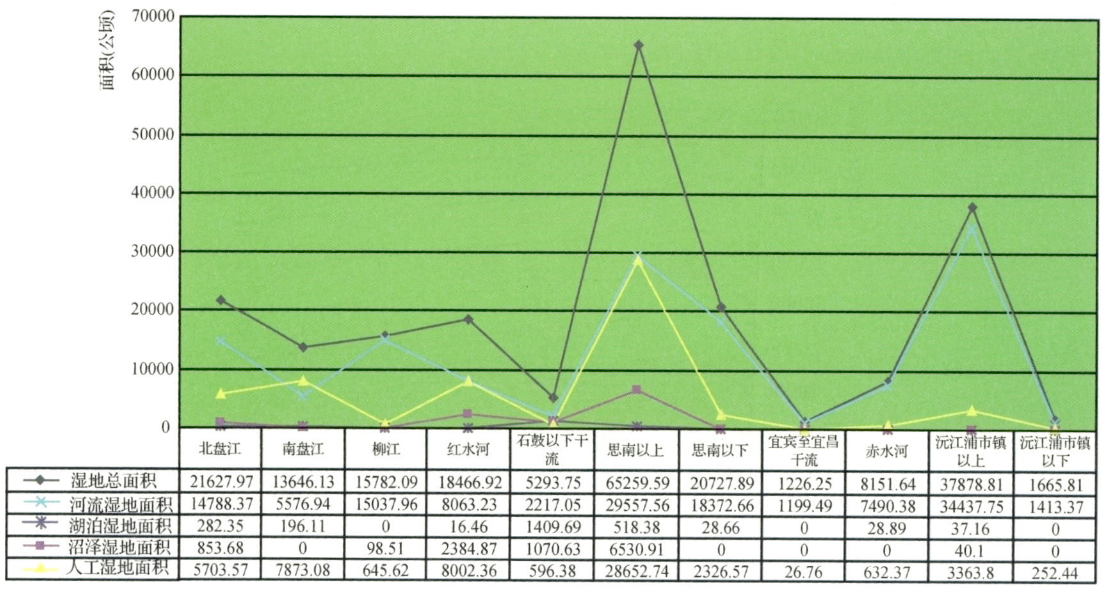

	北盘江	南盘江	柳江	红水河	石鼓以下干流	思南以上	思南以下	宜宾至宜昌干流	赤水河	沅江浦市镇以上	沅江浦市镇以下
湿地总面积	21627.97	13646.13	15782.09	18466.92	5293.75	65259.59	20727.89	1226.25	8151.64	37878.81	1665.81
河流湿地面积	14788.37	5576.94	15037.96	8063.23	2217.05	29557.56	18372.66	1199.49	7490.38	34437.75	1413.37
湖泊湿地面积	282.35	196.11	0	16.46	1409.69	518.38	28.66	0	28.89	37.16	0
沼泽湿地面积	853.68	0	98.51	2384.87	1070.63	6530.91	0	0	0	40.1	0
人工湿地面积	5703.57	7873.08	645.62	8002.36	596.38	28652.74	2326.57	26.76	632.37	3363.8	252.44

图 **2-47** 贵州省三级流域各湿地类面积示意

4 按行政区划论述

4.1 概　述

贵州省市级行政区划分为贵阳市、遵义市、安顺市、铜仁市、黔东南州、黔南州、黔西南州、六盘水市、毕节市 9 个省辖地级行政区。受地势地貌等的影响，全省各省辖地级行政区湿地资源分布不均衡，各市级行政区湿地资源见表 2-28。

表 2-28　贵州省各省辖地级行政区湿地分布统计(公顷)

序号	行政区	湿地面积	各湿地类面积			
			河流湿地	湖泊湿地	沼泽湿地	人工湿地
1	贵阳市	14375.62	5185.28	18.17	0	9172.17
2	遵义市	26475.70	22011.10	165.28	0	4299.32
3	安顺市	10232.09	5202.73	0	0	5029.36
4	铜仁市	22713.28	19797.54	23.97	0	2891.77
5	黔东南州	37556.04	35338.16	13.19	40.10	2164.59
6	黔南州	33599.24	17750.35	16.46	8779.07	7053.36
7	黔西南州	25910.32	13361.74	326.40	0	12222.18
8	六盘水市	8139.56	5535.11	45.68	249.16	2309.61
9	毕节市	30725.00	13972.75	1908.55	1910.37	12933.33
总　计		209726.85	138154.76	2517.70	10978.70	58075.69

从湿地面积来看，黔东南州湿地面积最大，黔南州次之，毕节市排名第三，六盘水市湿地面积最小；从自然湿地面积来看，黔东南州最大，黔南州次之，遵义市第三，贵阳市最小(图 2-48)。

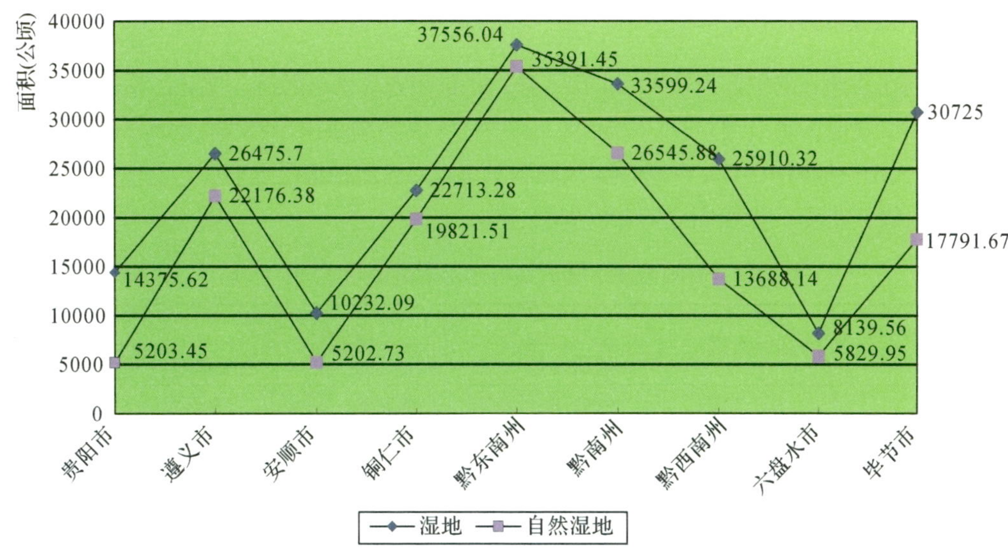

图 **2-48**　贵州各市级行政区湿地及自然湿地面积示意

从湿地率(湿地面积占国土面积的百分比)来看，贵阳市最大，黔西南州次之，黔南州第三，六盘水市最小。从自然湿地率(自然湿地面积占国土面积的百分比)来看，黔东南州最高，铜仁市次之，黔西南州第三，安顺市最小。从自然湿地占全省自然湿地的比例来看，黔东南州最高，黔南州次之，贵阳市和安顺市最小。从自然湿地占全省湿地总面积的比例来看，黔东南州最高，黔南州次之，遵义市第三，贵阳市和安顺市最小(图 2-49)。

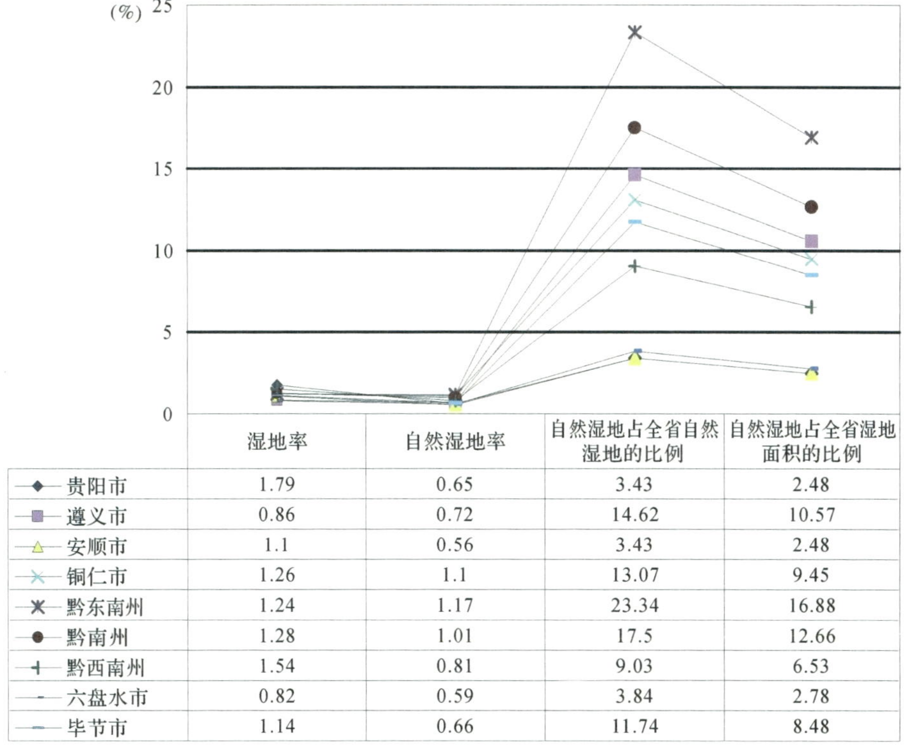

	湿地率	自然湿地率	自然湿地占全省自然湿地的比例	自然湿地占全省湿地面积的比例
贵阳市	1.79	0.65	3.43	2.48
遵义市	0.86	0.72	14.62	10.57
安顺市	1.1	0.56	3.43	2.48
铜仁市	1.26	1.1	13.07	9.45
黔东南州	1.24	1.17	23.34	16.88
黔南州	1.28	1.01	17.5	12.66
黔西南州	1.54	0.81	9.03	6.53
六盘水市	0.82	0.59	3.84	2.78
毕节市	1.14	0.66	11.74	8.48

图 **2-49**　贵州省各市级行政区湿地率示意

4.2 贵阳市湿地的分布规律

贵阳市位于贵州省的中部，辖6区1市3县，是贵州省政治、经济、文化、交通中心，人口密度大。贵阳市湿地总面积为14375.62公顷，其中，河流湿地面积5185.28公顷，湖泊湿地面积18.17公顷，人工湿地面积9172.17公顷，所辖各县级行政区湿地情况见表2-29。境内分布有阿哈湖国家湿地公园、花溪十里河滩国家城市湿地公园。

表2-29 贵阳市及下辖县级行政区湿地面积统计（公顷）

行政区	湿地面积	各湿地类面积			
		河流湿地	湖泊湿地	沼泽湿地	人工湿地
云岩区	103.22	50.99	18.17	0	34.06
南明区	186.15	151.07	0	0	35.08
花溪区	890.04	364.19	0	0	525.85
白云区	168.34	100.39	0	0	67.95
乌当区	1025.33	586.30	0	0	439.03
小河区	477.16	66.19	0	0	410.97
清镇市	7016.80	914.61	0	0	6102.19
开阳县	1479.77	1255.70	0	0	224.07
息烽县	1779.18	909.29	0	0	869.89
修文县	1249.63	786.55	0	0	463.08
总　计	14375.62	5185.28	18.17	0	9172.17

贵阳市湿地以人工湿地为主，河流湿地次之。主要人工湿地为猫跳河梯级水电站及其他河流上的水电站在贵阳市境内形成的库区，如红枫湖、百花湖、阿哈湖等。由于建库时间较长，如红枫水电站于1958年开工，1960年9月全部建成投产；百花水电站于1960年开工，1966年建成投产，故形成的人工湖生态系统趋于稳定，具备了天然湖泊湿地生态系统的一些特征，已经成为水禽的栖息地。红枫湖与威宁草海一起被列入《中国重要湿地名录》，阿哈湖也成为濒危湿地鸟类——水雉在贵州的首次记录地。主要河流湿地包括南明河、六广河、鱼梁河、息烽河等。

第二次湿地调查，将云岩区黔灵湖统计成湖泊湿地。黔灵湖是1954年拦大罗溪水筑坝而成，实际应该是库塘湿地，估计是遥感影像判读时出现失误造成的。稻田湿地的代表是花溪高坡梯田。

各湿地类面积与比例构成，如图2-50。

全省第二次湿地资源调查中，由于受时间限制，加之调查队员经验不足，贵阳市没有记录到沼泽湿地。但实际上在花溪高坡民族乡等地存在沼泽湿地，并且还有国家Ⅰ级保护植物——云贵水韭分布。因20世纪八九十年代大量采集泥炭藓出口，开垦稻田、种植白花三叶草发展畜牧业、大规模开展旅游等，高坡沼泽破坏严重。

贵阳市下辖县级行政区中，以清镇市湿地面积最大，为7016.80公顷，占全市湿地面积的48.81%；最小的是云岩区，为103.22公顷，占全市湿地面积的0.72%。其中，河流湿地以开阳县面积最大，为1255.70公顷，占全市河流湿地的24.22%；面积最小的是云岩区，为50.99公

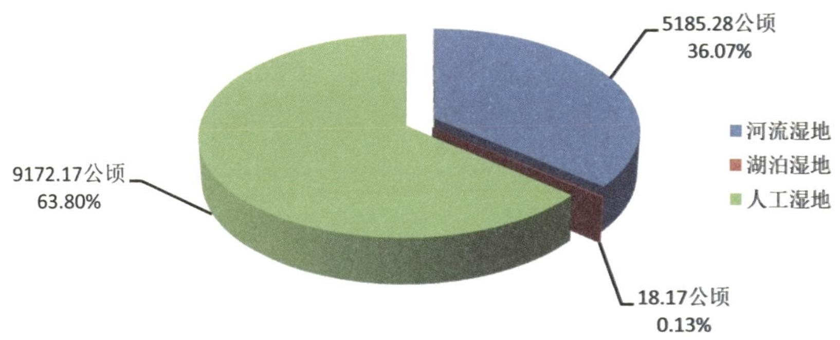

图 **2-50** 贵阳市各湿地类面积与比例构成

顷，占全市河流湿地的0.98%。人工湿地以清镇市面积最大，为6102.19公顷，占全市人工湿地的66.53%；云岩区面积最小，为34.06公顷，占全市人工湿地的0.37%(图2-51)。

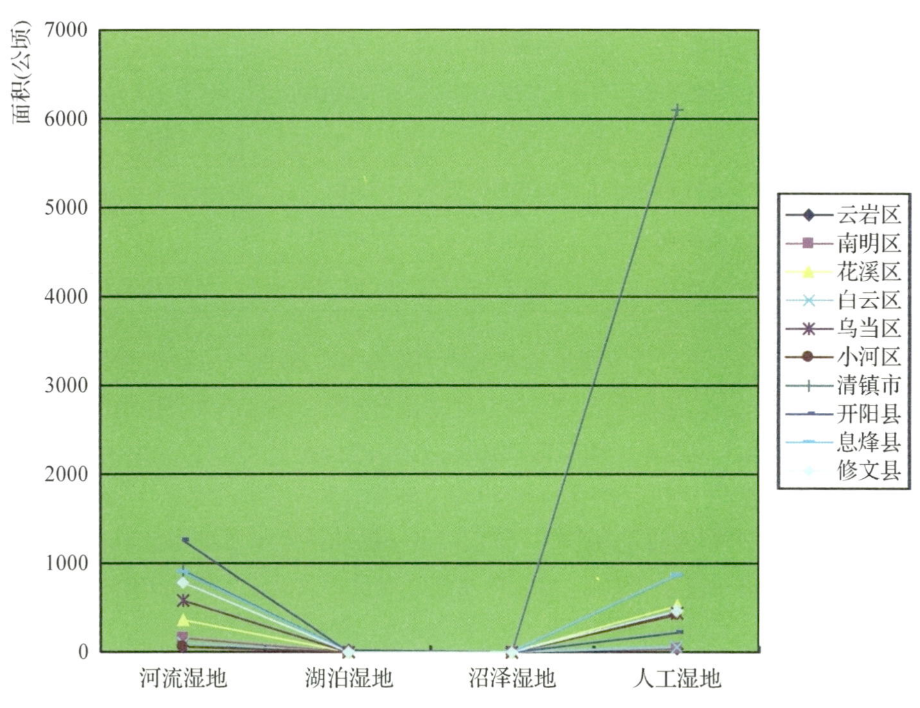

图 **2-51** 贵阳市下辖县级行政区各湿地类面积示意

4.3 遵义市湿地的分布规律

遵义市位于贵州省北部，辖2区2市10县(自治县)，全市湿地总面积26475.70公顷。其中，河流湿地面积22011.10公顷，湖泊湿地面积165.28公顷，人工湿地面积4299.32公顷，所辖县级行政区湿地面积情况，见表2-30。境内分布有长江上游珍稀特有鱼类国家级自然保护区、余庆飞龙湖国家湿地公园(试点)、习水国家级自然保护区、赤水桫椤国家级自然保护区、宽阔水国家级自然保护区、大沙河省级自然保护区、桐梓柏箐市级自然保护区、绥阳双河溶洞县级保护区。

表 2-30 遵义市及下辖县级行政区湿地面积统计(公顷)

行政区	湿地面积	各湿地类面积			
		河流湿地	湖泊湿地	沼泽湿地	人工湿地
赤水市	1902.72	1808.26	14.83	0	79.63
道真县	1734.51	1679.26	0	0	55.25
凤冈县	2024.64	1331.75	0	0	692.89
红花岗区	805.93	396.95	0	0	408.98
汇川区	481.13	360.83	0	0	120.30
湄潭县	1614.23	1393.39	0	0	220.84
仁怀市	1481.80	1282.66	0	0	199.14
绥阳县	1821.64	1465.81	28.66	0	327.17
桐梓县	1769.63	1660.25	0	0	109.38
务川县	1431.39	1317.04	0	0	114.35
习水县	2360.21	2170.99	14.06	0	175.16
余庆县	2512.58	1804.64	0	0	707.94
正安县	2235.63	2107.38	0	0	128.25
遵义县	4299.66	3231.89	107.73	0	960.04
总 计	26475.70	22011.10	165.28	0	4299.32

遵义市湿地资源较为丰富，主要湿地类型为河流和人工湿地，另有湖泊湿地和少量沼泽湿地。各湿地类的面积构成比例如图 2-52。全市河流湿地丰富，河流以大娄山山脉为分水岭，被分为乌江、赤水河和綦江三支水系，均属长江流域。全市河长大于 10 公里或集雨面积大于 20 平方公里的河流 416 条，地表(河川)径流量 178.80 亿立方米，约占贵州全省的 17%，产水量 58 立方米/平方公里，为全国平均值的 2 倍左右。特别值得一提的是赤水河是著名国酒茅台的产地，是长江上游唯一干流未建坝的一级支流，在三峡水库建成蓄水后已成为长江上游特种鱼类的最后避

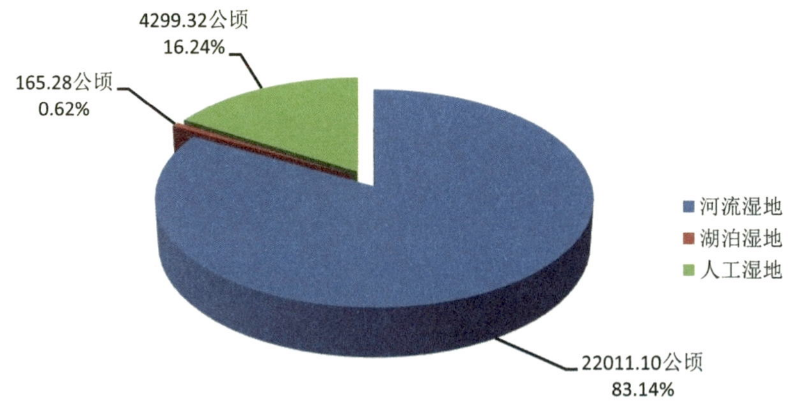

图 2-52 遵义市各湿地类面积与比例构成

难所。人工湿地中，库塘主要包括乌江渡水电站、湄潭湄江水库、习水东风水库、绥阳后水河水库、余庆团结水库等形成的库区。其中，以2011年竣工蓄水的构皮滩水电站形成的库区（现命名为“飞龙湖”）面积最大。该水电站位于余庆县境内乌江干流河段，是乌江干流梯级第7级电站、国家“十五”期间开工建设的大型水电工程项目及贵州西电东送的标志性工程，也是乌江流域水电开发规划中最大的水电站。遵义市湖泊湿地面积位居全省第三位，以遵义县湖泊湿地面积最大，具有保护价值。另外，在桐梓柏芷山、箐坝山分布有喀斯特森林沼泽，较零星。稻田湿地的代表是分布于湄潭、绥阳、余庆的坝田，还有桐梓狮溪镇河谷至学堂寨高差达800米的砂页岩斜坡上的梯田、赤水市宝源梯田和余庆县大乌江镇红渡梯田。

在遵义市下辖各县级行政区中，湿地面积以遵义县最大，为4299.66公顷，占全市湿地面积的16.24%；面积最小的是汇川区，为481.13公顷，占全市湿地面积的1.82%。其中，河流湿地以遵义县面积最大，为3231.89公顷，占全市河流湿地的14.68%；面积最小的是汇川区，为360.83公顷，占全市河流湿地面积的1.64%。人工湿地以遵义县面积最大，为960.04公顷，占全市人工湿地面积的22.33%；道真县面积最小，为55.25公顷，占全市人工湿地面积的1.29%。湖泊湿地以遵义县面积最大，为107.73公顷，占全市湖泊湿地面积的65.18%；另外，赤水市、绥阳县、习水县也有分布，面积分别是14.83公顷、28.66公顷、14.06公顷（图2-53）。

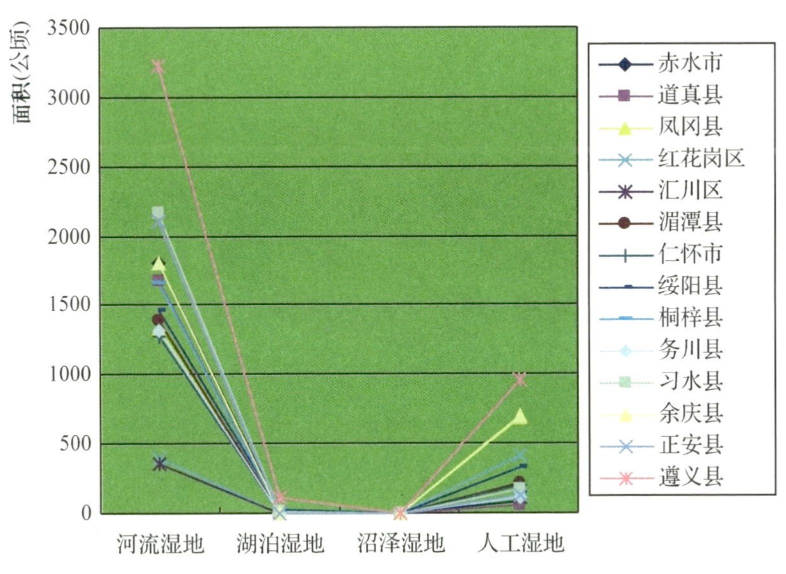

图**2-53**　遵义市下辖县级行政区各湿地类面积示意

4.4　安顺市湿地的分布规律

安顺市位于贵州省中西部，辖1区5县（自治县），地处中国华南喀斯特地貌中心，是喀斯特地貌发育最成熟、最典型、最集中的地带。全市湿地总面积为10232.09公顷。其中，河流湿地5202.73公顷，人工湿地5029.36公顷。安顺市所辖县级行政区湿地面积情况见表2-31。境内分布有邢江河国家湿地公园（试点）。

表 2-31 安顺市及下辖县级行政区各湿地类面积统计(公顷)

行政区	湿地面积	各湿地类面积			
		河流湿地	湖泊湿地	沼泽湿地	人工湿地
关岭县	1213. 57	940. 83	0	0	272. 74
平坝县	2211. 54	646. 95	0	0	1564. 59
普定县	2040. 19	534. 88	0	0	1505. 31
西秀区	1807. 29	830. 74	0	0	976. 55
镇宁县	1909. 24	1285. 63	0	0	623. 61
紫云县	1050. 26	963. 70	0	0	86. 56
总　计	10232. 09	5202. 73	0	0	5029. 36

安顺市境内江河峡谷纵横交错，峰丛石林、暗河星罗棋布，密布瀑布及溶洞。分布的湿地类包括河流湿地和人工湿地，各湿地类的面积构成比例如图 2-54。主要河流湿地有打邦河、王二河、格凸河、猫跳河、邢江河等。著名的黄果树瀑布就位于打邦河支流上。龙宫是贵州喀斯特溶洞湿地的代表之一，位于黄果树以南 27 公里处。人工湿地中，库塘包括普定夜郎湖、镇宁桂家湖等；稻田湿地以分布于平坝、安顺、镇宁一带的坝田为代表。

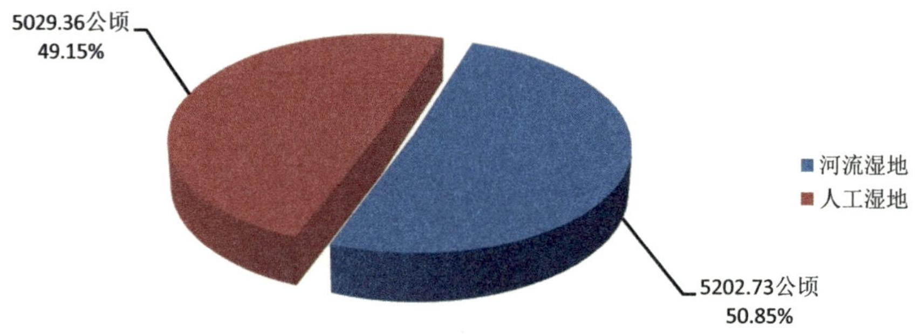

图 **2-54** 安顺市各湿地类面积与比例构成

在安顺市下辖各县级行政区中，湿地面积以平坝县面积最大，为 2211. 54 公顷，占全市湿地面积的 21. 61%；面积最小的是紫云县，为 1050. 26 公顷，占全市湿地面积的 10. 26%。其中，河流湿地以镇宁县面积最大，为 1285. 63 公顷，占全市河流湿地的 24. 71%；面积最小的是普定县，为 534. 88 公顷，占全市河流湿地的 10. 28%。人工湿地以平坝县面积最大，为 1564. 59 公顷，占全市人工湿地的 31. 11%；紫云县面积最小，86. 56 公顷，占全市人工湿地的 1. 72%(图 2-55)。

4.5 铜仁市湿地的分布规律

铜仁市位于贵州省东北部，与四川、湖南接壤，辖 2 区 8 县(自治县)，是连接中原地区与西南边陲的中枢和纽带，为大西南的东出口，素有“黔东门户”之称。铜仁市湿地总面积 22713. 28 公顷，其中河流湿地 19797. 54，湖泊湿地 23. 97 公顷，人工湿地 2891. 77 公顷。所辖县级行政区湿地面积情况见表 2-32。境内分布有石阡鸳鸯湖国家湿地公园(试点)、万山长寿湖国家湿地公园(试

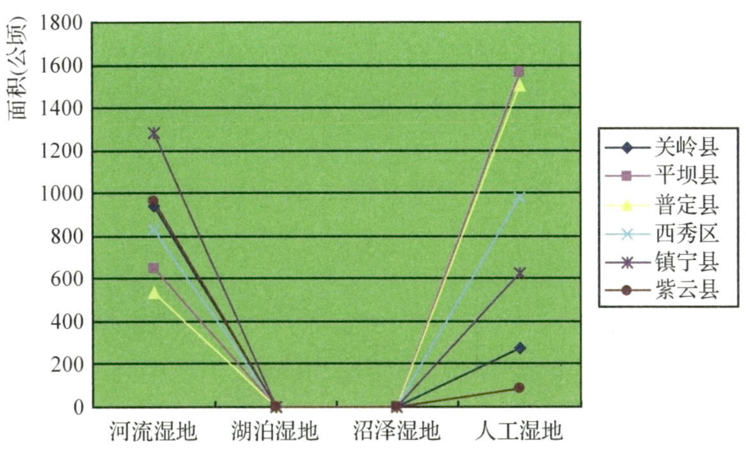

图 **2-55**　安顺市下辖县级行政区各湿地类面积示意

点）、碧江国家湿地公园（试点）、江口国家湿地公园（试点）、德江白果陀国家湿地公园（试点）、思南白鹭湖国家湿地公园（试点）、沿河乌江国家湿地公园（试点）、梵净山国家级自然保护区、麻阳河国家级自然保护区、佛顶山省级自然保护区。

表 2-32　铜仁市及下辖县级行政区各湿地类面积统计（公顷）

行政区	湿地面积	各湿地类面积			
		河流湿地	湖泊湿地	沼泽湿地	人工湿地
碧江区	2509.68	2212.56	0	0	297.12
德江县	1640.71	1420.20	0	0	220.51
江口县	2457.66	2295.51	23.97	0	138.18
石阡县	1861.95	1537.63	0	0	324.32
思南县	4574.89	4396.02	0	0	178.87
松桃县	2746.93	2351.60	0	0	395.33
万山区	782.79	592.32	0	0	190.47
沿河县	3247.07	2340.27	0	0	906.80
印江县	1672.89	1567.85	0	0	105.04
玉屏县	1218.71	1083.58	0	0	135.13
总　计	22713.28	19797.54	23.97	0	2891.77

铜仁市湿地以河流湿地和人工湿地为主，兼有少量湖泊湿地，在梵净山九龙池及周边分布有沼泽湿地，本次调查未统计。各湿地类的面积构成比例如图 2-56。主要河流湿地包括锦江、太平河、松桃河、印江河、石阡河等；湖泊湿地只在江口县有分布。主要人工湿地包括铜仁市漾头水库库区、石阡县山坪水库库区（现命名为"鸳鸯湖"）、沿河县沙沱水电站库区、思南县思林水电站库区（现命名为"白鹭湖"）等。其中一些建库时间较长的水库已形成较为稳定的生态系统，成为湿

地鸟类的栖息地，如石阡鸳鸯湖(山坪水库)已成为鸳鸯的越冬、繁殖地，这里栖息着我国西南地区最大的鸳鸯留鸟种群，目前正在开展国家湿地公园试点建设。铜仁市许多中、小型水库的库区都分布有鸳鸯，思南县思林水电站、沿河县的沙陀水电站是乌江梯级电站中规模较大的电站，是贵州省"十五"重点工程项目和"西电东送"的骨干工程，所形成的库区在未来会成为铜仁市的重要人工湿地。另外，稻田湿地的代表是分布在江口县、印江县、石阡县的坝田及松桃县盘石镇的云海梯田。

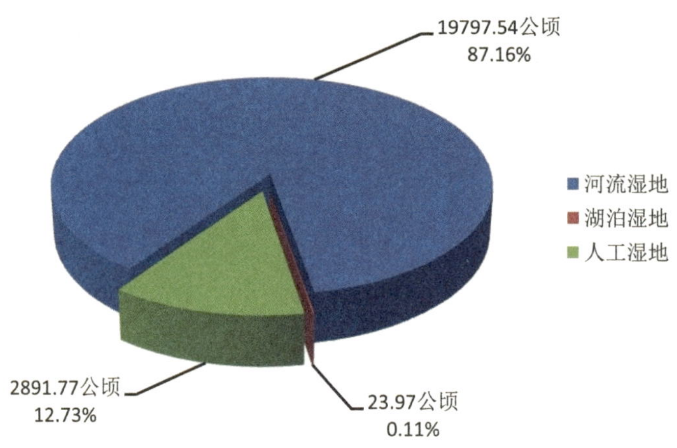

图 **2-56** 铜仁市各湿地类面积与比例构成

铜仁市下辖县级行政区中，湿地面积以思南县最大，为4574.89公顷，占全市湿地面积的20.14%；面积最小的是万山区，为782.79公顷，占全市湿地面积的3.45%。其中，河流湿地面积以思南县最大，为4396.02公顷，占全市河流湿地的22.20%；面积最小的是万山区，为592.32公顷，占全市河流湿地的2.99%。人工湿地以沿河县面积最大，为906.80公顷，占全市人工湿地的31.36%；以印江县面积最小，为105.04公顷，占全市人工湿地的3.63%。湖泊湿地只在江口县有分布，面积23.97公顷(图2-57)。

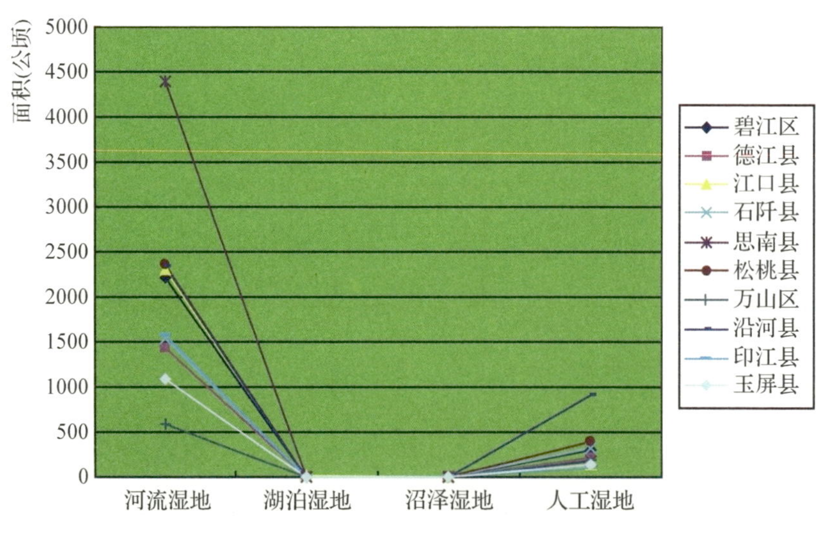

图 **2-57** 铜仁市下辖县级行政区各湿地类面积示意

4.6　黔东南州湿地的分布规律

黔东南州位于云贵高原东南边缘，东邻湖南，南接广西，辖1市15县。自治州境内山川秀丽，以浓郁的原生态苗、侗文化著称于世，是联合国教科文组织命名的世界"十大返璞归真旅游圣地"之一，是联合国乡土文化组织命名的全球"十八个文化生态保护圈"之一，被世界旅游组织称为"人类疲惫心灵的最后家园"。境内沟壑纵横，山峦延绵，历有"九山半水半分田"之说。分布有雷公山国家级自然保护区。全州湿地面积为37556.04公顷。其中，河流湿地35338.16公顷，湖泊湿地13.19公顷，沼泽湿地40.10公顷，人工湿地2164.59公顷。所辖县级行政区湿地面积情况见表2-33。

表2-33　黔东南州下辖县级行政区各湿地类面积统计(公顷)

行政区	湿地面积	各湿地类面积			
		河流湿地	湖泊湿地	沼泽湿地	人工湿地
岑巩县	1827.11	1583.62	0	0	243.49
从江县	3907.27	3907.27	0	0	0
丹寨县	869.63	819.88	0	0	49.75
黄平县	1768.41	1374.79	0	0	393.62
剑河县	4460.17	4438.94	13.19	0	8.04
锦屏县	4913.29	4604.34	0	0	308.95
凯里市	1356.14	1298.48	0	0	57.66
雷山县	922.64	900.55	0	15.63	6.46
黎平县	3430.13	3136.75	0	0	293.38
麻江县	992.86	981.33	0	0	11.53
榕江县	4032.61	3975.06	0	0	57.55
三穗县	772.99	734.06	0	0	38.93
施秉县	1813.60	1621.81	0	0	191.79
台江县	1464.94	1268.05	0	24.47	172.42
天柱县	3218.74	2929.67	0	0	289.07
镇远县	1805.51	1763.56	0	0	41.95
总　计	37556.04	35338.16	13.19	40.10	2164.59

黔东南州湿地以河流湿地为主，人工湿地次之，另有少量湖泊湿地、沼泽湿地。各湿地类的面积组成比例如图2-58。主要河流包括清水江、重安江、巴拉河、溉阳河和都柳江等。人工湿地中，库塘湿地包括镇远县红旗水库、凯里市里禾水库、黎平县半洞水库等形成的库区，还有近十

年来兴修的大型水库三板溪水库库区(剑河县已命名为仰阿莎湖)等。另外，黔东南苗、侗族依山而建的梯田很具特色，层层叠叠，不逊色于云南红河的哈尼梯田。其中以丹寨县龙泉镇的高要梯田群，黎平县堂安梯田、从江县加榜梯田、加鸠梯田、月亮山梯田等为代表。湖泊湿地分布于剑河县。沼泽湿地则分布于雷公山的雷公坪和黑水塘一带。

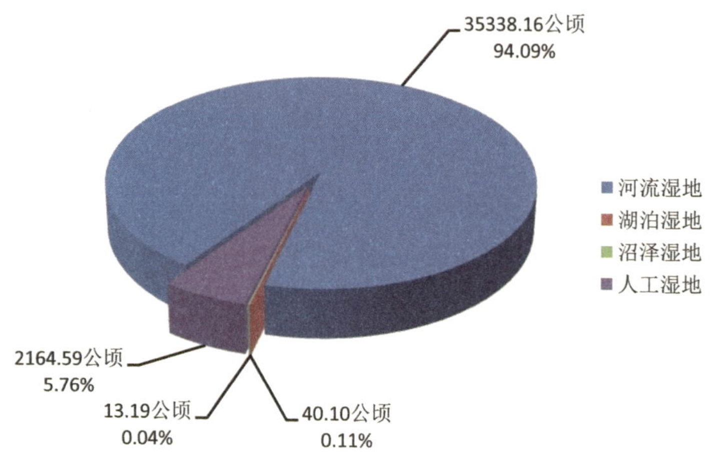

图 **2-58** 黔东南州各湿地类面积与比例构成

黔东南州下辖县级行政区中，湿地面积以锦屏县面积最大，为 4913.29 公顷，占全州湿地面积的 13.08%；以三穗县面积最小，为 772.99 公顷，占全州湿地面积的 2.06%。其中，河流湿地以锦屏县面积最大，为 4604.34 公顷，占全州河流湿地的 13.03%；面积最小的是三穗县，为 734.06 公顷，占全州河流湿地的 2.08%。人工湿地以黄平县面积最大，为 393.62 公顷，占全州人工湿地的 18.18%；从江县没有人工湿地(不计稻田湿地)(图 2-59)。

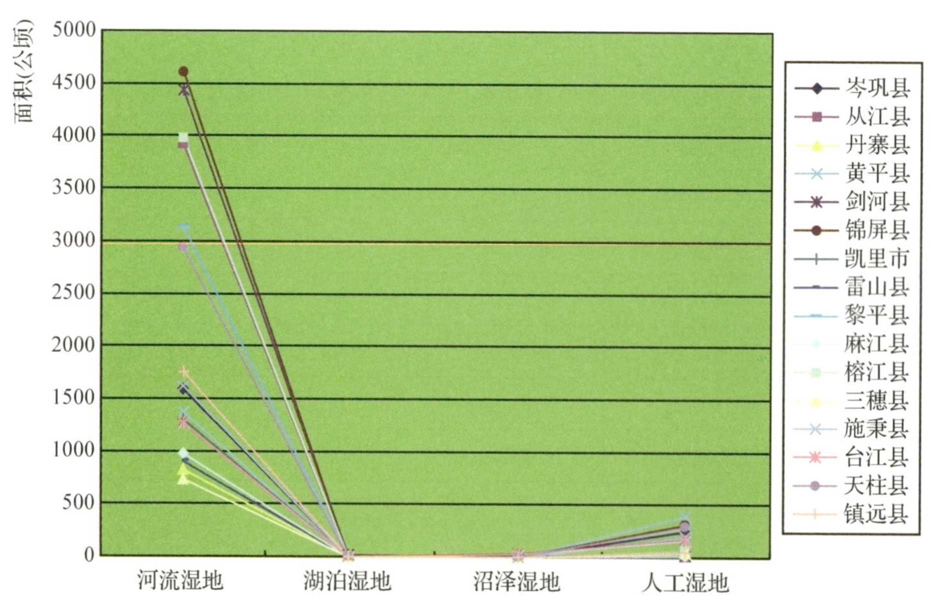

图 **2-59** 黔东南州下辖县级行政区各湿地类面积示意

4.7 黔南州湿地的分布规律

黔南州位于贵州南部，与广西接壤，辖2市10县(自治县)，湿地面积为33599.24公顷。其中，河流湿地17750.35公顷，沼泽湿地8779.07公顷，湖泊湿地16.46公顷，人工湿地7053.36公顷。所辖县级行政区湿地面积情况见表2-34。境内分布有罗甸蒙江国家湿地公园(试点)、独山都柳江源湿地省级自然保护区、茂兰国家级自然保护区、贵定岩下县级自然保护区。

表2-34 黔南州及下辖县级行政区各湿地类面积统计(公顷)

行政区	湿地面积	各湿地类面积			
		河流湿地	湖泊湿地	沼泽湿地	人工湿地
都匀市	2239.92	1772.96	0	0	466.96
独山县	1960.94	1187.25	0	448.23	325.46
福泉市	1370.95	1310.60	0	0	60.35
贵定县	1448.19	1320.37	0	0	127.82
惠水县	1703.15	1575.16	8.43	0	119.56
荔波县	1846.50	1757.25	0	39.20	50.05
龙里县	9147.76	805.15	0	8291.64	50.97
罗甸县	6283.04	1379.43	0	0	4903.61
平塘县	1590.49	1580.13	0	0	10.36
三都县	2933.57	2752.03	0	0	181.54
瓮安县	2147.47	1808.10	0	0	339.37
长顺县	927.26	501.92	8.03	0	417.31
总　计	33599.24	17750.35	16.46	8779.07	7053.36

黔南州湿地包括河流湿地、沼泽湿地、湖泊湿地和人工湿地4类。各湿地类的面积构成比例构成如图2-60。全州江河交错，水系较发达，有中小河流210多条，分属长江流域和珠江流域，主要河流包括清水江、都柳江、漳江、三岔河、曹渡河、涟江等。黔南州是喀斯特溶洞湿地资源丰富的区域。喀斯特溶洞湿地主要包括荔波的板寨地下河、瑶所地下河、茂兰地下河、黄后地下河、独山的架桥地下河、平塘的天生桥地下河、罗甸的大小井地下河和从里地下河。其中大小井地下河长约143公里，汇水面积约2000平方公里，枯季流量6633.3升/秒。沼泽湿地主要分布于贵定与龙里间的顶耳山、龙里五里坪、坪山、亮山、中排、民主一带，与贵阳花溪高坡的沼泽相连，是第二次湿地调查中贵州省统计在册面积最大的沼泽湿地。此外，都匀斗篷山、大坪山、螺蛳壳、惠水龙塘山等山顶也有沼泽湿地分布。喀斯特森林沼泽分布于茂兰国家级自然保护区原生性喀斯特森林区，尤以板寨白鹇山、四北洞一带最典型。人工湿地中，库塘以罗甸高原千岛湖为代表，它是龙滩水电站蓄水后在罗甸县境内形成的水域。龙滩水电工程是红水河梯级开发龙头骨干控制性工程，是国家西部大开发的十大标志性工程和“西电东送”的战略项目之一。稻田以分布

于独山县、平塘县、惠水县等地的坝田为代表，还有惠水县摆榜梯田等。

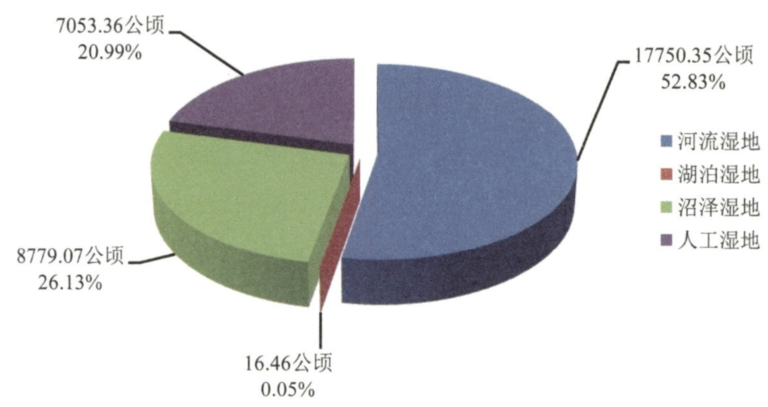

图 **2-60** 黔南州各湿地类面积与比例构成

黔南州下辖县级行政区中，湿地面积以龙里县最大，为 9147.76 公顷，占全州湿地面积的27.23%；面积最小的是长顺县，为 927.26 公顷，占全市湿地面积的 2.76%。其中，河流湿地以三都县面积最大，为 2752.03 公顷，占全州河流湿地的 15.50%；面积最小的是长顺县，为 501.92 公顷，占全市河流湿地的 2.83%。人工湿地以罗甸县面积最大，为 4903.61 公顷，占全州人工湿地的 69.52%；荔波县最小，为 50.05 公顷，占全州人工湿地的 0.71%。沼泽湿地以龙里县面积最大，为 8291.64 公顷，占全州沼泽湿地的 94.45%；独山县、荔波县也有沼泽湿地分布。湖泊湿地在惠水县、长顺县有分布，面积分别是 8.43 公顷、8.03 公顷(图 2-61)。

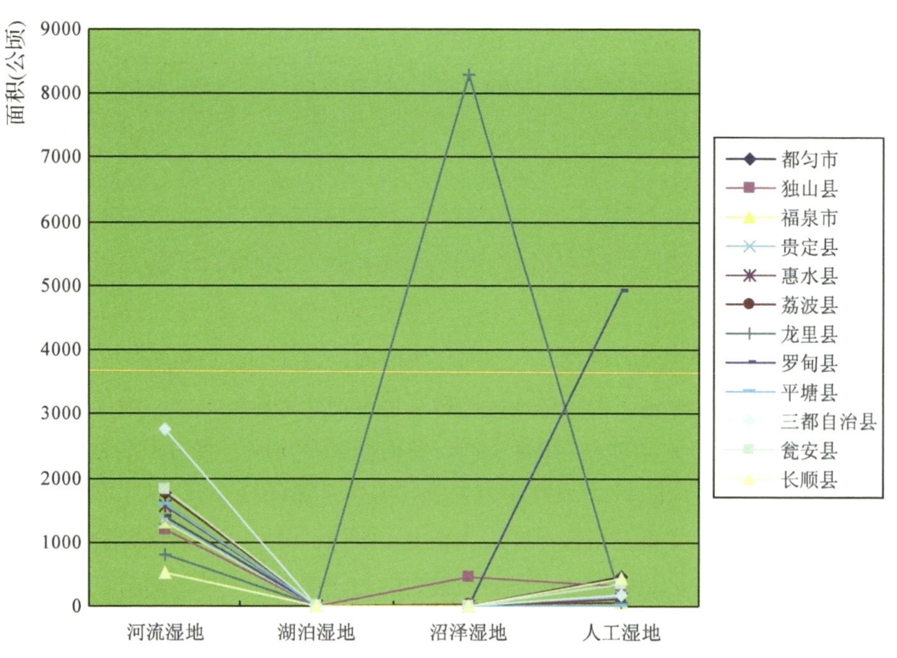

图 **2-61** 黔南州下辖各湿地类面积示意

4.8 黔西南州湿地的分布规律

黔西南州位于贵州西南部，辖1市7县，湿地总面积25910.32公顷，其中河流湿地13361.74公顷，湖泊湿地326.40公顷，人工湿地12222.18公顷。各所辖县级行政区湿地类的面积情况见表2-35。境内分布有兴义万峰国家湿地公园(试点)、北盘江大峡谷国家湿地公园(试点)、晴隆光照湖国家湿地公园(试点)、安龙招堤国家湿地公园(试点)；还分布有贞丰龙头大山州级保护区、普安下厂河县级保护区。

表2-35 黔西南州及下辖县级行政区各湿地类面积统计(公顷)

行政区	湿地面积	各湿地类面积			
		河流湿地	湖泊湿地	沼泽湿地	人工湿地
安龙县	2809.09	1404.52	225.38	0	1179.19
册亨县	4350.74	4317.63	0	0	33.11
普安县	914.59	687.36	0	0	227.23
晴隆县	2581.36	810.26	0	0	1771.10
望谟县	5137.65	2822.36	0	0	2315.29
兴仁县	810.70	621.11	51.50	0	138.09
兴义市	7342.85	970.22	49.52	0	6323.11
贞丰县	1963.34	1728.28	0	0	235.06
总　计	25910.32	13361.74	326.40	0	12222.18

黔西南州湿地包括河流、湖泊和人工湿地3类，沼泽湿地在贞丰县龙头大山等地有少量分布，面积不大，故本次调查未统计。各湿地类的面积构成比例如图2-62。主要河流包括红水河、南盘江、北盘江及其支流。境内喀斯特溶洞湿地发育，以晴隆龙摆尾地下河及达南地下河为代表。本区是全省天然湖泊集中分布区域之一，湖泊湿地面积位于全省第二位。湖泊湿地主要分布于安龙县，以绿海子为代表，兴义市、兴仁县也有分布。人工湿地中，库塘湿地以安龙招堤为代表，此外还有近年来兴建的龙滩水电站库区、天生桥水电站库区(现命名为兴义万峰湖)、光照水电站部分库区(现命名为晴隆光照湖)、董箐水电站库区、鲁布格水电站兴义库区、龙滩水电站望漠库区等，其中，光照水电站、董箐水电站属北盘江梯级电站，是贵州省"十五"期间计划开工建设的第二批"西电东送" 电源点项目。稻田以兴义市、兴仁县、安龙县、贞丰县一带的坝田为代表，以兴义市万峰林八卦田最具特色。

黔西南州下辖县级行政区中，湿地面积以兴义市最大，为7342.85公顷，占全州湿地面积的28.34%；面积最小的是兴仁县，为810.70公顷，占全市湿地面积的3.13%。其中，河流湿地以册亨县面积最大，为4317.63公顷，占全州河流湿地面积的32.31%；面积最小的是兴仁县，为621.11公顷，占全市河流湿地面积的4.65%。人工湿地以兴义市面积最大，为6323.11公顷，占全州人工湿地面积的51.73%；册亨县面积最小，为33.115公顷，占全州人工湿地面积的0.27%。湖泊湿地以安龙县面积最大，为225.3公顷，占全州湖泊湿地面积的69.05%。此外，兴义市、兴仁县也有分布，面积分别是49.52公顷、51.50公顷(图2-63)。

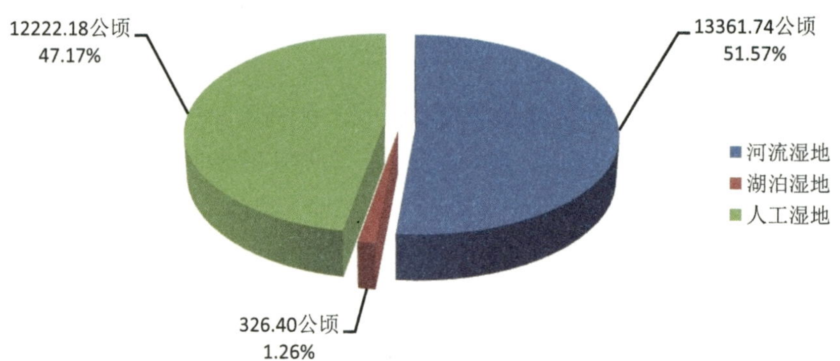

图 **2-62** 黔西南州各湿地类面积与比例构成

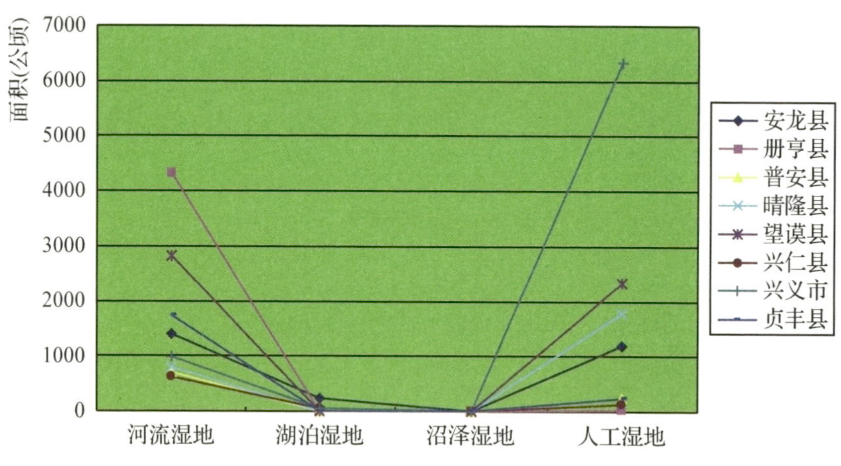

图 **2-63** 黔西南州下辖县级行政区各湿地类面积示意

4.9 六盘水市湿地的分布规律

六盘水市辖2区(特区)2县，是20世纪60年代国家"三线建设"时期发展起来的以煤炭采掘工业为基础，冶金、电力、建材、矿山机械工业综合发展的能源型重工业城市。境内分布有六盘水明湖国家湿地公园、六盘水娘娘山国家湿地公园(试点)。六盘水市湿地总面积8139.56公顷。其中，河流湿地5535.11公顷，湖泊湿地45.68公顷。沼泽湿地249.16公顷，人工湿地2309.61公顷。所辖县级行政区湿地面积情况见表2-36。

表2-36 六盘水市及下辖县级行政区各湿地类面积统计(公顷)

行政区	湿地面积	各湿地类面积			
		河流湿地	湖泊湿地	沼泽湿地	人工湿地
六枝特区	2839.79	1297.14	0	0	1542.65
盘县	2370.27	1778.15	33.48	201.47	357.17
水城县	2475.80	2186.70	12.20	47.69	229.21
钟山区	453.70	273.12	0	0	180.58
总 计	8139.56	5535.11	45.68	249.16	2309.61

六盘水市湿地类型丰富，河流、湖泊、沼泽和人工湿地 4 个湿地类均有分布。各湿地类的面积比例构成如图 2-64。境内长 10 公里以上的河流有 43 条，其中长江水系 9 条，珠江水系 34 条。主要河流包括北盘江、拖长江、三岔河、响水河，六枝河等。湖泊湿地分布在盘县、水城县。沼泽湿地也分布在盘县、水城县。由于受种种因素限制，本次调查沼泽湿地统计数据偏小，未能反映真实的资源情况。人工湿地中，库塘以光照水库六枝境内库区〔当地名牂牁(zāng kē)江〕为代表。还有水城县窑上水库、六枝特区朗岱白岩脚水库、盘县水塘木笼水库等形成的库区，均为小Ⅰ、Ⅱ型水库，水面不大。本区稻田面积为全省最少，主要以分布于水城盆地的坝田、水城县野钟梯田为代表。

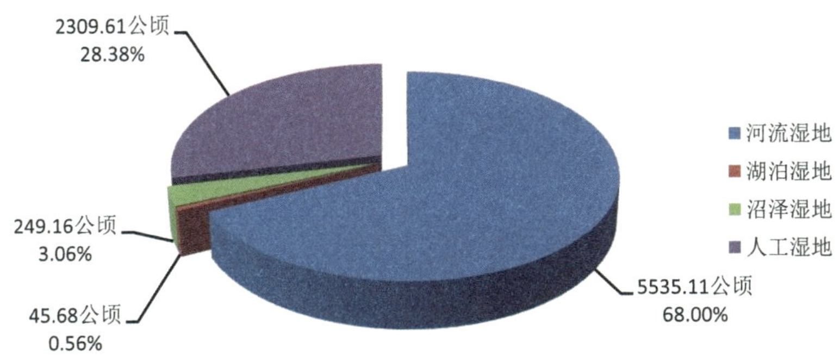

图 **2-64**　六盘水市下辖县级行政区各湿地类面积与比例构成

六盘水市下辖县级行政区中，湿地面积以六枝特区最大，为 2839.79 公顷，占全市湿地面积的 34.89%；面积最小的是钟山区，为 453.70 公顷，占全市湿地面积的 5.57%。其中，河流湿地以水城县面积最大，为 2186.70 公顷，占全市河流湿地面积的 39.51%；面积最小的是钟山区，为 273.12 公顷，占全市河流湿地面积的 4.93%。人工湿地以六枝特区面积最大，为 1542.65 公顷，占全市人工湿地面积的 66.79%；以钟山区面积最小，为 180.58 公顷，占全市人工湿地面积的 7.82%。湖泊湿地在盘县、水城县有分布，面积分别是 33.48 公顷、12.20 公顷。沼泽湿地在盘县、水城县有分布，面积分别是 201.47 公顷、47.69 公顷(图 2-65)。

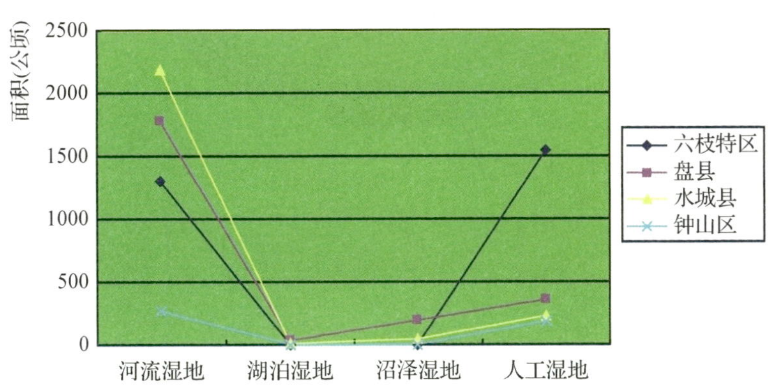

图 **2-65**　六盘水市下辖县级行政区各湿地类面积示意

4.10　毕节市湿地的分布规律

毕节市位于贵州西部，辖 1 区 7 县(自治县)，是贵州高原屋脊和乌江、珠江发源地，是 1988

年经国务院批准建立的“开发扶贫、生态建设”试验区。境内分布有威宁锁黄仓国家湿地公园(试点)、纳雍大坪箐国家湿地公园(试点)。草海国家级自然保护区、百里杜鹃省级自然保护区、金沙冷水河县级保护区、黔西渭河县级保护区等。毕节市湿地面积为30725公顷。其中，湖泊湿地1908.55公顷，河流湿地13972.75公顷，沼泽湿地1910.37公顷，人工湿地12933.33公顷。所辖县级行政区各湿地类面积见表2-37。

表2-37 毕节市下辖县级行政区各湿地类面积统计(公顷)

行政区	湿地面积	各湿地类面积			
		河流湿地	湖泊湿地	沼泽湿地	人工湿地
大方县	4541.03	1458.26	141.31	0	2941.46
赫章县	1776.43	1411.84	10.73	196.48	157.38
金沙县	3306.45	1730.33	0	0	1576.12
纳雍县	2129.08	1269.48	34.47	38.74	786.39
七星关区	2051.93	1825.54	21.89	0	204.50
黔西县	5271.81	1777.59	163.21	0	3331.01
威宁县	6884.39	3023.31	1528.37	1675.15	657.56
织金县	4763.88	1476.40	8.57	0	3278.91
总　计	30725.00	13972.75	1908.55	1910.37	12933.33

毕节市湿地资源丰富，河流、湖泊、沼泽、人工湿地4个湿地类均有分布。各湿地类的面积构成比例如图2-66。主要河流包括牛栏江、白水河、堡合河、六冲河等。

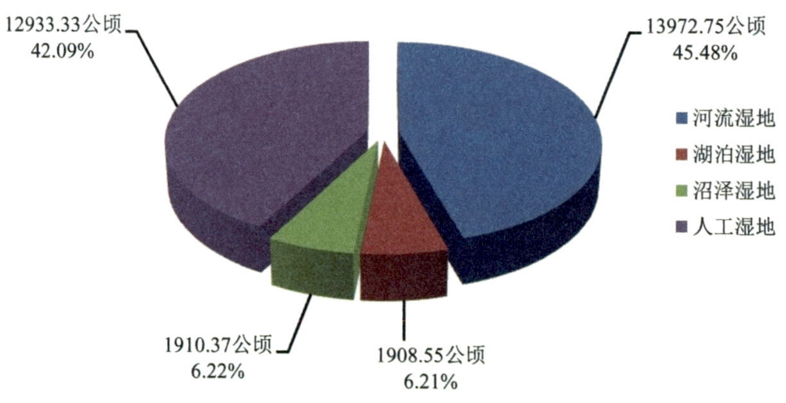

图2-66 毕节市各湿地类面积与比例构成

毕节市是贵州省湖泊湿地的主要集中分布区，湖泊湿地面积居全省之冠。其中，草海是全国最大的岩溶湖；织金县八步镇的碧云湖则是全省最年轻的湖泊。沼泽湿地以威宁草海周边、纳雍娘娘山沼泽、赫章大韭菜坪至雨帽山沼泽(图2-67)、大方普底方家坪沼泽为代表。库塘湿地较少，且规模普遍小，包括黔西附廓水库、威宁杨湾桥水库等；2006年建成的洪家渡水电站，是乌江梯级的“龙头”电站 和国家“西电东送”的启动工程，所形成的库区命名为水西湖(又称支嘎阿鲁湖)。因气候、海拔等原因，本区稻田面积不多。

毕节市下辖县级行政区中，湿地面积以威宁县最大，为6884.39公顷，占全市湿地面积的22.41%；面积最小的是赫章县，为1776.43公顷，占全市湿地面积的5.78%。其中，河流湿地以

图 **2-67**　赫章大韭菜坪

威宁县面积最大，为3023.31公顷，占全市河流湿地面积的21.64%；面积最小的是纳雍县，为1269.48公顷，占全市河流湿地面积的9.09%。人工湿地以黔西县面积最大，为3331.01公顷，占全市人工湿地面积的25.76%；以赫章县面积最小，为157.38公顷，占全市人工湿地面积的1.22%。湖泊湿地面积以威宁县最大，为1528.37公顷，占全市湖泊面积的80.08%；全市只有金沙县没有湖泊分布。沼泽湿地以威宁县面积最大，为1675.15公顷，占全市沼泽湿地面积的87.69%；赫章县、纳雍县也有分布，面积分别是196.48公顷、38.74公顷。由于种种原因，本次调查纳雍县的沼泽面积明显存在漏统现象，有待今后补充完善(图2-68)。

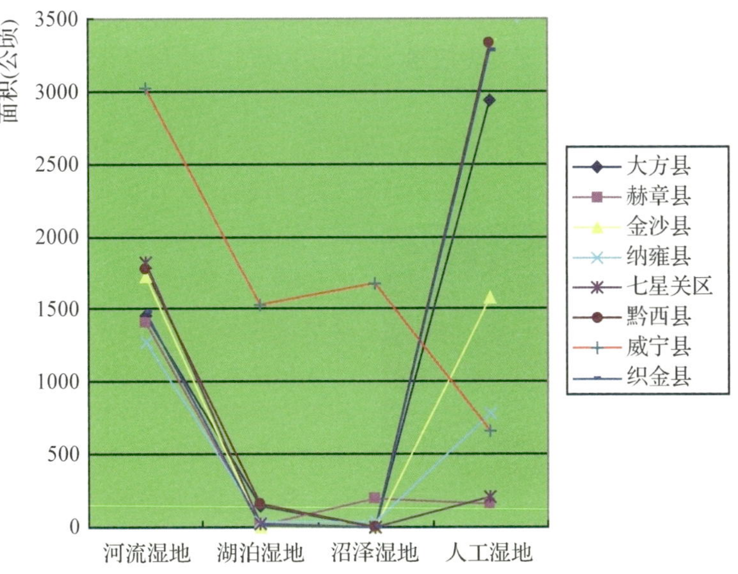

图 **2-68**　毕节市下辖县级行政区各湿地类面积示意

第三章
湿地生物资源

第一节
湿地植物和植被

1　湿地植物

1.1　湿地植物类型划分

在自然界中，水的分布极不均匀，在长期的适应与进化过程中，由于植物对水分需求的不同形成了不同类型的植物种类。根据植物对水分的需求量和依赖程度的不同，可以把植物划分为陆生植物和水生植物两大类型。其中，陆生植物是在陆地上生长的植物的统称，它包括湿生植物、中生植物和旱生植物 3 种类型。湿地植物就是指湿生植物和水生植物等生长在湿地环境中的植物。在湿地中生长的植物，由于对水分的依赖程度不同，对湿地环境的专一性和生态习性的差异，可划分为季节性湿生植物、半湿生植物、湿生植物和水生植物四大类型。

1.1.1　季节性湿生植物

季节性湿生植物是指生活在季节性湿地中的植物。这类植物的适应性较广，既能在陆生环境中生长又能在水生环境中生长较长的时间，具有水陆两栖的特性。近年来，各种河流、湖泊、水库枯水季节岸边裸露的土层造成的水土流失、生态失衡、景观缺陷等问题日益凸显，而季节性湿生植物可以填补这一空白。

图 **3-1**　窄叶蚊母树

贵州的季节性湿生植物有 70 种，包含贵州湿地植物中大部分的木本植物，如柳叶润楠、草珊瑚、窄叶蚊母树(图 3-1)、中华蚊母树、竹叶榕、常山、圆锥绣球、轮叶蒲桃、小梾木、河滩冬青、女贞忍冬、扁穗莎草、碎米莎草、具芒碎米莎草、水莎草、垂柳、云南柳、秋华柳、紫柳等种类。

1.1.2 半湿生植物

半湿生植物是指既能在湿生环境中生长又能在较长时间水分不足的环境中生长的植物，这类植物属于耐水湿的种类，兼性生长在湿生环境中。

贵州半湿生植物有 181 种，如辐花苣苔、荳、蔊菜、山芥碎米荠、八宝、东南景天、朝天罐、锦香草、薄片变豆菜、直刺变豆菜、积雪草、红马蹄草、天胡荽、中华天胡荽、九头狮子草、水蓑衣、多花地杨梅、四孔草、蛛丝毛蓝耳草、球穗扁莎、异型莎草、云南莎草、扁穗牛鞭草、心叶稷、鼠尾粟、萱草、深裂竹根七、稻草石蒜等种类。

1.1.3 湿生植物

湿生植物是指长期生长在湿生环境中，不能忍受较长时间水分不足的植物。这类植物的基部通常不被水浸泡，但土壤水分充分饱和。湿生植物与一般陆生植物的最大区别是湿生植物以潮湿环境作为其主要栖息地，有些种类还能忍耐短期水淹，甚至长期挺立在水中也能正常生长。

贵州湿生植物有 186 种，以草本植物种类占优势，如水蕨、三白草、驴蹄草、茴茴蒜、北越紫堇、赤车、翠茎冷水花、短齿楼梯草、箭叶蓼、水生酸模、心叶秋海棠、豆瓣菜、大叶碎米荠、岩匙、滇海水仙花、肾萼金腰、凹瓣梅花草、异药花、黄苞大戟、大叶凤仙花、鹿蹄橐吾、水朝阳旋覆花、大野芋、黄谷精、白药谷精草等种类。

1.1.4 水生植物

水生植物是指必须长期在水中生长的植物。这类植物植株部分或全部被水所浸泡，即在水中生长。贵州水生植物有 89 种，根据其在生长环境中水的深浅不同及植物自身生态习性的差异，水生植物可划分为挺水植物、浮水植物和沉水植物 3 种类型。

1.1.4.1 挺水植物

挺水植物是指挺立在浅水中生长的水生植物，这类植物的根或地下茎生长在水底土壤中，部分茎、叶伸出水面，因而具有陆生和水生两类植物的生长特性。通常，挺水植物挺出水面的部分具有陆生植物的特征，生长在水中的部分则具有水生植物的特征。

贵州常见的挺水植物有 34 种，如云贵水韭、冠果草、矮慈姑、慈姑、野慈姑、窄叶泽泻、东方泽泻、泽泻、紫果蔺、渐尖穗荸荠、荸荠、透明鳞荸荠、具刚毛荸荠、牛毛毡、萤蔺、百球藨草、水毛花、藨草、水葱、荆三棱、水稗、稗、菰、秕壳草、李氏禾、假稻、黑三棱、曲轴黑三棱、长苞香蒲、水烛、香蒲、宽叶香蒲等种类。

1.1.4.2 浮水植物

浮水植物是指叶片或植株漂浮在水面上生长的水生植物。由于浮水植物的体内通常贮藏有较多的气体，可使其叶片或植株平稳地漂浮在水面上。

贵州浮水植物共有 24 种，有苹、槐叶苹、满江红、莲、贵州萍蓬草、萍蓬草、芡实、睡莲、丘角菱、细果野菱、越南菱、四角菱、睡菜、荇菜、水马齿、浮叶眼子菜、大薸、浮萍、芜萍、紫萍等种类。

1.1.4.3 沉水植物

沉水植物是指植物体全部或绝大部分沉没在水中生长的水生植物。贵州的沉水植物有 31 种，包括金鱼藻、飞瀑草、穗状狐尾藻、狐尾藻、石龙尾、抱茎石龙尾、黄花狸藻、南方狸藻、黑藻、苦草、龙舌草、海菜花、贵州水车前、有尾水筛、水筛、菹草、鸡冠眼子菜、眼子菜、光叶眼子菜、微齿眼子菜、竹叶眼子菜、尖叶眼子菜、篦齿眼子菜、穿叶眼子菜、小眼子菜、小茨藻、草茨藻、多孔茨藻、纤细茨藻、大茨藻、鸭舌草等种类。

1.2 湿地维管束植物多样性分析

贵州的湿地植物种类丰富，经调查统计(包含外来种)，共有115科249属518种(含种下分类等级，下同)(表3-1)；其中苔藓植物18科24属30种，维管束植物97科225属488种，在维管束植物中，包括蕨类植物14科17属21种，被子植物83科208属467种(附录1)。在被子植物中，共有双子叶植物57科114属272种，单子叶植物23科90属191种，因此，双子叶植物构成了贵州湿地维管束植物区系的主体。

1.2.1 科的多样性分析

在94科野生湿地维管束植物中，含20种以上的大科有4个科，分别是禾本科(50种)、莎草科(40种)、蓼科(28种)、凤仙花科(26种)，占总科数的4.26%，含种数达144种，占总种数的29.75%；含种数在10～19种的科共有9个科，分别是柳叶菜科(15种)、秋海棠科(13种)、伞形科(12种)、灯心草科(12种)、十字花科(11种)、眼子菜科(11种)、谷精草科(11种)、毛茛科(10种)、天南星科(10种)，占总科数的9.57%，含种数达105种，占总种数的21.69%；含种数在2～9种的小型科共有50科，占总科数的53.20%，含种数达204种，占总种数的42.48%；单种科共31科，占总科数的32.97%、总种数的6.08%。因此，科的优势现象明显(表3-1)。

1.2.2 属的多样性分析

在贵州省湿地维管束植物中，含种数在10种以上的大属共有7属，包括凤仙花属(26种)、蓼属(19种)、薹草属(14种)、秋海棠属(13种)、柳叶菜属(12种)、眼子菜属(11种)、谷精草属(11种)，占总属数的3.17%，共含有106种，占总种数的21.90%，居于优势地位；含5～9种的多种属共有12属，包括灯心草属(9种)、无花果属(8种)、杜鹃花属(8种)、酸模属(7种)、碎米荠属(7种)、狸藻属(6种)、荸荠属(6种)等，占总属数的5.43%，共含有76种，占总种数的15.70%；含2～4种的寡种属共有65属，占总属数的29.41%，共含有165种，占总种数的34.09%，占有重要地位；含1种的单种属共有137属，占该区系总属数的61.99%、占总种数的28.31%。

表3-1 贵州湿地维管束植物科、属、种类统计*

序号	科 名	属 数	种 数	序号	科 名	属 数	种 数
1	石松科	1	1	7	桫椤科	1	1
2	水韭科	1	1	8	鳞始蕨科	1	1
3	木贼科	1	4	9	蕨科	1	1
4	紫萁科	1	2	10	水蕨科	1	1
5	膜蕨科	2	2	11	蹄盖蕨科	2	2
6	稀子蕨科	2	2	12	苹科	1	1

* 本节湿地维管束植物科属种的统计均不包括外来入侵的4个种，故共有94科221属484种，下同。

（续）

序号	科 名	属 数	种 数	序号	科 名	属 数	种 数
13	槐叶苹科	1	1	45	蔷薇科	2	2
14	满江红科	1	1	46	蝶形花科	1	1
15	樟科	1	2	47	川苔草科	1	1
16	金粟兰科	2	3	48	小二仙草科	2	3
17	三白草科	3	3	49	千屈菜科	2	5
18	胡椒科	1	1	50	菱科	1	3
19	马兜铃科	1	1	51	桃金娘科	1	1
20	睡莲科	4	5	52	柳叶菜科	2	15
21	金鱼藻科	1	1	53	野牡丹科	3	3
22	毛茛科	5	10	54	山茱萸科	1	1
23	罂粟科	2	2	55	冬青科	1	1
24	紫堇科	1	2	56	黄杨科	1	2
25	金缕梅科	1	2	57	大戟科	4	5
26	桑科	1	8	58	凤仙花科	1	26
27	荨麻科	5	8	59	伞形科	6	12
28	胡桃科	1	2	60	龙胆科	1	2
29	壳斗科	1	1	61	睡菜科	2	2
30	石竹科	2	4	62	马鞭草科	1	1
31	蓼科	4	28	63	水马齿科	1	1
32	苋科	1	1	64	木犀科	1	1
33	山茶科	1	1	65	玄参科	4	6
34	藤黄科	1	1	66	苦苣苔科	3	3
35	茅膏菜科	1	1	67	爵床科	4	4
36	堇菜科	1	3	68	狸藻科	1	6
37	秋海棠科	1	13	69	桔梗科	1	3
38	杨柳科	1	5	70	茜草科	3	6
39	十字花科	3	11	71	忍冬科	2	3
40	杜鹃花科	1	8	72	菊科	5	7
41	岩梅科	1	1	73	泽泻科	3	8
42	报春花科	1	5	74	水鳖科	4	7
43	景天科	3	5	75	眼子菜科	1	11
44	虎耳草科	5	9	76	茨藻科	1	5

（续）

序号	科 名	属 数	种 数	序号	科 名	属 数	种 数
77	露兜树科	1	1	87	香蒲科	1	4
78	天南星科	6	10	88	雨久花科	1	1
79	浮萍科	3	3	89	百合科	6	7
80	黄眼草科	1	1	90	石蒜科	1	4
81	鸭跖草科	2	4	91	鸢尾科	1	2
82	谷精草科	1	11	92	箭根薯科	1	1
83	灯心草科	2	12	93	水玉簪科	1	1
84	莎草科	13	40	94	兰科	5	5
85	禾本科	33	50				
86	黑三棱科	1	2	合 计		221	484

1.3 贵州湿地维管束植物地理成分分析

1.3.1 科的地理成分分析

依据世界种子植物科的分布区类型系统与中国蕨类植物区系的研究成果，将贵州省湿地维管束植物94科划分为8个分布型与5个变型，归并为世界分布科、热带分布科、温带分布科（表3-2）。

表3-2 贵州湿地植物科、属、种的地理分布区类型统计

	分布类型	科 数	占总科数(%)	属 数	占总属数(%)	种 数	占总种数(%)
一	世界分布	44	46.81	47	21.27	22	4.55
	1. 世界分布	44	46.81	47	21.27	22	4.55
二	泛热带分布及其变型	27	28.72	46	20.90	19	3.93
	2. 泛热带分布	24	25.53	44	19.91		0
	2-1. 热带亚洲、大洋洲和中至南美洲(墨西哥)间断分布			1	0.45		0
	2-2. 热带亚洲、非洲至南美洲间断分布	1	1.06	1	0.45		0
	2s. 以南半球为主的泛热带分布	2	2.13				0
三	热带亚洲和热带美洲间断分布及其变型						
	3. 热带亚洲和热带美洲间断分布	4	4.26	4	1.81	1	0.21
四	旧世界热带分布及其变型	2	2.13	12	5.43	3	0.62
	4. 旧世界热带分布	2	2.13	11	4.98		0
	4-1. 热带亚洲、非洲和大洋洲间断分布			1	0.45		0

（续）

	分布类型	科　数	占总科数(%)	属　数	占总属数(%)	种　数	占总种数(%)
五	热带亚洲至热带大洋洲分布及其变型	0	0	7	3.17	12	2.48
	5. 热带亚洲至热带大洋洲分布			7	3.17		0
六	热带亚洲至热带非洲分布及其变型	1	1.06	9	4.07	6	1.24
	6. 热带亚洲至热带非洲分布			8	3.62		0
	6-2. 热带亚洲和非洲东部或马达加斯加间断分布			1	0.45		0
	6d. 南非(主要是好望角)分布	1	1.06				0
七	热带亚洲分布及其变型	1	1.06	21	9.50	75	15.50
	7. 热带亚洲(印度—马来西亚)分布	1	1.06	15	6.79		0
	7-1. 爪哇、喜马拉雅至中国华南、西南间断或星散分布			2	0.90		0
	7-2. 热带印度至中国华南分布			1	0.45		0
	7-4. 越南(或中南半岛)至中国华南(或西南)分布			3	1.36		0
八	北温带分布及其变型	15	15.96	43	19.45	120	24.80
	8. 北温带分布	3	3.19	34	15.38		0
	8-2. 北极—高山分布	1	1.06	1	0.45		0
	8-4. 北温带和南温带(全温带)间断分布	11	11.70	7	3.17		0
	8-5. 欧亚大陆和温带南美洲间断分布			1	0.45		0
九	东亚和北美洲间断分布及其变型	1	1.06	8	3.61	1	0.21
	9. 东亚和北美洲间断分布	1	1.06	8	3.61		0
十	旧世界温带分布及其变型	1	1.06	6	2.71	10	2.07
	10. 旧世界温带分布	1	1.06	5	2.26		0
	10-3. 欧亚和南部非洲(有时还有大洋洲)间断分布			1	0.45		0
十一	温带亚洲分布及其变型					4	0.83
	11. 温带亚洲分布					4	0.83
十二	地中海、西亚至中亚分布及其变型	0	0	2	0.90	0	0
	12. 地中海、西亚至中亚分布			1	0.45		0
	12-2. 地中海至中亚和墨西哥至美国南部间断分布			1	0.45		0

（续）

分布类型	科数	占总科数(%)	属数	占总属数(%)	种数	占总种数(%)
十三 东亚分布及其变型	0	0	10	4.50	56	11.57
14. 东亚(东喜马拉雅—日本)分布			5	2.26		0
14－1(14SH). 中国—喜马拉雅分布			2	0.90		0
14－2(14SJ). 中国—日本分布			3	1.36		0
十四 中国特有分布	0	0	6	2.71	155	32.02
15. 中国特有分布			6	2.71		0
合 计	94	100	221	100	484	100

1.3.1.1 世界分布科

世界分布科共有44科，占贵州省湿地维管束植物总科数的46.81%。其中，蕨类植物如石松科、水韭科、紫萁科、蕨科、蹄盖蕨科、苹科、槐叶苹科、满江红科等；被子植物如禾本科、莎草科、蓼科等含20种以上的湿生植物大科。另外，还有柳叶菜科、眼子菜科、毛茛科、水鳖科、睡莲科、茨藻科、泽泻科、狸藻科、金鱼藻科、水马齿科、小二仙草科等均是典型的湿生植物科。世界分布科共包含137属306种，分别占贵州省湿地维管束植物总属数的61.99%、总种数的63.22%，表明世界分布科在该区系中占主导地位，充分显示出湿地植物的隐域性(表3-3)。

表3-3 贵州湿地维管束植物世界分布科及所属的属、种数量统计

序号	科 名	属	种	变 种	变 型	亚 种
1	石松科	1			1	
2	水韭科	1	1			
3	紫萁科	1	2			
4	蕨科	1	1			
5	蹄盖蕨科	2	2			
6	苹科	1	1			
7	槐叶苹科	1	1			
8	满江红科	1	1			
9	睡莲科	4	5			
10	金鱼藻科	1	1			
11	毛茛科	5	9	1		
12	桑科	1	7	1		
13	石竹科	2	5			
14	蓼科	4	27	1		

（续）

序号	科　名	属	种	变　种	变　型	亚　种
15	堇菜科	1	3			
16	十字花科	3	11			
17	报春花科	1	5			
18	景天科	3	5			
19	虎耳草科	5	9			
20	蔷薇科	2	2			
21	豆科（蝶形花科）	1	1			
22	小二仙草科	2	3			
23	千屈菜科	2	6			
24	柳叶菜科	2	13			2
25	伞形科	6	11			1
26	龙胆科	1	2			
27	睡菜科	2	2			
28	水马齿科	1	1			
29	木犀科	1	1			
30	玄参科	4	6			
31	狸藻科	1	5			1
32	桔梗科	1	3			
33	茜草科	3	6			
34	菊科	5	7			
35	泽泻科	2	4	2		1
36	水鳖科	4	7			
37	眼子菜科	1	11			
38	茨藻科	1	5			
39	浮萍科	3	3			
40	莎草科	13	35	3	1	1
41	禾本科	33	49	1		
42	香蒲科	1	4			
43	兰科	5	5			
44	雨久花科	1	1			
合　计		137	289	9	2	6

1.3.1.2 热带分布科

热带分布科共34科，占贵州省湿地维管束植物总科数的37.23%。其中，绝大多数是泛热带分布科。泛热带分布科共有27科，占总科数的28.72%。常见的蕨类植物科有膜蕨科、桫椤科、鳞始蕨科、水蕨科；被子植物科有谷精草科、凤仙花科、秋海棠科、天南星科、鸭跖草科、雨久花科、荨麻科等，这些科是重要的湿地植物资源。热带分布科共包含58属128种，分别占贵州省湿地维管束植物总属数的26.24%、总种数的26.45%(表3-4)。

表3-4 贵州湿地维管束植物热带分布科及所属的属、种数量统计

序号	科 名	属	种	变 种	亚 种	区 系
1	观音座莲科	1	1	4		
2	膜蕨科	2	2			2
3	蚌壳蕨科	1	1	2		
4	桫椤科	1	1			
5	稀子蕨科	2	2			7
6	鳞始蕨科	1	1			2
7	水蕨科	1	1			2
8	樟科	1	2			2
9	金粟兰科	2	3			2
10	胡椒科	1	1			2
11	马兜铃科	1	1			2
12	荨麻科	5	6	2		2
13	山茶科	1	1			2
14	藤黄科	1	1			2
15	秋海棠科	1	12		1	2
16	杜鹃花科	1	8			6d
17	川苔草科	1	1			3
18	桃金娘科	1	1			2s
19	野牡丹科	3	3			2
20	冬青科	1	1			3
21	大戟科	4	5			2
22	马鞭草科	1	1			3
23	苦苣苔科	3	3			3
24	爵床科	4	4			2
25	露兜树科	1	1			4
26	天南星科	6	10			2

（续）

序号	科 名	属	种	变 种	亚 种	区 系
27	黄眼草科	1		1		2
28	鸭跖草科	2	4			2
29	谷精草科	1	9	2		2
30	雨久花科	1	1			2
31	石蒜科	1	4			2s
32	鸢尾科	1	2			2 -2
33	箭根薯科	1	1			2
34	水玉簪科	1	1			2
合 计		58	122	5	1	

1.3.1.3 温带分布科

温带分布科共17科，占贵州省湿地维管束植物总科数的18.09%，主要是北温带分布科。北温带分布科共有15科，占总科数的15.95%。常见的蕨类植物科有木贼科；被子植物科有百合科、忍冬科等。温带分布科共包含27属51种，分别占贵州湿地维管束植物总属数的12.22%、总种数的10.54%(表3-5)。

表3-5 贵州湿地维管束植物温带分布科及所属的属、种数量统计

序号	科 名	属	种	变 种	亚 种	区 系
1	木贼科	1	4			8
2	三白草科	3	3			9
3	罂粟科	2	2			8 -4
4	紫堇科	1	2			8 -4
5	金缕梅科	1	2			8 -4
6	胡桃科	1	2			8 -4
7	壳斗科	1	1			8 -4
8	茅膏菜科	1		1		8 -4
9	杨柳科	1	5			8 -4
10	岩梅科	1	1			8 -2
11	菱科	1	2			10
12	山茱萸科	1	1			8 -4
13	黄杨科	1	2			8 -4
14	忍冬科	2	2	1		8
15	灯心草科	2	9	2	1	8 -4
16	黑三棱科	1	2			8 -4
17	百合科	6	7			8
合 计		27	47	4	1	

从科级水平分析，热带成分的科数占优势，表明本区系与热带植物区系的亲缘关系，这与中国亚热带地区植物区系有着很大热带亲缘的观点相一致。

1.3.2 属的地理成分分析

依据中国种子植物属的分布区类型系统和中国蕨类植物区系的研究成果，将贵州省湿地维管束植物221属划分为13个类型14个变型，归并为世界分布属、热带分布属、温带分布属和中国特有分布属。

1.3.2.1 世界分布属

世界分布共有47属，占贵州省湿地维管束植物总属数的21.26%，其中，水韭属、蕨属、蹄盖蕨属、苹属、槐叶苹属、满江红属等蕨类植物属是构成湿地植被的重要组成成分；被子植物如薹草属、蓼属、眼子菜属等在该区系中都是含10种以上的大属。浮叶植物如睡莲属、荇菜属、紫萍属、水马齿属等，漂浮植物如槐叶苹属、满江红属、浮萍属等，沉水植物如眼子菜属、茨藻属、金鱼藻属、狐尾藻属、狸藻属等，挺水植物如毛茛属、香蒲属、芦苇属、莎草属、藨草属、荸荠属等均是该区系重要的植物。该分布型以草本植物为主，是水生或沼生环境中极为常见的种类，也是重要的湿地植物资源，共155种，占贵州湿地维管束植物总种数的32.02%（表3-6）。

表3-6 贵州湿地维管束植物世界分布属及所属的种数统计

序号	属名	种	变种	变型	亚种	序号	属名	种	变种	变型	亚种
1	石松属			1		25	水马齿属	1			
2	水韭属	1				26	狸藻属	5			1
3	蕨属	1				27	半边莲属	3			
4	蹄盖蕨属	1				28	千里光属	1			
5	萍属	1				29	眼子菜属	11			
6	槐叶萍属	1				30	茨藻属	5			
7	满江红属	1				31	浮萍属	1			
8	睡莲属	1				32	芜萍属	1			
9	金鱼藻属	1				33	紫萍属	1			
10	毛茛属	5				34	灯心草属	7	1		1
11	银莲花属	1				35	地杨梅属	2	1		
12	繁缕属	4				36	荸荠属	4	1	1	
13	蓼属	18	1			37	水葱属	2			1
14	酸模属	7				38	藨草属	3			
15	金丝桃属	1				39	莎草属	5			
16	堇菜属	3				40	水莎草属	1			
17	豆瓣菜属	1				41	薹草属	13	1		
18	焯菜属	3				42	剪股颖属	1			
19	碎米荠属	7				43	芦苇属	2			
20	狐尾藻属	2				44	马唐属	2			
21	千屈菜属	1				45	黍属	1			
22	变豆菜属	2				46	早熟禾属	2	1		
23	龙胆属	2				47	香蒲属	4			
24	荇菜属	1				合　计		144	6	2	3

1.3.2.2 热带分布属

热带分布共有98属，占贵州省湿地维管束植物总属数的45%。以泛热带分布属为主，其次是热带亚洲分布属和旧世界热带分布属，再次是热带亚洲至热带大洋洲分布属和热带亚洲至热带非洲分布属，最后是热带亚洲和热带美洲间断分布属。该分布型共190种，占贵州湿地维管束植物总种数的39.25%(表3-7)。

泛热带分布共46属，占总属数的20.81%。其中，蕨类植物有蕗蕨属、西藏瓶蕨属、桫椤属、鳞始蕨属、水蕨属等；被子植物中的凤仙花属、秋海棠属、谷精草属在该区系中都是含10种以上的大属，其余的大属还有无花果属、水车前属、节节菜属、天胡荽属、丁香蓼属、金粟兰属、母草属、苦草属、扁莎草属、冷水花属等。热带亚洲分布共21属，占总属数的9.50%，包括蚊母树属、草珊瑚属、紫麻属、蛇根草属、芋属、海芋属、竹叶兰属、飞瀑草属、黄常山属、水柳属等。旧世界热带分布共12属，占总属数的5.43%，包括楼梯草属、石龙尾属、水筛属、水竹叶属、蒲桃属、五月茶属、金锦香属、露兜树属、弓果黍属、芭蕉属、雨久花属等，以及热带亚洲、非洲和大洋洲间断分布的小丽草属。热带亚洲至热带大洋洲分布共7属，占总属数的3.17%，包括水锦树属、竹节蓼属、小二仙草属、通泉草属、黑藻属、淡竹叶属、蜈蚣草属。热带亚洲至热带非洲分布共9属，占总属数的4.07%，包括水麻属、水团花属、蓝耳草属、观音草属、类芦属、莠竹属。热带亚洲和热带美洲间断分布共4属，占总属数的1.81%，包括青篱竹属、柃属、过江藤属。

表3-7 贵州湿地维管束植物热带分布属及所属的种数统计

序号	属名	种	变种	变型	亚种	区系	序号	属名	种	变种	变型	亚种	区系
1	观音座莲属	1				3	18	冷水花属	1				2
2	蕗蕨属	1				2	19	楼梯草属	1	1			4
3	西藏瓶蕨属	1				2	20	柃属	1				3
4	金毛狗属	1				4	21	茅膏菜属		1			2
5	桫椤属	1				2	22	秋海棠属	12			1	2
6	鳞始蕨属	1				2	23	黄常山属	1				7
7	水蕨属	1				2	24	蛇莓属	1				7
8	菜蕨属	1				5	25	飞瀑草属	1				7
9	润楠属	2				7	26	小二仙草属	1				5
10	草珊瑚属	1				7	27	节节菜属	5				2
11	金粟兰属	2				2	28	蒲桃属	1				4
12	草胡椒属	1				2	29	丁香蓼属	3				2
13	蚊母树属	2				7	30	金锦香属	1				4
14	无花果属	7	1			2	31	锦香草属	1				7-1
15	水麻属	2				6	32	异药花属	1				7-4
16	紫麻属	1	1			7	33	冬青属	1				2
17	赤车属	1				7	34	黄杨属	2				2

（续）

序号	属名	种	变种	变型	亚种	区系	序号	属名	种	变种	变型	亚种	区系
35	大戟属	2				2	68	黑莎草属	1				2－1
36	水柳属	1				7	69	飘拂草属	1				2
37	五月茶属	1				4	70	水蜈蚣属	1				2
38	重阳木属	1				7－1	71	珍珠茅属	1				2
39	凤仙花属	26				2	72	砖子苗属		1			2
40	积雪草属	1				2	73	箣竹属	3				2－2
41	天胡荽属	4				2	74	淡竹叶属	1				5
42	过江藤属	1				3	75	甘蔗属	2				2
43	母草属	1				2	76	菅草属	1				6
44	石龙尾属	2				4	77	弓果黍属	1				4
45	通泉草属	1				5	78	狗牙根属	1				2
46	唇柱苣苔属	1				7	79	假稻属	3				2
47	观音草属	1				6	80	类芦属	1				6
48	水蓑衣属	1				2	81	柳叶箬属	2				2
49	山壳骨属	1				2	82	芦竹属	1				2
50	马蓝属	1				6－2	83	囊颖草属	1				2
51	蛇根草属	2				7	84	牛鞭草属	2				2
52	水锦树属	2				5	85	青篱竹属	2				3
53	水团花属	2				6	86	雀稗属	1				2
54	醴肠属	1				2	87	鼠尾粟属	1				2
55	苦草属	1				2	88	蜈蚣草属	1				5
56	水车前属	3				2	89	小丽草属	1				4－1
57	水筛属	2				4	90	莠竹属	1				6
58	露兜树属	1				4	91	芒属	2				6
59	大薸属	1				2	92	玉山竹属	1				7
60	海芋属	1				7	93	雨久花属	1				4
61	芋属	2				7	94	竹根七属	1				7－4
62	黄眼草属		1			2	95	裂果薯属	1				7－4
63	水竹叶属		2			4	96	水玉簪属	1				2
64	蓝耳草属	2				6	97	独蒜兰属	1				7－2
65	谷精草属		9	2		2	98	竹叶兰属	1				7
66	扁莎草属	2				2							
67	芙兰草属	1				2	合计		170	17	2	1	

1.3.2.3 温带分布属

温带分布共有69属，占贵州省湿地维管束植物总属数的31.22%。以北温带分布属为主，其次是东亚分布属，再次是东亚和北美洲间断分布属，最后是旧世界温带分布属(表3-8)。

其中，北温带分布共43属，占总属数的19.46%，包括蕨类植物的问荆属、紫萁属；被子植物的柳属、杜鹃花属、报春花属、稗属、泽泻属、梅花草属、萍蓬草属、翠雀属、紫堇属等。东亚分布共10属，占总属数的4.52%，包括枫杨属、石蒜属、蕺菜属、芡属等。东亚与北美洲间断分布共8属，占总属数的3.62%，包括菖蒲属、金线草属、三白草属、莲属等。旧世界温带分布共6属，占总属数的2.71%，包括菱属、水芹属、橐吾属、旋覆花属等。

表3-8 贵州湿地维管束植物温带分布属及种统计

序号	属 名	种	变 种	亚 种	区 系
1	问荆属	4			8
2	紫萁属	2			8
3	稀子蕨属	1			12
4	岩穴蕨属	1			12 -2
5	蕺菜属	1			14
6	三白草属	1			9
7	莲属	1			9
8	萍蓬草属	2			8
9	芡属	1			14
10	翠雀属	1	1		8
11	驴蹄草属	1			8 -4
12	铁破锣属	1			14SH
13	绿绒蒿属	1			8
14	紫堇属	2			8
15	枫杨属	2			14SJ
16	栎属	1			8
17	漆姑草属	1			8
18	虎杖属	1			8
19	金线草属	1			9
20	柳属	5			8
21	杜鹃花属	8			8
22	报春花属	5			8
23	八宝属	1			8
24	红景天属	1			8 -2
25	景天属	3			8 -4
26	虎耳草属	1			8
27	金腰属	3			8 -4
28	梅花草属	3			8
29	绣球属	1			9
30	委陵菜属	1			8

（续）

序号	属 名	种	变 种	亚 种	区 系
31	百脉根属	1			10－3
32	菱属	1			10
33	柳叶菜属	10		2	8－4
34	山茱萸属	1			8
35	当归属	1			8－4
36	藁本属	1			8
37	水芹属	2		1	10
38	睡菜属	1			8
39	梣属	1			8
40	马先蒿属	2			8
41	马铃苣苔属	1			14SH
42	荚蒾属		1		8
43	忍冬属	2			8
44	蓟属	1			8
45	橐吾属	3			10
46	旋覆花属	1			10
47	慈姑属	1	2	1	8－4
48	泽泻属	3			8
49	半夏属	1			14SJ
50	菖蒲属	4			9
51	天南星属	1			8
52	稗属	4			8
53	刚竹属	1			14
54	菰属	1			9
55	看麦娘属	2			8－5
56	乱子草属	1			9
57	菵草属	1			8
58	沿沟草属	1			8
59	黑三棱属	2			8－4
60	百合属	1			8
61	葱属	2			8
62	藜芦属	1			8
63	萱草属	1			10
64	玉簪属	1			14SJ
65	石蒜属	4			14
66	鸢尾属	2			8
67	白及属	1			14
68	绶草属	1			8
69	朱兰属	1			9
合 计		125	4	4	

1.3.2.4　中国特有分布属

中国特有分布属在贵州湿地植物区系中仅有6属，包括裸蒴属、马蹄香属、血水草属、岩匙属、辐花苣苔属和箭竹属。

从属级水平分析，贵州省湿地植物分布类型多样，表明与世界植物区系有着紧密的地理联系；热带成分的属数占优势，且在热带成分中以泛热带分布为主，表明本区系的亚热带性质和过渡性，并与热带成分有着广泛联系。

1.3.3　种的地理成分分析

贵州湿地有野生维管束植物484种，划分为13个地理分布区类型，其中缺乏地中海区，西亚至中亚分布和中亚分布。

1.3.3.1　世界分布种

贵州湿地有世界分布种22种，占总种数的4.45%，均为草本植物。有狐尾藻、穗状狐尾藻、水马齿、芜萍、菵草等种类。

1.3.3.2　热带分布种

热带分布种共有116种，占总种数的23.97%。其中包括泛热带分布、热带亚洲至热带和热带美洲间断分布、旧世界热带分布、热带亚洲至热带大洋洲分布、热带亚洲至热带非洲分布、热带亚洲分布6个分布类型。

泛热带分布共19种，占总种数的3.93%，其中蕨类植物2种，种子植物17种。蕨类植物有南海瓶蕨分布于泛热带但不分布于马来西亚，水蕨也广布于世界热带及亚热带各地；种子植物有过江藤、大薸、李氏禾、萤蔺等广泛分布于世界热带和亚热带。热带亚洲至热带和热带美洲间断分布分布共1种，占总种数的0.21%，即密花节节菜，分布于印度及非洲等地的湿地。旧世界热带分布共3种，占总种数的0.62%，包括高秆莎草、碎米莎草和短叶水蜈蚣。热带亚洲至热带大洋洲分布共12种，占总种数的2.48%，其中蕨类1种，即菜蕨；木本植物1种，即聚果榕；草本种子植物10种，如南方狸藻、苦草、囊颖草、二花珍珠茅等。热带亚洲至热带非洲分布共6种，占总种数的1.24%，全是种子植物，如尼泊尔蓼、竹叶茅、圆叶挖耳草等。热带亚洲分布共75种，占总种数的15.50%，其中蕨类植物植物4种，如蕗蕨、鳞始蕨、毛轴蕨等；木本植物13种，如草珊瑚、竹叶榕、石榕树、常山等；草本植物58种，如翠茎冷水花、飞瀑草、节节菜和水芹等。

1.3.3.3　温带分布种

温带分布种共有192种，占总种数的39.67%，其中包括北温带分布、东亚和北美洲间断分布、旧世界温带分布、温带亚洲分布、地中海区，西亚至中亚分布、东亚分布6个分布类型，其中缺乏中亚分布。

北温带分布共121种，占总种数的25.0%，其中蕨类植物8种，如问荆、披散木贼、节节草等；种子植物112种，全是草本，如茴茴蒜、石龙芮、雀舌草、八宝和西南委陵菜等。东亚和北美洲间断分布共1种，占总种数的0.21%，即石菖蒲。旧世界温带分布共10种，占总种数的2.07%，全是草本植物，如小蓼花、细果野菱、水莎草等。温带亚洲分布共4种，占总种数的0.83%，如漆姑草、丛枝蓼等。东亚分布共56种，占总种数的11.57%，其中蕨类植物4种，如笔直石松、大叶稀子蕨、岩穴蕨和满江红；木本植物1种，即大青树；草本植物52种，如荆三棱、渐尖穗荸荠、禺毛茛、忽地笑、日本看麦娘等。

1.3.3.4 中国特有分布种

中国特有分布种共155种，占总种数的32.02%，其中蕨类3种，如云贵水韭、薄叶蹄盖蕨等。木本植物31种，如狭叶润楠、窄叶蚊母树、华西枫杨、云南柳、贵州柳、昭通杜鹃等。草本植物122种，如中甸海水仙、峨眉繁缕、血水草、习水秋海棠、轮叶蒲桃、包氏凤仙花、平坝马先蒿、云贵谷精草、峨眉薹草等。

从种级水平分析，贵州湿地维管束植物热带分布115种，温带分布194种，中国特有分布155种，温带成分略占优势，表明贵州省湿地维管束植物区系以温带为主。贵州湿地维管束植物中温带成分的种类大多为湿生植物，主要分布于贵州高海拔地区，因此，导致贵州湿地维管束植物区系中温带性质略占优势。

1.4 湿地维管束植物区系的特点

1.4.1 植物种类较为丰富

贵州野生湿地维管束植物种类比较丰富，有蕨类植物14科17属21种，被子植物80科204属463种，以禾本科、莎草科、蓼科、凤仙花科、灯心草科、十字花科、柳叶菜科、秋海棠科、伞形科、眼子菜科、毛茛科、谷精草科、天南星科等种类最多。此外，苔藓植物也比较多，常见有18科24属30种，在湿地植物中具有重要的地位，对湿地生态系统具有非常重要的作用。

1.4.2 草本植物发达

贵州湿地维管束植物以草本植物为主，有65科172属398种，种数占总种数的82.4%。

1.4.3 分布区类型多样

贵州湿地野生维管束植物的区系分布类型多样，在科级水平上有8个分布型与5个变型，在属级水平上有13个类型14个变型，在种级水平上有13个分布型，说明该区系地理成分复杂，贵州湿地维管束植物区系同全国及世界其它植物区系有着广泛的联系。

1.4.4 温带成分略占优势

从科的水平上分析贵州湿地野生维管束植物的区系，热带成分与温带成分比为35∶17，热带成分占优势；从属的水平上分析，热带成分与温带成分比为99∶69，热带成分略占优势；但从种级水平分析，热带成分与温带成分比为116∶192，温带成分明显占优势。

从种级水平分析，贵州湿地维管束植物热带分布115种，温带分布194种，中国特有分布155种，温带成分略占优势，表明贵州省湿地维管束植物区系以温带为主。贵州湿地维管束植物中温带成分的种类大多为湿生植物，主要分布于贵州高海拔地区，因此，导致贵州湿地维管束植物区系中温带性质约占优势。

1.4.5 特有属现象不突出

特有属能反映所在地域植物区系在起源方面的特征，该区系虽然种类较多，区系分布类型多样，但中国特有属仅6属(贵州省中国特有属共有91属)，特有属匮乏，表明贵州湿地维管束植物区系的个性特征不明显；但其中，中国特有种有155种，这与贵州喀斯特地质地貌和气候关系极大，从而也说明贵州湿生植被的隐域性。

1.5　常见湿地植物

贵州省湿地常见的湿地植物有：泥炭藓、金发藓、问荆、分株紫萁、苹、槐叶苹、满江红、睡莲、喜旱莲子草、窄叶蚊母树、竹叶榕、垂柳、黑藻、浮叶眼子菜、浮萍、野灯心草、水葱、水毛花、菰、凤眼莲等(图 3-2 至图 3-27)。

图 **3-2**　泥炭藓

图 **3-3**　金发藓

图 **3-4**　问荆

图 **3-5**　分株紫萁

图 **3-6**　苹

图 **3-7**　槐叶苹

图 **3-8** 紫柳

图 **3-9** 朝天罐

图 **3-10** 驴蹄草

图 **3-11** 水毛花

图 **3-12** 荇菜

图 **3-13** 黄花狸藻

图 **3-14** 满江红

图 **3-15** 睡莲

图 **3-16**　喜旱莲子草

图 **3-17**　窄叶蚊母树

图 **3-18**　竹叶榕

图 **3-19**　垂柳

图 **3-20**　黑藻

图 **3-21**　浮叶眼子菜

图 **3-22**　浮萍

图 **3-23**　灯心草

图 **3-24** 水葱

图 **3-25** 水毛花

图 **3-26** 菰

图 **3-27** 凤眼莲

1.6 珍稀濒危湿地植物

在贵州的湿地植物中，有许多珍稀和国家级保护的植物；在蕨类植物中，云贵水韭为国家Ⅰ级保护植物，桫椤、水蕨、金毛狗为国家Ⅱ级保护植物；在被子植物中，辐花苣苔为国家Ⅰ级保护植物，贵州萍蓬草和莲(野生)为国家Ⅱ级保护植物；藓类植物中的多纹泥炭藓于2004年12月在中国苔藓植物多样性保护国际研讨会通过认定为中国濒危苔藓植物。

1.6.1 云贵水韭

【形态特征】多年生沉水或沼生草本蕨类植物(图3-28)。植株高15～30厘米。根茎短而粗，肉质块状，略呈三瓣，基部有多条白色须根。叶多数，丛生，草质，线形，半透明，绿色，长20～30厘米，宽5～10毫米；横切面三角状半圆形，有纵行气道，内有长2～4毫米的横向隔膜；叶基部向两侧扩大呈阔膜质鞘状，腹部凹入，其上有三角形叶舌，凹入处生长圆形孢子囊，无膜质盖。植株外围的叶生大孢子囊，大孢子球状四面形，表面具不规则的网状纹饰(网脊不平)，直径360～450微米；小孢子囊生于内部叶片基部的向轴面，内生多数灰色粉末状小孢子。

【产地和生境】产平坝、贵阳、清镇、龙里、纳雍等地。生于山沟缓流或静水、水库浅水湿地中；海拔1060～2000米。本种为我国特有濒危水生蕨类植物，除贵州外，仅在云南有分布。我们在调查中发现，在纳雍县纳雍林场有较多分布。

【用途】珍稀水生蕨类植物，国家Ⅰ级保护植物。

图3-28　云贵水韭

图3-29　辐花苣苔

1.6.2　辐花苣苔

【形态特征】多年生小草本(图3-29)。根状茎短。叶14~18，均基生，具柄；叶片纸质，多椭圆形，稀狭倒卵形，长1.2~5厘米，宽0.7~2.8厘米，顶端微尖或钝，基部楔形或宽楔形，边缘有小钝齿；两面密被贴伏的白色短柔毛；侧脉每侧3~4条；叶柄长0.6~4厘米。聚伞花序约3条，每花序有5~9花；花序梗长3~5厘米，与花梗均密被短柔毛；苞片对生，极小，钻形，长1.5~2毫米，被短柔毛；花冠紫色或蓝色，辐状，4~5深裂，直径约12毫米；筒长约2毫米，无毛；雄蕊4~5，不等长，花丝长2.5~7毫米，宽0.2~0.3毫米；雌蕊长约5毫米，子房卵球形，长2毫米。蒴果线状披针形，长约11毫米，宽2.8毫米，疏被糙伏毛。花期8月。

【产地和生境】特产贵州的龙头大山保护区；生于山谷林下水湿的岩石上；海拔1500~1600米；模式产地在龙头大山。

【用途】珍稀植物，国家Ⅰ级保护植物。

1.6.3　桫　椤

【形态特征】大型木本状蕨类，茎干高达6米或更高，直径10~20厘米(图3-30)。叶螺旋状排列于茎顶端；茎段上端和拳卷叶以及叶柄的基部密被鳞片和鳞毛，鳞片暗棕色，狭披针形，两侧有薄边；叶柄长30~50厘米，通常棕色，连同叶轴和羽轴有突起；叶片大，长矩圆形，长1~2米，宽0.4~1.5米，三回羽状深裂；羽片17~20对，互生，中部羽片长40~50厘米，长矩圆形，二回羽状深裂；小羽片18~20对，中部的长9~12厘米，披针形，先端渐尖而有长尾，基部宽楔形，羽状深裂；裂片18~20对，斜展，镰状披针形，短尖头，边缘有锯齿，基部裂片稍缩短；叶脉在裂片上羽状分裂；叶纸质，干后绿色；羽轴、小羽轴和中脉上面被糙硬毛，下面被鳞片。孢子囊群生于侧脉分叉处，靠近中脉，囊托突起，囊群盖球形，膜质。

【产地和生境】产赤水、习水、安龙、望漠、罗甸、贞丰、镇宁、册亨等地；生于湿热的沟谷常绿阔叶林林缘；通常海拔300~1000米，在龙头大山分布高度可达1250米。国内还分布于福建、台湾、广东、海南、香港、广西、云南、四川、重庆、江西等省份。在印度、尼泊尔、不丹、孟加拉国、泰国、越南、柬埔寨、日本有分布。

【用途】树形美观别致，可作原生境观赏；为国家Ⅱ级保护植物；本种的古老性和孑遗性对研究物种的形成和植物地理区系具有重要科研价值；根茎入药，有祛风除湿、活血散瘀、清热解毒、驱虫的功效。

1.6.4 水 蕨

【形态特征】植株幼嫩时呈绿色，多汁柔软，由于水湿条件不同，形态差异较大，高可达 70 厘米。根状茎短而直立，以一簇粗根着生于淤泥(图 3-31)。叶簇生，二型。不育叶的柄长 3～40 厘米，粗 10～13 厘米，绿色，圆柱形，肉质，不膨胀，上下几相等，光滑无毛，干后压扁；叶片直立或幼时漂浮，有时略短于能育叶，狭长圆形，长6～30 厘米，宽 3～15 厘米，先端渐尖，基部圆楔形，二至四回羽状深裂，裂片 5～8 对，互生，斜展，彼此远离，下部 1～2 对羽片较大，长可达 10 厘米，宽可达 6.5 厘米。能育叶裂片狭线型，角果状，边缘强度反卷达于主脉。孢子囊沿能育叶的裂片主脉两侧的网眼着生，稀疏、棕色，幼时为连续不断的反卷叶缘所覆盖，成熟后多少张开，露出孢子囊。

图 3-30 桫椤

图 3-31 水蕨

【产地和生境】产黎平县的地坪；生水沟中；海拔 180～200 米。国内还分布于广东、台湾、福建、江西、浙江、山东、江苏、安徽、湖北、四川、广西、云南等省份。广布于世界热带及亚热带各地。

【用途】本种可供药用，茎叶入药可治胎毒，消痰积；嫩叶可做蔬菜。为国家Ⅱ级保护植物。

1.6.5 金毛狗

【形态特征】植株高可达 3 米，土生。根状茎粗壮而横卧，密生金黄色或棕黄色节状长毛，形如金毛狗头(图 3-32)。叶丛生；柄长 1～2 米，基部粗 1～2 厘米或过之，绿色，背面带紫色；叶片卵形至阔卵形，长 0.9～1.1 米，宽 0.8～1 米，三回羽状深裂；一回羽片约 10 对，互生，略斜展，长圆形，长 45～60 厘米，宽 20～26 厘米，基部截形，有长 3～4 厘米的柄，先端渐尖，二回羽状深裂；二回羽片互生，斜展，线状披针形，长 9～15 厘米，宽 1.8～2.5 厘米，基部圆楔形，有短柄，先端长渐尖，羽裂几达小羽轴；裂片镰状长圆形，互生，略斜上，先端锐尖，边缘具浅齿；叶薄革质，干后上面褐色，下面灰蓝色，幼时下面有毛，后光滑；叶轴、羽轴光滑，小羽轴两面略具褐色短毛；叶脉羽状，侧脉分叉。孢子囊群生叶片下部小脉顶端；囊群盖两瓣，形如蚌壳。

【产地和生境】产赤水、望谟、金沙、兴义、道真、绥阳、三都、荔波、榕江、从江、黎平、剑河等；通常生于酸性山地的溪边、林下、林缘，是南亚热带森林中的大型蕨类植物；海拔400～600 米。

【用途】为国家Ⅱ级保护植物；药用可止血；也可做盆花，室内观赏。

1.6.6 贵州萍蓬草

【形态特征】多年生浮水草本(图3-33)。根状茎直径2~3厘米。叶草质，圆形或心状卵形，少数椭圆形，长4.5~6.5厘米，先端圆钝，基部弯缺约占全叶片1/3，裂片开展或重合，圆钝，上面光亮、无毛，下面微有柔毛，侧脉羽状，几次二歧分枝；叶柄长20~50厘米，有柔毛。花直径3~4厘米；花梗长40~50厘米，有柔毛；萼片厚革质，黄色，外面中央绿色，矩圆形或椭圆形，长1~2厘米；花瓣窄楔形，长5~7毫米，先端微凹；柱头盘常10浅裂，淡黄色或带红色。浆果卵形，长约3~5厘米，直径2~4厘米，果期花萼留存。种子矩圆形，长5毫米，褐色。花期5~7月，果期7~9月。

图3-32 金毛狗

图3-33 贵州萍蓬草

【产地和生境】产平坝县平坝农场、清镇红枫湖；在我们的调查中，原记载的安龙和贵阳市青岩都未见分布；生于溪沟、池塘中；海拔950~1100米；模式标本产贵阳青岩镇和平坝县。国内江西也有分布。

【用途】为观花、观叶植物，可用于池塘水景布置；根茎入药，有滋补清热功效；国家Ⅱ级保护植物。

1.7 珍稀特有湿地植物

在贵州的湿地植物中，还有厚裂凤仙花、平坝凤仙花、具鳞凤仙花、高坡凤仙花、昭通杜鹃、平坝马先蒿、赤水秋海棠、习水秋海棠、光叶秋海棠、绒毛报春等珍稀特有种类。另外，在我们的调查中，发现了贵州的一个新纪录科——黄眼草科，种类为黄谷精。

1.7.1 平坝马先蒿

【形态特征】一年或二年生草本，干时不变黑色，高达30厘米(图3-34)。茎近基处圆形，上部渐成不显著的方形，有棱沟，沟中有成行之毛，下部节间长达10厘米，上部者较短。叶基生者早枯，具长柄，柄长达18毫米，有疏白毛；茎生者柄较短，长仅4毫米，上部者无柄，叶片椭圆状披针形至长圆状披针形，长达20毫米，宽10毫米，羽状深裂，几至中脉，裂片5~7对，线状披针形，长4毫米，宽1.5毫米，缘有锐锯齿，齿有胼胝质刺尖，面有略稠密的白色多细胞长毛，长者几达1毫米，压平，背面有短毛及白色肤屑状物。花序穗状，顶生，长短很不一律，下方花轮多疏距，上方者较密；花冠紫红色，长约15毫米；柱头略伸出。未成熟之蒴果斜卵形，有指向前下方之凸尖。花期3~4月。

【产地和生境】产印江、贵阳、平坝、威宁、龙里等地；生于路旁潮湿地；海拔 1100 ~ 2400 米；平坝是模式产地。为我国特有种。

【用途】观赏。

1.7.2 习水秋海棠

【形态特征】多年生草本(图 3-35)。根状茎球形，有多数密集的纤维状根。叶不为盾形，仅 1 片，基生，具长柄；叶片薄革质，轮廓近圆形，长约 15 厘米，宽约 16 厘米，先端尖，基部稍偏，近心形，边缘具齿，中部以上或 2/3 之上部不规则浅裂，裂片形状不规则，卵形；上面褐红色，下面略淡，两面均无毛；掌状 7 条脉，在两面均突起；叶柄长约 14 厘米，有棱，无毛；托叶早落。花葶高约 32 厘米，无毛；花淡红色，数朵，呈二歧聚伞状，无毛；苞片早落；雄花花梗无毛，小苞片膜质，披针形，先端钝，早落；花被片 2，宽卵形，长 6 ~ 7 毫米，宽 6 ~ 7 毫米，先端圆，基部微心形，边缘有疏齿；雌花花梗无毛，小苞片膜质，披针形，早落；花被片 2，半圆形，长约 7 毫米，宽约 6 毫米，先端圆，边有疏齿；子房无毛。蒴果具 3 翅。花期 5 月。

图 **3-34** 平坝马先蒿

图 **3-35** 习水秋海棠

【产地和生境】产习水保护区的长嵌沟；生于潮湿地的岩石上；海拔 1500 米；模式产地在习水保护区。

【用途】观赏、药用。

1.7.3 绒毛报春

【形态特征】多年生草本(图 3-36、图 3-37)。具细长的根状茎和纤维状须根。叶近圆形或肾圆形，长 2 ~ 4.5 厘米，宽 2.5 ~ 5 厘米，先端圆形，基部心形，边缘全缘或微呈波状，具缘毛，上面密被淡褐色的多细胞伏毛，下面密被黄褐色绵毛，中肋稍纤细，侧脉 3 ~ 4 对，下方的 2 对基出；叶柄长 2.5 ~ 8.5 厘米，被极密的铁锈色绵毛。花葶直立，高 8 17 厘米，被毛同叶柄；伞形花序 1 ~ 2 轮，每轮 2 ~ 10 花；苞片线形，长 3 ~ 5 毫米，密被绵毛；花梗纤细，长 8 ~ 20 毫米，密被铁锈色绵毛；花萼钟状，长 4 ~ 5 毫米，外面密被绵毛，分裂约达中部，裂片阔三角形，先端锐尖；花冠淡蓝色，冠筒长于花萼约 2 倍，喉部具环状附属物，冠檐直径 7 ~ 10 毫米，裂片倒卵形，先端具凹缺；长花柱花，雄蕊近冠筒中部着生，花柱长达冠筒口。蒴果球形，直径 3.5 ~ 4 毫米，稍短于宿存花萼。花期 3 ~ 4 月，果期 5 月。

【产地和生境】生长于桐梓、习水等地湿润的石壁上，海拔 450 ~ 550 米。模式标本采自桐梓县。

图 **3-36**　绒毛报春(花)

图 **3-37**　绒毛报春(叶)

1.7.4　黄谷精

【形态特征】多年生丛生草本(图 3-38)。具根状茎，有多数褐色须根。叶坚硬，剑状线形，长 10～40 厘米，顶端尖或稍钝，上部有时镰刀状弯曲；叶鞘长 6～15 厘米；叶舌长 0.5～1 毫米。花葶圆柱形或稍扁，长 25～48 厘米或更长，宽 1.2～3 毫米，近基部呈棕红色；头状花序近球形至倒卵形，直径 6～11 毫米；基部苞片向上，不开展，近圆形；中部苞片长圆形或椭圆形，革质，顶端圆钝，边缘膜质；萼片 3 枚，侧生的 2 片舟状，半透明膜质，顶端钝，背部隆起成脊，脊上无齿；花冠在开花时伸出苞片外，黄色，花瓣在花蕾时逆时针方向螺旋状排列；退化雄蕊较正常雄蕊短，顶端 2 裂，上部撕裂成细丝状。蒴果倒卵状长圆形。种子长卵圆形，两端尖，棕色，表面有许多纵条纹。花期 7～9 月，果期 8～10 月。

图 **3-38**　黄谷精

【产地和生境】产龙头大山保护区、盘县娘娘山、纳雍纳雍林场、水城龙场乡茅草村、惠水祥摆林场；生于开阔山谷沼泽地；海拔 1640～2170 米；谷精草及其所属的黄眼草科黄眼草属为贵州新发现分布的科、属、种。本种在国内还分布于福建、四川、云南等省区。

【用途】可作水土保持植物和观赏。

2　湿地植被

2.1　湿地主要植被类型

湿地植被顾名思义是生长在湿地上面的植物群落。在《中国植被》(吴征镒，1983)和《贵州植被》(黄威廉、屠玉麟、杨龙，1988)的自然植被分类系统中，没有“湿地植被”的提法和描述。对于湿地植被的描述主要体现在水生植被和沼泽植被中，以及红树林、草甸等章、节里面，我们根据湿地的解释，将凡是满足湿地立地条件下出现的植被类型都纳入了湿地植被的范围。之后，根据我们在进行贵州湿地植物研究中调查到的湿地植被类型，结合《贵州植被》中的贵州省自然植被分类系统，将贵州的湿地植被划分为 5 个植被型组 12 个植被型。(表 3-9)。

表 3-9 贵州省湿地植被分类

土 系	植被型组	植被型	群系组	主要代表群系
酸性土植被	阔叶林	中亚热带山地硬叶常绿阔叶林	润楠林	柳叶润楠群系
		中亚热带山地硬叶常绿阔叶林	山地硬叶栎林	川滇高山栎群系
		中亚热带落叶阔叶林	丘陵、山地落叶阔叶林	枫杨群系
	竹林	亚热带低山丘陵河谷竹林	大径竹林	车筒竹群系
			小径竹林	水竹群系
				孝顺竹群系
		中山、亚高山竹林	小径竹林	水城玉山竹群系
	灌丛及灌草丛	灌丛	亚高山常绿革叶灌丛	桃叶杜鹃群系
			河滩灌丛	窄叶蚊母树群系
				水柳群系
				云实群系
				壶托榕群系
				河滩冬青群系
		灌草丛	亚热带河谷灌草丛	斑茅群系
				营草群系
钙质土植被	钙质土灌丛及灌草丛			狭叶球核荚蒾群系
				细叶水团花群系
				竹叶榕群系
水生植被及沼泽植被	水生植被	挺水水生植被		野灯心草群系
				水葱群系
				水毛花群系
				野荸荠群系
				菖蒲群系
				香蒲群系
				假稻群系
				黑三棱群系
				喜旱莲子草群系
		浮水水生植被		苹群系
				满江红群系
				槐叶苹群系
				荇菜群系

（续）

土　系	植被型组	植被型	群系组	群系
水生植被及沼泽植被	水生植被	浮水水生植被		浮萍群系
				睡莲群系
				大薸群系
		沉水水生植被		黑藻群系
				光叶眼子菜群系
				竹叶眼子菜群系
				菹草群系
				篦齿眼子菜群系
				贵州水车前群系
				苦草群系
		沼泽植被		柳叶箬群系
				大理薹草群系
				心叶稷群系
				泥炭藓群系
				金发藓群系

2.2　湿地主要植被群系分布

2.2.1　柳叶润楠群系

该类型分布在平塘的摆茹乡茶甲村、黄果树风景区的天星桥、茂兰保护区等地，沿河流两岸或浅水地段呈带状分布，在浅水地段，树木基部常年被水淹没；在地势较高的地段，夏季树木部分被水淹没，淹没时间长短和深度视地势相对高度而定。海拔 440～800 米，植被总覆盖度 80%～100%，平均高 3.5～4.5 米。植株多为丛生状，乔木层和灌木层的区别不明显。乔木层树干曲折或向河倾斜，或沿流水方向倾斜，终年呈常绿状态。植物生长在石灰岩石缝中或冲积淤泥土上，从水面向上。随着地形的升高，该群落的种类逐渐被高大的斜叶榕、黄葛树、车筒竹和枫杨等代替。草本层缺乏，有裂果薯和石菖蒲等，覆盖度约 10%，高度 20～40 厘米。藤本植物稀少(图 3-39)。

2.2.2　川滇高山栎群系

该类型分布在盘县的牛棚梁子、八大山和娘娘山，威宁的百草坪等地，海拔 2500～2730 米，坡度 0°～20°，坡向西。该群落分布在地势低洼地段的外围和高处，外观深绿色，植被总覆盖度 100%，枯落物层厚度 10～20 厘米。土壤有比较深的腐殖质层，呈黑色，对于水源涵养具有非常重要的作用。其中灌木层覆盖度 70%～90%，高度 1.3～3 米，以川滇高山栎为绝对优势种，与秀雅杜鹃、云南杜鹃、巴山木竹等处于同一高度；其余灌木种类少。植株多呈球状，分枝密集，处于灌木的下层，但是密度很大；草本层种类稀少，覆盖度低(图 3-40)。

图 **3-39**　柳叶润楠群落

图 **3-40**　川滇高山栎群落

2.2.3　枫杨群系

该类型主要分布于江口的黑湾河、碧江区的锦江两岸、平塘县、黄果树管理区的天星桥、独山县、都匀市等地，海拔600～800米，沿河流两岸生长于河床冲积土中。一般情况下种类单纯，枫杨成为优势种，局部有垂柳、紫柳等种类间杂，对于护岸有重要作用(图3-41)。

2.2.4　车筒竹群系

该类型分布于罗甸、荔波、望谟、册亨、兴义、赤水、平塘等地，海拔400～700米，多生长在河流两岸，在洪水季节，常被水淹没。有时呈单优势状态；有时与榕属的黄葛树、聚果榕、斜叶榕等生长在一起(图3-42)。

图 **3-41**　枫杨群落

图 **3-42**　车筒竹群落

2.2.5　水竹群系

该类型主要分布在黔南的独山、贵定、平塘、荔波及黔中，黔北等地，生长于河流较平缓的地段，有时也出现在地势较高的山坡平缓的山间和山顶部，海拔500～1560米。生于河床两岸，一般坡度3°～6°，是河岸灌丛植被，洪水时被淹没，高度1.5～4.5米，地径5～10厘米。主要建群种类有水竹、合欢和盐肤木等，覆盖度75%；草本层植物有芒、虎杖等，高度1.8～3米，覆盖度50%～100%。该植被类型是原始植被群落被人为反复破坏后形成的类型。在地势较高地段出现时，一般水位比较稳定，土壤常年水湿(图3-43)。

2.2.6　孝顺竹群系

该类型分布于黎平、赤水、荔波、锦屏等地的河流两岸，海拔500～600米。多呈丛状分布，在黎平的八舟河一带最为典型，常见与水竹、凤尾竹、枫杨、厚壳树等伴生，也有呈单优群落的地段，是当地的常用竹种，该类型是天然的护岸林(图3-43)。

2.2.7　水城玉山竹群系

该类型分布在威宁的百草坪、赫章的大韭菜坪、大方的农牧场、百里杜鹃管理区的方家坪、赫章的雨帽山等，海拔1870～2750米(图3-44)。植被总覆盖度100%，高度0.3～3.5米，灌木层覆盖度50%～60%，草本层覆盖度60%～70%或不发达。灌木种类以水城玉山竹为优势，草本层种类主要以苔草属、野灯芯草、禾本科等的种类为优势；在雨帽山，常见有20个种，植被总覆盖度95%，灌木层平均高度0.5米，覆盖度20%；草本层平均高度0.3米，覆盖度90%。主要灌木层种类有水城玉山竹、大白杜鹃、四川冬青、金丝桃等；主要草本层种类有野灯芯草、垂穗苔草、滇龙胆草、草血竭、小二仙草等。该群落是在冬季反复被火灾烧毁后形成的群落类型，植被退化严重。

图**3-43**　孝顺竹群落

图**3-44**　水城玉山竹群落

2.2.8　桃叶杜鹃群系

该类型出现在盘县的娘娘山和八大山、纳雍的大坪箐、百里杜鹃管理区的方家坪、大方的崔苏坝等地，处于高中山的高原面上，海拔1700～2500米，一般地势平缓，排水不良，降水丰富。灌木层覆盖度40%～80%，平均高度1.6米，高度范围0.2～3米；草本层覆盖度15%，平均高度0.3米，高度范围0.1～0.5米。典型地段的灌木层十分发育，导致了草本层受到明显的抑制。在百里杜鹃管理区的方家坪，灌木层的覆盖度不大，灌丛呈团状出现。灌木的覆盖度和生长状态主要由湿地的水位决定，水位高，灌木发育不良，草本发育好；反之，灌丛发育好，草本差(图3-45)。

2.2.9　窄叶蚊母树群系

该类型分布在天柱境内的清水江支流、施秉的杉木河沿岸等地，种类不多，生长于河滩和近水岸边。主要伴生灌木有细叶水团花、金萼杜鹃、窄叶柃、岩木瓜、竹叶榕等种类；主要草本种类有滴水珠、豆瓣绿、荚囊蕨、秋海棠，在近水边有石菖蒲等。植被覆盖度30%～100%，高度2～3米。该类型保护较好，终年呈常绿状态，对于减缓水流速度和防止河岸侵蚀具有重要作用，同时，也是河岸景观的重要组成部分。

图 **3-45** 桃叶杜鹃群落

2.2.10 水柳群系

该类型分布于南盘江、北盘江、红水河流域的两岸和支流，在望谟、罗甸、册亨等地常见，高度 1～2 米，海拔 350～500 米。常生长于沟谷季雨林下部近河岸的砂质河漫滩和石砾沙滩上，每当洪水泛滥季节常被水淹。植株顺水流方向倾斜，对于减缓水流作用巨大，植被覆盖度 30%～50%，有云实、河边千斤拔、壶托榕、小叶五月茶、斑茅等与之伴生。该种对环境的水分的适应性强，虽然环境的干湿交替明显，但其仍生长良好(图 3-46)。

图 **3-46** 水柳群落

2.2.11 云实群系

该类型在黔西南、黔南、黔东南、黔中等地都有分布，高度 2～4 米，与竹叶榕、壶托榕、灰毛浆果楝、杜茎山、假烟叶树、大叶紫珠等伴生，植被覆盖度 30%～50%，局部有木棉等大乔木生长。

2.2.12 壶托榕群系

该类型分布在都柳江、兴义、安龙、罗甸等地，生于河滩地带，有时也生长在岸边石灰岩上，海拔 280～1000 米。耐洪水冲刷，高度 2～3 米，植被覆盖度 40%～70%。常与竹叶榕、小叶五月茶等伴生。

2.2.13 河滩冬青群系

该类型分布在榕江、施秉、平塘、湄潭、黄果树、习水、荔波、花溪、台江、赤水等地；生长于河岸、河滩的水位涨落带石砾中；海拔 650～850 米。常见与竹叶榕、女贞叶忍冬、狭叶球核荚蒾等伴生在一起，高度 1.5～2.5 米，植被覆盖度 35%～45%。由于河滩冬青是制做盆景的好材料，常被挖掘，破坏严重(图 3-47)。

2.2.14 斑茅群系

该类型分布在罗甸、望谟、兴义、安龙、册亨、赤水、习水、思南、榕江、从江、黎平等地的河滩石砾中；海拔 350～700 米，是常见的类型。常见与波叶梵天花、菅、芒等伴生在一起，高度 2 ~3 米，植被覆盖度 55% ~100%。该种具有很好的水土保持效益，同时，又丰富了河岸景观（图 3-48）。

图 **3-47**　河滩冬青群落

图 **3-48**　斑茅群落

2. 2. 15　菅草群系

该类型主要分布在务川、镇宁、独山、三都、榕江、罗甸、望谟、册亨、兴义、贵定、平塘等地河流开阔地段的河漫滩上，海拔 300 ~750 米，河床坡度 3° ~5°。由于上游来水量在洪水期比较大，河滩全部布满石砾，直径 10 ~50 厘米。伴生种有五节芒、披散木贼、芒等，高度 2 ~3 米，在较高地势有山黄麻出现，局部有头花蓼、波叶梵天花和地果等生长在石缝中，植被覆盖度达 80%。这些植物都有较强的抵抗洪水冲刷的能力，同时也能减缓流速，具有一定的水土保持作用。

2. 2. 16　狭叶球核荚蒾群系

该类型出现在都柳江流域，海拔 300 ~450 米，多生长在岸边洪水涨落带的石砾中，高度 1 ~2 米，植被覆盖度 35% ~85%。常见与狭叶黄杨、竹叶榕等伴生在一起。

2. 2. 17　细叶水团花群系

该类型出现在都柳江河谷三都至从江的部分河段，以细叶水团花和灰毛牡荆为优势，也有竹叶榕、壶托榕等，均为灌木种类，多生长于石缝中；植被覆盖度 60% ~80%，高度 1 ~2 米。该群系在交通方便的地方，被破坏严重。因为这些灌木种类每年夏季，会被洪水反复冲刷，形成千姿百态的造型，可用作盆景材料。该群落对于防止河岸侵蚀具有十分重要的作用。

2. 2. 18　竹叶榕群系

该类型分布于松桃、榕江、独山、安龙、瓮安、望谟、罗甸等地，在都柳江流域、南盘江流域、北盘江流域等都有分布，常与壶托榕、狭叶黄杨、狭叶球核荚蒾、灰毛牡荆等伴生在一起，植被覆盖度 35% ~95%，高度 1 ~2. 5 米（图 3-49）。

2. 2. 19　灯心草群系

该类型分布于纳雍的大烂坝等地、花溪的高坡、龙里的大草原、平坝、独山的甲定、兴仁等地，是中中山和高中山高原面上沼泽地中出现的常见植被类型，也在山谷低洼湿地出现，海拔在 700 ~2000 米。该类型中，在纳雍、惠水、花溪、龙里等地，除灯心草外，还有国家保护的云贵水韭的出现。根据水位的深浅不同，云贵水韭一般为 10 ~20 株/平方米。在局部地方，云贵水韭的株数可到达 221 株/平方米。主要伴生植物有柳叶箬、圆叶节节菜、欧洲慈姑、水毛花、翅茎灯心草、朝天罐、牛毛毡、谷精草、黄谷精等。在水位达到一定深度的局部地段，有光叶眼子菜等植物伴生(图 3-50)。

图 **3-49**　竹叶榕群落

图 **3-50**　灯心草群落

2.2.20　水葱群系

该类型主要见于草海保护区、红枫湖、茂兰保护区等地，海拔 1000 ~ 2170 米，植被覆盖度 70% ~ 100%，水深 0.3 ~ 1.5 米，伴生植物有海菜花、穿叶眼子菜、竹叶眼子菜等。由于该种可以作饲料，常被利用(图 3-51)。

2.2.21　水毛花群系

该类型分布于草海保护区、红枫湖、花溪的高坡、平塘、独山等地(图 3-52)。

图 **3-51**　水葱群落

图 **3-52**　水毛花群落

2.2.22　野荸荠群系

该类型分布于草海保护区、红枫湖、平坝等地。

2.2.23　菖蒲群系

该类型分布于纳雍、草海保护区、红枫湖、平坝等地，是挺水植被向旱生植被过渡的类型，只要土壤水湿，即可以生长旺盛(图 3-53)。

2.2.24　香蒲群系

该类型分布于草海保护区、红枫湖、平坝、茂兰的小七孔、黎平的八舟河等地，是挺水植被向旱生植被过渡的类型(图 3-54)。

图 3-53　菖蒲群落

图 3-54　香蒲群落

2.2.25　假稻群系

该类型普遍分布，特别是在黔中地区，一般在水深 50 厘米以下的池塘、沟渠中，假稻的高度达 50 ~110 厘米，秆下部弯曲伏地，叶粗糙，植被覆盖度 50% ~80%。伴生植物主要有金鱼藻、睡莲、浮萍、苹、菹草等。

2.2.26　黑三棱群系

该类型分布于草海保护区、花溪的青岩、遵义等地，生于池塘、湖泊或河岸浅水处，海拔 900 ~2170 米。常见伴生植物有贵州水车前、欧洲慈姑、光叶眼子菜等。

2.2.27　喜旱莲子草群系

该类型分布较广，在草海保护区、红枫湖、安龙的招堤、金沙、平坝、盘县等地尤其常见，植被覆盖度 60% ~90%。常见与假稻、菵草、欧洲慈姑等伴生，属于外来有害生物形成的群落，很难清除，应该加以重视。

2.2.28　苹群系

该类型在全省广泛分布，蔓生性很强，是蕨类植物中比较少见的水生种类，有时成为水田中的杂草。

2.2.29　满江红群系

该类型普遍分布于全省各地的稻田、池塘、河湾等静水环境中。

2.2.30　槐叶苹群系

该类型普遍分布于全省各地的稻田、池塘、河湾等静水环境中。

2.2.31　荇菜群系

该类型分布在草海保护区，海拔 2170 米左右，主要出现在水体较深，挺水植物不能生长的地段，植被覆盖度 30% ~75%，水体深度 1 ~1.5 米。花黄色，花期长，具有很高的观赏价值(图 3-55)。

2.2.32　浮萍群系

该类型普遍分布于全省各地的稻田、池塘、河湾等静水环境中，随水漂流。

2.2.33　睡莲群系

该类型分布在雷公山保护区的大雷公坪、小雷公坪、黑水塘(九眼塘)，茂兰保护区，雷山的大塘，丹寨的龙泉镇，龙里林场等，比较典型的是雷公山的黑水塘，常见有黑藻、水毛花、菰、李氏禾、凤仙花等挺水植物伴生。睡莲具有较高的观赏价值，是园艺种的选育材料，应该注意加强保护(图 3-56)。

图 **3-55** 荇菜群落

图 **3-56** 睡莲群落

2.2.34 大薸群系

该类型主要出现在大型水库中水流比较平静的地段，如兴义的万峰湖水库等。有时造成河段阻塞，应该高度重视。

2.2.35 黑藻群系

该类型普遍分布于全省各地的稻田、池塘、河湾等静水环境中，一般在水深 1 米以下的水体中。

2.2.36 光叶眼子菜群系

该类型主要分布于草海保护区。

2.2.37 竹叶眼子菜群系

该类型主要分布于黔西、花溪、长顺、平坝等地的河流中，常见多种眼子菜一起生长。

2.2.38 菹草群系

该类型普遍分布于黔中、黔南、黔东南的静水河流段、池塘、沟渠等水体中，常有黑藻等伴生。具有净化水体的作用。

2.2.39 篦齿眼子菜群系

该类型主要分布在独山、平塘、都匀、贵定、花溪等地的河流地段，海拔 500 ~ 1000 米，河流水深 60 厘米以下，一般河床坡度约 5° ~ 10°，有黑藻、狸藻、苹、莲子草、双穗雀稗等共生。

2.2.40 贵州水车前群系

该类型分布于花溪、长顺、紫云、平坝等地，喜生于流动的水体中(图 3-57)。

2.2.41 苦草群系

该类型普遍分布于黔中、黔南等地的河流中，喜缓流水环境。

2.2.42 柳叶箬群系

该类型分布于中中山和高中山高原面上的沼泽中，在独山、贵定、龙里、纳雍、盘县等地常见，常见与多种金发藓和泥炭藓生长在一起，高度 0.3 ~ 0.5 米，植被覆盖度 65% ~ 100%，海拔 1200 ~ 2300 米。具有较好的水土保持作用。

2.2.43　大理薹草群系

该类型分布于纳雍的大坪箐、大方的大海坝林场、百里杜鹃管理区的方家坪等地海拔1600～2064米，中山丘陵地貌，呈小面积的出现，位于山上部的平缓部位，坡度5°～15°，地下有明显的泥炭层，有小范围的积水，形成有水面的沼泽。群落以大理薹草和川东薹草为优势种，两种的总覆盖度达95%，平均高50厘米。薹草群落旁边地势较高处有少量贵州金丝桃分布，覆盖度约20%，平均高有120厘米。在群落中，有泥炭藓发育，覆盖度45%，平均高为8厘米，成均匀分布，发育较好，该类型的水源涵养效果好(图3-58)。

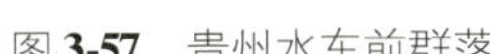

图**3-57**　贵州水车前群落

图**3-58**　大理薹草群落

2.2.44　心叶稷群系

该类型主要分布在中中山山顶地段的平缓处，比较典型的有独山的甲定、贵定的云雾山和顶耳山、龙里的大草原等，海拔1300～1600米，坡向西，坡度3°～10°，土壤厚度40厘米以下。群落中草本植物和苔藓植物最为发达，种类多，达19种之多，植被总覆盖度100%，高度10～25厘米。主要草本层种类有心叶稷、芒、蕨、笔直石松、水玉簪、金兰、朝天罐、异药花等；苔藓层覆盖度80%，高度5～10厘米，种类有曲尾藓和金发藓等，局部地段形成明显的藓丘。

2.2.45　泥炭藓群系

该类型分布于中中山或高中山的高原面上水湿条件优越的地段，典型的是梵净山保护区的烂茶顶、雷公山保护区的雷公坪、纳雍的大坪箐、盘县的娘娘山、大方县的白泥坝和崔苏坝、花溪的高坡、独山县的甲定等地，共同的特点是空气湿度大，上面常见有皂柳、圆锥绣球等灌木生长，也有金发藓等生长发育。该类型对于高山的水源涵养十分重要(图3-59)。

2.2.46　金发藓群系

该类型主要出现在中中山或高中山的高原面上地势平缓的地段，分布地区同泥炭藓群系，地势稍高，水分不如泥炭藓群系丰富，比较典型的地方有独山的甲乙、纳雍的大坪箐、花溪的云顶草原等地，海拔1230～2064米，坡度5°～15°。金发藓是绝对优势种，连续分布，覆盖度达75%～90%，许多地段形成明显的藓丘，偶尔有翅茎灯芯草、薹草属某种、贵州金丝桃伴生其中。灌木层盖度达40%，平均高度110厘米；草本层盖度20%，平均高度40厘米；藓类层盖度达90%，高度5～25厘米(图3-60)。

图 3-59 泥炭藓群落

图 3-60 金发藓群落

第二节 湿地脊椎动物

贵州地处云贵高原东部的斜坡地带，是我国唯一没有平原支撑的山区省份，有“九山半水半分田”之说。又因处于长江、珠江上游，生态区位重要，是两江的生态屏障。贵州湖泊、沼泽湿地保存相对完整，是湿地鸟类的重要栖息和越冬地，具有明显的涵养水源、调节区域气候的作用。贵州省最大的湖泊湿地——草海，就是国家Ⅰ级保护野生动物黑颈鹤等水鸟的重要越冬地。

截至 2014 年 9 月，调查组运用样线调查法、红外线监测法、网捕法、走访调查法等对贵州省湿地本底资源进行了实地考察。结合历史资料收集及本次湿地资源调查成果分析，我们对贵州湿地脊椎动物* 的资源和分布状况有了初步的了解。

1 资源概况

1.1 物种组成

在充分参考前人资料的基础上，通过对外业考察的数据进行处理和整理，统计出贵州省湿地脊椎动物(鱼纲、两栖纲、爬行纲、鸟纲、哺乳纲)747 种(附录2)，隶属5 纲32 目103 科。其中，鸟类物种数(278 种)最多，隶属 12 目 43 科(图 3-61 至图 3-93)，占贵州省湿地脊椎动物物种总数(747 种)的 37.22%；其次是鱼类(250 种)，隶属 7 目 19 科(图 3-94)，占贵州省湿地脊椎动物物种总数的 33.47%；再次为爬行类(89 种)，隶属 2 目 13 科(图 3-95)，占贵州省湿地脊椎动物物种总数的 11.91%；两栖类(67 种)，隶属 2 目 9 科(图 3-96 至图 3-99)，占贵州省湿地脊椎动物物总种数的 8.97%；哺乳类(63 种)物种数最少，隶属 9 目 19 科，占贵州省湿地脊椎动物物种总数的 8.43%。

图 3-61 赤麻鸭

图 3-62 白鹭

图 **3-63** 白头鹮鹳

图 **3-64** 白胸翡翠

图 **3-65** 白胸苦恶鸟

图 **3-66** 白腰草鹬

图 **3-67** 斑头雁

图 **3-68** 斑嘴鸭

图 **3-69** 池鹭

图 **3-70** 苍鹭

图 **3-71** 赤嘴潜鸭

图 **3-72** 骨顶鸡

图 **3-73** 冠鱼狗

图 **3-74** 鹤鹬

图 **3-75** 黑颈鹤

图 **3-76** 黑水鸡

图 **3-77** 红脚鹬

图 **3-78** 红嘴鸥

图 **3-79** 灰鹤

图 **3-80** 灰头麦鸡

图 **3-81** 金斑鸻

图 **3-82** 绿头鸭

图 **3-83** 牛背鹭

图 **3-84** 钳嘴鹳

图 **3-85** 扇尾沙锥

图 **3-86** 小鸊鷉

图 **3-87** 鸳鸯

图 **3-88** 白眼潜鸭

图 **3-89** 白腰草鹬

图 **3-90** 红头潜鸭

图 **3-91** 黑翅长脚鹬

图 **3-92** 黄脚渔鸮

图 **3-93** 小天鹅

图 **3-94** 粗壮金线鲃

图 3-95 丽纹龙蜥

图 3-96 贵州疣螈

图 3-97 大泛树蛙

图 3-98 雷山髭蟾

图 3-99 花臭蛙

中国特有动物有 102 种。其中，鱼类 22 种、两栖类 46 种、爬行类 22 种、鸟类 3 种、哺乳类 9 种。

贵州湿地脊椎动物各纲所包含的目数、科数、物种数(表 3-10)与全省(或全国)脊椎动物各纲相比，其所包含的目数、科数、物种数占全省或全国目数、科数、物种数的比例呈现明显差别。

表 3-10 贵州省湿地脊椎动物组成统计

纲	目	科	种	各纲物种数占总物种数比例(%)	国家重点保护物种	特有种
鱼纲	7	19	250	33.47	3	22
两栖纲	2	9	67	8.97	4	46
爬行纲	2	13	89	11.91	2	22
鸟纲	12	43	278	37.22	41	3
哺乳纲	9	19	63	8.43	6	9
合　计	32	103	747	100	56	102

与贵州省各纲动物所含目数相比，贵州湿地两栖类、爬行类和哺乳类目数占全省各纲目数的比例相等，均是 100%；鸟类目数占全省鸟类目数的比例是 63.16%。与全国各纲目数相比，贵州湿地鱼类目数占全国鱼类目数的比例最小，为 38.89%。其余各目比例相差不大：两栖类和爬行类的比例均是 66.67%，鸟类的比例是 52.17%，哺乳类的比例是 64.29%。

与全省各纲科数相比，贵州湿地两栖动物所包含科数占全省两栖动物科数的比例是90%，爬行类的比例是92.90%，鸟类和哺乳类的比例分别为71.67%和65.52%。与全国各纲科数相比，贵州湿地两栖类所包含科数占全国两栖动物科数的比例最大，为75%，爬行类的比例是54.17%，鸟类的比例是52.44%，鱼类的比例是36.54%，哺乳类的比例最小为33.33%。

贵州湿地脊椎动物各纲物种数占全省各纲物种数的比例中，两栖类的比例最大为89.33%，爬行类的比例是84.76%，鸟类的比例是54.62%，哺乳类的比例是44.68%。各纲物种数与全国各纲物种数的比例中，贵州湿地鱼类的比例是23.81%，鸟类的比例是22.10%，爬行类的比例是21.60%，两栖类的比例是18.11%，哺乳类的比例是10.81%，可以看出全国各纲物种在贵州湿地分布较少。

综上所述，省级层面上，湿地两栖类物种数占全省两栖类物种数的比例(89.33%)和爬行类物种数占全省爬行类物种数的比例(84.76%)相对较大；全国层面上，鱼类物种数占全国鱼类物种数的比例(23.81%)和鸟类物种数占全国鸟类物种数的比例(22.10%)较大。也就是说，贵州湿地鱼类、两栖类、爬行类、鸟类动物资源较丰富(表3-11)。

表3-11 贵州省湿地脊椎动物物种数及其所占目、科的比重

物种数		项目	目数	科数(不含亚科)
鱼类	贵州湿地鱼类数量	7	19	250
	全国淡水鱼类数量	18	52	1050
	占全国鱼类数量的比例	38.89%	36.54%	23.81%
两栖类	贵州湿地两栖类数量	2	9	67
	全省/全国两栖类数量	2/3	10/12	75/370
	占全省两栖类种数的比例	100%	90%	89.33%
	占全国两栖类种数的比例	66.67%	75%	18.11%
爬行类	贵州湿地爬行类数量	2	13	89
	全省/全国爬行类数量	2/3	14/24	105/412
	占全省爬行种数的比例	100%	92.90%	84.76%
	占全国爬行种数的比例	66.67%	54.17%	21.60%
鸟类	贵州湿地鸟类数量	12	43	278
	全省/全国鸟类数量	19/23	60/82	509/1258
	占全省鸟类数量的比例	63.16%	71.67%	54.62%
	占全国鸟类数量的比例	52.17%	52.44%	22.10%
哺乳类	贵州湿地哺乳类数量	9	19	63
	全省/全国哺乳类数量	9/14	29/57	141/583
	占全省哺乳类数量的比例	100%	65.52%	44.68%
	占全国哺乳类数量的比例	64.29%	33.33%	10.81%

注：全国数据依据2005年《中国环境状况公报：生物多样性》《中国脊椎动物大全》及《中国兽类野外手册》等；全省数据依据《贵州省生物多样性保护战略与行动计划》(2012～2020)。

1.2 区系成分

贵州湿地鱼类主要分布于乌江水系、沅江水系、赤水河綦江水系(图3-100)，各水系分别有135种、111种、97种鱼类分布；柳江水系、红水河水系、北盘江水系鱼类也较丰富，分别有88种、87种、73种；南盘江水系、牛栏江横江水系、都柳江水系鱼类也较多，分别有49种、38种、16种。有些鱼类分布区域较窄，如暗鳜仅分布于于洞庭湖水系；细体拟鲿、黑线䱗、大斑花鳅仅分布于雷公山国家级自然保护区；前臀鮡仅分布于威宁彝族回族苗族自治县水域；短须鱊仅分布于黎平县水域；广西真鲇仅分布于打狗河；条纹二须鲃仅分布于兴义市和黎平县水域。

贵州湿地陆生脊椎动物资源在区系分布上均跨几个分区(表3-12、表3-13，图3-101)，尽管多系东洋型、南中国型、横断山型，但是各纲之间也存在差异。

两栖类以南中国型(33种)为主，其次是东洋型(20种)，横断山型(5种)和喜马拉雅—横断山型(4种)较少；爬行类以南中国型(49种)为主，其次是东洋型(30种)，横断山型(4种)较少；鸟类东洋型(85种)最多，其次是古北界(51种)，再次是东北型(32种)，喜马拉雅—横断山型(24种)和全北型(24种)较少；哺乳类以东洋型(25种)为主，其次是南中国型(15种)，再次是横断山型(8种)和古北界(5种)。

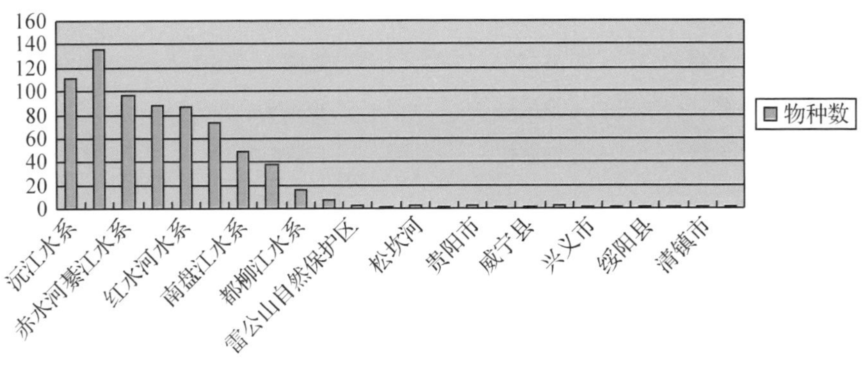

图3-100 贵州省鱼类物种数水系分布示意

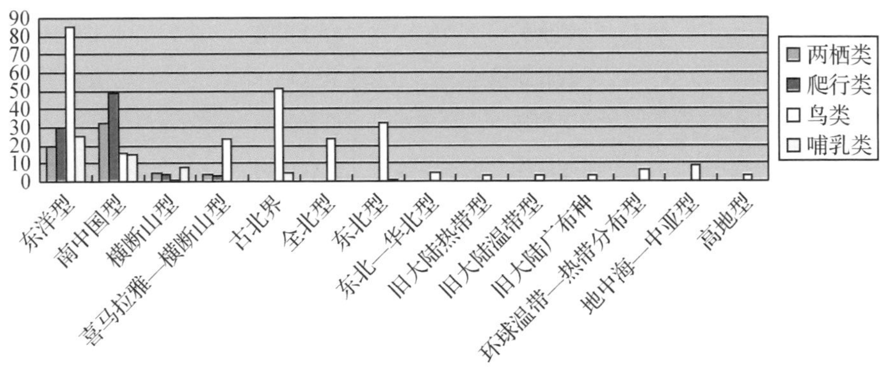

图3-101 贵州省湿地陆生脊椎动物物种数区系分布示意

表 3-12 贵州省湿地陆生脊椎动物区系分布名录

区 系	两栖类	爬行类	鸟 类	哺乳类
东洋型	黄斑拟小鲵	乌龟	中白鹭	臭鼩
	腹斑掌突蟾	眼斑水龟	黑鳽	鲁氏菊头蝠
	黑眶蟾蜍	云南半叶趾虎	牛背鹭	角菊头蝠
	华西雨蛙	细脆蛇	白鹭	大菊头蝠
	大绿臭蛙	脆蛇	池鹭	大耳菊头蝠
	虎纹蛙	光蜥	黄斑苇鳽	皮氏菊头蝠
	泽蛙	蟒蛇	栗苇鳽	托氏菊头蝠
	斑腿泛树蛙	钩盲蛇	白头鹮鹳	普通伏翼
	白颌大树蛙	眼镜王蛇	黑脸琵鹭	彩蝠
	粗皮姬蛙	丽纹蛇	斑嘴鸭	猕猴
	小弧斑姬蛙	缅甸钝头蛇	棉凫	黑叶猴
	饰纹姬蛙	侧条后棱蛇	凤头蜂鹰	猪獾
	花姬蛙	山溪后棱蛇	赤腹鹰	青鼬
	福建掌突蟾	绿瘦蛇	凤头鹰	豹猫
	峨山掌突蟾	灰鼠蛇	蛇雕	中国穿山甲
	螯掌突蟾	滑鼠蛇	松雀鹰	红白鼯鼠
	宽头短腿蟾	渔游蛇	白腹山雕	红背鼯鼠
	小角蟾	玉斑锦蛇	日本松雀鹰	猪尾鼠
	棘指角蟾	紫沙蛇	黑冠鹃隼	拟家鼠
	华西蟾蜍	双全白环蛇	棕三趾鹑	青毛硕鼠
		黑背白环蛇	黄脚三趾鹑	板齿鼠
		绞花林蛇	董鸡	大足鼠
		繁花林蛇	白喉斑秧鸡	黄毛鼠
		颈槽蛇	棕背田鸡	帚尾豪猪
		红脖颈槽蛇	紫水鸡	豪猪
		乌梢蛇	蓝胸秧鸡	
		短尾蝮	红胸田鸡	
		北草蜥	红脚苦恶鸟	
		南草蜥	白胸苦恶鸟	
			水雉	
			普通燕鸻	
			小杜鹃	
			棕腹杜鹃	
			乌鹃	

（续）

区 系	两栖类	爬行类	鸟 类	哺乳类
东洋型			小鸦鹃 褐翅鸦鹃 黄腿渔鸮 领角鸮 斑头鸺鹠 领鸺鹠 蓝翡翠 三宝鸟 黑冠黄鹎 白喉红臀鹎 红耳鹎 黄臀鹎 绿翅短脚鹎 栗背短脚鹎 黑短脚鹎 橙腹叶鹎 棕背伯劳 黑枕黄鹂 鹊鹂 朱鹂 鸦嘴卷尾 发冠卷尾 灰头椋鸟 八哥 褐河乌 蓝短翅鸫 鹊鸲 黑背燕尾 灰背燕尾 红尾水鸲 紫啸鸫 黑领噪鹛 长尾缝叶莺 沼泽大尾莺	

（续）

区 系	两栖类	爬行类	鸟 类	哺乳类
东洋型			钝翅稻田苇莺 厚嘴苇莺 金头扇尾莺 冠纹柳莺 栗头鹟莺 灰腹地莺 噪大苇莺 黑眉柳莺 方尾鹟 铜蓝鹟 棕腹大仙鹟 寿带鸟 棕胸蓝姬鹟 山蓝仙鹟 蓝喉仙鹟 红头长尾山雀 凤头鹀	
南中国型	无斑肥螈 尾斑瘰螈 茂兰瘰螈 细痣疣螈 贵州疣螈 无斑雨蛙 三港雨蛙 昭觉林蛙 峨眉林蛙 沼水蛙 崇安湍蛙 华南湍蛙 弹琴蛙 无声囊泛树蛙 大树蛙 经甫树蛙 黑点树蛙	平胸龟 多疣壁虎 蹼趾壁虎 荔波壁虎 粗疣壁虎 中国石龙子 蓝尾石龙子 铜蜓蜥 银环蛇 福建丽纹蛇 白头蝰 尖吻蝮 山烙铁头 菜花原矛头蝮 原矛头蝮 青脊蛇 棕脊蛇	白头鹎 领雀嘴鹎 灰背椋鸟 丝光椋鸟 栗腹矶鸫 小燕尾 棕噪鹛 黑脸噪鹛 白颊噪鹛 白斑尾柳莺 金眶鹟莺 棕脸鹟莺 棕腹柳莺 海南蓝仙鹟 灰蓝姬鹟 小斑姬鹟	鼩猬 灰麝鼩 长尾大麝鼩 喜马拉雅水鼩 短尾鼩 贵州菊头蝠 菲菊头蝠 灰伏翼 南蝠 鼬獾 黄腹鼬 黑腹绒鼠 中华姬鼠 高山姬鼠 毛冠鹿

（续）

区　系	两栖类	爬行类	鸟　类	哺乳类
南中国型	合征姬蛙 雷山髭蟾 峨眉髭蟾 绿臭蛙 筠链臭蛙 安龙臭蛙 龙胜臭蛙 花臭蛙 竹叶臭蛙 阔褶水蛙 无指盘臭蛙 务川臭蛙 中华蟾蜍 中亚侧褶蛙 滇侧褶蛙 威宁趾沟蛙	黑脊蛇 平鳞钝头蛇 福建钝头蛇 无颞鳞腹链蛇 白眉腹链蛇 锈链腹链蛇 棕网腹链蛇 八线腹链蛇 丽纹腹链蛇 坡普腹链蛇 棕黑腹链蛇 草腹链蛇 尖尾两头蛇 钝尾两头蛇 翠青蛇 王锦蛇 灰腹绿锦蛇 紫灰锦蛇 绿锦蛇 三索锦蛇 黑眉锦蛇 紫灰锦蛇 颈棱蛇 环纹华游蛇 乌华游蛇 中国小头蛇 紫棕小头蛇 台湾小头蛇 横纹斜鳞蛇 崇安斜鳞蛇 斜鳞蛇 山瑞鳖 黑头剑蛇		

（续）

区　系	两栖类	爬行类	鸟　类	哺乳类
横断山型	峨眉树蛙 多疣狭口蛙 云南小狭口蛙 利川齿蟾 红点齿蟾	丽纹龙蜥 四川龙蜥 昆明龙蜥 颈斑蛇	棕尾褐鹟	川西长尾鼩 大长尾鼩 黑齿鼩鼱 云南缺齿鼩 长尾鼩鼹 滇绒鼠 大绒鼠 昭通绒鼠
喜马拉雅—横断山型	棘腹蛙 棘侧蛙 棘胸蛙 双团棘胸蛙	黑线乌梢蛇 黄链蛇 竹叶青蛇	灰背伯劳 栗背短翅鸫 栗腹歌鸲 蓝额红尾鸲 白喉红尾鸲 长尾地鸫 白顶溪鸲 紫宽嘴鸫 白腹短翅鸲 虎斑地鸫 白尾蓝地鸲 蓝喉歌鸲 红喉歌鸲 栗头地莺 黄腹柳莺 棕眉柳莺 柠檬腰柳莺 双斑绿柳莺 橙胸姬鹟 小仙鹟 棕腹仙鹟 褐胸鹟 黑眉长尾山雀 蓝鸦	
古北界			苍鹭 草鹭	黄鼬 狗獾

（续）

区　系	两栖类	爬行类	鸟　类	哺乳类
古北界			大麻鳽	巢鼠
			东方白鹳	黑线姬鼠
			黑鹳	褐家鼠
			彩鹮	
			灰雁	
			赤麻鸭	
			赤膀鸭	
			翘鼻麻鸭	
			白眉鸭	
			凤头潜鸭	
			斑头秋沙鸭	
			豆雁	
			小白额雁	
			斑背潜鸭	
			鸢	
			普通鵟	
			雀鹰	
			乌雕	
			白尾海雕	
			燕隼	
			灰鹤	
			普通秧鸡	
			凤头麦鸡	
			灰头麦鸡	
			斑尾塍鹬	
			青脚鹬	
			乌脚滨鹬	
			流苏鹬	
			白腰杓鹬	
			黑尾塍鹬	
			鹤鹬	
			白腰草鹬	
			林鹬	
			针尾沙锥	

（续）

区 系	两栖类	爬行类	鸟 类	哺乳类
古北界			扇尾沙锥 丘鹬 红脚鹬 泽鹬 红嘴鸥 白翅浮鸥 黄鹡鸰 黄头鹡鸰 日本鹡鸰 黑背白鹡鸰 极北柳莺 暗绿柳莺 东方大苇莺 红喉姬鹟 小鹀	
古北—间断型				中鼩鼱
全北型			黑颈䴙䴘 针尾鸭 绿翅鸭 绿头鸭 赤颈鸭 琵嘴鸭 红头潜鸭 鹊鸭 普通秋沙鸭 小天鹅 大天鹅 白尾鹞 金雕 灰斑鸻 金斑鸻 剑鸻 矶鹬 三趾滨鹬	

（续）

区　系	两栖类	爬行类	鸟　类	哺乳类
全北型			海鸥 短尾贼鸥 家燕 水鹨 鹪鹩 戴菊	
东北型			鸳鸯 中华秋沙鸭 青头潜鸭 罗纹鸭 灰脸鵟鹰 鹊鹞 白腹鹞 白头鹤 大滨鹬 黑腹滨鹬 孤沙锥 红尾歌鸲 蓝歌鸲 红胁蓝尾鸲 北红尾鸲 白眉地鸫 黄眉柳莺 巨嘴柳莺 褐柳莺 黄腰柳莺 冕柳莺 白眉姬鹟 白腹蓝姬鹟 紫寿带鸟 乌鹟 北灰鹟 栗鹀 苇鹀	华南缺齿鼹

（续）

区 系	两栖类	爬行类	鸟 类	哺乳类
东北型			黄喉鹀 灰头鹀 栗耳鹀 白眉鹀	
东北—华北型			虎纹伯劳 牛头伯劳 红尾伯劳 灰椋鸟 三道眉草鹀	
旧大陆热带型			冠鱼狗 白胸翡翠 金腰燕	
旧大陆热带—亚热带型			小鸊鷉	
旧大陆热带—温带型			金眶鸻 普通翠鸟	
旧大陆温带型			凤头鸊鷉	
			普通鸬鹚	
			白琵鹭	
旧大陆—北美型			游隼	
旧大陆广布种			戴胜 白鹡鸰 灰鹡鸰	
环球温带—热带分布型			绿鹭 大白鹭 夜鹭 黑水鸡 环颈鸻 黑翅长脚鹬	
东半球热带—温带型			骨顶鸡	
			小田鸡	
东半球热带型			彩鹬	
南亚热带				印度假吸血蝠

（续）

区　系	两栖类	爬行类	鸟　类	哺乳类
地中海—中亚型			白眼潜鸭 赤嘴潜鸭 白肩雕 反嘴鹬 蓝矶鸫 赭红尾鸲 乌鸫 白喉扇尾鹟 灰眉岩鹀	
地中海—西南亚型				马铁菊头蝠
中亚型			草原雕	
岛屿型		台湾钝头蛇	海南虎斑鳽	
高地型			斑头雁 黑颈鹤 棕头鸥	
中亚干旱区黑海至哈萨克斯坦繁殖鸟			渔鸥	
东部季风区			中杜鹃	
中国中亚热带				藏酋猴
欧亚温带—热带型				水獭
季风区型	大鲵	赤链蛇、鳖		东方田鼠
非洲—亚洲中部型				托氏兔
古北界和东洋界				野猪
中亚热带				食蟹獴

注：地理分布依据《中国动物地理》(张荣祖，1999)。

表 3-13　贵州省湿地陆生脊椎动物区系分布种数统计

区　系	两栖类	爬行类	鸟　类	哺乳类
东洋型	20	29	85	25
南中国型	33	50	16	15
横断山型	5	4	1	8

（续）

区 系	两栖类	爬行类	鸟 类	哺乳类
喜马拉雅—横断山型	4	3	24	0
古北界	0	0	51	5
全北型	0	0	24	
东北型	0	0	32	1
东北—华北型	0	0	5	0
旧大陆热带型	0	0	3	0
旧大陆温带型	0	0	3	0
旧大陆广布种	0	0	3	0
环球温带—热带分布型	0	0	6	0
地中海—中亚型	0	0	9	0
高地型	0	0	3	0
其他	5	3	13	9
合 计	67	89	278	63

1.3 国家重点保护野生动物

贵州湿地脊椎动物中属于国家重点保护野生动物的有 56 种，属于国家Ⅰ级保护野生动物有 11 种，国家Ⅱ级保护野生动物 45 种。其中，鱼类有 2 种国家Ⅰ级保护野生动物，有 1 种国家Ⅱ级保护野生动物；两栖类有 4 种国家Ⅱ级保护野生动物，爬行类国家Ⅰ级和Ⅱ级保护野生动物各有 1 种，鸟类有 7 种国家Ⅰ级保护野生动物，有 34 种国家Ⅱ级保护野生动物，哺乳类有 1 种国家Ⅰ级保护野生动物，有 5 种国家Ⅱ级保护野生动物(表 3-14)。

表 3-14 贵州省湿地国家重点保护野生动物名录

序号	中文名	拉丁名	国家重点保护情况	
1	胭脂鱼	*Myxocyprinus asiaticus*		国家Ⅱ级
2	达氏鲟	*Acipenser dabryanus*	国家Ⅰ级	
3	白鲟	*Psehurus gladius*	国家Ⅰ级	
4	细痣疣螈	*Tylototriton asperrimus*		国家Ⅱ级
5	贵州疣螈	*Tylototriton kweichowensis*		国家Ⅱ级
6	大鲵	*Andrias davidianus*		国家Ⅱ级
7	虎纹蛙	*Hoplobatrachus tigerinus*		国家Ⅱ级
8	山瑞鳖	*Paleasteindachneri*		国家Ⅱ级
9	蟒蛇	*Python molurus*	国家Ⅰ级	
10	黑鹳	*Ciconia nigra*	国家Ⅰ级	
11	彩鹮	*Plegadis falcinellus*		国家Ⅱ级

（续）

序号	中文名	拉丁名	国家重点保护情况	
12	白琵鹭	*Platalea leucorodia*		国家Ⅱ级
13	黑脸琵鹭	*Platalea minor*		国家Ⅱ级
14	海南鳽	*Gorsachius magnificus*		国家Ⅱ级
15	灰鹤	*Crus grus*		国家Ⅱ级
16	白头鹤	*Grus monacha*	国家Ⅰ级	
17	黑颈鹤	*Crus nigricollis*	国家Ⅰ级	
18	棕背田鸡	*Porzana bicolor*		国家Ⅱ级
19	小鸦鹃	*Centropus bengalensis*		国家Ⅱ级
20	褐翅鸦鹃	*Centropus sinensis*		国家Ⅱ级
21	游隼	*Falco peregrinus*		国家Ⅱ级
22	燕隼	*Falco subbuteo*		国家Ⅱ级
23	日本松雀鹰	*Accipiter gularis*		国家Ⅱ级
24	雀鹰	*Accipiter nisus*		国家Ⅱ级
25	赤腹鹰	*Accipiter soloensis*		国家Ⅱ级
26	凤头鹰	*Accipiter trivirgatus*		国家Ⅱ级
27	松雀鹰	*Accipiter virgatus*		国家Ⅱ级
28	金雕	*Aquila chrysaetos*	国家Ⅰ级	
29	乌雕	*Aquila clanga*		国家Ⅱ级
30	白肩雕	*Aquila heliaca*	国家Ⅰ级	
31	草原雕	*Aquila nipalensis*		国家Ⅱ级
32	黑冠鹃隼	*Aviceda leuphotes*		国家Ⅱ级
33	灰脸鵟鹰	*Butastur indicus*		国家Ⅱ级
34	普通鵟	*Buteo buteo*		国家Ⅱ级
35	白尾鹞	*Circus cyaneus*		国家Ⅱ级
36	鹊鹞	*Circus melanoleucos*		国家Ⅱ级
37	白腹鹞	*Circus spilonotus*		国家Ⅱ级
38	白尾海雕	*Haliaeetus albicilla*	国家Ⅰ级	
39	白腹隼雕	*Hieraaetus fasciatus*		国家Ⅱ级
40	鸢	*Milvus migrans*		国家Ⅱ级
41	凤头蜂鹰	*Pernis ptilorhynchus*		国家Ⅱ级
42	蛇雕	*Spilornis cheela*		国家Ⅱ级
43	领鸺鹠	*Glaucidium brodiei*		国家Ⅱ级
44	斑头鸺鹠	*Glaucidium cuculoides*		国家Ⅱ级
45	黄腿渔鸮	*Kempa flavipes*		国家Ⅱ级

（续）

序号	中文名	拉丁名	国家重点保护情况	
46	领角鸮	*Otus bakkamoena*		国家Ⅱ级
47	鸳鸯	*Aix galericulata*		国家Ⅱ级
48	大天鹅	*Cygnus cygnus*		国家Ⅱ级
49	小天鹅	*Cygnuscolumbianus jankowskii*		国家Ⅱ级
50	中华秋沙鸭	*Mergus squamatus*	国家Ⅰ级	
51	猕猴	*Macaca mulatta*		国家Ⅱ级
52	藏酋猴	*Macaca thibetana*		国家Ⅱ级
53	黑叶猴	*Trachypithecus francoisi*	国家Ⅰ级	
54	水獭	*Lutra lutra*		国家Ⅱ级
55	青鼬	*Martes flavigula*		国家Ⅱ级
56	中国穿山甲	*Manis pentadactyla*		国家Ⅱ级

注：保护等级指《国家重点保护野生动物名录》(1989)中Ⅰ、Ⅱ级保护野生动物。

2 调查方法

2.1 基础资料收集

通过图书馆和网上收集、查阅并整理贵州省湿地现有脊椎动物群落调查资料，在综合分析现有资料的基础上，确定实地考察的重点区域及考察路线。

2.2 样线调查法

样线法分别穿越不同的生境类型，沿途观察兽类留下的遗迹如足迹、皮毛、粪便等，发现珍稀、重点保护动物时，采用GPS定位。对每个GPS定位点做如下记录：①记录海拔高度和经纬度；②记录植被、地貌和人类活动状况；③记录样线观察到的动物及其相关信息；④拍摄动物群落生活环境和典型环境外貌。

2.3 红外线监测法

由于兽类物种生态习性多样，大多昼伏夜出，嗅觉灵敏、生性机警，因此很难在野外发现实体，同时因猎捕受限制，除小型鼠类外，也无法获取实体标本，为此特采用红外相机辅助调查。

2.4 网捕法

网捕法主要是针对翼手目动物，在样线法和走访调查法中发现有翼手目动物分布的洞穴，根据洞穴大小在洞口布设规格不一(包括10米×3米，10米×6米，15米×10米规格)的鸟网进行捕捉。洞顶较矮、空间较窄，且容易捕捉的洞穴采用昆虫网进行捕捉。

2.5　铗日法

小型兽类采用布夹法进行调查，通过划定样方，在样方内放铗，铗距 5 米，以玉米作诱饵，选择在营地周边的林地、灌丛地、农用地（含新弃耕地、菜地与农田）、居民区四大类型地类中布铗。

2.6　走访调查法

对大型兽类采用调查访问的方法进行，主要是访问当地对兽类有一定识别经验的猎人以及在区内经常巡逻的工作人员，通过对照《中国兽类野外手册》及动物实体照片来鉴定、判断兽类物种。

3　鱼类资源

3.1　物种组成

贵州省湿地鱼类资源有 250 种，隶属 7 目 19 科，占贵州省湿地脊椎动物物种数 33.47%，有 3 种国家重点保护野生动物，国家Ⅰ级保护野生动物 2 种，分别是达氏鲟、白鲟，国家Ⅱ级保护野生动物 1 种，即胭脂鱼。

3.2　中国特有鱼类资源

贵州省湿地鱼类中有 22 种系中国特有种类，占鱼类总数（250 种）的 8.80%。其中鲈形目 3 种，为长身鳜、暗鳜、波纹鳜。鲶形目 3 种，为中臀拟鲿、中华纹胸𬶐、长臀鮠。鲱形目有 1 种，即中华青鳉。鲤形目 13 种，分别为黑线鳘、小口白甲鱼、稀有白甲鱼、鲈鲤、乌原鲤、岩原鲤、昆明裂腹鱼、灰色裂腹鱼、华缨鱼、角金线鲃、驼背金线鲃、叶结鱼、胭脂鱼。鲟形目有 2 种，为达氏鲟和白鲟。

3.3　濒危状况

贵州省湿地鱼类有 24 种被《中国物种红色名录》收录，其中有 5 种濒危 EN 物种，分别为中臀拟鲿、中华纹胸𬶐、稀有白甲鱼、灰色裂腹鱼、达氏鲟；18 种易危 VU 物种，如华缨鱼、角金线鲃、驼背金线鲃、叶结鱼、胭脂鱼等；1 种极危 CR 物种，即白鲟。贵州省湿地鱼类有 4 被《世界自然保护联盟濒危物种红色名录》（以下简称 IUCN 红色名录）收录，其中有 2 种极危 CR 物种，即达氏鲟和白鲟，有 1 种濒危 EN 物种，即中臀拟鲿，有 1 种易危 VU 物种即角金线鲃（附录 2）。

4　两栖类资源

4.1　物种组成

贵州省湿地两栖动物有 67 种，隶属 2 目 9 科，占贵州省内湿地脊椎动物物种总数的 8.97%（附录 2），其中有 4 种为国家Ⅱ级保护野生动物，即贵州疣螈、细痣疣螈、大鲵和虎纹蛙，46 种为中国特有种类。

4.2 中国特有两栖动物资源

贵州湿地两栖动物资源有46种系中国特有种类，其中有尾目有11种；小鲵科3种，分别为宽阔水拟小鲵、黄斑拟小鲵、水城拟小鲵；隐鳃鲵科1种，大鲵；蝾螈科7种，分别为细痣疣螈、贵州疣螈、尾斑瘰螈、无斑肥螈、茂兰瘰螈、龙里瘰螈、织金瘰螈；无尾目有36种；角蟾科10种，分别为利川齿蟾、红点齿蟾、峨眉髭蟾、雷山髭蟾、福建掌突蟾、峨山掌突蟾、鳌掌突蟾、腹斑掌突蟾、棘指角蟾、小角蟾；蟾蜍科1种，即华西蟾蜍；雨蛙科1种，即三港雨蛙；蛙科16种，昭觉林蛙、峨眉林蛙、滇侧褶蛙、威宁趾沟蛙、阔褶水蛙、弹琴水蛙、竹叶臭蛙、绿臭蛙、无指盘臭蛙、安龙臭蛙、龙胜臭蛙、花臭蛙、筠链臭蛙、务川臭蛙、棘腹蛙、棘侧蛙；树蛙科5种，分别为无声囊泛树蛙、大树蛙、峨眉树蛙、经甫树蛙、黑点树蛙；姬蛙科2种，即合征姬蛙和、多疣狭口蛙。

4.3 贵州湿地两栖动物濒危等级

贵州湿地两栖动物有61种被列入《中国物种红色名录》(表3-15)，占本区域两栖动物物种数的91.04%。其中有3种极危CR物种，即大鲵、腹斑掌突蟾和务川臭蛙；有1种濒危EN物种，即峨眉髭蟾；有9种近危物种，如黑斑侧褶蛙、中亚侧褶蛙、威宁趾沟蛙等；有2种近危NT儿近符合易危VU物种，细痣疣螈和尾斑瘰螈；有12种易危物种，如黄斑拟小鲵、贵州疣螈、红点齿蟾等；大绿臭蛙数据缺乏；其余为无危物种，如无斑肥螈、中华蟾蜍、无斑雨蛙、绿臭蛙、花臭蛙等。贵州省湿地两栖动物没有被《IUCN红色名录》收录的物种。

表3-15 贵州湿地两栖动物濒危情况统计表

种 名	拉丁名	濒危等级
黄斑拟小鲵	*Pseudohynobius flavomaculatus*	易危 VU
大鲵	*Andrias davidianus*	极危 CR
细痣疣螈	*Tylototriton asperrimus*	近危 NT 儿近符合易危 VU
贵州疣螈	*Tylototriton kweichowensis*	易危 VU
尾斑瘰螈	*Paramesotriton caudopunctatus*	近危 NT 儿近符合易危 VU
利川齿蟾	*Oreolalax lichuanensis*	易危 VU
红点齿蟾	*Oreolalax rhodostigmatus*	易危 VU
峨眉髭蟾	*Vibrissaphora boringii*	濒危 EN
雷山髭蟾	*Vibrissaphora leishanensis*	易危 VU
鳌掌突蟾	*Leptolalax pelodytoides*	易危 VU
腹斑掌突蟾	*Leptolalax ventripunctatus*	极危 CR
黑斑侧褶蛙	*Pelophylax nigromaculata*	近危 NT

（续）

种　名	拉丁名	濒危等级
中亚侧褶蛙	*PeLophylax terentievi*	近危 NT
威宁趾沟蛙	*Pseudorana weiningensis*	近危 NT
虎纹蛙	*Hoplobatrachus tigerinus*	易危 VU
竹叶臭蛙	*Odorrana versabilis*	近危 NT
无指盘臭蛙	*Odorrana grahami*	近危 NT
安龙臭蛙	*Odorrana anlungensis*	易危 VU
龙胜臭蛙	*Odorrana lungshengensis*	近危 NT
筠链臭蛙	*Odorrana junlianensis*	近危 NT
务川臭蛙	*Odorrana wuchuanensis*	极危 CR
棘腹蛙	*Paa boulengeri*	易危 VU
棘侧蛙	*Paa shini*	易危 VU
棘胸蛙	*Paa spinosa*	易危 VU
双团棘胸蛙	*Paa yunnanensis*	易危 VU
白颌大树蛙	*Rhacophorus maximus*	近危 NT
黑点树蛙	*Rhacophorus nigropunclatus*	近危 NT

4.4 各科物种分布

贵州两栖动物有 67 种，隶属于 2 目 9 科。其中有尾目有 3 科 11 种，无尾目有 6 科 56 种(附录 2)。各科物种分布如下。

4.4.1 有尾目

有尾目包括蝾螈科、小鲵科和隐鳃鲵科。

(1)蝾螈科：蝾螈科 7 种。其中，无斑肥螈分布于雷公山国家级自然保护区湿地区、宽阔水国家级自然保护区湿地区、石阡鸳鸯湖国家湿地公园(试点)湿地区；尾斑瘰螈分布雷公山国家级自然保护区湿地区、梵净山国家级自然保护区湿地区；茂兰瘰螈分布于茂兰国家级自然保护区湿地区；细痣疣螈分布于雷公山国家级自然保护区湿地区、宽阔水国家级自然保护区湿地区、茂兰国家级自然保护区湿地区、习水国家级自然保护区湿地区、大沙河省级自然保护区湿地区；贵州疣螈分布于草海国家级自然保护区湿地区、赫章雨帽山湿地区、百里杜鹃省级自然保护区湿地区；龙里瘰螈分布于贵州龙里县零星湿地区；织金瘰螈分布于贵州织金县零星湿地区。

(2) 小鲵科：小鲵科 3 种，为黄斑拟小鲵，分布于桐梓柏箐市级自然保护区湿地区、宽阔水国家级自然保护区湿地区、桴焉县级自然保护区、大沙河省级自然保护区湿地区、太平山自然保护区；宽阔水拟小鲵分布于宽阔水国家级自然保护区湿地区；水城拟小鲵分布于野中乡自然保护区湿地区。

(3)隐鳃鲵科：隐鳃鲵科 1 种，为大鲵。曾广泛分布于贵州各地，但是近来仅见于贵定、梵净山、雷公山等地。

4.4.2 无尾目

无尾目包括蟾蜍科、姬蛙科、角蟾科、树蛙科、蛙科、雨蛙科。

(1)蟾蜍科：蟾蜍科3种。其中，华西蟾蜍分布于大沙河省级自然保区湿地区；中华蟾蜍分布于贵州各地；黑眶蟾蜍分布于雷公山国家级自然保护区湿地区、普安下厂河县级保护区湿地区、梵净山国家级自然保护区湿地区、天生桥电站库区湿地区、南盘江湿地区、佛顶山省级自然保护区湿地区。

(2)姬蛙科：姬蛙科7种。其中，云南小狭口蛙分布于天生桥电站库区湿地区；多疣狭口蛙分布于桐梓柏箐市级自然保护区湿地区、宽阔水国家级自然保护区湿地区、桴焉县级自然保护区、大沙河省级自然保护区湿地区、太平山自然保护区、雷公山国家级自然保护区湿地区；粗皮姬蛙分布于雷公山国家级自然保护区湿地区、乌江思南以上河段湿地区、习水国家级自然保护区湿地区、大沙河省级自然保护区湿地区、梵净山国家级自然保护区湿地区、长江上游珍稀特有鱼类国家级自然保护区湿地区、乌江思南以下河段湿地区；小弧斑姬蛙、饰纹姬蛙均为常见种，广泛分布于分布贵州各地；花姬蛙分布于茂兰国家级自然保护区湿地区；合征姬蛙分布于梵净山国家级自然保护区湿地区。

(3)角蟾科：角蟾科11种。其中，宽头短腿蟾分布于南宫州级自然保护区、雷公山国家级自然保护区湿地区；雷山髭蟾分布于雷公山国家级自然保护区湿地区；峨眉髭蟾、福建掌突蟾分布于雷公山国家级自然保护区湿地区、南宫州级自然保护区；峨山掌突蟾分布于梵净山国家级自然保护区湿地区；蟼掌突蟾分布于雷公山国家级自然保护区湿地区、南宫州级自然保护区；小角蟾分布于雷公山国家级自然保护区湿地区、宽阔水国家级自然保护区湿地区、习水国家级自然保护区湿地区、大沙河省级自然保护区湿地区、梵净山国家级自然保护区湿地区、桐梓柏箐市级自然保护区湿地区、佛顶山省级自然保护区湿地区；棘指角蟾分布于宽阔水国家级自然保护区湿地区、大沙河省级自然保护区湿地区、梵净山国家级自然保护区湿地区、长江上游珍稀特有鱼类国家级自然保护区湿地区；利川齿蟾分布于大沙河省级自然保护区湿地区；红点齿蟾分布于宽阔水国家级自然保护区湿地区、习水国家级自然保护区湿地区、大沙河省级自然保护区湿地区、桐梓柏箐市级自然保护区湿地区；腹斑掌突蟾分布于分布于习水国家级自然保护区湿地区。

(4)树蛙科：树蛙科7种。其中，斑腿泛树蛙为常见种，分布于贵州各地；无声囊泛树蛙分布于太平山自然保护区；经甫树蛙分布于宽阔水国家级自然保护区湿地区、习水国家级自然保护区湿地区、大沙河省级自然保护区湿地区；大树蛙分布于雷公山国家级自然保护区湿地区、梵净山国家级自然保护区湿地区；白颌大树蛙分布于草海国家级自然保护区湿地区；黑点树蛙分布于草海国家级自然保护区湿地区和雷公山保护区湿地区；峨眉树蛙分布于习水国家级自然保护区湿地区。

(5)蛙科：蛙科25种。其中，崇安湍蛙分布于大沙河省级自然保护区湿地区、南宫州级自然保护区、雷公山国家级自然保护区湿地区；华南湍蛙分布于雷公山国家级自然保护区湿地区、宽阔水国家级自然保护区湿地区、贵定岩下县级自然保护区湿地区、梵净山国家级自然保护区湿地区、石阡鸳鸯湖国家湿地公园(试点)湿地区、北盘江湿地区；弹琴蛙分布于雷公山国家级自然保护区湿地区、宽阔水国家级自然保护区湿地区、梵净山国家级自然保护区湿地区；沼水蛙分布于贵州各地；阔褶水蛙、双团棘胸蛙分布于威宁锁黄仓国家湿地公园(试点)湿地区、宽阔水国家级自然保护区湿地区；无指盘臭蛙分布于威宁锁黄仓国家湿地公园(试点)湿地区；龙胜臭蛙分布于雷公山国家级自然保护区湿地区、梵净山国家级自然保护区湿地区、宽阔水国家级自然保护区湿地区；大绿臭蛙分布于梵净山国家级自然保护区湿地区、贵定岩下县级保护区湿地区；筠连臭蛙分布于百里杜鹃省级自然保护区湿地区、赫章雨帽山湿地区；安龙臭蛙分布于贵州安龙招堤绿海湿地区；务川臭蛙分布于务川自治县零星湿地区；绿臭蛙分布于草海国家级自然保护区湿地区、宽阔水国家级自然保护区湿地区、金沙冷水河县级保护区湿地区、习水国家级自然保护区湿地区、大沙河省级自然保护区湿地区、梵净山国家级自然保护区湿地区、佛顶山省级自然保护区湿地区；花臭蛙分布于雷公山国家级自然保护区湿地区、宽阔水国家级自然保护区湿地区、习水国家级自然保护区湿地区、贵州龙里南部沼泽化草甸湿地区、大沙河省级自然保护区湿地区、梵净山国家级自然保护区湿地区、南盘江湿地区、佛顶山省级自然保护区湿地区、云贵水韭保护点湿地区；竹叶臭蛙分布于雷公山国家级自然保护区湿地区、梵净山国家级自然保护区湿地区；黑斑侧褶蛙为常见种，广泛分布于贵州各地，但由于大量捕捉，数量急剧下降；最近几年见于大沙河省级自然保护区湿地区、南宫州级自然保护区、雷公山国家级自然保护区湿地区；中亚侧褶蛙分布于桐梓柏箐市级自然保护区湿地区、宽阔水国家级自然保护区湿地区、桴焉县级自然保护区；滇侧褶蛙分布于草海国家级自然保护区湿地区、威宁锁黄仓国家湿地公园(试点)湿地区、安龙招堤绿海湿地区、赫章雨帽山湿地区；威宁趾沟蛙分布于威宁锁黄仓国家湿地公园(试点)湿地区；棘腹蛙广泛分布于各地，但由于大量捕捉，数量急剧下降，目前分布于雷公山国家级自然保护区湿地区、宽阔水国家级自然保护区湿地区、习水国家级自然保护区湿地区、威宁锁黄仓国家湿地公园(试点)湿地区、佛顶山省级自然保护区湿地区、麻阳河国家级自然保护区湿地区；棘侧蛙分布于雷公山国家级自然保护区湿地区、宽阔水国家级自然保护区湿地区、习水国家级自然保护区湿地区；棘胸蛙广泛分布于各地，但由于大量捕捉，数量急剧下降，目前分布于梵净山国家级自然保护区湿地区、大沙河省级自然保护区湿地区、长江上游珍稀特有鱼类国家级自然保护区湿地区、宽阔水国家级自然保护区湿地区；昭觉林蛙分布于赫章雨帽山湿地区、天生桥电站库区湿地区；峨眉林蛙分布于雷公山国家级自然保护区湿地区、宽阔水国家级自然保护区湿地区、习水国家级自然保护区湿地区、大沙河省级自然保护区湿地区、梵净山国家级自然保护区湿地区、长江上游珍稀特有鱼类国家级自然保护区湿地区、桐梓柏箐市级自然保护区湿地区、乌江思南以下河段湿地区、百花湖湿地区、佛顶山省级自然保护区湿地区、北盘江湿地区；虎纹蛙分布于茂兰国家级自然保护区湿地区。

(6)雨蛙科：雨蛙科3种。其中，华西雨蛙分布于贵州东部；无斑雨蛙分布于雷公山国家级自然保护区湿地区、佛顶山省级自然保护区湿地区、都柳江湿地区、梵净山国家级自然保护区湿地区；三港雨蛙分布于雷公山国家级自然保护区湿地区。

5　爬行类资源

5.1　物种组成

贵州省湿地爬行动物有89种及亚种(附录2)，隶属2目13科，占贵州省内湿地脊椎动物物种总数的11.91%。有2种国家重点保护野生动物，其中国家Ⅰ级保护野生动物1种，为有鳞目蟒科的蟒；国家Ⅱ级保护野生动物1种，即山瑞鳖。

5.2 爬行类中国特有物种

贵州省89种湿地爬行类动物中，有22种系中国特有种类。其中，龟科1种，即眼斑水龟；壁虎科有3种，分别是荔波壁虎、粗疣壁虎、蹼趾壁虎；鬣蜥科有3种，分别是四川龙蜥、昆明龙蜥、丽纹龙蜥；石龙子科有1种光蜥；游蛇科有14种，分别是青脊蛇、白眉腹链蛇、锈链腹链蛇、棕网腹链蛇、八线腹链蛇、坡普腹链蛇、绞花林蛇、颈棱蛇、山溪后棱蛇、平鳞钝头蛇、台湾钝头蛇、福建钝头蛇、环纹华游蛇、乌梢蛇。

5.3 爬行动物濒危等级

贵州湿地爬行动物有87种列入中国濒危物种红色名录，其中有1种极危CR物种，即蟒蛇，有6种濒危EN物种，分别为山瑞鳖、平胸龟、乌龟、眼斑水龟、细脆蛇、眼镜王蛇，有15种易危VU物种，如黑线乌梢蛇、银环蛇、白头蝰、尖吻蝮、短尾蝮等(表3-16)。

有6种列入世界自然保护联盟(IUCN)认定的濒危物种名录，其中有4种濒危EN物种，分别是山瑞鳖、平胸龟、乌龟、眼斑水龟；有1种易危VU物种，鳖；有1种低危/近危LR/NT物种，蟒蛇。

表3-16 贵州省湿地爬行动物濒危等级名录

种　名	拉丁名	濒危等级	
		China RL	IUCN
山瑞鳖	*Palea steindachneri*	濒危EN	濒危EN
鳖	*Pelodiscus sinensis*	易危VU	易危VU
平胸龟	*Platysternon megacephalum*	濒危EN	濒危EN
乌龟	*Chinemys reevesii*	濒危EN	濒危EN
眼斑水龟	*Sacalia bealei*	濒危EN	濒危EN
细脆蛇	*Ophisaurus gracilis*	濒危EN	
脆蛇	*Ophisaurus harti*	易危VU	
蟒蛇	*Python molurus*	极危CR	低危/近危LR/NT
丽纹腹链蛇	*Amphiesma optata*	数据缺乏DD	
王锦蛇	*Elaphe carinata*	易危VU	
玉斑锦蛇	*Elaphe mandarina*	易危VU	
绿锦蛇	*Elaphe prasina*	易危VU	
三索锦蛇	*Elaphe radiata*	易危VU	
黑眉锦蛇	*Elaphetaeniura*	易危VU	
台湾钝头蛇	*Pareas formosensis*	近危NT几近VU	
缅甸钝头蛇	*Pareas hamptoni*	近危NT	
灰鼠蛇	*Ptyas korros*	易危VU	
滑鼠蛇	*Ptyas mucosus*	易危VU	

（续）

种　名	拉丁名	濒危等级	
		China RL	IUCN
乌梢蛇	*Zaocys dhumnades*	易危 VU	
黑线乌梢蛇	*Zaocys nigromarginatus*	易危 VU	
银环蛇	*Bungarus multicinctus*	易危 VU	
眼镜王蛇	*Ophiophagus hannah*	濒危 EN	
白头蝰	*Azemiops feae*	易危 VU	
尖吻蝮	*Deinagkistrodon acutus*	易危 VU	
短尾蝮	*Gloydius brevicaudus*	易危 VU	
山烙铁头	*Ovophis monticola*	近危 NT 几近 VU	

注：参考《中国物种红色名录》(第一卷)2004 版，China RL 表示中国物种濒危等级；IUCN 表示世界自然保护联盟濒危物种红色名录濒危等级。

5.4　各科物种分布

贵州湿地爬行动物共 89 种，其中龟鳖目有 3 科 5 种，有鳞目有 10 科 84 种。它们的分布如下。

5.4.1　龟鳖目

(1)鳖科：鳖科 2 种，为山瑞鳖、鳖，分布于普安下厂河县级自然保护区湿地区、习水国家级自然保护区湿地区、大沙河省级自然保护区湿地区、桐梓柏箐市级自然保护区湿地区、长江上游珍稀特有鱼类国家级自然保护区湿地区、花溪十里河滩城市湿地公园湿地区、梵净山国家级自然保护区湿地区、佛顶山省级自然保护区湿地区、都柳江湿地区。

(2)龟科：龟科 2 种，乌龟，分布于大沙河省级自然保护区湿地区；眼斑水龟分布于松桃国家级大鲵自然保护区。

(3)平胸龟科：平胸龟科 1 种，即平胸龟，分布于梵净山国家级自然保护区湿地区。

5.4.2　有鳞目

(1)壁虎科：壁虎科 5 种。其中，多疣壁虎、荔波壁虎分布于茂兰国家级自然保护区；粗疣壁虎分布于贵阳市零星湿地区；蹼趾壁虎分布于赤水桫椤国家级自然保护区湿地区、大沙河省级自然保护区湿地区；云南半叶趾虎分布于雷公山国家级自然保护区湿地区和清水河州级自然保护区、仙鹤坪州级自然保护区。

(2)蝰科：蝰科 7 种。其中，白头蝰分布于宽阔水国家级自然保护区湿地区、桐梓柏箐市级自然保护区湿地区；尖吻蝮分布于百里杜鹃省级自然保护区湿地区、黔西渭河县级自然保护区湿地区、大沙河省级自然保护区湿地区、雷公山国家级自然保护区湿地区、佛顶山省级自然保护区湿地区；短尾蝮分布于黔西渭河县级自然保护区湿地区、北盘江湿地区、习水国家级自然保护区湿地区、大沙河省级自然保护区湿地区、麻阳河国家级自然保护区湿地区、长江上游珍稀特有鱼类国家级自然保护区湿地区；山烙铁头分布于草海国家级自然保护区湿地区、北盘江湿地区、习水国家级自然保护区湿地区、贵州龙里南部沼泽化草甸湿地区、乌江思南以上河段湿地区、雷公山国家级自然保护区湿地区、佛顶山省级自然保护区湿地区、石阡鸳鸯湖国家湿地公园(试点)湿地区；莱花原矛头蝮分布于宽阔水国家级自然保护区湿地区、赤水自然保护区湿地区、桐梓柏箐市级自然保护区湿地区、冷水河自然保护区湿地区；原矛头蝮分布于黔西渭河县级自然保护区湿地区、习水国家级自然保护区湿地区、大沙河省级自然保护区湿地区、长江中上游珍稀特有鱼类国家级自然保护区湿地区、乌江思南以上河段湿地区、梵净山国家级自然保护区湿地区、雷公山国家级自然保护区湿地区、茂兰国家级自然保护区湿地区、佛顶山省级自然保护区湿地区；竹叶青蛇分布于宽阔水国家级自然保护区湿地区、习水国家级自然保护区湿地区、大沙河省级自然保护区湿地区、长江上游珍稀特有鱼类国家级自然保护区湿地区、贵州龙里南部沼泽化草甸湿地区、梵净山国家级自然保护区湿地区、雷公山国家级自然保护区湿地区、三板溪库区湿地区、佛顶山省级自然保护区湿地区、贞丰龙头大山州级自然保护区湿地区。

(3)鬣蜥科：鬣蜥科3种。其中，丽纹龙蜥分布于茂兰国家级自然保护区湿地区、大沙河省级自然保护区湿地区、榕江月亮山州级自然保护区、雷公山国家级自然保护区湿地区；四川龙蜥分布于茂兰国家级自然保护区湿地区；昆明龙蜥分布于兴义市坡岗省级自然保护区、威宁县草海国家级自然保护区湿地区。

(4)盲蛇科：盲蛇科1种，即钩盲蛇，分布于兴义市坡岗省级自然保护区。

(5)蟒科：蟒科1种，即蟒蛇，分布于紫云自治县零星湿地区、望谟县零星湿地区、罗甸县零星湿地区。

(6)蛇蜥科：蛇蜥科2种。其中，细脆蛇分布于兴义市坡岗省级自然保护区、安龙仙鹤坪州级自然保护区；脆蛇分布于茂兰国家级自然保护区湿地区、赤水国家级自然保护区、雷公山国家级自然保护区湿地区、大沙河省级自然保护区湿地区、宽阔水自然保护区湿地区。

(7)石龙子科：石龙子科4种。其中，光蜥、中国石龙子分布于习水国家级自然保护区湿地区、大沙河省级自然保护区湿地区、乌江思南以下河段湿地区、桐梓柏箐市级自然保护区湿地区、长江上游珍稀特有鱼类国家级自然保护区湿地区、乌江思南以上河段湿地区、梵净山国家级自然保护区湿地区、茂兰国家级自然保护区湿地区、佛顶山省级自然保护区湿地区、都柳江湿地区；蓝尾石龙子分布于习水国家级自然保护区湿地区、大沙河省级自然保护区湿地区、乌江思南以下河段湿地区、桐梓柏箐市级自然保护区湿地区、长江上游珍稀特有鱼类国家级自然保护区湿地区、红枫湖湿地区、云贵水韭保护点湿地区、乌江思南以上河段湿地区、梵净山国家级自然保护区湿地区、雷公山国家级自然保护区湿地区、㵲阳河湿地区、茂兰国家级自然保护区湿地区、都柳江湿地区、南盘江湿地区、红水河湿地区、贞丰龙头大山州级自然保护区湿地区、天生桥电站库区湿地区；铜蜓蜥广泛分布于贵州各地。

(8)蜥蜴科：蜥蜴科2种。其中，北草蜥广泛分布于贵州各地；南草蜥分布于清水河州级自然保护区。

(9)眼镜蛇科：眼镜蛇科4种。其中，银环蛇分布于大沙河省级自然保护区湿地区、梵净山国家级自然保护区湿地区、雷公山国家级自然保护区湿地区、茂兰国家级自然保护区湿地区、红水河湿地区；眼镜王蛇分布于清水河州级自然保护区、南宫州级自然保护区、茂兰国家级自然保护区湿地区；福建丽纹蛇分布于雷公山国家级自然保护区湿地区；丽纹蛇分布于茂兰国家级自然保护区湿地区、宽阔水国家级自然保护区湿地区。

（10）游蛇科：游蛇科55种。其中，青脊蛇分布于雷公山国家级自然保护区湿地区；棕脊蛇分布于福泉市零星湿地区；黑脊蛇分布于宽阔水国家级自然保护区湿地区、梵净山国家级自然保护区湿地区、雷公山国家级自然保护区湿地区；绿瘦蛇、无颞鳞腹链蛇分布于草海国家级自然保护区湿地区、梵净山国家级自然保护区湿地区；白眉腹链蛇分布于雷公山国家级自然保护区湿地区；锈链腹链蛇分布于金沙冷水河县级自然保护区湿地区、威宁锁黄仓国家湿地公园（试点）湿地区、习水国家级自然保护区湿地区、大沙河省级自然保护区湿地区、桐梓柏箐市级自然保护区湿地区、长江上游珍稀特有鱼类国家级自然保护区湿地区、贵定岩下县级自然保护区湿地区、红枫湖湿地区、花溪十里河滩城市湿地公园湿地区、云贵水韭保护点湿地区、龙里南部沼泽化草甸湿地区、乌江思南以上河段湿地区、梵净山国家级自然保护区湿地区、雷公山国家级自然保护区湿地区、三板溪库区湿地区、佛顶山省级自然保护区湿地区、石阡鸳鸯湖国家湿地公园（试点）湿地区、都柳江湿地区；棕网腹链蛇分布于威宁草海国家级自然保护区湿地区；八线腹链蛇分布于草海国家级自然保护区湿地区、威宁锁黄仓国家湿地公园（试点）湿地区、普安下厂河县级自然保护区湿地区、北盘江湿地区、麻阳河国家级自然保护区湿地区、百花湖湿地区、云贵水韭保护点湿地区、乌江思南以上河段湿地区、梵净山国家级自然保护区湿地区、雷公山国家级自然保护区湿地区、佛顶山省级自然保护区湿地区、石阡鸳鸯湖国家湿地公园（试点）湿地区、天生桥电站库区湿地区；丽纹腹链蛇、坡普腹链蛇分布于习水国家级自然保护区湿地区、梵净山国家级自然保护区湿地区、雷公山国家级自然保护区湿地区、茂兰国家级自然保护区湿地区、安龙招堤绿海湿地区；棕黑腹链蛇分布于宽阔水国家级自然保护区湿地区、雷公山国家级自然保护区湿地区；绞花林蛇分布于习水国家级自然保护区湿地区、大沙河省级自然保护区湿地区、乌江思南以下河段湿地区、桐梓柏箐市级自然保护区湿地区、长江上游珍稀特有鱼类国家级自然保护区湿地区、乌江思南以上河段湿地区、梵净山国家级自然保护区湿地区、雷公山国家级自然保护区湿地区、茂兰国家级自然保护区湿地区、佛顶山省级自然保护区湿地区；草腹链蛇分布于金沙冷水河县级自然保护区湿地区、威宁锁黄仓国家湿地公园（试点）湿地区、普安下厂河县级自然保护区湿地区、百花湖湿地区、雷公山国家级自然保护区湿地区、茂兰国家级自然保护区湿地区、佛顶山省级自然保护区湿地区、都柳江湿地区、龙滩库区湿地区、南盘江湿地区、红水河湿地区、贞丰龙头大山州级自然保护区湿地区、安龙招堤绿海湿地区、天生桥电站库区湿地区；繁花林蛇分布于清水河州级自然保护区；尖尾两头蛇分布于南宫州级自然保护区、雷公山国家级自然保护区湿地区；钝尾两头蛇分布于金沙冷水河县级自然保护区湿地区、雷公山国家级自然保护区湿地区、茂兰国家级自然保护区湿地区；翠青蛇分布于贵州各地；黄链蛇分布于习水国家级自然保护区湿地区、雷公山国家级自然保护区湿地区；赤链蛇分布于大沙河省级自然保护区湿地区、麻阳河国家级自然保护区湿地区、乌江思南以下河段湿地区、桐梓柏箐市级自然保护区湿地区、长江上游珍稀特有鱼类国家级自然保护区湿地区、红枫湖湿地区、乌江思南以上河段湿地区、雷公山国家级自然保护区湿地区、佛顶山省级自然保护区湿地区、石阡鸳鸯湖国家湿地公园（试点）湿地区；王锦蛇广泛分布于贵州各地；灰腹绿锦蛇分布于威宁锁黄仓国家湿地公园（试点）湿地区、习水国家级自然保护区湿地区、长江上游珍稀特有鱼类国家级自然保护区湿地区、乌江思南以上河段湿地区、梵净山国家级自然保护区湿地区、雷公山国家级自然保护区湿地区、茂兰国家级自然保护区湿地区、佛顶山省级自然保护区湿地区、都柳江湿地区；玉斑锦蛇分布于威宁锁黄仓国家湿地公园（试点）湿地区、普安下厂河县级自然保护区湿地区、北盘江湿地区、宽阔水国家级自然保护区湿地区、习水国家级自然保护区湿地区、大沙河省级自然保护区湿地区、乌江思南以下河段湿地区、桐梓柏箐市级自然保护区湿地区、长江上游珍稀特有鱼类国家级自然保护区湿地区、乌江思南以上河段湿地区、梵净山国家级自然保护区湿地区、雷公山国家级自然保护区湿地区、佛顶山省级自然保护区湿地区、石阡鸳鸯湖国家湿地公园（试点）湿地区、都柳江湿地区、南盘江湿地区、红水河湿地区、天生桥电站库区湿地区；绿锦蛇分布于清水河州级自然保护区；三索锦蛇分布于清水河州级自然保护区、茂兰国家级自然保护区湿地区；黑眉锦蛇广泛分布于贵州各地；紫灰锦蛇分布于清水河州级自然保护区、草海国家级自然保护区湿地区、北盘江湿地区、宽阔水国家级自然保护区湿地区、习水国家级自然保护区湿地区、桐梓柏箐市级自然保护区湿地区、长江上游珍稀特有鱼类国家级自然保护区湿地区、乌江思南以上河段湿地区、梵净山国家级自然保护区湿地区、雷公山国家级自然保护区湿地区、茂兰国家级自然保护区湿地区、佛顶山省级自然保护区湿地区；双全白环蛇分布于草海国家级自然保护区湿地区、习水国家级自然保护区湿地区；黑背白环蛇分布于大沙河省级自然保护区湿地区、桐梓柏箐市级自然保护区湿地区、梵净山国家级自然保护区湿地区、雷公山国家级自然保护区湿地区、佛顶山省级自然保护区湿地区；颈棱蛇分布于草海国家级自然保护区湿地区、威宁锁黄仓国家湿地公园（试点）湿地区；中国小头蛇分布于雷公山国家级自然保护区湿地区、茂兰国家级自然保护区湿地区、佛顶山省级自然保护区湿地区、都柳江湿地区、安龙招堤绿海湿地区；台湾小头蛇分布于茂兰国家级自然保护区湿地区；侧条后棱蛇分布于湄潭百面水省级自然保护区；山溪后棱蛇分布于大沙河省级自然保护区湿地区、梵净山国家级自然保护区湿地区、雷公山国家级自然保护区湿地区、茂兰国家级自然保护区湿地区；平鳞钝头蛇分布于习水国家级自然保护区湿地区、大沙河省级自然保护区湿地区、乌江思南以下河段湿地区、桐梓柏箐市级自然保护区湿地区、长江上游珍稀特有鱼类国家级自然保护区湿地区、龙里南部沼泽化草甸湿地区、乌江思南以上河段湿地区、梵净山国家级自然保护区湿地区、雷公山国家级自然保护区湿地区、佛顶山省级自然保护区湿地区；台湾钝头蛇分布于大沙河省级自然保护区湿地区；缅甸钝头蛇分布于南宫州级自然保护区、雷公山国家级自然保护区湿地区；福建钝头蛇分布于南宫州级自然保护区、雷公山国家级自然保护区湿地区；颈斑蛇分布于威宁草海国家级自然保护区湿地区；紫沙蛇分布于榕江县零星湿地区；横纹斜鳞蛇分布于南宫州级自然保护区、雷公山国家级自然保护区湿地区、茂兰国家级自然保护区湿地区；崇安斜鳞蛇分布于习水国家级自然保护区湿地区、长江上游珍稀特有鱼类国家级自然保护区湿地区、梵净山国家级自然保护区湿地区、茂兰国家级自然保护区湿地区；斜鳞蛇分布于赤水桫椤国家级自然保护区湿地区、宽阔水国家级自然保护区湿地区、梵净山国家级自然保护区湿地区、清水河州级自然保护区、雷公山国家级自然保护区湿地区、桐梓柏箐市级自然保护区湿地区、桴焉县级自然保护区、大沙河省级自然保护区湿地区、威宁草海国家级自然保护区湿地区、南宫州级自然保护区、太平山自然保护区、赤水桫椤国家级自然保护区湿地区、仙鹤坪州级自然保护区；灰鼠蛇分布于普安下厂河县级自然保护区湿地区、北盘江湿地区、大沙河省级自然保护区湿地区、麻阳河国家级自然保护区湿地区、乌江思南以下河段湿地区、桐梓柏箐市级自然保护区湿地区、长江上游珍稀特有鱼类国家级自然保护区湿地区、乌江思南以上河段湿地区、梵净山国家级自然保护区湿地区、雷公山国家级自然保护区湿地区、茂兰国家级自然保护区湿地区、龙滩库区湿地区、安龙招堤绿海湿地区；滑鼠蛇分布于普安下厂河县级自然保护区湿地区、北盘江湿地区、麻阳河国家级自然保护区湿地区、梵净山国家级自然保护区湿地区、雷公山国家级自然保护区湿地区、茂兰国家级自然保护区湿地区；红脖颈槽蛇分布于普安下厂河县级自然保护区湿地区、茂兰国家级自然保护区湿地区、龙滩库区湿地区、贞丰龙头大山州级自然保护区湿地区、安龙招堤绿海湿地区；颈槽蛇分布于桐梓柏箐市级长自然保护区湿地区、桴焉县级自然保护区、清水河州级自然保护区；虎斑颈槽蛇分布于桐梓柏箐市级自然保护区湿地区、桴焉县级自然保护区、清水河州级自然保护区、威宁草海国家级自然保护区湿地区、普安下厂河县级自然保护区湿地区、习水国家级自然保护区湿地区、大沙河省级自然保护区湿地区、麻阳河国家级自然保护区湿地区、乌江思南以下河段湿地区、长江上游珍稀特有鱼类国家级自然保护区湿地区、龙里南部沼泽化草甸湿地区、乌江思南以上河段湿地区、梵净山国家级自然保护区湿地区、雷公山国家级自然保护区湿地区、三板溪库区湿地区、茂兰国家级自然保护区湿地区、佛顶山省级自然保护区湿地区、都柳江湿地区；黑头剑蛇分布于草海国家级自然保护区湿地区、北盘江湿地区、习水国家级自然保护区湿地区、麻阳河国家级自然保护区湿地区、长江上游珍稀特有鱼类国家级自然保护区湿地区、梵净山国家级自然保护区湿地区、赤水桫椤国家级自然保护区湿地区、清水河州级自然保护区、南宫州级自然保护区、雷公山国家级自然保护区湿地区；环纹华游蛇分布于普安下厂河县级自然保护区湿地区、习水国家级自然保护区湿地区、梵净山国家级自然保护区湿地区、雷公山国家级自然保护区湿地区、佛顶山省级自然保护区湿地区、红水河湿地区；乌华游蛇分布于普安下厂河县级自然保护区湿地区、北盘江湿地区、习水国家级自然保护区湿地区、大沙河省级自然保护区湿地区、麻阳河国家级自然保护区湿地区、乌江思南以下河段湿地区、长江上游珍稀特有鱼类国家级自然保护区湿地区、龙里南部沼泽化草甸湿地区、㵲阳河湿地区、佛顶山省级自然保护区湿地区、安龙招堤绿海湿地区；渔游蛇分布于清水河州级自然保护区、茂兰国家级自然保护区湿地区；乌梢蛇分布于贵州各地；黑线乌梢蛇分布于草海国家级自然保护区湿地区、威宁锁黄仓国家湿地公园(试点)湿地区。

6 鸟类资源

贵州省湿地鸟类有 278 种，隶属 12 目 43 科，占贵州省湿地脊椎动物物种总数的 37.22%。其中有 41 种国家重点保护野生动物，3 种系中国特有种类。

6.1 国家重点保护物种

贵州湿地 41 种国家重点保护鸟类中(表 3-14)，有国家Ⅰ级保护物种 7 种，国家Ⅱ级保护物种 34 种。其中，鹭科 1 种，鹳科 1 种，鹮科 3 种，鸭科 4 种，鹰科(所有)20 种，隼科(所有)2 种，鹤科(所有)3 种，秧鸡科 1 种，杜鹃科 2 种，鸮形目鸱鸮科(所有)4 种。

贵州省级重点保护鸟类有灰雁、斑头雁、戴胜、杜鹃(所有种)、黄鹂(所有种)等。贵州省内湿地鸟类资源有 3 种系中国特有种类：它们是棕腹柳莺、棕噪鹛、蓝鹀。

6.2 鸟类濒危等级

贵州湿地鸟类共有275种被列入中国濒危物种红色名录(表3-17)。其中有1种地区灭绝(RE)物种，即白头鹮鹳；有5种为濒危(EN)物种，海南鳽、东方白鹳、黑脸琵鹭、棉凫、朱鹂；有6种为易危(VU)物种，如小白额雁、青头潜鸭、中华秋沙鸭等。

有14种列入世界自然保护联盟(IUCN)认定的濒危物种名录(表3-17)。其中，有4种濒危物种，分别是海南鳽、东方白鹳、中华秋沙鸭、黑脸琵鹭；有7种易危物种，分别是小白额雁、青头潜鸭、白眼潜鸭、乌雕、白头鹤、黑颈鹤、鹊鹂。

表3-17 贵州省湿地鸟类濒危等级名录

中文名	拉丁名	濒危等级	
		China RL	IUCN
海南鳽	*Gorsachius magnificus*	濒危 EN	濒危 EN
白头鹮鹳	*Mycteria leucocephala*	地区灭绝 RE	低危/近危 LR/NT
东方白鹳	*Ciconia boyciana*	濒危 EN	濒危 EN
彩鹮	*Plegadis falcinellus*	不宜评估 NA	
黑脸琵鹭	*Platalea minor*	濒危 EN	濒危 EN
大天鹅	*Cygnus cygnus*	近危 NT 几近 VU	
小天鹅	*Cygnus columbianus*	近危 NT 几近 VU	
小白额雁	*Anser erythropus*	易危 VU	易危 VU
棉凫	*Nettapus coromandelianus*	濒危 EN	
鸳鸯	*Aix galericulata*	近危 NT 几近 VU	
罗纹鸭	*Anas falcata*	近危 NT 几近 VU	
青头潜鸭	*Aythya baeri*	易危 VU	易危 VU
白眼潜鸭	*Aythya nyroca*	近危 NT 几近 VU	易危 VU
中华秋沙鸭	*Mergus squamatus*	易危 VU	濒危 EN
白尾海雕	*Haliaeetus albicilla*	近危 NT 几近 VU	低危/近危 LR/NT
乌雕	*Aquila clanga*	易危 VU	易危 VU
白头鹤	*Grus monacha*	易危 VU	易危 VU
黑颈鹤	*Crus nigricollis*	易危 VU	易危 VU
褐翅鸦鹃	*Centropus sinensis*	近危 NT 几近 VU	
小鸦鹃	*Centropus bengalensis*	近危 NT 几近 VU	
朱鹂	*Oriolus traillii*	濒危 EN	
鹊鹂	*Oriolus mellianus*	易危 VU	易危 VU
紫寿带鸟	*Terpsiphone atrocaudata*	近危 NT 几近 VU	低危/近危 LR/NT
比氏鹟莺	*Seicercus valentini*		

注：参考《中国物种红色名录》(第一卷)2004版，China RL表示中国物种濒危等级；IUCN表示世界自然保护联盟濒危物种红色名录濒危等级。

6.3　各科物种分布

位于贵州省西部威宁县的草海是本省最大的天然淡水湖泊，由于湖盆浅平，具有从水域到陆地渐次演变的多种湿地形态，水生植物十分丰富，为湿地鸟类提供了优越的栖息生境。其独特的湿地生态系统使之成为本省湿地鸟类从种类到数量均是最多的区域。据近年的调查统计，仅在草海自然保护区范围内记录的湿地鸟类就已达 100 多种，总体数量则达 10 万余只。其中许多种类，包括雁鸭类和鸻鹬类中的部分种类，以及全部鹤类和鹮类，在本省均只见于草海。

贵州中部和北部(包括贵阳市及其南部和西部相邻县、遵义地区、铜仁地区)是本省鹭类较为集中分布的区域，白鹭、池鹭在这一区域的水库、池塘、河流和稻田耕作区有着广泛的分布和较多的数量，苍鹭、牛背鹭和夜鹭次之；部分秧鸡类也主要分布在这一地区。

贵州南部和西南部主要为喀斯特地貌，天然湖泊湿地贫乏，主要为河流、人工水库和稻田类湿地，水鸟特别是雁鸭类和鸻鹬类种类和数量相对较少，分布较为分散，但中华秋沙鸭则仅见于南部的部分河流湿地。

贵州省湿地记录的 278 种鸟类的区域分布和资源状况简介如下。

6.3.1　非雀形目

非雀形目计有 23 科 146 种。

(1)戴胜目：戴胜目 1 科 1 种，即戴胜，广布于全省湖泊和库塘类湿地区，数量较多。

(2)佛法僧目：佛法僧目 2 科 5 种。

翠鸟科 4 种。普通翠鸟广布于全省各地，但西部高海拔地区相对少见；蓝翡翠散见于省境除西部高海拔地区外的其它地区，数量不多，尚属常见；白胸翡翠分布于中部以南地区；冠鱼狗分布于北部和中部及以东地区，较为常见。

佛法僧科 1 种。三宝鸟分布于贵州南部和西南地区。

(3)鹳形目：鹳形目 3 科 21 种。

鹳科 4 种。白头鹮鹳曾在我国不见踪迹 70 余年而被认为野外绝迹，而 2008 年 5 月，13 只白头鹮鹳重现草海保护区，直至 10 月上旬才离去；东方白鹳仅见于西部草海；钳嘴鹳是 2006 年才首见于我国的中国鸟类新纪录，其后分布区逐渐北扩，2008 年在贵州中部的红枫湖出现，至今年已在贵州中部红枫湖、北部遵义和西部草海等地同时出现，且数量已达数十只；黑鹳仅见于西部草海。

鹮科 3 种。白琵鹭和黑脸琵鹭只见于西部草海；彩鹮仅见于西部草海。

鹭科 14 种。苍鹭、白鹭广泛分布于全省坝区各类形态的湿地区，种群数量大；草鹭分布于北部和西部草海；池鹭广泛分布于全省坝区各类形态的湿地区，种群数量大；大麻鳽、牛背鹭主要分布于西部草海，其次在中部贵阳有零星个体越冬；绿鹭散布于南部和北部的山区河流，数量稀少；黑苇鳽、大白鹭仅见于西部草海和中部红枫湖；中白鹭分布于北部和西部草海；海南鳽仅见于东南部雷公山国家级自然保护区的森林河谷，极为少见；栗苇鳽和黄斑苇鳽情形相似，零星散见于省内大多数地区，数量不多；夜鹭分布于黔东南清水江流域、西部草海、北部赤水河流域湿地区，种群分布呈斑块状，在分布点数量较多，之外则少见。

(4)鹤形目：鹤形目 3 科 17 种。

鹤科3种。灰鹤除在省中部红枫湖有过偶见记录外，均只见于草海，历史上数量曾达2400余只，目前到草海越冬的常不足400只；白头鹤和黑颈鹤只见于草海，黑颈鹤近些年在草海的越冬数量为900±200只左右，白头鹤则为罕见零星个体。

三趾鹑科2种。棕三趾鹑分布于西南部及南部、黄脚三趾鹑分布于贵阳市及北部地区。

秧鸡科12种。红脚苦恶鸟见于中部和南部；白胸苦恶鸟见于北部、中部、南部；白骨顶主要集中分布于西部草海地区，中部红枫湖和百花湖也很常见，有相当数量的留鸟；董鸡见于南部偏东及中部和西部，但十分少见；黑水鸡斑块状分布于西部、中部和南部，特别在草海种群数量较多；蓝胸秧鸡见于南部和东南部，较少见；紫水鸡仅见于草海；棕背田鸡见于西部和东北部，罕见；红胸田鸡见于北部、中部、南部；小田鸡仅见于西部草海；白喉斑秧鸡见于南部和东南部，较少见；普通秧鸡见于西南部，数量稀少。

(5) 鸻形目：鸻形目7科37种。总体上讲，贵州分布的鸻鹬类种群数量均较少，且较为分散。

雉鸻科1种，即水雉，仅见于贵阳阿哈水库，极为稀少。

彩鹬科1种，即彩鹬，偶见于西部草海地区。

鸻科7种。环颈鸻散见于省西部、中部、南部，该种鸟均为小群分布；金眶鸻零星见于中部以北地区；剑鸻散见于西部、中部、东北部、南部；金斑鸻分布于西部、北部、中部、南部，数量稀少；灰斑鸻见于西部和中部；灰头麦鸡和凤头麦鸡见于西部草海及中部和南部，数量较少。

鹬科19种。矶鹬散见于除东部外省的其它地区；泽鹬见于省西部草海和中部红枫湖；三趾滨鹬、黑腹滨鹬、乌脚滨鹬、青脚滨鹬、大滨鹬、扇尾沙锥散布于省西部和中部，较针尾沙锥常见；孤沙锥、针尾沙锥见于省东北部、中部、南部的个别地区，十分少见；白腰杓鹬散见于省南部、西部、中部、北部的部分地区；流苏鹬、丘鹬、鹤鹬、林鹬见于省西部和南部的罗甸县，数量稀少；青脚鹬见于省西部草海和中部红枫湖；白腰草鹬、红脚鹬、黑尾塍鹬、斑尾塍鹬，均存在于西部的草海。

反嘴鹬科2种。黑翅长脚鹬见于西部草海和黔西祁门湿地，在草海夏季有小种群活动；反嘴鹬偶见于草海。

燕鸻科1种。普通燕鸻仅见于贵阳。

水雉科1种。水雉见于贵阳和西部草海

鸥科6种。海鸥、渔鸥仅分布于西部草海，数量稀少；红嘴鸥分布于西部草海、六盘水和贵阳；白翅浮鸥稀有；短尾贼鸥分布于西部草海和贵阳；红嘴鸥在草海和贵阳两地都有一定种群数量；棕头鸥分布于草海。

(6)鹃形目：鹃形目1科6种。小鸦鹃和褐翅鸦鹃都分布于省西南部和南部，种群数量西南部多于南部，近年有北扩趋势，已在省中部贵阳获个别记录；棕腹杜鹃、小杜鹃、中杜鹃几乎全省各地区均有分布，中部以北较南部更为常见；乌鹃主要分布南部，较为常见，北部另有点状分布，十分少见。

(7)隼形目：隼形目2科22种。

隼科2种，游隼常见于省西部、中部、南部；燕隼仅见于西部草海。

鹰科20种，日本松雀鹰见于省西部、北部和中部；雀鹰见于省南部、西南和东南地区；赤腹鹰见于贵阳市及南部与中部地区；凤头鹰、松雀鹰见于省西部、北部和中部；金雕见于省东南部及威宁自治县等地区；乌雕、白肩雕和草原雕仅见于西部草海地区；普通鵟全省大部分地区均可见；白尾鹞、鹊鹞和白腹鹞3种仅见于西部草海地区；白尾海雕仅见于西部草海地区；凤头蜂鹰仅分布于省西北部地区；蛇雕分布于中部及北部地区。鸢全省大部分地区均可见；灰脸鵟鹰见于省南部；白腹山雕见于省中部及西南部。

(8)鹈形目：鹈形目1科1种。鸬鹚科普通鸬鹚主要分布于西部草海和中部贵阳的红枫湖和百花湖水域，种群数量虽不多，但属常见，其它地区大型水库亦有所见。

(9)鸮形目：鸮形目1科4种，鸱鸮科领鸺鹠、斑头鸺鹠分布广泛，较为常见；黄腿渔鸮零星见于北部；领角鸮分布于中部、北部和东南部地区。

(10)雁形目：雁形目1科29种。鸭科鸳鸯主要分布于省西部草海和中部贵阳的红枫湖和百花湖水域，种群数量虽不多，但属常见；针尾鸭仅分布于西部草海；琵嘴鸭仅分布于西部草海；绿翅鸭、罗纹鸭、赤颈鸭、绿头鸭集中分布于省西部草海，少量见于中部红枫湖和百花湖；斑嘴鸭主要分布于西部草海，一些小群体散见于金沙县冷水河县级自然保护区，中部红枫湖和百花湖有300只左右的群体，在分布区均有部分为留鸟；白眉鸭分布于西部草海；赤膀鸭、灰雁、小白额雁、豆雁和斑头雁4种仅分布于西部草海；青头潜鸭、红头潜鸭、凤头潜鸭、斑背潜鸭分布于西部草海，偶见于北部习水国家级自然保护区河流湿地；白眼潜鸭、鹊鸭、大天鹅分布于西部草海；小天鹅见于省中部和东南部，可能为迷鸟；斑头秋沙鸭、普通秋沙鸭、中华秋沙鸭、赤嘴潜鸭仅分布于省南部河流湿地；棉凫零星见于省南部和北部，偶见于西部草海；赤麻鸭集中分布于西部草海，零星见于中部百花湖，偶见于北部宽阔水国家级自然保护区；翘鼻麻鸭分布于西部草海。

(11)䴙䴘目：䴙䴘目1科3种。䴙䴘科凤头䴙䴘、仅见于西部草海；黑颈䴙䴘仅在草海和北部的习水保护区分布；小䴙䴘广布于全省湖泊和库塘类湿地区。

6.3.2 雀形目

雀形目计有20科132种。

(1)鹎科：鹎科9种。栗背短脚鹎分布于省北部、东北部、南部、东南部、西南部及中南部地区；黑短脚鹎广布于省内除西部外的其它地区；绿翅短脚鹎在全省分布广泛；白喉红臀鹎、红耳鹎、黑冠黄鹎仅分布于省西南部地区；白头鹎原仅常见于省北部局部地区，现已扩展至中部和东部，较为常见；黄臀鹎遍布全省；领雀嘴鹎在全省分布广泛。

(2)伯劳科：伯劳科5种。牛头伯劳、栗背伯劳广泛分布于全省；红尾伯劳见于省北部、南部，种群数量较少；棕背伯劳遍布全省，十分常见；灰背伯劳主要分布于省西部，常见，另在北部局部地区有分布；虎纹伯劳分布于贵阳市、省北部、西北部、东南部及西南部地区。

(3)长尾山雀科：长尾山雀科2种。黑眉长尾山雀分布于威宁县；红头长尾山雀广泛分布于全省。

(4) 鸫科：鸫科28种。蓝短翅鸫仅分布于省北部地区；栗背短翅鸫分布于威宁县；白顶溪鸲广泛分布于全省；白尾蓝地鸲分布于省北部、东北部及西南部地区；紫宽嘴鸫分布于威宁县；鹊鸲全省大部分地区广泛分布；黑背燕尾、灰背燕尾分布于省北部、东北部、南部和西南部地区；小燕尾分布于省北部、东北部、西北部及东南部地区；白腹短翅鸲分布于省北部、东北部、东南部地区；栗腹歌鸲分布于威宁县；红喉歌鸲分布于省北部及东北部地区；蓝歌鸲分布于省北部和西南部地区；红尾歌鸲分布于省北部地区；蓝喉歌鸲分布于省北部及西南部地区；栗腹矶鸫分布于省北部、东北部、东南部、西南部及中南部地区；蓝矶鸫分布于省北部、西北部、西南部、南部地区及东北部地区；紫啸鸫分布于省西部、西南部、北部、西北部及中南部地区；北红尾鸲广泛分布于全省各地；蓝额红尾鸲分布于省北部、东北部、西部及中南部地区；赭红尾鸲分布于省北部、东北部、西北部、南部、东南部、西南部及中南部地区；白喉红尾鸲仅分布于省西部地区；红尾水鸲全省各地广泛分布；乌鸫分布于省北部、东北部、西南部、南部地区；虎斑地鸫分布于省北部、西部和西南部地区；长尾地鸫分布于省东南部和西南部地区；白眉地鸫分布于省南部和西南部地区；红胁蓝尾鸲分布于省西部、西南部、北部、南部。

(5)河乌科：河乌科 1 种，即褐河乌，省内分布于除西部外的其它地区山区河流湿地，数量较为稀少。

(6)画眉科：画眉科 4 种。黑领噪鹛分布于省北部和东北部地区；黑脸噪鹛分布于省北部、东北部、西北部和南部地区；棕噪鹛分布于省北部、东北部、东南部及中南部地区；白颊噪鹛分布于省西北部、北部、东北部、西部、贵阳市区、西南部、南部和中南部地区。

(7)黄鹂科：黄鹂科 3 种。黑枕黄鹂为常见种，分布于全省；鹊鹂主要分布在南部地区；朱鹂常见于东南部地区。

(8)鹡鸰科：鹡鸰科 7 种。白鹡鸰分布在省北部、东北部、西部、西南部、南部地区；灰鹡鸰均遍布全省；黄头鹡鸰分布于省西部、北部和中部，西部常见，北部和中部较为少见；黄鹡鸰仅见于省东北部梵净山地区，数量较少；日本鹡鸰仅分布在省北部地区；黑背白鹡鸰分布在省北部、西部和西南部地区；水鹨集中分布于省西部草海，东北部有一分布点，但数量稀少。

(9)鹪鹩科：鹪鹩科 1 种，即鹪鹩，主要分布在省西部草海地区。

(10)卷尾科：卷尾科 2 种。鸦嘴卷尾仅分布在省西南部地区；发冠卷尾分布于省北部、东北部、西南部和部地区。

(11)椋鸟科：椋鸟科 5 种。八哥几遍布于全省，十分常见；灰头椋鸟分布于省西南部地区；灰背椋鸟分布于省西南部地区；灰椋鸟分布于省西北部地区；丝光椋鸟见于省南部、中部、东北部，较为少见。

(12)鹟科：鹟科 19 种。方尾鹟分布于省北部、东北部、西南部、西北部和南部地区；白腹蓝姬鹟分布于省西部草海地区、北部、东北部、东南部和南部地区；山蓝仙鹟分布于省东南部、西南部和南部地区；海南蓝仙鹟主要分布于省东南部地区；蓝喉仙鹟分布于省北部和西南部地区；铜蓝鹟分布于省北部、东北部、东南部、西南部、南部和中南部地区；棕胸蓝姬鹟分布于省东南部和西南部地区；红喉姬鹟分布于省北部和东北部地区；橙胸姬鹟分布于省北部、东北部、南部和东南部地区；灰蓝姬鹟分布于省北部、东北部、南部和西部地区；小斑姬鹟分布于省北部、西南部和南部地区；白眉姬鹟分布于省北部、东北部、西北部和南部地区；北灰鹟分布于省北部、东北部、西南部和南部地区；棕尾褐鹟分布于省北部、东北部、东南部和中南部地区；褐胸鹟分布于省西南部、东南部和南部地区；乌鹟分布于省北部、西南部、东南部、南部和中南部地区；棕腹大仙鹟分布于省北部、东北部和南部地区；小仙鹟分布于省东南部地区；棕腹仙鹟分布于省西部、南部和中南部地区。

(13)王鹟科：王鹟科 2 种。紫寿带鸟主要分布于省南部地区；寿带鸟分布于省北部、东北部、西部、西南部、东南部、南部和中南部地区。

(14)扇尾鹟科：扇尾鹟科 1 种。白喉扇尾鹟主要分布在省南部和西南部地区。

(15)戴菊科：戴菊科 1 种。戴菊主要分布。

(16)鸦科：鸦科 11 种。三道眉草鹀全省各地区分布；黄喉鹀遍布全省；栗耳鹀分布于省北部、东北部、西南部、东南部和南部地区；灰眉岩鹀分布于西半部、北部和中部；苇鹀分布于省西部草海地区；小鹀仅见于省西部局地；栗鹀分布于省南部；灰头鹀、白眉鹀分布于省北部、东北部、西南部、东南部和南部地区；蓝鹀分布于省北部、东北部、西北部、南部和中南部地区；凤头鹀主要分布于省北部、南部和西南部。

(17)燕科：燕科 2 种。金腰燕广布全省，西部高海拔地区较为少见；家燕为常见种，分布于全省。

(18)叶鹎科：叶鹎科 1 种，即橙腹叶鹎，分布于省东北部、东南部、南部和中南部地区。

(19)莺科：莺科 27 种。噪大苇莺见于省南部和西南部地区；厚嘴苇莺仅见于省西南部局部地区；金眶鹟莺主要见于省北部、东北部、西部、南部和东南部；棕脸鹟莺、钝翅苇莺、东方大苇莺分布于省南部、西南部和中部；沼泽大尾莺主要分布于省西南部；长尾缝叶莺分布于省南部和西南部，十分常见；黄腹柳莺分布于省西部、西北部、东南部和南部地区；棕眉柳莺分布于省西部、西北部、北部和东北部；极北柳莺分布于省东南部和中南部地区；柠檬腰柳莺分布于省西南部地区；冕柳莺分布于省北部、东北部和西南部地区；白斑尾柳莺分布于省北部、东北部、西南部、东南部和南部地区；褐柳莺分布于省北部、东北部、南部和西南部地区；黄眉柳莺分布于省北部、东北部、西南部、西部、西北部、南部和东南部地区；双斑绿柳莺分布于省北部地区；黄腰柳莺分布于省北部、西北部、东北部、东南部、西南部、南部和中南部地区；冠纹柳莺分布于省北部、东北部、西北部、西南部、东南部、西部和中南部地区；黑眉柳莺分布于省北部、东北部、西北部、南部和西南部地区；巨嘴柳莺分布于省东北部、东南部和西南部地区；棕腹柳莺分布于省北部、东北部、西北部、西部和南部地区；暗绿柳莺分布于省北部、东北部、西北部、西部和中南部地区；比氏鹟莺分布于省北部、东北部、东南部、西部、西南部和南部地区；栗头鹟莺分布于省西部、北部、东北部、东南部、南部和中南部地区；栗头地莺分布于省西部和西北部地区；灰腹地莺分布于省东南部地区。

(20)扇尾莺科：扇尾莺科 1 种，即金头扇尾莺，分布于贵阳市和省东南部地区。

6.4 迁徙概况

贵州省 278 种湿地鸟类居留型以留鸟居多，有 90 种，占贵州湿地鸟类种数的 32.37%。冬候鸟其次，有 85 种，占贵州湿地鸟类种数的 30.58%。再次是混合居留型，有 39 种。即这些鸟类在贵州有 2 种居留型：为夏候鸟或留鸟(部分是夏候鸟部分是留鸟)，如蓝翡翠，三宝鸟等；冬候鸟或旅鸟(即部分是冬候鸟部分是旅鸟)，如灰头麦鸡、泽鹬等；冬候鸟或留鸟(即部分冬候鸟部分留鸟)，如鸳鸯、白腰草鹬、黑翅长脚鹬、斑嘴鸭等。混合居留型占贵州湿地鸟类种数的 14.03%。夏候鸟 37 种，占贵州湿地鸟类物种数的 13.31%。旅鸟 25 种，占贵州湿地鸟类物种数的 8.99%。此外，还有 2 种迷鸟，即短尾贼鸥、日本鹡鸰(表 3-18)。

表 3-18 贵州省湿地鸟类迁徙类型

序号	中文名	居留型	序号	中文名	居留型
1	小䴙䴘	留鸟	35	鸳鸯	冬候鸟或留鸟
2	凤头䴙䴘	冬候鸟	36	赤颈鸭	冬候鸟
3	黑颈䴙䴘	冬候鸟	37	罗纹鸭	冬候鸟
4	普通鸬鹚	留鸟	38	赤膀鸭	冬候鸟
5	苍鹭	留鸟	39	绿翅鸭	冬候鸟
6	草鹭	冬候鸟	40	绿头鸭	冬候鸟
7	大白鹭	冬候鸟	41	斑嘴鸭	冬候鸟或留鸟
8	中白鹭	夏候鸟	42	针尾鸭	冬候鸟
9	白鹭	留鸟	43	琵嘴鸭	冬候鸟
10	牛背鹭	留鸟	44	白眉鸭	冬候鸟
11	池鹭	夏候鸟	45	赤嘴潜鸭	冬候鸟
12	绿鹭	夏候鸟	46	红头潜鸭	冬候鸟
13	夜鹭	夏候鸟	47	青头潜鸭	冬候鸟
14	海南鳽	夏候鸟或留鸟	48	白眼潜鸭	冬候鸟
15	黄斑苇鳽	夏候鸟	49	凤头潜鸭	冬候鸟
16	栗苇鳽	夏候鸟或留鸟	50	斑背潜鸭	冬候鸟
17	黑鳽	夏候鸟	51	鹊鸭	冬候鸟
18	大麻鳽	冬候鸟	52	斑头秋沙鸭	冬候鸟
19	白头鹮鹳	夏候鸟	53	普通秋沙鸭	冬候鸟
20	黑鹳	冬候鸟	54	中华秋沙鸭	冬候鸟
21	东方白鹳	冬候鸟	55	黑冠鹃隼	夏候鸟或留鸟
22	钳嘴鹳	夏候鸟	56	凤头蜂鹰	夏候鸟或旅鸟
23	彩鹮	冬候鸟	57	鸢	留鸟
24	白琵鹭	冬候鸟	58	白尾海雕	冬候鸟
25	黑脸琵鹭	冬候鸟	59	蛇雕	留鸟
26	大天鹅	冬候鸟	60	白腹鹞	冬候鸟
27	小天鹅	旅鸟	61	白尾鹞	冬候鸟
28	豆雁	冬候鸟	62	鹊鹞	冬候鸟或旅鸟
29	小白额雁	冬候鸟	63	凤头鹰	留鸟
30	灰雁	冬候鸟	64	赤腹鹰	夏候鸟
31	斑头雁	冬候鸟	65	日本松雀鹰	冬候鸟或留鸟
32	赤麻鸭	冬候鸟	66	松雀鹰	冬候鸟或留鸟
33	翘鼻麻鸭	冬候鸟	67	雀鹰	冬候鸟
34	棉凫	夏候鸟	68	灰脸鵟鹰	冬候鸟或旅鸟

（续）

序号	中文名	居留型	序号	中文名	居留型
69	普通鵟	冬候鸟	103	剑鸻	冬候鸟
70	草原雕	冬候鸟	104	金眶鸻	夏候鸟
71	白肩雕	冬候鸟	105	环颈鸻	旅鸟
72	乌雕	留鸟	106	丘鹬	冬候鸟
73	金雕	留鸟	107	孤沙锥	冬候鸟
74	白腹山雕	留鸟	108	针尾沙锥	冬候鸟
75	燕隼	夏候鸟	109	扇尾沙锥	冬候鸟
76	游隼	留鸟	110	斑尾塍鹬	冬候鸟
77	黄脚三趾鹑	夏候鸟或旅鸟	111	黑尾塍鹬	冬候鸟
78	棕三趾鹑	留鸟	112	白腰杓鹬	冬候鸟
79	灰鹤	冬候鸟	113	鹤鹬	冬候鸟
80	白头鹤	冬候鸟	114	红脚鹬	冬候鸟
81	黑颈鹤	冬候鸟	115	青脚鹬	冬候鸟
82	白喉斑秧鸡	留鸟或旅鸟	116	白腰草鹬	冬候鸟或留鸟
83	蓝胸秧鸡	夏候鸟	117	林鹬	旅鸟或冬候鸟
84	普通秧鸡	冬候鸟	118	矶鹬	冬候鸟或旅鸟
85	红脚苦恶鸟	夏候鸟或留鸟	119	泽鹬	旅鸟或冬候鸟
86	白胸苦恶鸟	留鸟	120	大滨鹬	冬候鸟
87	小田鸡	旅鸟	121	三趾滨鹬	冬候鸟
88	红胸田鸡	夏候鸟	122	乌脚滨鹬	冬候鸟
89	棕背田鸡	旅鸟或留鸟	123	黑腹滨鹬	冬候鸟
90	董鸡	夏候鸟或留鸟	124	流苏鹬	冬候鸟
91	紫水鸡	冬候鸟	125	海鸥	冬候鸟
92	黑水鸡	留鸟	126	渔鸥	冬候鸟
93	骨顶鸡	冬候鸟或留鸟	127	棕头鸥	冬候鸟
94	水雉	夏候鸟	128	红嘴鸥	冬候鸟
95	彩鹬	冬候鸟	129	白翅浮鸥	冬候鸟或旅鸟
96	黑翅长脚鹬	冬候鸟或留鸟	130	短尾贼鸥	迷鸟
97	反嘴鹬	冬候鸟	131	棕腹杜鹃	夏候鸟或旅鸟
98	普通燕鸻	冬候鸟	132	中杜鹃	夏候鸟或旅鸟
99	凤头麦鸡	冬候鸟	133	小杜鹃	冬候鸟
100	灰头麦鸡	冬候鸟或旅鸟	134	乌鹃	夏候鸟
101	金斑鸻	冬候鸟	135	褐翅鸦鹃	留鸟
102	灰斑鸻	冬候鸟	136	小鸦鹃	留鸟

（续）

序号	中文名	居留型	序号	中文名	居留型
137	领角鸮	留鸟	171	黑枕黄鹂	夏候鸟或留鸟
138	黄腿渔鸮	留鸟	172	朱鹂	留鸟
139	领鸺鹠	留鸟	173	鹊鹂	夏候鸟
140	斑头鸺鹠	留鸟	174	鸦嘴卷尾	旅鸟
141	普通翠鸟	留鸟	175	发冠卷尾	夏候鸟
142	白胸翡翠	留鸟	176	八哥	留鸟
143	蓝翡翠	夏候鸟或留鸟	177	灰背椋鸟	夏候鸟
144	冠鱼狗	留鸟	178	灰头椋鸟	留鸟
145	三宝鸟	夏候鸟或留鸟	179	丝光椋鸟	留鸟
146	戴胜	留鸟	180	灰椋鸟	冬候鸟
147	家燕	夏候鸟	181	褐河乌	留鸟
148	金腰燕	夏候鸟	182	鹪鹩	留鸟
149	白鹡鸰	留鸟	183	栗背短翅鸫	留鸟
150	黑背白鹡鸰	留鸟	184	蓝短翅鸫	留鸟
151	日本鹡鸰	迷鸟	185	白腹短翅鸲	留鸟
152	黄头鹡鸰	旅鸟	186	红尾歌鸲	旅鸟
153	黄鹡鸰	旅鸟或冬候鸟	187	蓝喉歌鸲	旅鸟
154	灰鹡鸰	留鸟	188	红喉歌鸲	冬候鸟
155	水鹨	旅鸟	189	栗腹歌鸲	留鸟
156	领雀嘴鹎	留鸟	190	蓝歌鸲	旅鸟
157	白喉红臀鹎	留鸟	191	红胁蓝尾鸲	旅鸟
158	红耳鹎	留鸟	192	鹊鸲	留鸟
159	黑冠黄鹎	留鸟	193	赭红尾鸲	留鸟
160	白头鹎	留鸟	194	白喉红尾鸲	留鸟
161	黄臀鹎	留鸟	195	北红尾鸲	留鸟
162	绿翅短脚鹎	留鸟	196	蓝额红尾鸲	留鸟
163	栗背短脚鹎	留鸟	197	红尾水鸲	留鸟
164	黑短脚鹎	留鸟	198	白顶溪鸲	留鸟
165	橙腹叶鹎	留鸟	199	白尾蓝地鸲	留鸟
166	虎纹伯劳	夏候鸟	200	小燕尾	留鸟
167	牛头伯劳	夏候鸟或旅鸟	201	黑背燕尾	留鸟
168	红尾伯劳	夏候鸟或旅鸟	202	灰背燕尾	留鸟
169	棕背伯劳	留鸟	203	紫宽嘴鸫	留鸟
170	灰背伯劳	夏候鸟	204	栗胸矶鸫	留鸟

（续）

序号	中文名	居留型	序号	中文名	居留型
205	蓝矶鸫	留鸟	239	灰腹地莺	旅鸟
206	紫啸鸫	冬候鸟	240	沼泽大尾莺	留鸟
207	白眉地鸫	旅鸟	241	东方大苇莺	夏候鸟
208	长尾地鸫	旅鸟	242	噪大苇莺	夏候鸟
209	虎斑地鸫	夏候鸟或留鸟	243	钝翅稻田苇莺	夏候鸟
210	乌鸫	留鸟	244	厚嘴苇莺	旅鸟
211	乌鹟	夏候鸟或旅鸟	245	黄腹柳莺	留鸟
212	北灰鹟	旅鸟	246	棕腹柳莺	留鸟
213	褐胸鹟	夏候鸟	247	褐柳莺	旅鸟
214	棕尾褐鹟	旅鸟	248	棕眉柳莺	旅鸟或冬候鸟
215	白眉姬鹟	夏候鸟	249	巨嘴柳莺	旅鸟
216	橙胸姬鹟	夏候鸟或旅鸟	250	黄眉柳莺	冬候鸟
217	红喉姬鹟	旅鸟	251	黄腰柳莺	冬候鸟或旅鸟
218	棕胸蓝姬鹟	夏候鸟	252	柠檬腰柳莺	旅鸟
219	小斑姬鹟	夏候鸟	253	极北柳莺	旅鸟
220	白腹蓝姬鹟	留鸟	254	暗绿柳莺	旅鸟
221	灰蓝姬鹟	留鸟	255	双斑绿柳莺	旅鸟或冬候鸟
222	铜蓝鹟	夏候鸟	256	冕柳莺	旅鸟
223	小仙鹟	旅鸟	257	冠纹柳莺	夏候鸟
224	棕腹大仙鹟	冬候鸟	258	白斑尾柳莺	留鸟
225	棕腹仙鹟	留鸟	259	黑眉柳莺	夏候鸟
226	海南蓝仙鹟	留鸟	260	比氏鹟莺	冬候鸟
227	蓝喉仙鹟	夏候鸟	261	栗头鹟莺	冬候鸟
228	山蓝仙鹟	留鸟	262	金眶鹟莺	留鸟或冬候鸟
229	方尾鹟	夏候鸟	263	棕脸鹟莺	留鸟
230	白喉扇尾鹟	留鸟	264	长尾缝叶莺	留鸟
231	紫寿带鸟	旅鸟	265	戴菊	留鸟
232	寿带鸟	夏候鸟	266	黑眉长尾山雀	留鸟
233	黑脸噪鹛	留鸟	267	红头长尾山雀	留鸟
234	白颊噪鹛	留鸟	268	凤头鹀	留鸟
235	黑领噪鹛	留鸟	269	蓝鹀	冬候鸟或留鸟
236	棕噪鹛	留鸟	270	灰眉岩鹀	留鸟
237	金头扇尾莺	留鸟	271	三道眉草鹀	留鸟
238	栗头地莺	留鸟	272	白眉鹀	冬候鸟

（续）

序号	中文名	居留型	序号	中文名	居留型
273	栗耳鹀	夏候鸟	276	栗鹀	冬候鸟
274	小鹀	冬候鸟	277	灰头鹀	留鸟
275	黄喉鹀	留鸟	278	苇鹀	冬候鸟

7 哺乳类资源

7.1 物种组成

贵州湿地哺乳动物有63种，隶属9目19科，占贵州省内湿地脊椎动物物种总数的8.43%。有6种国家重点保护动物，其中国家Ⅰ级保护野生动物有黑叶猴；国家Ⅱ级保护野生动物有猕猴、藏酋猴、水獭、青鼬、中国穿山甲5种。此外，9种系中国特有种类，包括：藏酋猴、大绒鼠、昭通绒鼠、高山姬鼠、黑齿鼩鼱、川西长尾鼩、大长尾鼩、华南缺齿鼹、贵州菊头蝠。

7.2 哺乳类濒危等级

贵州湿地哺乳动物有62种被列入中国濒危物种红色名录，其中有5种濒危EN物种，即水獭、大长尾鼩、贵州菊头蝠、黑叶猴、中国穿山甲。有11种易危VU物种，如长尾大麝鼩、托氏菊头蝠等（表3-19）。

贵州湿地哺乳动物有23种列入世界自然保护联盟（IUCN）认定的濒危物种名录（表3-19），占贵州省哺乳动物总种数的16.31%。其中有2种濒危物种，分别是黑叶猴、中国穿山甲；有5种近危物种：角菊头蝠、食蟹獴、水獭、猪獾、毛冠鹿；大缺齿长尾鼩数据缺乏；另外15种为无危物种，包括灰麝鼩、臭鼩、刺猬等。

表3-19 贵州湿地哺乳动物濒危等级名录

物　种	拉丁名	濒危等级	
		China RL	IUCN
鼩猬	*Neotetracus sinensis*	无危 LC	低危/近危 LR/NT
华南缺齿鼹	*Mogera insularis*	近危 NT 几近 VU	
中鼩鼱	*Sorex caecutiens*	近危 NT 几近 VU	
黑齿鼩鼱	*Blarinella quadraticauda*	近危 NT 几近 VU	
滇北长尾鼩	*Chodsigoa parva*	未予评估 NE	
大长尾鼩	*Chodsigoa salenskii*	濒危 EN	极危 CR
印度假吸血蝠	*Megaderma lyra*	易危 VU	
角菊头蝠	*Rhinolophus cornutus*	近危 NT 几近 VU	低危/近危 LR/NT
大菊头蝠	*Rhinolophusluctus*	近危 NT 几近 VU	
贵州菊头蝠	*Rhinolophus rex*	濒危 EN	

（续）

物 种	拉丁名	濒危等级	
		China RL	IUCN
托氏菊头蝠	*Rhinolophus thomasi*	易危 VU	低危/近危 LR/NT
鲁氏菊头蝠	*Rhinolophus rouxii*	不宜评估 NA	
菲菊头蝠	*Rhinolophus pusillus*	近危 NT 几近 VU	
灰伏翼	*Pipistrellus pulveratus*	近危 NT 几近 VU	低危/近危 LR/NT
南蝠	*Ia io*	近危 NT 几近 VU	低危/近危 LR/NT
彩蝠	*Kerivoula picta*	易危 VU	
猕猴	*Macaca mulatta*	易危 VU	低危/近危 LR/NT
藏酋猴	*Macacathibetana*	易危 VU	低危/保护依赖 LR/cd
黑叶猴	*Trachypithecus francoisi*	濒危 EN	濒危 EN
黄鼬	*Mustela sibirica*	近危 NT 几近 VU	
黄腹鼬	*Mustelakathiah*	近危 NT 几近 VU	
青鼬	*Martesflavigula*	近危 NT 几近 VU	
鼬獾	*Melogale moschata*	近危 NT 几近 VU	
狗獾	*Meles leucurus*	近危 NT 几近 VU	
猪獾	*Arctonyx collaris*	易危 VU	
水獭	*Lutra lutra*	濒危 EN	易危 VU
食蟹獴	*Herpestesurva*	近危 NT 几近 VU	
豹猫	*Prionailurus bengalensis*	易危 VU	
毛冠鹿	*Elaphodus cephalophus*	易危 VU	数据缺乏 DD
中国穿山甲	*Manis pentadactyla*	濒危 EN	低危/近危 LR/NT
红背鼯鼠	*Petaurista petaurista*	易危 VU	
巢鼠	*Micromys minutus*	无危 LC	低危/近危 LR/NT
滇绒鼠	*Eothenomys eleusis*		
帚尾豪猪	*Atherurus macrourus*	易危 VU	
豪猪	*Hystrix brachyura*	易危 VU	易危 VU

注：参考《中国物种红色名录》(第一卷)2004 版，China RL 表示中国物种濒危等级；IUCN 表示世界自然保护联盟濒危物种红色名录濒危等级。

7.3 各科物种分布

尽管很多种类不能算作严格的湿地生境动物，但由于其生境范围中包含有湿地生境(如森林沼泽、山间溪流等)或是在湿地周边栖息，所以按照相关资料记载与查阅文献，将此类物种归为湿地动物种类。

7.3.1 灵长目

灵长目 1 科 3 种。

猴科3种。猕猴分布于贵州全省，见于桐梓柏箐市级自然保护区湿地区、宽阔水国家级自然保护区湿地区、桴焉县级自然保护区、雷公山国家级自然保护区湿地区；藏酋猴分布于习水国家级自然保护区湿地区，梵净山国家级自然保护区湿地区、宽阔水国家级自然保护区湿地区；黑叶猴分布于麻阳河国家级自然保护区湿地区、桐梓柏箐市级自然保护区湿地区。

7.3.2 啮齿目

啮齿目5科20种。

仓鼠科5种。滇绒鼠分布于宽阔水国家级自然保护区湿地区、梵净山国家级自然保护区湿地区、仙鹤坪州级自然保护区；黑腹绒鼠分布于桐梓柏箐市级自然保护区湿地区、宽阔水国家级自然保护区湿地区、桴焉县级自然保护区、仙鹤坪州级自然保护区、太平山自然保护区；大绒鼠分布于贵定岩下县级自然保护区湿地区、大沙河省级自然保护区湿地区、太平山自然保护区、雷公山国家级自然保护区湿地区；昭通绒鼠分布于草海国家级自然保护区湿地区；东方田鼠分布于太平山自然保护区。

刺山鼠科1种。猪尾鼠分布于桐梓柏箐市级自然保护区湿地区、宽阔水国家级自然保护区湿地区、桴焉县级自然保护区。

豪猪科2种。帚尾豪猪分布于清水河州级自然保护区、大沙河省级自然保护区湿地区、仙鹤坪州级自然保护区；豪猪分布于南宫州级自然保护区、雷公山国家级自然保护区湿地区、太平山自然保护区、大沙河省级自然保护区湿地区、百里杜鹃省级自然保护区湿地区。

鼠科10种。黑线姬鼠分布于黔西渭河县级自然保护区湿地区、贞丰龙头大山州级自然保护区湿地区、㵲阳河湿地区、桐梓柏箐市级自然保护区湿地区、佛顶山省级自然保护区湿地区、长江上游珍稀特有鱼类国家级自然保护区湿地区、赤水桫椤国家级自然保护区湿地区；高山姬鼠分布于雷公山国家级自然保护区湿地区、乌江思南以下河段湿地区、百花湖湿地区；中华姬鼠分布于草海国家级自然保护区湿地区；板齿鼠分布于清水河州级自然保护区；青毛硕鼠分布于南宫州级自然保护区、太平山自然保护区、雷公山国家级自然保护区湿地区；巢鼠分布于宽阔水国家级自然保护区湿地区、威宁草海国家级自然保护区湿地区、桐梓柏箐市级自然保护区湿地区、桴焉县级自然保护区、大沙河省级自然保护区湿地区、南宫州级自然保护区、雷公山国家级自然保护区湿地区；黄毛鼠广泛广布于全省；大足鼠分布于威宁锁黄仓国家湿地公园(试点)湿地区、贞丰龙头大山州级自然保护区湿地区、宽阔水国家级自然保护区湿地区、乌江思南以上河段湿地区、习水国家级自然保护区湿地区、龙滩库区湿地区；褐家鼠分布于雷公山国家级自然保护区湿地区、草海国家级自然保护区湿地区、安龙招堤绿海湿地区、赫章雨帽山湿地区、宽阔水国家级自然保护区湿地区、茂兰国家级自然保护区湿地区、贵定岩下县级自然保护区湿地区、金沙冷水河县级自然保护区湿地区、习水国家级自然保护区湿地区、三板溪库区湿地区、大沙河省级自然保护区湿地区、都柳江湿地区、云贵水韭保护点湿地区、㵲阳河湿地区、麻阳河国家级自然保护区湿地区、北盘江湿地区；拟家鼠分布于桐梓柏箐市级自然保护区湿地区、宽阔水国家级自然保护区湿地区、桴焉县级自然保护区、太平山自然保护区。

松鼠科2种。红背鼯鼠分布于桐梓柏箐市级自然保护区湿地区、宽阔水国家级自然保护区湿地区、桴焉县级自然保护区；红白鼯鼠分布于大沙河省级自然保护区湿地区、南宫州级自然保护区、雷公山国家级自然保护区湿地区。

7.3.3　偶蹄目

偶蹄目2科2种。

鹿科1种。毛冠鹿分布于桐梓柏箐市级自然保护区湿地区、宽阔水国家级自然保护区湿地区、桴焉县级自然保护区、南宫州级自然保护区、雷公山国家级自然保护区湿地区、麻阳河国家级自然保护区湿地区、佛顶山省级自然保护区湿地区、太平山自然保护区。

猪科1种。野猪分布于桐梓柏箐市级自然保护区湿地区、宽阔水国家级自然保护区湿地区、桴焉县级自然保护区、大沙河省级自然保护区湿地区、南宫州级自然保护区、太平山自然保护区、雷公山国家级自然保护区湿地区，全省广泛分布。

7.3.4　鼩形目

鼩形目2科12种。

鼩鼱科10种。短尾鼩分布于赤水桫椤国家级自然保护区湿地区、桐梓柏箐市级自然保护区湿地区、宽阔水国家级自然保护区湿地区、桴焉县级自然保护区、大沙河省级自然保护区湿地区、梵净山国家级自然保护区湿地区、南宫州级自然保护区、雷公山国家级自然保护区湿地区；黑齿鼩鼱分布于赤水桫椤国家级自然保护区湿地区、宽阔水国家级自然保护区湿地区；喜马拉雅水鼩分布于南宫州级自然保护区、雷公山国家级自然保护区湿地区、老蛇冲自然保护区；川西长尾鼩分布于桐梓柏箐市级自然保护区湿地区、宽阔水国家级自然保护区湿地区、桴焉县级自然保护区；华南缺齿鼹分布于梵净山国家级自然保护区湿地区；大长尾鼩分布于宽阔水国家级自然保护区湿地区；灰麝鼩分布于仙鹤坪州级自然保护区、威宁草海国家级自然保护区湿地区、南宫州级自然保护区、太平山自然保护区、雷公山国家级自然保护区湿地区；长尾大麝鼩分布于清水河州级自然保护区；中鼩鼱分布于梵净山国家级自然保护区湿地区；臭鼩分布于清水河州级自然保护区、梵净山国家级自然保护区湿地区、南宫州级自然保护区、雷公山国家级自然保护区湿地区。

鼹科有2种。华南缺齿鼹分布于桐梓柏箐市级自然保护区湿地区、宽阔水国家级自然保护区湿地区、桴焉县级自然保护区、梵净山国家级自然保护区湿地区；针尾鼹分布于大沙河省级自然保护区湿地区、南宫州级自然保护区、雷公山国家级自然保护区湿地区。

7.3.5　猬形目

猬科1种。鼩猬分布于桐梓柏箐市级自然保护区湿地区、宽阔水国家级自然保护区湿地区、桴焉县级自然保护区。

7.3.6　食肉目

食肉目3科9种。

猫科1种。豹猫分布广泛，见于南宫州级自然保护区、太平山自然保护区、威宁草海国家级自然保护区湿地区、雷公山国家级自然保护区湿地区、桐梓柏箐市级自然保护区湿地区、宽阔水国家级自然保护区湿地区、桴焉县级自然保护区。

獴科1种。食蟹獴广泛分布于全省。

鼬科7种。猪獾主要分布于雷公山国家级自然保护区湿地区、贞丰龙头大山州级自然保护区湿地区、宽阔水国家级自然保护区湿地区、乌江思南以上河段湿地区，普安下厂河县级自然保护区湿地区、红水河湿地区、梵净山国家级自然保护区湿地区、南盘江湿地区、石阡鸳鸯湖国家湿地公园(试点)湿地区、桐梓柏箐市级自然保护区湿地区、红枫湖湿地区、麻阳河国家级自然保护区湿地区；水獭分布于全省，主要分布于雷公山国家级自然保护区湿地区、黔西渭河县级自然保护区湿地区、贞丰龙头大山州级自然保护区湿地区、三板溪库区湿地区、威宁草海国家级自然保护区湿地区；青鼬主要分布于习水国家级自然保护区湿地区、㵲阳河湿地区；狗獾主要分布于普安下厂河县级自然保护区湿地区；鼬獾分布于梵净山国家级自然保护区湿地区、普安下厂河县级自然保护区湿地区、㵲阳河湿地区；黄腹鼬主要分布于安龙招堤绿海湿地区；黄鼬主要分布于大沙河省级自然保护区湿地区、威宁草海国家级自然保护区湿地区、清水河州级自然保护区、南宫州级自然保护区、雷公山国家级自然保护区湿地区、桐梓柏箐市级自然保护区湿地区、宽阔水国家级自然保护区湿地区、桴焉县级自然保护区、太平山自然保护区。

7.3.7 兔形目

兔形目 1 科 1 种。托氏兔分布于安龙招堤绿海湿地区、赫章雨帽山湿地区、宽阔水国家级自然保护区湿地区、乌江思南以上河段湿地区、茂兰国家级自然保护区湿地区、普安下厂河县级自然保护区湿地区、三板溪库区湿地区、大沙河省级自然保护区湿地区、梵净山国家级自然保护区湿地区、云贵水韭保护点湿地区、石阡鸳鸯湖国家湿地公园(试点)湿地区、红枫湖湿地区、麻阳河国家级自然保护区湿地区、黔西渭河县级自然保护区湿地区、百里杜鹃省级自然保护区湿地区。

7.3.8 鳞甲目

鳞甲目 1 科 1 种。

鲮鲤科 1 种。即中国穿山甲，分布于梵净山国家级自然保护区湿地区、雷公山国家级自然保护区湿地区。

7.3.9 翼手目

翼手目 3 科 14 种。

蝙蝠科 4 种。灰伏翼分布于大沙河省级自然保护区湿地区、清水河县级自然保护区、仙鹤坪州级自然保护区；南蝠分布于冷水河县级自然保护区湿地区；彩蝠分布于从江县零星湿地区；普通伏翼分布于清水河县级自然保护区、太平山县级自然保护区、雷公山国家级自然保护区湿地区。

假吸血蝠科 1 种，即印度假吸血蝠，分布于桐梓柏箐市级自然保护区湿地区、宽阔水国家级自然保护区湿地区、桴焉县级自然保护区。

菊头蝠科 9 种。角菊头蝠分布于大沙河省级自然保护区湿地区、仙鹤坪州级自然保护区；马铁菊头蝠分布于百里杜鹃省级自然保护区湿地区、清镇市零星湿地区、织金县零星湿地区；大菊头蝠分布于梵净山国家级自然保护区湿地区；大耳菊头蝠分布于开阳县零星湿地区；皮氏菊头蝠分布于桐梓柏箐市级自然保护区湿地区、宽阔水国家级自然保护区湿地区、桴焉县级自然保护区、仙鹤坪州级自然保护区、南宫州级自然保护区、雷公山国家级自然保护区湿地区；贵州菊头蝠分布于大沙河省级自然保护区湿地区、仙鹤坪州级自然保护区；菲菊头蝠分布于清镇市零星湿地区、贵定县零星湿地区、龙里县零星湿地区；托氏菊头蝠分布于清水河县级自然保护区、开阳县零星湿地区、清镇县零星湿地区；鲁氏菊头蝠分布于清镇零星湿地区、贵定零星湿地区、龙里零星湿地区。

8 资源的评价

8.1 湿地受威胁因素

贵州省境内喀斯特地貌发育典型，喀斯特分布面积占全省总面积的73%，出露型喀斯特面积占全省国土总面积也达61.90%。在喀斯特地貌上形成沼泽湿地更是喀斯特地区的一大奇迹，但这种湿地生态系统非常脆弱，一旦被破坏，要恢复其生态功能极其困难。目前，贵州湿地野生动物资源受以下几个因素影响。

8.1.1 乱捕滥猎、竭泽而渔，栖息地破坏与缩减

人类对湿地动物种群的直接捕杀和对栖息地的破坏，是威胁贵州湿地动物种群的主要因素。体现在湿地哺乳类方面，其一是对动物的直接猎杀，其二是人类对湿地周边植被森林的破坏，对哺乳类栖息造成极大影响；体现在鸟类方面，捕杀鸟类(尤其是雁鸭类)、捡蛋和破坏巢址等事件常有发生，对鸟类造成严重影响；体现在两栖、爬行类方面，主要是一些少数民族有食用两栖类和蛇类的习惯。此外，两栖类对环境敏感，人为对湿地的开发利用，也会造成其种群数量锐减。对于鱼类的破坏，最为显著的是电鱼、毒鱼绝灭性的手段对资源造成了巨大破坏，甚至会造成一些本地特有种或珍稀物种消失。

8.1.2 环境污染、湿地生态系统退化

环境污染尤其是水体环境污染，会直接导致湿地生态系统退化，丧失正常的物质循环与调节功能，从而直接影响湿地野生动物的生存。水体污染主要来自工业污染、居民生活污染、农业用药污染、酸雨、生物入侵等各方面。水体污染最为显著的影响就是对鸟类、两栖类和鱼类生活环境的影响。严重的污染事件会导致动物大规模死亡，甚至会造成疾病与瘟疫。

8.1.3 地方开发与保护冲突强烈

贵州是一个相对缺乏大型水体景观的内陆省份，因此，湿地景观是一类十分受欢迎的旅游景观类型。所以，只要是有较好湿地分布的区域，其地方政府总想利用湿地景观，挖掘其生态旅游价值。从某种意义上来讲，这是十分正确的思路。但现实中，许多地方政府往往在规划湿地开发时，轻保护而重开发，无法找到保护与开发的平衡点，这也使得湿地野生动物资源受到影响。

8.1.4 多头管理，反致行政管理力度不足

湿地是人类最为重要的生态系统资源之一，被誉为“地球之肾”。因此，对湿地的管理是十分重要的，我国已加入《关于特别是作为水禽栖息地的国际重要湿地公约》，保护和管理好湿地不仅是造福当代与子孙的大事，也是履行国际公约，展现大国风采的重要内容。但当前我国的湿地管理体系尚未理顺，湿地资源多为多头管理：鱼类及两栖类等水产部分归属农业水产部门管理；爬行类、鸟类、哺乳类为林业部门管理；水体由水利部门管理；环境由环保部门管理。看似井井有条，实则这种分离式的行政并不适用于湿地管理。因为，湿地生态系统各因素间是相互联系的，是一个有机的统一整体。因此，现行的行政管理体系显然不能适应，出现的情况只能是婆婆虽多，却都不管事或整体管理效率低下。

8.1.5 湿地保护意识有待加强

只有全民湿地保护意识的不断提高，才能切实做好湿地保护管理工作。总体来看，贵州省对

湿地保护的公众教育还比较欠缺，人们不了解湿地生态系统的重要性，对湿地野生动物更缺乏了解。建议今后加强“湿地日”“爱鸟周”等各种形式的宣传，切实抓好公众教育工作，将贵州省湿地工作向更高水平逐步推进。

8.2 保护对策

根据贵州省湿地资源状况并结合省情，通过大力推进各级湿地公园建设，传播湿地资源可持续利用的理念，促进湿地保护和社会经济的可持续发展双赢。

贵州省湿地脊椎动物资源十分丰富，利用价值和保护价值均高，基于省内实际情况，提出以下建议。

8.2.1 构建以湿地公园为主体的全省湿地保护网络体系

根据贵州省湿地资源状况并结合省情，大力推进各级湿地公园建设，传播湿地资源可持续利用的理念，促进湿地保护和社会经济的可持续发展双赢。建立湿地公园为主体，湿地保护区为基础，湿地保护小区为补充的全省湿地保护体系。

8.2.2 加强国家重要湿地监测，建设野生动物疫源疫病监测体系，强化禽流感防控

根据《中国湿地保护行动计划》所公布的173处国家重要湿地，贵州列为国家重要湿地的是草海和红枫湖。草海作为贵州省最大的淡水湖泊，近年来，每年冬季都在进行黑颈鹤数量调查与监测。其次在草海、红枫湖、安龙招堤、石阡鸳鸯湖等国家和省级要湿地设置疫源疫病监测站，配备监测设备，制订巡查线路和监测制度，加强人员培训，严把迁徙候鸟疫情监测关，确保禽流感预防和控制工作落到实处。

8.2.3 加强自然保护宣传，经常开展执法检查，鼓励社区共管

强化管理、科学规划、加快基础设施建设。建立管理站或管理点，配备专业人才，认真开展野外巡护与科研监测工作，并有效地善科研与生活条件。加强珍稀濒危物种及其生境保护，尽量保护好植被及野生动物资源。

第四章
湿地资源利用

第一节
湿地资源利用方式及其利用现状

1　湿地资源

1.1　土地资源

《中国二十一世纪议程》白皮书指出："湿地是一种特有的土地资源和生境。"贵州属于山区省份，"天无三日晴，地无三尺平"是贵州的写照，山地占据了全省的主要空间，多达61.9%的喀斯特地貌造就了省境内沟壑纵横、地形破碎，缺乏平地。因此，全省湿地面积并不大，只有209726.85公顷，占全省国土面积的1.19%。其中，最主要的湿地类型是河流，面积138154.76公顷，占全省湿地总面积的65.87%。河流多在峡谷中穿行，少有漫滩形成(图4-1)。全省湖泊

图**4-1**　六广河

69 个，总面积 2517.70 公顷，占全省湿地总面积的 1.20%，每个湖泊(草海除外)的面积均不大，湖周边滩涂和沼泽较少。全省沼泽湿地面积 10978.70 公顷，占全省湿地总面积的 5.20%，地势相对比较平缓、开阔，但多数海拔较高。人工湿地面积 58075.69 公顷，占全省湿地总面积的 27.69%，主要类型是库塘，以水库为主体。有部分是峡谷型水库，水深岸陡；有部分是宽谷型水库，河谷宽缓，库水较浅且水面开阔，岸边形成一些沼泽。因此，贵州湿地多是水面，土地资源稀少而珍贵。

1.2 水资源

水是湿地的灵魂，贵州湿地蕴藏的水资源很丰富。全省地表河网密布，河长大于 10 公里、流域面积大于 20 平方公里的河流有 984 条，其中流域面积大于 100 平方公里以上的河流 556 条，流域面积大于 300 平方公里的河流有 167 条，流域面积在 10000 平方公里以上的河流有 7 条，即乌江、六冲河、清水江、赤水河、北盘江、红水河(包括上源南盘江)、都柳江。以贵州最大河流乌江为例，虽然长度或宽度都无法与黄河相比，但年水流量却与黄河相当。据《2012 水资源公报》，2012 年，全省地表水资源量约 974.03 亿立方米。如按流域分区，长江流域地表水资源量约 627.65 亿立方米，折合径流深 542.30 毫米，比上年增大 54.80%，比多年平均偏少 7.70%，属平水年份，占全省地表水资源 64.40%；珠江流域地表水资源量约 346.39 亿立方米，折合径流深 573.30 毫米，比上年增大 56.80%，比多年平均偏少 9.30%，属平水年份，占全省地表水资源 35.60%(表 4-1)。

表 4-1 2012 年贵州省流域分区年径流量统计

流域分区	流域面积（平方公里）	当年径流量（亿立方米）	当年径流深（毫米）	上年径流量（亿立方米）	上年径流深（毫米）	多年平均径流量（亿立方米）	多年平均径流深（毫米）
北盘江	20982	108.37	516.50	63.15	301.00	127.76	608.90
南盘江	7651	42.42	554.50	20.69	270.40	52.32	683.80
柳江	15809	94.40	597.10	63.63	402.50	107.43	679.60
红水河	15978	101.20	633.30	73.48	459.90	94.53	591.70
珠江区共计	62420	346.39	573.30	220.95	365.70	382.04	632.30
石鼓以下干流	4888	15.45	316.10	7.90	161.50	19.47	398.30
乌江思南以上	50592	270.74	535.10	171.88	339.70	280.96	555.30
乌江思南以下	16215	85.74	528.70	48.94	301.80	105.82	652.60
宜宾至宜昌干流	2390	10.49	438.80	6.69	279.80	14.89	623.00
赤水河	11412	55.61	487.30	30.39	266.30	56.23	492.70
沅江浦市镇以上	28714	173.06	602.70	129.23	450.10	188.55	656.60
沅江浦市镇以下	1536	16.56	1078.10	10.37	674.90	14.02	913.00
长江区共计	115747	627.65	542.30	405.40	350.20	679.93	587.40
总　计	176167	974.03	552.90	626.35	355.50	1061.98	602.80

注：数据源自《2012 年贵州水资源公报》。

2012 年，全省地下水资源量 253.32 亿立方米，比上年增加 16.90%，比多年平均偏少 3.40%。其中长江区 179.59 亿立方米，珠江区 73.73 亿立方米(表 4-2)。

表 4-2　2012 年贵州省流域分区地下水资源量、水资源总量统计

流域分区	地下水资源量（亿立方米）	水资源总量（亿立方米）	人均水资源占有量（立方米/人）
北盘江	27.27	108.37	2283
南盘江	10.04	42.42	2975
柳江	16.64	94.40	5053
红水河	19.78	101.20	4065
珠江区共计	73.73	346.39	3289
石鼓以下干流	7.81	15.45	1301
乌江思南以上	81.77	270.74	2035
乌江思南以下	19.20	85.74	2800
宜宾至宜昌干流	2.09	10.49	2207
赤水河	14.68	55.61	2315
沅江浦市镇以上	50.57	173.06	4785
沅江浦市镇以下	3.47	16.56	6272
长江区共计	179.59	627.65	2582
总　计	253.32	974.03	2796

注：数据源自《2012 年贵州水资源公报》。

据贵州水资源公报显示，2012 年，全省水资源总量(地表水资源量)974.03 亿立方米，人均占有水资源量 2796 立方米，属平水年份。全省入境水量 127.97 亿立方米，本省产水量 927.41 亿立方米，耗水量 46.622 亿立方米，出境水量 1055.38 亿立方米。其中，长江区入境水量 47.55 亿立方米，产水量 596.32 亿立方米，耗水量 31.33 亿立方米，出境水量 643.87 亿立方米；珠江区入境水量 80.42 亿立方米，产水量 331.09 亿立方米，耗水量 15.29 亿立方米，出境水量 411.52 亿立方米。由此可见，贵州湿地是长江和珠江“两江”水生态安全的重要保障，给下游提供了大量水源，为确保两江湿地生态安全做出了极大贡献。

尽管贵州水资源丰富，但分布不均衡，使贵州自身被工程性缺水困扰。2011 年初，贵州省政府工作报告显示，贵州农村饮水困难人口达 1060 万人。实际上，贵州是个降水丰富的省份，降水量与江南水乡苏南、浙北、皖南差不多，年平均降水量和人均水资源量都高于全国平均水平。以 2012 年为例，全省平均降水量 1117.10 毫米，人均水资源量 2796 立方米，属于全国降水多的省份。但典型的喀斯特地貌决定了贵州“山高坡陡、土薄易旱”，据统计，贵州全省山地、丘陵面积占总面积的 92.50%，地形平均坡度为 17.78°。其中，坡度大于 25°的陡坡地占全省总面积的 34.50%，坡度在 15°～25°之间的陡坡地占 34.90%。坡度越陡，土壤越薄，蓄水能力越差，土壤的侵蚀量也成倍增加。大气降水或顺着山体流进深深的河谷，或顺着山体的裂缝渗入地下暗河。

于是，就有了“地表水贵如油、地下水滚滚流”的说法。

1.3 水能资源

贵州高原是我国地势自西向东呈三大阶梯状下降的第二级阶梯的组成部分，实际上就是一个向北东南三面倾斜，且南北两坡较陡的垄状高原山地。这一地势特征造就贵州河流水系由西、中部呈帚状向北、东、南三面分流，且顺应地势下降。贵州山地多且高差大的特点，造就河流河道狭窄陡峻，水流湍急，落差很大，特别是水位落差集中的河段多，因而水能资源丰富，使贵州成为国家西电东送工程主战场之一(图 4-2)。贵州水能资源蕴藏量居全国第六位，其中可开发量占全国总量的 4.40%。据统计，目前全省已经开发的水能资源装机量达到 2336.5 万千瓦。其中，大型水电(含在建)开发率已经达到 100%，中小型水电(含在建)开发率约 50%。就单机装机而言，全省在 25 万千瓦以上的 18 台，容量为 631.4 万千瓦；19 万至 22 万千瓦的有 13 台，容量为 265 万千瓦；7 万至 12.5 万千瓦的有 8 台，容量为 83.5 万千瓦；4 万千瓦的有 21 台，容量为 45.4 万千瓦；4 万千瓦以下不属于大型企业管理的至少在 4000 台以上，容量为 1313.6 万千瓦。从目前已经建成投产情况看，在丰水年发电量可达 350 亿千瓦时，枯水年 310 亿千瓦时。如果全省中小型水电能完全开发利用，其装机能力可在现有基础上翻一番，全省整体水电装机在丰年发电量可达 500 亿千瓦时以上。若考虑枯水年因素，平均年发电量也可达 400 亿千瓦时左右。从网上统调运营情况看，2012 年全省有 1/3 电量销往省外。

图 **4-2** 麻阳河国家级自然保护区龙青潭瀑布

1.4 生物资源

经调查整理，贵州省湿地脊椎动物共有 747 种，隶属 5 纲 32 目 103 科，鱼类有 7 目 19 科 250 种，两栖类有 2 目 9 科 67 种，爬行类有 2 目 13 科 89 种，鸟类有 12 目 43 科 278 种，哺乳类有 9 目 19 科 63 种。其中不乏国家Ⅰ、Ⅱ级保护野生动物，如鱼类中的达氏鲟、白鲟、胭脂鱼，两栖类中的贵州疣螈、细痣疣螈、大鲵和虎纹蛙，爬行类中的山瑞鳖，鸟类中的东方白鹳、黑鹳、白头鹤、黑颈鹤、灰鹤、中华秋沙鸭、大天鹅、小天鹅、黄腿渔鸮、鸳鸯等，兽类中的水獭等。此外，有自 20 世纪 50 年代以来就在中国没有任何标本采集和野外目击记录的白头鹮鹳，2008 年 5 月中旬至 10 月中旬在威宁县草海记录到 13 只；有中国新记录种钳嘴鹳，继 2006 年首现云南大理后，2008 年在贵州平坝县平坝农场被发现，近几年先后在贵阳市花溪区、遵义市遵义县、安顺市西秀区等地有记录；还有彩鹮 2014 年 4 月首次出现在威宁草海。

值得重点指出的是，贵州省两栖类中大鲵资源量较丰富。大鲵又称中国大鲵，俗称娃娃鱼，属两栖纲有尾目隐腮鲵科，该科共有 2 属 3 种，即隐鳃鲵、中国大鲵和日本大鲵。中国大鲵不仅是该科体形最大的种类，也是现存的全球体形最大的两栖动物，主要栖息在洞穴、地下河中。大鲵既是中国特有的珍稀两栖动物，又是极具科学研究价值的“活化石”，被列为国家Ⅱ级保护野生动物，在国际上已被列入《濒危野生动植物种国际贸易公约》附录Ⅰ，严格禁止出口。在 2007 年，世界自然保护联盟(IUCN)公布的濒危物种红皮书中位列 CR 级(极危)，濒危级别超过了大熊猫。贵州是大鲵主要产地之一，《贵州省动物志》记载：黔南贵定县，遵义正安县、凤冈县、绥阳县、务川县、道真县及大娄山地区的桐梓县、仁怀市均是大鲵集中分布的区域。近年来，多地报道发现野生大鲵，如桐梓县杨村沟娃娃洞、正安县谢坝乡、贵定县岩下乡等地。全省已建立了贵定岩下县级自然保护区等开展资源保护。目前全省各地正在发展大鲵养殖业并开发大鲵传统中药制品，对其野生资源量造成了一定的影响。

河流湿地是贵州主要的湿地类型，故鱼类也是贵州较丰富的湿地动物资源之一。赤水河作为长江上游珍稀特有鱼类国家级自然保护区的重要组成部分，长江上游唯一没有修建水坝、水库的一级支流，已经成为珍稀特有鱼类在长江上游的最后避难所，白甲鱼等 60 多种在水库静水环境中无法生存的鱼类在赤水河得以保留。2007 年 4 ~ 10 月中国水产科学研究院长江水产研究所学者在赤水河流域进行的鱼类资源调查表明，赤水河分布有鱼类 119 种(亚种)，隶属 5 目 16 科 75 属。其中鲤形目 4 科 91 种(亚种)，占总数 76.5%；鲶形目 6 科 20 种，占总数 16.8%；鲈形目 4 科 6 种；胡瓜鱼目 1 科 1 种；鲻形目 1 科 1 种。其中 34 种为长江上游特有鱼类，宽唇华缨鱼则为赤水河所特有，方氏鲴、鲈鲤、昆明裂腹鱼、短须裂腹鱼、细鳞裂腹鱼、乌江副鳅、戴氏山鳅、赫氏孟加拉鲮等 8 种为赤水河首次发现。

贵州的湿地植物种类较丰富，经调查统计，共有 115 科 249 属 518 种(包含外来种，含种下分类等级，下同)。其中，苔藓植物 18 科 24 属 30 种，维管束植物 97 科 225 属 488 种，包括蕨类植物 14 科 17 属 21 种，被子植物 83 科 208 属 467 种。湿地植物按用途可分为药用类、蔬菜饲用类、观赏类、水土保持类、用材纤维类、科研类、淀粉类、油脂类、香料色素类、干(鲜)类及其他用途等 11 类，其中药用类包括问荆、木贼、窄叶泽泻等；蔬菜饲用类包括水蕨、海菜花、线叶水芹、菰、竹叶眼子菜等；观赏类包括莲、千屈菜、中华秋海棠、荇菜、萍蓬草、贵州萍蓬草等。目前贵州形成商品进入市场的湿地植物有泥炭藓，贵州民间又称为“水苔”或“海花草”。其茎表皮细胞壁薄且具水孔，植物体柔软，枝条纤长，呈黄绿色或黄白色，脱水状态下呈灰白色或灰绿色，是非常独特的高等植物，也是沼泽湿地的指示植物。泥炭藓起源于古生代晚期二叠纪(距今 2.5 亿 ~2.95 亿年前)，分类上地位特殊，为单目单科单属植物，全世界有 300 余种。其适应能力很强，无假根，在沼泽中紧密丛生，下部逐渐死亡，上部继续生长，逐年堆积形成泥炭。泥炭藓可吸蓄其自身重量 20 ~25 倍的水分，是花卉盆景的栽培介质，可用于清理吸附油污和污水、吸收室内有害气体，也是长途运输精密仪器的最佳包装材料，其提取物可用于医药、蔬菜水果等食品保鲜，以及制作军用急救包。泥炭藓固碳能力很强，是碳汇也是碳源，在全球碳循环中发挥着重要作用。泥炭藓是贵州分布较广泛的湿地植物，黔南州都匀市、独山县、龙里县，毕节市纳雍县、大方县、赫章县，六盘水市盘县等地均有分布。我国已知有 47 种，贵州分布的常见种有泥炭藓、长叶泥炭藓、多纹泥炭藓、卵叶泥炭藓等。其中多纹泥炭藓是中国特有种，已被列入中国濒危苔藓植物红色名录。

1.5 景观资源

贵州是山区省份，足不出户就能见到山，贵州湿地景观独特之美在于山、石、森林与水完美的结合。“一天秋色冷晴湾，无数峰峦远近间。闲上山来看野水，忽于水底见青山。”这是南宋翁卷的《野望》，从某个侧面可以说就是贵州湿地景观的写照。贵州湿地景致之美还在于多姿多彩且随季相发生变化。贵州分布有河流、湖泊、沼泽和人工湿地4个湿地类，每个湿地类景观都各具特色。河流湿地以峡谷、瀑布为特色，著名的峡谷有马岭河峡谷、北盘江大峡谷等；著名的瀑布有黄果树瀑布、赤水十丈洞瀑布、赤水大白岩瀑布等。

湖泊以享有“高原明珠”称誉的草海为代表，其四季景致各有不同。夏季草海的主角是水生植物，覆盖率达80%以上，由挺水植物、浮水植物和沉水植物共同构成了一个绿色的世界：湖心分布有光叶眼子菜、竹叶眼子菜、狐尾藻、穿叶眼子菜、海菜花等组成的壮观的“水下森林”；湖周则生长着一丛丛的荆三棱和水葱。这时节若泛舟草海，体会最深的是4个词汇：天高云淡、阳光灿烂、凉爽宜人、绿草如茵。冬季是草海湿地最美、最喧闹的季节，各种候鸟长途跋涉来到这里，鸟鸣声此起彼伏打破了宁静(图4-3)。黑颈鹤、灰鹤活跃在湖畔沼泽里，斑头雁、赤麻鸭、绿头鸭、黑水鸡等则嬉戏在水中央……

沼泽以六盘水娘娘山、纳雍大坪箐为代表，平坦开阔，在这里可领略到些许草原的景致，是贵州山区难得一见的景观。

人工湿地以红枫湖为代表。红枫湖因湖边有座遍布枫香树的岭，深秋时节枫叶红似火而得名。湖中散布有100多个大小各异的岛屿，山外有山、水外有水、湖中有岛、岛中有湖。俯瞰红枫湖，壮美而大气。贵州人对它有着特殊的情节。它曾经是贵州最大的水面，它的出现让山区的人们新奇和欣喜，于是人们模糊和忘却了人工湖和天然湖泊的界限。在绝大多数60后、70后贵州人心中，红枫湖就是美丽之湖、休闲之地，承载着许多儿时的梦想和青春的记忆(图4-4)。

图4-3 草海雪景

图4-4 红枫湖

贵州的梯田景观也极具特色，随着季节的变化而展现不同的景致：每年四五月梯田注水时节，梯田在春光里闪现着银色光芒，轮廓清秀而婀娜多姿；夏日梯田翻滚着青绿稻浪，如碧玉般美丽；秋日梯田铺满金黄的稻穗，因海拔高度不同造就同一山坡的梯田呈现深浅不一的黄色，斑驳而美丽，空气中弥漫着稻香，田间农人忙碌的身影和金黄稻穗共同组成了一张张充盈动感的精美图画；冬日梯田宁静而略带几分萧瑟，田间或堆放着捆捆稻草、或注满水，或种植着绿肥，连同田边村中的吊脚楼，又构成了一幅幅美丽的水墨山水画。贵州梯田正逐年被外界了解，热心的网友在互联网上罗列的贵州十大梯田风光分别是黔东南州从江县加榜梯田(图4-5)、黔东南州丹寨县高要多彩梯田、黔东南州黎平县堂安梯田、黔东南州雷山县西江梯田、遵义市余庆县大乌江镇红渡梯田、黔南州惠水县摆榜梯田、遵义市赤水市宝源梯田、贵阳市花溪高坡梯田、六盘水市北盘江野钟梯田、铜仁市松桃县盘石镇云海梯田……贵州梯田各有千秋，美不胜收，有待大家去找寻和发掘。

1.6　文化资源

依山傍水，逐水而居，从古至今一直是人类居住地的最佳选择。贵州是个少数民族聚居地，少数民族人口1254.8万人(据2010年第六次人口普查)，占全省人口的比重达36.11%，居全国第三位。世居民族依次为汉族、苗族、布依族、侗族、土家族等17个。各族儿女聚居贵州，勤劳耕作，世代繁衍，缔造了丰富、绚烂的民族文化，其中不乏极具地域色彩的湿地文化，体现了各民族顺应自然、尊重自然，天人合一的生态理念。

1.6.1　苗、侗族梯田文化

黔东南州梯田广布，坡度在15°以上的各种稻作梯田面积约12.59万公顷，占全州耕地总面积的31.25%，主要分布在海拔400～700米地带，空间布局很精妙，不论从外观、工程规模和生态价值上讲都极具特色，承载着苗、侗民族世代相传的农业生产实践的智慧，也折射出他们顺应自然的朴素生态理念。苗、侗梯田规模壮观，一般始自山脚直至山腰，村落多建在梯田上部，牛圈则分散于梯田间，村落之上是森林。苗、侗民族素有栽种护林的习惯，良好的植被护佑村落和梯田，“山有多高，水有多高”，森林涵养的水源持续补给河、溪，为梯田提供源源不断的水源。

图4-5　从江月亮山梯田

图4-6　雷山县莲花村梯田

黔东南的梯田历史悠久，据记载，至宋代末期，黔东南境内的梯田群已经开拓出今天的基本格局了。梯田根据工程结构和外观形态可分为腰带梯田、鱼鳞梯田和石砌梯田。

分布在月亮山区和都柳江沿岸的是腰带梯田，垒土成埂，丘块形状窄而细长，延绵不断。远处望去，如同一条条坡面等高线，阳光下，山上好似缠绕着波光粼粼的腰带。鱼鳞梯田分布在雷公山区、清水江沿岸，如黎平、丹寨等县(图4-6)。丘块形状呈规则或不规划鱼鳞状，多分布于大坡大梁上，由地质条件及地势决定工程用材，或垒土埂或垒石坎。石砌梯田则分布在黄平县瓮坪乡、重兴乡、黄飘乡等地的石山坡上，其工程量浩大，与世界文化遗产地菲律宾科尔迪莱拉梯田相比也毫不逊色。最值得称道的是这些古梯田几乎从未受到过干旱的困扰，奥秘在于梯田排洪蓄水工程设计精巧、引水排水有序，最大限度地保护梯田免受洪水威胁。梯田石坎所用石材尽量硕大，通常每块石材都在50公斤以上。为防止山洪泛滥和保证及时排除内涝，在梯田下用石块砌成涵洞，并在每一级石坎下设计有引水口。如果遇到洪水和泥石流，洪水可经引水口进涵洞层层排下去。灌溉时，可就近将引水口的水改道引入田中。贯穿层层梯田的涵洞和引水口，构成了梯田特有的排灌系统。

梯田是苗、侗人民在漫长的生产劳动过程中用智慧和创造力创作的人与自然和谐相处及最有效地利用资源和保护环境的典型范例。他们巧妙地将森林、水系、梯田、村寨有机组合起来，共同构成了巧夺天工的人工湿地复合生态系统，也形成了独特的生态景观，具有极高的人文生态价值，是人类适应、改造自然的典范。

1.6.2 稻花鱼养殖和侗乡“稻鱼鸭”系统

稻花鱼是后人对稻田养殖鱼类的别称，因鱼在稻花盛开的时节最肥美，故称稻花鱼，主要种类包括鲤鱼、鲫鱼等。《舌尖上的中国》第二季第一集《脚步》中苗族母亲制作腌鱼使用的食材就是黔东南加榜梯田的稻花鱼。稻田养鱼是利用稻田浅水环境辅以人为措施，既种稻又养鱼，以提高稻田生产效益的生产方式。在贵州起源很早，梯田农业出现之后就产生了真正意义上的稻田养鱼，这是贵州少数民族传统农耕文化中的重要组成部分。贵州的稻田养鱼主要集中在黔东南、黔南等苗、侗、水、布依族聚居的自治区，天柱县的稻鱼并作习俗已列入贵州省第三批省级非物质文化遗产名录。贵州苗族稻田养鱼已经有1700余年文字记载的历史，其放养的主要种类是鲤鱼。苗族在长期的稻田养鱼史中，积累了丰富的经验。清朝的《黎平府志》记载：“清明节后，鲤生卵，附水草上，取出别盆浅水中，置于树下，漏汤暴之，三五日即出子，谓之鱼花。田肥、池肥者，一年内可重至四五两，若得于河中，有大至数十斤者，不知历几年也。”侗族也是贵州稻田养鱼的主要民族，根据当地《古歌》来看，侗族稻田养鱼也有上千年的历史。各民族稻田养鱼的方式大致类同：每年4～5月，稻田栽秧完毕后便投放鱼苗，一般不投饵，鱼苗依靠取食田中的浮游生物、小昆虫及稻花等生长，稻谷成熟的季节就是收鱼季节(图4-7)。除挑选个大体肥的当种鱼并将未长大的小鱼苗留下外，其余尽收。春养秋收，周而复始。从生物学观点看，稻鱼共存使稻田生态系统从结构和功能上都得到合理的改造。水稻是稻田生态系统中的主体，是占绝对优势的种群，大量吸收日光能、二氧化碳、水分，借助光合作用制造有机物，通过能量转化、转运和贮存，生产稻谷和稻草供给人类。同时，田间大量的杂草、浮游生物以及部分细菌(光合细菌)也在进行着与水稻一样的能量转化、运转和贮存的过程。稻田放养鱼后，有效利用了杂草所获得的日光能，以及田中浮游生物、细菌的物质和能量，起到了截流能量的作用。正如从江县高增乡村民总结的那样：“稻花喂鱼，鱼粪肥田，稻为鱼遮阴，鱼为稻松土，不需要投入农药化肥，也不产生废物。”

图 **4-7**　收获稻花鱼

图 **4-8**　“稻鱼鸭”系统

传统农业不等于落后农业，越是民族的，就越是世界的；越是传统的，就越是现代的，都很有保护的必要。2011 年 6 月，联合国粮农组织在北京召开“全球重要农业文化遗产国际论坛”，贵州从江侗乡稻鱼鸭系统被列为全球重要农业文化遗产保护试点。其实，稻、鱼、鸭三者之间并非天然和谐(图 4-8)。但侗乡人用智慧化解了矛盾，构建了一个精妙的人工湿地生态系统，构建多条食物链形成了闭合的食物网，保障了物质能量的循环与流动。从生物学观点看，稻鱼鸭系统与稻鱼共存系统相比较，无论从结构和功能上都更合理、更完善，发挥了水田生态系统最大的“负载力”。从结构上看，稻鱼鸭系统中的物种更丰富。水稻、矮慈姑等挺水植物为鱼、鸭提供遮阴、栖息的场所，并通过光合作用制造有机物，生产稻谷和稻草等供给人类；眼子菜、苹、槐叶苹、满江红等浮水植物靠挺水植物间的太阳辐射及水体的营养生长繁殖，与从稻株中落下的昆虫共同成为鱼和鸭的重要饵料；水底层聚集着底栖动物、沉水植物和微生物，如河蚌、螺、黑藻等，为鱼、鸭提供了饵料。侗乡人根据稻、鱼和鸭的生长特点和规律，控制鱼、鸭入田时间，促成它们和谐共生。雏鸭孵出 3 天后放到田里，直到农历三月初为止；之后播种水稻，在下谷种半个月左右放鱼花入田；四月中旬插秧时，鱼的个体还很小可以与水稻共生；稻秧返青后，当田中放养的鱼花体长超过 5 厘米时放养雏鸭；水稻郁闭、鱼体长超过 8 厘米左右时放养成鸭；水稻收割前稻田再次禁鸭；当水稻收割、田鱼收获完毕后，鸭又可以入稻田。稻鱼鸭系统优点在于：一可有效控制病虫草害。鱼、鸭可捕食稻纵卷叶螟和稻飞虱，明显降低了稻瘟病等的发病率和病情指数，减轻了害虫的危害。二可增加土壤肥力。鱼和鸭的存在可以改善土壤的养分、结构和通气条件；鱼、鸭的粪便增加土壤有机质的含量；鱼、鸭的翻土增大了土壤孔隙度，有利于肥料和氧气渗入土壤深层，有深施肥料、提高肥效的作用。三可减少甲烷排放。鱼、鸭能消灭杂草和水稻下脚叶，从而影响了甲烷菌的生存环境，减少了甲烷的产生；最重要的是鱼、鸭的活动增加了稻田水体和土层的溶解氧，加快了甲烷的再氧化，从而降低了甲烷的排放通量和排放总量，尤其是在稻田甲烷排放高峰期最为明显。四可储蓄水资源。稻鱼鸭系统要求深水田，一般水位都在 30 厘米以上，这种深水稻田有巨大的水资源储备潜力，具蓄洪和储养水源的双重功效。五可保护遗传多样性。侗乡人培育并保留了多样的水稻品种，如从江县所产的香禾糯就是利用当地特殊的水土资源和气候环境栽培选育并传承至今的一种极具特色的水稻品系。此外，良好的稻田生态环境为螺、蚌、虾、泥鳅、黄鳝等提供了生存空间，保持了丰富的物种多样性。

1.6.3 清水江放排

清水江放排史可以追溯到明朝时期。明洪武三十年(1397)，为镇压苗侗造反，一支官军从洞庭湖溯沅江进入清水江后，被“丛林密茂，古木阴稠，虎豹踞为巢，日月穿不透” 的原始森林景观所震撼。于是此消息传到了朝廷。之后，清朝在修建乾清宫、坤宁宫时，朝廷派员到清水江沿岸征采“皇木”。锦屏县的大杉木被首次放排清水江，经沅江入洞庭湖进长江转大运河直放北京。此后商贾纷纷入黔，打响了黔木出山的商战，清水江成为黔木出山最早和最大的通道(图 4-9)。关于清水江放排，清朝乾隆年间贵州巡抚爱必达有过描述：郡内(黎平府内)自清江(今剑河)以下，至茅坪二百里，两岸(森林)翼云承日，无隙土，无漏阴，栋梁杗桷之材，靡不备具。坎坎之声铿訇空谷，商贾络绎于道，编巨筏(大木排)放之大江，转运于江淮间……清雍正七年(1729)官府正式介入，在史称“内三江”的卦治、王寨、茅坪及“外三江”的岔处、远口、三门塘等沿江码头开设木市，收取税银。由于竞争激烈，“内三江”与“外三江”爆发了 200 多年的“当江”“争江”史，到了嘉庆二年春(1797)才达成和解，并在卦治江边立下《奕世永遵》碑：“徽、临、西三帮协同主家公议，此处界牌以上，永为山贩湾泊木植，下河买客不得停排。谨为永遵，不得紊占。”以理顺放排秩序，保证各方基本利益。光绪九年(1883)相关方面又协商拟定《八步江规》，约定在清水江支流亮江上，从头步寨到八步寨之间实行“分步”放排措施，同时各家木材打上各自的“斧印”进行识辨，规范了运输水道秩序。在放排过程中，排工还形成了高亢的清水江木排号子。由于木材贸易繁荣，直到 20 世纪七八十年代以前，清水江上都是一派“长排竞发，江水声、扎排声、号子声不绝于耳” 的繁忙景象。此后，国家实施天然林禁伐工程，2006 年卦治水电站下闸蓄水将挂治河段的水位抬高了数百米，这个已有 600 多年历史的古寨只好往海拔更高的位置迁移，竖立在江边的数十块记载着卦治木排文化的石碑全部淹没在水底。“三江”之王寨(现锦屏县城)如今几乎找不到任何木排文化遗存。但茅坪仍然是“看得见历史的村寨”，至今保留着木排文化遗址——杨公庙和清代德山会馆遗址。岸边大石柱和岩梁上一个个光滑的圆窟窿似乎在述说着昔日的荣耀。一些村民家里还保留着放排工具——钉鞋、大钩、响子(木槌)、边钢斧、篙子。随着时光的流失，木排文化遗存正在消失，曾经响彻清水江的木排号子，如今只留存在老排工的记忆里。

图 **4-9** 扎木排

图 **4-10** 赤水河独竹漂

1.6.4 赤水河独竹漂

独竹漂又称独竹舟，俗称划竹竿，是发源于赤水河流域的一种独特的黔北民间绝技。赤水是中国十大竹乡之一，使用独竹漂的“毛竹客”定居赤水已数百年，由于长期生产生活在漫山的竹海中，居、食、住、行都与竹子结缘。他们在集运毛竹扎竹排的过程中就地取材，练就以竹代舟的本领，可赤足站立于一根直径15厘米左右，长约8米的笔直楠竹上，手持一根直径约5厘米、长约4米的笔直小竹竿当桨，左右交替在水上划动前行。此后，这门独特技艺演化成为一项民间体育运动并逐渐转化成每年端午节与龙舟赛齐名的表演项目，并被列入《贵州省第三批省级非物质文化遗产保护名录》，在第九届全国少数民族传统体育运动会上首次被列为竞赛项目，开始进入全国大众视野，在业界被称为“水上芭蕾”，并被赞誉为“中华一绝，世界独有”(图4-10)。

1.6.5　乌江纤夫、纤道与号子

提起拉纤，人们首先想起的是俄罗斯著名画家列宾的油画“伏尔加河上的纤夫”和四川的“川江号子”，乌江的纤夫、纤道和号子却少有人知。其实相对于川江，乌江水流更急且险滩更多，纤夫更辛苦，号子更短促有力。据历史记载，乌江古纤道开凿约在春秋中后期或战国初期。乌江水流湍急，险滩众多，早在远古的廪君时期，巴人逆江迁徙所用的船就必须以人力拉行。由于乌江沿岸陡峭险峻，拉纤困难，迫使他们不得不在沿岸石壁上开凿纤道。经过当地人世代自发性维修，才形成了开凿在悬崖峭壁上宽不到1米的乌江纤道。纤夫的命运注定是逆水而上，与自然抗争。他们的劳动场面令人惊叹和震撼：每当船行至险滩时，纤夫们就将纤绳扛在肩上，身躯前倾几乎贴近地面，爬行在两岸嶙峋的乱石中或狭窄的纤道上(图4-11)。铁钳般的双手紧紧地抠着石缝，双脚使劲蹬着乱石棱，肩上的纤绳深深地勒进肉里，他们喊着低沉的乌江号子，鼓舞士气，奋力前行。在此时，船头船尾必须各有一名船工手持爪竿用力地撑着江边，竭尽全力保持船的平衡和控制船的正确水道，避免船头偏向江心被急流掀翻，将岸上的纤夫拉入江中，造成船翻人亡的悲剧。乌江两岸笔直陡峻的悬崖峭壁连绵，纤夫们只得时而泅水，时而覆壁，如猿猴一样跳动在岩壁上，即使是寒冬腊月也得如此。新中国成立后，随着乌江航道治理，机动船只的使用，乌江纤夫才逐渐减少。由于贵州省沿河县乌江黎芝峡河段滩多水急船难前行，直到20世纪末，在短途货运中仍可看到少量纤夫的身影。2007年彭水电站投产运行后，几千年乌江河畔孕育的靠拉船为生的纤夫这一古老职业才永久退出历史舞台，纤道也几乎全部没入水中。所幸的是乌江思南河段尚存些许纤道，留给后人追思回忆。

图**4-11**　乌江纤夫

1.6.6　水利文化

水利是水文明与水文化的结晶，历史上贵州留下的水利工程并不多，但现代贵州大地正在创造着水利史上的一个个奇迹。乌江是贵州的母亲河，是贵州第一大河，也是长江上游右岸最大的支流。乌江因巨大的天然落差而被称为“一座水电富矿”，成为我国十三大水电基地之一。借鉴美国田纳西河的开发经验，乌江成为我国第一条实行流域梯级滚动开发的河流。贵州境内乌江干流共开发建设9级水电站，总装机超过850万千瓦，成为我国西南重要的能源基地和贵州经济的“发动机”。其中，乌江渡水电站是乌江干流上开发建设的第一座大型水电站。1968年10月，国务院

正式批准乌江渡水电站开工兴建。面对此前苏联专家给出的岩溶地区不能建高坝的“判决”，乌江水电工作者先后攻克了开发岩溶地区水能资源的地质勘探、水库防渗、高深峡谷的枢纽布置、大流量泄洪消能等一系列世界性难题，在岩溶发育的乌江干流上自力更生成功建成了库容 23 亿立方米、坝高 165 米的乌江渡水电站，树起乌江水电开发的第一座里程碑。乌江渡水电站于 1970 年 4 月正式开工建设，至 1983 年全部建成。创下了我国水电史上的 3 个第一：第一座石灰岩地层上建的水电站、第一座高坝水电站和第一座坝上单宽流量水电站。2000 年 11 月 8 日，列为国家西电东送首批电源项目启动工程之一的乌江渡水电站扩建工程正式开工建设，2004 年完成 3 台机组增容改造工作。2011 年建成的构皮滩水电站是乌江干流第 7 级电站，总装机容量 300 万千瓦，是贵州省历史上最大的水电站，是国家“十五”期间开工建设的大型水电工程项目及贵州“西电东送”的标志性工程。其最大坝高 232.5 米，是在喀斯特地区建起的世界第一高的双曲拱坝。同时，构皮滩电站实现了水电站机组全部国产化，彰显了中国人民的智慧与力量。2013 年 5 月 11 日，乌江沙沱水电站首台机组正式转入商业运行，标志着该水电站正式投产运行，也标志着贵州乌江干流梯级电站建设全部完成。它是“西电东送”第二批重点开工项目“四水”工程之一，也被称为贵州乌江的“圆梦工程”。在乌江梯级开发全过程中，始终贯穿“开发与环保并重”的理念，乌江公司一直坚持经济发展与环保效益相结合的原则，有效推动绿色清洁能源发展。有多个水电站 CDM(清洁发展机制)项目通过了联合国审查并成功注册，其中思林水电站 CDM 项目在全世界成功注册的水电项目中，装机规模最大，碳减排量位于世界第三、国内第二。乌江流域梯级电站累计完成发电量 1782 亿千瓦时，相当于替代了 6600 万吨标煤，减少了二氧化碳排放量约 1.8 亿吨。针对大坝修建对水生态的影响，乌江公司与国内权威鱼类研究和养殖机构合作，在索风营、思林电站建成国内管理最规范、设备技术最先进的鱼类增殖放流站，大规模繁殖、投放珍稀鱼类。2009 年以来，先后在洪家渡、东风、索风营、乌江渡、思林等电站库区累计增殖放流岩原鲤、白甲鱼、中华倒刺鲃等珍稀鱼种 340 余万尾，乌江鱼类增殖放流案例入选国务院国有资产监督管理委员会的优秀社会责任实践案例和中国社科院 MBA 教程。

此外，书写奇迹的还有位于贵州省晴隆县、关岭县与六枝特区交界处的光照水电站。其坝高 200.50 米，坝顶全长 410 米，是北盘江干流茅口以下梯级水电开发“一库五级”的龙头水电站，也是贵州省境内为数不多的具有不完全多年调节性能的大型水电电源点，还是目前已建碾压混凝土重力坝中的世界第一高坝(图 4-12)。大坝建设者在不到两年时间内建成了 200 米级的碾压混凝土重力坝，速度和质量均创造了 RCC 筑坝新纪录，达到了国际领先水平，在 2012 年西班牙召开的第六届国际 RCC 大坝会议上荣获大会颁发的国际 RCC 里程碑奖，也是本次大会上中国获得的唯一奖项。光照大坝进水口通过分层取水设施，取表层水发电，保证了下游水生物对水温的要求，开创了我国通过工程措施解决生态保护难题的先河。

1.6.7 乌江奇石文化

乌江奇石是大自然给贵州的馈赠。在乌江转弯处或支流交汇处，没有细砂堆积成的沙滩，只有铺满卵石的漫滩，先人称为“沱”。其面积大小不一，小的几十亩，大的甚至有如飞机场般宽广。它们的共同之处在于堆满了各形各色的石头，乌江奇石就藏在其中。乌江奇石是大自然雕琢成型的寒武纪的石灰岩，经亿万年江水洗磨冲刷形成的，有绿、黄、白三种主色调，集色雅、质坚、皮厚、纹美、形奇、意深于一身，在当今赏石界享有“石中皇后”的美称，多次在国际奇石博

图 **4-12**　光照电站坝址

览会上获得金牌，备受国内外赏石者的青睐。诸多收藏家以收藏一方精品乌江奇石为荣，乌江奇石已远销至美国、韩国、日本、印度尼西亚、新加坡和缅甸等国家。最好的乌江奇石产于贵州省德江县的潮砥镇与长堡乡之间，真正意义上的乌江奇石就是指该江段出产的奇石。如今价格最贵的乌江奇石是闻名遐迩的“乌江青”，通体乌黑发亮，造型变幻莫测，光滑细润，幽青如釉。

乌江奇石是乌江山水的缩影，浓缩了乌江山水的风范和意韵。随着乌江流域的构皮滩、思林、沙沱、彭水等电站的相继建成，许多出产乌江奇石的滩沱已被淹没在高峡平湖之中。2014 年 7 月 23 日，“中国·德江首届乌江石文化节”在德江县城观赏石市场开幕，期间开展了乌江石专题论坛、乌江石拍卖会、赏石知识专题讲座、乌江精品石鉴赏、书画展、乌江石现场摄影、观赏石展销等系列活动。乌江奇石形成的产业和文化还在延续……

1.6.8　安龙招堤与荷花宴

安龙县地处滇、桂、黔三省结合地，位于贵州省西南部，隶属黔西南州。这里气候温和，雨量充沛，素有“小昆明”之称。安龙历史悠久，早在 1 万多年前的旧石器时代晚期就有人类在此繁衍生息。宋理宗宝祐元年(1253)，置安隆洞。因天然溶洞干龙洞而得名，后因音讹而读为安隆洞。明洪武二十三年(1390)，置安隆守御千户所，城在安隆箐口，即今安龙城。清顺治九年(1652)，南明永历帝朱由榔由广西入驻安隆所后，改安隆所为安龙府，在安龙建都达四年之久。清嘉庆年间改为兴义府，为黔西南政治文化经济中心。安龙历史文化厚重，自然风景优美，民族风情浓郁，这里有“三千年文化、三百年荷花、三十处胜景”，是“ 南明之都，荷香之城”，是贵州省著名的历史文化名城。

安龙招堤的前身是个天然湖泊——陂塘海子。每当夏日雨季来临，陂塘海子常闹水患，洪水涌入城厢冲垮民房。清康熙三十三年(1694)，安龙镇游击招国遴(广东番禺人)捐俸银两千两，率工匠采石挖土，地方士绅也纷纷解囊捐资，筑起长八十余丈、宽八尺、高一丈的石堤。堤坝建成后在一定程度上保护了堤东侧的良田和方便了两岸居民的往来交通，后人为纪念招国遴，效杭州“苏堤”“白堤”取名“招堤”。清乾隆五年(1740)，南笼知府杨汇倡议在招堤两侧遍植柳树，还集资在堤西端金星山建起亭阁，于是招堤逐渐成为郡人游览之地。清道光二十八年(1848)，金星山上半山亭涵虚阁竣工之日，兴义知府张锳大宴宾客，其年仅11岁的儿子张之洞即席写成留世佳作《半山亭记》："……城东北隅，云峰耸碧，烟柳迷青，秋水澄空，红桥倒影者，招堤也。缘是数里，蒹葭苍苍，有阁巍然。峙于岩畔者，魁阁也……"仅用数百字就将半山亭及周围的景致鲜活地描绘了出来，文惊四座。此后，张之洞中科举考试第三名探花，先后出任两广总督、湖广总督，商务大臣、军机大臣等要职，是近代中国的实业巨头和教育家，清末洋务派领袖，晚清四大名臣之一，与曾国藩、左宗棠、李鸿章齐名。由于涝灾年份招堤依然阻挡不了洪水侵袭良田，张锳又将其加高五尺，并在其东侧开辟数亩池塘种植荷花。每当春深夏至，垂柳夹岸芰荷香飘，虹桥倒影景致唯美。招堤之美，吸引了众多文人墨客纷纷驻足此地，留下了许多传世诗句："垂堤两行杨柳色，凭栏十里芰荷香""十里荷花撑绿伞，百顷碧波荡轻舟 ""水色涵山色，荷香杂稻香""十里香风红粉聚，采莲歌动彩莲船"。在历史长河中，招堤湿地命运多舛，清咸丰、同治年间，金星山楼台亭阁被焚毁；1952年，荷塘被放干造田；而后海子农场进驻，十里荷塘从此消失在阡陌之中，仅剩下招堤旁的半亩荷池……但从1980年开始，招堤湿地逐渐重现生机，安龙县委、政府数次拨款修复招堤，收回了海子农场的土地，基本重现十里荷塘胜景(图4-13)，白鹭、黑水鸡、小䴙䴘等重新在此安居。继1998年8月5日举办了"'98贵州安龙首届荷花节"后，如今每年荷花盛开的时节(七八月份)都举办荷花节。2013年，安龙县委、政府将招堤湿地与绿海子、陂塘河等一起规划为湿地公园，同年年底，经批准开始进行国家湿地公园试点建设。

图 **4-13** 安龙招堤十里荷塘

安龙荷花宴，已被收入了《中华食文化大词典·黔菜卷》，是以安龙十里荷塘中盛产的优质荷叶、荷花、莲藕、莲子等为主要原料，辅以独具传统地方风味土特产，汇入民族特色创新而成的菜点。荷花宴由1个象形拼盘、8个围碟、9道热菜、4道点心和1个果拼组成。包括招堤秋色、莲蓬荷花鲍、绿海龙舟、荷叶鸭舌、荷塘群蛙、脆皮莲子鸡、红椒马蹄肚花、荷香薏仁鸭、红莲吐蕊、鸡枞汤、玫瑰藕粉羹、兴义刷把头、安龙耳块粑、荷叶粥、什锦果拼等菜式，可谓色香味形兼具。荷花宴色彩搭配考究，呈现红、黄、绿等缤纷五彩；味觉层次分明，追求甜、苦、辣、咸、鲜、香相辅相成；烹饪工艺复杂，力求炖、烤、煎、炒、蒸、炸等多样技艺搭配；刀工精致，讲究片、球、卷、条等交替出现。此宴不仅具有浓郁的安龙地方特色，而且蕴含着深厚的历史文化底蕴，充分呈现了韵味十足的荷饮食文化。

1.6.9 清水江畔苗族杀鱼节

贵州黔南州、黔东南州是苗族聚居地。在清水江两岸聚居着一支独特的苗族支系，大致是在唐末宋初因战乱迁徙到清水江流域拓荒定居的，史称"西苗"，现称"花苗"，大约4万多人。杀鱼节是这一苗族支系保存下来的对远古先民渔猎社会生活的仪式性记忆，后又演变为与祈雨有关。其兴起年代已无从考证，是渔猎文化向农耕文化过渡的文化遗存。苗族《花岭记》记载："玩耍十八郎妹分，雷鸣两岔哥会娘。两岔河是杀鱼滩，瓮漳瀑布鱼饭堂。浪口花水比钗舞，江边后庄杀鱼郎。”《花岭记》一直由花苗族人世代口耳相传，直到清代才用汉语编录记载，已被列入《贵州省第一批省级非物质文化遗产代表作名录》。

杀鱼节也叫渔猎节，又被当地人称为求雨节，苗语称“停米”，原意是用石块、木棒打鱼的活动。这项活动一般都选在清明节前后举行，开展杀鱼节活动的主要河段在福泉市境内的棉花洞至两岔河20多公里河段，分棉花洞、谷汪深、大沙坝、竹林脚、沙滩、大花水6个小地段举行。杀鱼节最热闹的河段是竹林脚和大花水，每年汇集的人数可达万人以上。按照习俗，每年杀鱼节的具体开始时间，都由“约头”提前派人通知各寨的“鱼头”开会商定。一般根据当年的气候而定，通常将山上的化香树叶长到五六寸长的时间确定为杀鱼节的开始时间，从最下游河段开始杀鱼，然后逐渐向上游移动。各个河段开始杀鱼前都要举行相应的祭祀仪式，并邀请上下游各寨的人来参加。杀鱼节主要是男人的活动，参加杀鱼的男人必备鱼叉、鱼串和鱼药。鱼叉是铁制的，齿尖锋利有倒钩，装有长2~3米的竹柄，柄上系一条8~15米的长绳，绳的另一端缚在手腕上，以便飞叉杀鱼后收绳提叉。鱼串用麻和棕丝做成，两端穿上供串鱼用的竹片针。杀鱼时还需用鱼药帮助，鱼药的主要成分是化香树叶加上秘制草药，可令鱼昏迷且不会沉到河底，鱼药的麻醉程度必须适中，既要有效又不能过多伤及鱼苗。杀鱼节前夜，族人把捣碎的鱼药送到杀鱼河段的上游，半夜时撒于河中，天亮时，药汁恰好流到举行杀鱼节的河段将鱼麻醉。当“鱼头”祈祷完毕后，杀鱼开始，河岸边的男人们把手中的鱼叉投向河里漂着的鱼，刺中后提叉收鱼。

杀鱼节从开始至结束，延续时间有20余天，过去一直是清水江两岸花苗族人活动时间最长的传统节日。大花水电站建成后，传统的杀鱼节河段已经全被淹没。现在，每年农历三月初九这天，龙里的平坡、贵定的光明、福泉新安寨等地的苗族人还会到河边过杀鱼节，但更多的人在渐渐淡忘这一传统节日。

1.6.10　苗族独木龙舟节

苗族独木龙舟节不同于汉族的端午节，黔东南台江、施秉、凯里、黄平、剑河、镇远一带的苗族人长期生活在清水江畔，舟船是他们主要的交通工具。于是，在劳动生产中逐渐形成龙舟竞渡活动，以祭祀方式祈祷来年风调雨顺、五谷丰登。苗族的龙舟节从农历五月二十四日至二十七日共四天，苗语叫“咋瓮”（意即划龙船），又名“娄瓮”（意即吃龙肉），已被列入《贵州省第二批省级非物质文化遗产代表作名录》和《第二批国家级非物质文化遗产名录》。苗族独木龙舟竞渡具有悠久的历史，明（嘉靖）《贵州通志》卷三“风俗”记载：“镇远府端阳竞渡。府临河水，舟楫便利，居人先期造龙船，绘画首尾，集众搬演居戏。以箬裹米为粽，弃水中。拽船争先得渡者，是岁做事俱利焉”。清（乾隆）《镇远府志》卷九“风俗”记载：“重安江由胜秉入清水江。苗人于五月二十五日，亦作龙舟戏，形制诡异，以大树挖槽为舟，两树并合而成。舟极长，约四五丈，可载三四十人。皆站立划桨，险极。是日男女极其粉饰，女人富者盛装锦衣，项圈、大耳环，与男子好看者答话，唱歌酬和，已而同语，语至深处，即由此订婚，甚至有时背去者。”清（光绪）《苗疆闻见录》记载：“（苗人）好斗龙舟，岁以五月二十日为端节，竞渡于清江宽深之处。其舟以大整木刳成，长五六丈，前安龙头，后置凤尾，中能容二三十人。短桡激水，行走如飞。”苗族独木龙舟考究、别致，不论是龙头还是舟身都与众不同。以台江施洞的龙舟为例，是用三根粗大的杉木掏空呈槽形后捆绑制成，中间为母舟，两侧各有一子舟。平时三舟分开搁置，启用时用麻绳或竹片将子舟分别捆绑在母舟两侧。与普通龙舟的龙头相比，苗族独木龙舟的龙头色彩斑斓，栩栩如生，显得更长、更高、更大，更具特色。独木龙舟节是男人的节日，参加比赛的男人们头戴特制的金黄色细竹篾马尾斗笠，后沿插有3根羽毛形状的银片，银片的末端扎有颜色艳丽的花朵。上装为深紫色的亮布对襟长袖衣，腰间扎一条织镶着银泡的腰带，红丝线流苏自然垂落于腰的两侧，下穿青色或黑色长脚裤。装束统一，隆重华丽。

独木龙舟节是苗族文化的骄傲，其独特的站立划桨的姿势和隆重的装束，从采木凿舟到竞渡的过程，还有相关的仪规、禁忌和传说，无不体现出一种古老而神秘的苗族文化气息。但最令人称奇的还是祭品——挂满龙头的鸭和鹅，在我国的祭祀文化中少见用鸭和鹅来做供品的，作为必须供品更是难得一见，似乎在彰显苗族龙舟节与水的渊源，是苗族湿地文化的体现，值得深入研究。

1.6.11 侗家水车群

直到20世纪七八十年代，我们还能看到侗族居住地周边河流沿岸一个个的水车群，它们是侗家传统水利文化的代表，是侗家人智慧的体现(图4-14)。黔东南榕江县古州镇车江大坝是贵州省少有的大坝子，从榕江县城向北行不远便是三宝侗寨，今为车江乡，据说就是因江边竖着一座座提水灌田的竹筒水车而得此名。这是全国侗族人口居住最密集的地方，号称“千户侗寨”。

竹筒水车是一种以水流作动力取水灌田的工具，约发明于隋唐时期。北宋李处权《崧庵集·土贵要予赋水轮》诗曰：“吴侬踏车茧盈足，用力多而见功少。江南水轮不假人，智者创物真大巧。一轮十筒挹且注，循环下上无时了。四山开辟中沃壤，万顷秧齐绿云绕。”竹筒水车主要构件是一个可自由转动的水轮，在水流湍急的河流岸旁打下两个硬桩，将水轮的轴放置在桩叉的上面，使水轮上半部高出堤岸，下半部浸在水里。水轮轮辐外每个受水板上斜系一个小的竹水筒，在岸旁靠近轮上水筒的位置设水槽。水轮的受水板被急流冲击后驱使水轮转动，受水板上竹水筒灌满水随其转动，当竹水筒转过轮顶时，筒口向下倾斜，水恰好倒入水槽并沿水槽流向田间。其设计构思巧妙之处在于竹水筒与水轮联成一体，既是接受水力的驱动构件，又是提水倒水的工作构件。就这样，竹筒水车只需在水流的带动下就能日夜不停地车水浇地，节省了人畜之力。勤劳的侗家人经长途迁徙后在车江定居下来，为灌溉庄稼，族人用杉皮、楠竹、野藤在江边搭就水车，村落日渐兴旺，水车也一架架增加，最多时达上百架。于是，屹立于两岸壮观的水车群形成了一道独特的景观。如今，车江大坝依然是粮仓，但遗憾的是水车群已不复存在，车江大坝有些名不副实了。与此同时，贵州各地的侗家水车群也正纷纷淡出侗家人的生活，逐渐消失。

图4-14 水车

图4-15 正在捕鱼的苗族女孩

1.6.12　苗家鱼酱酸和酸汤鱼

《舌尖上的中国》第二季第一集《脚步》播出后，雷山鱼酱迅速从深山小众食品变成了引人注目的美食。雷山鱼酱是黔东南州雷山县永乐一带的传统调味品，每年夏秋之际是最佳制作时间。制作鱼酱离不开的最主要的食材是当地称为“爬岩鱼”的一种土著鱼类，最大不过小拇指粗细、长约5厘米，每年夏秋之际此鱼相对较多。捕捉很不易，耗时费力，每人每天最多只能捕到1斤多(图4-15)。此外，捕捉爬岩鱼时捕到的小河虾、蝌蚪等，也是制作鱼酱不可少的原料。爬岩鱼等捕回后洗净剁碎，将在草木灰中烤好的干辣椒剁碎，再配上姜米、甜酒、盐等拌匀后置放于坛中，用草木灰封存并静置半个月。在无氧条件下鱼酱慢慢发酵，乳酸菌和酵母菌共同作用生成挥发性有机酸，滋生出独特的香气和酸味。雷山鱼酱色泽诱人、鱼香味浓，一小勺足以让任何菜肴变得美味。

贵州苗族爱吃酸食，苗寨中有“三天不吃酸，走路打蹿蹿”的说法。在酸食菜肴中，尤以酸汤鱼这道菜最为有名。制作此菜，必不可少的调料是红酸汤、米酸汤和木姜子油。红酸汤是用野生番茄和其他调料加盐后腌渍发酵而成；米酸汤是将少量的面粉与淘米水调匀，用文火加温至快沸腾时，将其倒入土坛中封口发酵后制成；木姜子油是由樟科植物木姜子的种子蒸馏炼制的调味油，有浓郁的特殊香气。这三种调料备好后，取稻花鱼洗净，清除内脏、鱼鳃和鱼鳞后切段；将老姜、香葱、番茄洗净切好备用。然后在炒锅中加入少许油，中火加热至五成熟；放入老姜片和香葱段煸炒出香味；投入番茄块继续煸炒几分钟；加入凯里红酸汤、米酸汤和适量冷水、盐、胡椒粉，再放入黄豆芽、稻花鱼段等，滴入少许木姜子油，大火煮15分钟左右至鱼熟透即可享用。

2　湿地利用方式、存在问题及拟采取措施

2.1　种植业存在问题及措施建议

2.1.1　水稻种植

贵州湿地最大规模的种植活动是水稻种植。黔东南州的侗家人春天种下香禾糯，秋收时节在稻田中将稻穗剪下来结成禾把，然后担回村晾晒。村边高大的禾晾上挂满了沉甸甸的禾把，空气中弥漫着稻香，丰收的喜悦尽在不言中(图4-16)。

图4-16　从江县高增乡占里村的禾晾

2.1.2　水生蔬菜种植

规模化的水生蔬菜种植首推黔西南州安龙县的莲藕种植。安龙莲藕种植历史悠久，特别是从2001年开始，安龙县委、县政府立足于招堤湿地资源优势，加大农业产业结构调整力度，结合旅游业发展，大力推动莲藕产业。2004年3月，贵州省首家莲藕加工厂——安龙县生态食品有限公司投入使用，当年收入达450万元。至2013年，安龙招堤种植了荷花300多公顷，其中，藕莲约200公顷，每公顷年收入45000元左右。此外，省内一些地方也在开展水生蔬菜种植。荸荠种植是黔东南榕江县继西瓜产业后逐渐发展起来的又一特色产业。资料显示，2003年，榕江县车江大坝的300多公顷荸荠喜获丰收，产量达600多万公斤，纯收入300多万元，致富农户2000多家。六盘水市六枝特区郎岱镇农户历来有种植茭白的习惯，由于缺乏技术指导以致品种退化，单产和品质连年下降，严重挫伤了农民积极性。茭白种植面积在20世纪90年代初是200公顷，2000年下降为13公顷。现在种植面积又有所增加，生产的茭白供给贵阳市场。

总体上讲，贵州省水生蔬菜种植规模小，种类单一。针对这一情况，建议倡导天然湖泊周边耕地调整产业，发展水生蔬菜种植，开展水生蔬菜—鱼—禽立体种养，减少耕地，增加人工湿地，实现多赢促进增收：一方面促使农户使用低毒低残留农药，并减少农药使用次数和用量，提倡饲养鸭、鹅以及鱼苗捕食害虫，这样生产的水生蔬菜品质会有所提高，可作为无公害蔬菜销售；另一方面是提高了土地和水资源利用率，减轻了水生蔬菜草害和虫害，实现水生蔬菜、鱼、禽三丰收。在当前贵州湖泊湿地日益衰退的情况下，通过种植水生蔬菜进行人工湿地建设和生态重塑，无疑是可选、可靠、可行的策略之一。

2.1.3　泥炭藓种植

泥炭藓是生长在沼泽湿地的一种苔藓植物，贵州老百姓习惯称之为“水苔”或者“海花草”。贵州是中国泥炭藓的主要产区之一，翻开贵州外贸出口清单，泥炭藓赫然在册。据资料，我国每年泥炭藓出口量中贵州就占了四分之一，而出口的泥炭藓几乎都是采集来的野生资源。

需求造就市场，在国际市场上泥炭藓一直都很畅销，一、二战期间的德国、荷兰、加拿大及日本等国家将其视为战略物资，战后发达国家纷纷将其应用在农业、园艺业的栽培介质和土壤改良。从1981年起，日本、韩国、荷兰、德国、美国以及我国台湾等多家进口商相继来到贵州采购泥炭藓。贵州几乎所有泥炭藓分布地都有采集泥炭藓的习惯(图4-17)。以独山为例，20世纪70年代村民就开始上山采泥炭藓，老年人会把它晒干，用来烧火做饭。从20世纪八九十年代起，当地村民就开始采集出售，换些现金补贴家用，县城和兔场镇街上等地均设有专门收购点，后来甚至还有台湾人守在山上收购。然而，泥炭藓的生长速度远远跟不上采收速度。于是产量因资源的减少而逐年下降。1985～1988年间，因泥炭藓出口效益好引发多家外贸公司参与竞争收购经营，导致贵州野生泥炭藓资源受到严重破坏。近年来泥炭藓需求量逐年增大，价格一路上涨，1983年特级品产地收购价格是380元/吨，2013年上涨到20000元/吨，涨了52倍，而且有价

图**4-17**　正在采集泥炭藓的妇女

图 **4-18** 独山县泥炭藓种植基地

无货。据不完全统计：1988 年贵州泥炭藓外贸出口量是 1200 吨，2013 年下降至 460 吨。

为获取持续的收入，人们想到了人工种植。在收购商带领下，村民们纷纷到山顶开荒甚至在自留地种植海花草。当地人发现利用低产田种植泥炭藓收益很好，年收入可达 57000 余元/公顷，而种植水稻的年收入只有 21000 余元/公顷。为提高产量，不少农户在种植过程中使用了除草剂和农药。近年来，贵州黔南州正在兴起泥炭藓种植业，都匀市、龙里县、独山县、贵定县、荔波县、惠水县等都在开展泥炭藓种植(图 4-18)。

黔南州贵定县贵州高原农产资材开发有限公司从 1988 年开始探索泥炭藓的人工种植技术，于 1999 年取得人工种植泥炭藓试验的成功，2003 年申请获得了《水苔人工种植方法专利证书》。2011 年该公司与上海市园林科学研究所、华东师范大学合作开展了“国家林业局 948 泥炭藓人工种植与开采迹地恢复项目”，2013 年公司又申请获得人工育苗等 8 个发明专利。该公司已经在贵定、龙里、都匀、荔波等地建成 250 余公顷泥炭藓种植基地，带动农户 2300 户参与种植。公司采取科研开发、推广种植、收购加工的滚动经营模式推广泥炭藓人工种植项目，但还面临着资金周转困难且规模发展太慢的问题。目前出口的泥炭藓仍有 80% 是野生资源，大面积推广人工种植已迫在眉睫。公司力争在 2018 年前建成约 350 公顷泥炭藓人工种植基地，力争 2018 年停止收购野生泥炭藓，实现泥炭藓产品百分百人工种植。

针对泥炭藓利用方面存在的问题，必须在全省范围内采取措施禁止对野生泥炭藓采集收购，支持和鼓励开展泥炭藓种植，用栽培泥炭藓替代野生资源。但必须规范种植方式，实现绿色种植，避免对地表水及地下水造成污染。建议组织开展全省泥炭地专项调查，建立全省泥炭藓资源档案，划定全省泥炭藓重点保护区域，采取建立保护区、湿地公园或者湿地保护小区的方式将野生泥炭藓集中分布地保护起来；对人为破坏严重的沼泽地采取封育措施，禁止人为活动，促进其自然恢复；对破坏严重的区域，组织开展受损泥炭沼泽恢复工程。可以学习借鉴加拿大研究者的方法进行修复：首先堵住沼泽排水沟，使得水位恢复，当水位升高到沼泽表层时，把泥炭藓种植下去后施加低残留肥，并在其上覆盖麦秆、稻草等，避免其干枯。泥炭藓种植最适宜的时间是秋季，只要保证水位就能快速地生长。对于受损面积较大的区域，可推广采用贵州高原农产资材开发有限公司的技术专利，将泥炭藓打浆培育后进行人工撒播或飞播。

2.1.4 湿地围垦

在贵州一些地方也存在围垦湿地种植庄稼的现象。通常，湖泊和沼泽地是开垦的主要对象。草海是贵州最大的天然湖泊，如果说草海的形成史是自然影响下发生的变迁史，那么其发展史则是人为活动影响下的变迁史。20 世纪 50 年代初，草海水域面积曾达 45 平方公里，此后草海经历了多次人为干扰，尤以 1958 年和 1970 年为最甚。由于每年六七月间草海常洪水泛滥形成水患，淹没湖滨的滇黔公路干道及部分农田，有关部门于 1958 年实施了排水工程，草海水域面积减少到

31 平方公里。1970 年，为了得到更多的耕地，解决粮食不足的问题，草海又开始了大规模的排水工程。历时 2 年多，耗费了 130 多万元，到 1972 年，草海仅存约 5 平方公里的水面。但只开垦出农耕地约 3.80 平方公里。此后当地出现了一系列的生态灾难，于是在专家学者呼吁下，1980 年贵州省政府决定恢复草海水域。1982 年，水面恢复到 19.80 平方公里。草海重新蓄水又获复苏，水生植物、鸟类、鱼类的种群数量逐年增加，如今又成了贵州最大的候鸟越冬地。但经历这段波折后也留下了难以解决的历史问题：当年排水造田后，湖底开垦的土地都分给了迁来的农户，草海水面恢复后淹没了这部分土地，失地农户无法维持生计，于是开垦沼泽的现象时有发生。对于开垦沼泽，当地人颇有经验，通常是在湖边沼泽地中纵向挖沟，将挖沟的泥土堆在两沟间，于是这部分沼泽就高出水面变成旱地，之前开挖的沟自然成了旱地之间的灌溉渠道。根据监测，草海的水面一直在逐年减少，沼泽地面积在逐年增加，尽管草海保护区禁止开垦沼泽，但只要注意观察，就会发现不断有新的水沟出现在沼泽地中，一段时间后就会有新的耕地出现(图 4-19)。

省内其他湖泊也有类似的事情发生，威宁锁黄仓、毕节双山新区瓦厂塘、黔西海子群等天然湖泊，其周边的沼泽几乎全部被玉米地或稻田替代。沼泽地的境遇也类似，赫章雨帽山、六盘水娘娘山、都匀螺蛳壳等地部分沼泽被开垦成茶园，河漫滩更是不可避免地被开垦成耕地或者稻田，等等(图 4-20)。

围垦湿地的行为不宜提倡，今后必须杜绝发生，才能确保现有湿地不减少。在政策层面，通过立法等在制度上加以制止，同时，也要考虑对当地人予以补偿和引导他们开展替代性产业，才能从根本上解决这个问题。

图 **4-19** 草海周边的沼泽

图 **4-20** 被开垦的翁密河河漫滩

2.2 养殖业存在问题及措施建议

2.2.1 养鱼业

贵州开展湿地养殖的历史由来已久，最典型的事例当数黔东南州的稻田养鱼。稻田养鱼是黔东南苗、侗同胞祖祖辈辈沿袭下来生产的方式。将鱼放入稻田中养殖，利用鱼吃掉稻田中的害虫和杂草并排泄粪肥在稻田中，再经过鱼翻动泥土促进肥料分解，为水稻生长创造良好条件，从而实现水稻丰收和鱼增产。用此法养殖的鱼肉质鲜甜，没有泥腥味。以黔东南州榕江县为例，据统计，最盛行时，全县 19 个乡镇都实施稻田养鱼，涉及 200 个行政村，近 10000 余农户，养殖面积达 4000 多公顷，年产鱼量超 1500 吨。但因受交通等限制，产品销路不畅，打击了农民养殖热情。

近年来，稻田生态渔业是农业部门主推的内容，力求以市场需求为依托，以科技为支撑，实现多元化养殖。2007 年，榕江县水产站率全省之先，推出稻田养鳅示范项目。水产站在距县城 100 多公里的宰林村规划了约 4 公顷的连片稻田作为示范基地，实施项目涉及 32 家农户 130 人。春末按密度要求将 980 公斤泥鳅苗投入示范稻田中，当年 11 月泥鳅总产量达 7964 公斤，比自然产量高 7 ~8 倍，产值 12.7 万元，同时稻谷每亩增产 20 公斤。2013 年，锦屏县茅坪镇上寨村民通过远程教育网学习，大胆引进阳澄湖大闸蟹在稻田试养。试养面积约 0.33 公顷，投放蟹苗 5000 多只，经过 5 个多月的科学管理，试点养殖的阳澄湖大闸蟹已由外购公司全部以 160 元/公斤高价回收。此外，黔北遵义县也在推广稻田养殖。不同的是，他们投放的是浙江的青田鱼，应用的是浙江的养殖技术。青田鱼学名匝江彩鲤，俗称田鱼，属鲤形目鲤科鲤亚科种类，是浙江青田县土著鱼种，身被色彩多样，鳞片柔软可食，无土腥味。2009 年，遵义县推广稻田养殖青田鱼约 404 公顷，发放青田鱼 794760 尾、草鱼 553480 尾、鲤鱼 240720 尾，涉及 23 个镇 92 个村。统计及测产验收表明，经过近 4 个月的饲养，实现养鱼总产量 260 吨，总产值 520 万元，每公顷平均产值 12870 元，扣除苗种、饲料、人工及其他费用，每公顷平均纯收入 5970 元。

稻田养殖是使种植业和养殖业有机结合的生态模式，在稻鱼共生系统中构建起简单的湿地生态系统，促进了稻田生态系统物质循环和能量循环向有利的方向发展。在这个生态系统中，水稻、杂草是生产者，鱼类(或泥鳅等)、昆虫、各类水生动物是消费者，细菌和真菌是分解者，系统自身能维持正常的循环，因此不需使用化肥和农药，还可改良土壤透性，有效防止稻田的板结，保证农田的生态平衡。从根本上解决农业生产带来的面源污染问题，使粮食安全问题得到很大程度的缓解，对实现农业节能减排，保持贵州山区良好的生态资源，促进生态文明建设，实现农业生产的可持续发展起到积极作用。应该对黔东南的稻田养鱼模式加以总结推广，解决好稻田鱼的市场销路，还要从省级层面进行合理规划，有计划地在不同地方推广养殖不同的种类，形成多元化产品，才能更好服务于市场，满足市场的多元需求。同时，对于遵义市引入的青田鱼应加强管理并开展监测，防止其逃逸到河流中，带来生态问题。

图 **4-21**　网箱养鱼

由于地处喀斯特山区，贵州历来缺少大水面。红枫湖等大型水库、水电站建立后形成了一些大型水面，于是网箱养鱼被大量引入(图 4-21)。红枫湖、百花湖和阿哈湖并称贵阳市“三大水缸”，是贵阳市饮用水源地。但在 20 世纪八九十年代，这里同样也是网箱养殖的基地。以红枫湖为例，网箱养鱼始于 1987 年，初期规模不大，1991 年开始投饵养殖，此后网箱养殖规模逐年扩大。据不完全统计，1994 年发展到 800 箱 20001 平方米；1996 年网箱增加到 1600 箱，面积达 40000 平方米，年投饵量 1.5 万吨，年产量 0.65 万吨，产值约 5000 万吨。高密度的投饵饲养对水体造成的危害很大，人工投放未被鱼类食用的饲料及鱼类排泄物给水体带来大量氮、磷，是造成水体富营养化的元凶。因此，“两湖一库”水质逐年下降，水华经常爆发。贵州省环境科学研究设计院承担的贵州省“九五”重点(攻关)项目研究表明：非点源污染及其中网箱养鱼所输入的TN、TP对红枫湖、百花湖所造成的污染影响最大。“两湖一库”是贵阳市的饮用水源地，其水质好坏关乎贵阳市饮用水安全。1996年1月1日起，贵阳市施行了《贵州红枫湖、百花湖水资源环境保护条例》，禁止在“两湖”开展投饵养殖。1999年，贵阳市开始组织开展库区污染治理工程；2005年12月28日，红枫湖上最后一批固定式温流水投饵养殖场被拆除；2007年12月22日对阿哈湖上1000多平方米养鱼网箱进行拆除；2009年5月1日起施行了《贵阳市阿哈水库水资源环境保护条例》；2010年7月1日起施行了《贵州省红枫湖、百花湖水资源环境保护条例》。但水体水质破坏后很难恢复。2007年，“两湖一库”水质曾下降到V类和劣V类，局部区域水质甚至达到劣V类以下。此后，“两湖一库”转入了漫长的湿地生态治理与恢复阶段，年复一年地组织实施工业污染治理工程、生活污染治理工程、农业面源污染治理工程、生物净化、生态修复五大工程；全面开展打击非法排污、打击违章建筑、打击非法捕捞、打击破坏森林资源四大执法战役。据不完全统计，为治理“两湖一库”污染，促进水质好转，2007年至2013年间，贵阳市累计投入资金12.5亿元，实施治理工程129个。但直到如今，“两湖一库”水质的修复工作仍在进行中……

淡水渔业的养殖模式普遍是追求经济效益最大化，容易造成对江河湖泊和水库的过度利用，导致水体富营养化和水环境质量下降。此外，虽然不投饵养殖有可取之处，但也要注意控制规模，各地在发展水产养殖时切忌盲目上规模。中国有句成语说得好：“前事不忘，后事之师”，各地应该从“两湖”走过的历程中吸取教训，慎重发展网箱养殖，严格控制养殖规模。但现实是，有些淡水湖泊和水库库区又重蹈覆辙。

2.2.2 养鸭业

讲述贵州湿地养殖不能忽略鸭养殖产业。黔东南州三穗县素有“鸭乡”之称，已有近600年的养鸭史。当地的地方养殖品种是三穗麻鸭，最早叫麻鸭，由野鸭驯养而成，相传已有300年驯养历史，是我国四大蛋系麻鸭之一和我国地方优良畜禽品种之一，与北京鸭、绍兴鸭、高邮麻鸭齐名。其个小、肉质鲜香细嫩、氨基酸含量高、胆固醇低，具有清凉下火的药用功效，是天然绿色食品，享有较好的知名度和美誉度(图4-22)。目前，三穗麻鸭已申请了国家品种保护，成为三穗县一大产业，年饲养量达100万只，已建成养殖基地并引进企业开始发展深加工。但相比之下，相邻的天柱县的鸭产业在产业化养殖上步伐更快些。天柱土鸭又称骡鸭或半番鸭，是公番鸭(红冠洋鸭)与母麻鸭杂交的后代，属肉用型鸭，营养丰富，蛋白含量高，肉质细嫩。天柱县有近百年的土鸭养殖历史，鸭产业已成为天柱县农民的“摇钱树”，成为该县富民的重要产业之一，甚至曾经一度占领了三穗麻鸭的市场。早在1999年，天柱县采取小额贷款扶持农民大力发展土鸭养殖，建立了21个机械化和半机械化的大型孵化棚，推广高效人工孵化技术，雏鸭繁殖全部采取人

图4-22 村民养殖的鸭群

工授精技术，成活率达92%。仅在凤城镇就有6户年产雏鸭100万只以上的雏鸭孵化专业大户，每户年均纯收入10多万元。全县养鸭户年均纯收入在10万元以上的有12户。从2002年开始，全县每年都有200万只以上雏鸭上市，除供应本县外还远销周边各县和湖南省相邻各县，并形成了孵化、养殖、销售的一条龙体系，带动了天柱县饲料加工、交通运输、印刷包装、餐饮服务、农产品营销、羽绒制品加工等相关产业的发展。

2.2.3　大鲵养殖

真正湿地野生动物的养殖当数大鲵(娃娃鱼)养殖。大鲵属国家Ⅱ级保护野生动物，贵州是大鲵的主要分布地之一。目前，全省大鲵的人工养殖已经初具规模，黔南自治州、遵义市的部分市(县)都在大力发展养殖，试图探索出既保住绿水青山，又能换来金山银山的道路。为找寻这条路，“中国娃娃鱼之乡”贵定县的岩下乡经历了迂回曲折的探索过程：从最初发现野生娃娃鱼的喜悦，到无序利用的狂热，再到保护大鲵野生种群的理智回归。贵定县岩下乡位于黔南最高峰斗篷山山脚，境内有个溶洞被当地人称“龙洞”，很早以前，当地人就发现，每年冬至前后，“龙洞”石缝里流出来的不仅有冰凉清澈的山泉水，还有一种奇怪鱼苗。经专家考察后认定为大鲵。此后，国家农业部、长江水产研究所、中国濒危动物保护委员会等有关专家相继到实地进行考察，均认定岩下野生大鲵分布的集中性、生境自然条件的优越性以及繁殖洞穴的大规模涌苗现象全国少见。岩下乡属于贫困乡，获此信息后当地人异常兴奋，一时间采取了掠夺式的利用方式，或乱捕乱捉、或非法收购贩卖，造成野生大鲵及其栖息地遭到一定破坏。贵州大学学者2006年~2007年的调查研究表明，贵定岩下野生大鲵种群集中分布在一个以地下水域为依托，地面水网与地下河流相连的集中区域。栖息地由地下(洞穴)与地面水域广布缩小到以地下水域为主。根据繁殖洞穴的鲵苗涌出量与大鲵繁殖特征，推算岩下野生大鲵种群密度约为0.09公斤/平方米，总资源量约1700公斤；捕获量表明，种群数量在20世纪80年代末后急剧减少，90年代中期至2000年后，数量变化趋于缓和。2004年贵定县政府引入企业，引导当地人开始进行大鲵养殖。最初直接利用野生种，将龙洞流出的幼苗引入家中饲养，长大后出售。随着龙洞里流出大鲵幼苗数量逐年减少，政府、企业及当地人开始反思，积极开展人工繁殖和仿生态养殖。随着规模扩大也推动了周边其他乡镇的淡水养殖业的发展，纷纷饲养鱼虾为岩下提供饲料，形成了生态供需链条。截至2014年7月，岩下乡已有60%的农户从事养殖大鲵。在他们带动下，贵定县累计发展大鲵养殖户1576户，养殖规模达36万尾，商品大鲵存池量13.2万尾，养殖企业15家，驯养繁育基地1个，繁殖基地2个，仿生态繁殖场12个，种鱼存池量6500对，每年可繁殖8.6万尾幼苗。按照《贵定县大鲵产业发展规划》，预计到2015年，全县养殖规模将达60万尾。贵定的成功，带动了贵阳、修文、遵义等地大鲵养殖产业，目前全省总养殖量达到80万尾，年产娃娃鱼7.5万公斤，养殖规模在全国名列前茅。

在亚洲的饮食文化中，大鲵被誉为水中“活人参”，在中国大陆、香港、台湾，以及东南亚、日本等国家及地区的市场上被视为珍稀名贵的滋补保健品。《本草纲目》里称它具有提高智力、美容养颜、补血行气、滋阴补肾的功效。有研究表明：大鲵全身都是宝，皮肤中含有41%~61.30%的胶原蛋白，具有嫩白、去皱的美容功效；民间常以大鲵皮肤粉拌桐油治疗烫伤；皮肤分泌的黏液可预防麻风病；大鲵机体中可提取被国际卫生组织称为“诱导癌细胞凋亡反应因子”的超级抗原PRCA，能杀伤癌细胞，抑制癌细胞生长和转移，激活人体产生抗癌因子；大鲵体内富含丰富的金属硫蛋白(MT)，能清除人体内自由基和过量重金属离子，能起到调节人体微循环，预防重金属中毒，延缓衰老的作用……鉴于大鲵具有传统市场需求，因此，贵州应该加强对大鲵野生资源的保护，鼓励开展人工养殖，减少对野生资源的破坏。还应该引导民众、科研机构和养殖企业不要只停留在对其食用价值的关注上，鼓励科研人员研发更多的医药、化妆品、保健品、生化等方面的大鲵系列深加工产品，鼓励企业将科研成果转化到生产中，尽可能延长大鲵的产业链，做长做精大鲵产业，造福人类，为贵州创收。

2.3 林牧业存在问题及措施建议

在贵州的一些县(区)曾经出现过利用沼泽地发展林业的事例。贵州沼泽地多位于海拔较高的高原剥夷面或平缓山顶，被称为山顶上的沼泽，海拔高、湿度大，且土壤含水量大，故几乎所有在沼泽地开展的林业种植都以失败告终。花溪高坡被当成宜林荒山种过树，没成活；纳雍大坪箐尝试种树还是失败。盘县牛棚梁子也试过种树，树坑挖好后土壤中渗出的水迅速将坑积满，只能放弃。有趣的是，过了些日子，遗弃的树坑中长出茂盛的金发藓将其填平了。只有在盘县、水城县的娘娘山沼泽地种植的柳杉成活了，种植面积200公顷左右，如今已经成林，形成难得一见的景观：高大的柳杉林下铺满了厚厚的金发藓，高高低低的藓丘附着在地表，如绿色地毯般柔软且富有弹性。

畜牧业是整个农业和农村经济中的重要组成部分。从某个角度讲，贵州牧业发展是建立在对沼泽地的开发上的(图4-23)。从对贵州现有的几大牧场的调查来看，盘县四格坡上牧场、龙里大草原万亩草场、威宁百草坪、花溪云顶草场等过去都是沼泽湿地，经排水改造成了牧场。1996年，第一次全国湿地调查期间，龙里草场随处可见为种牧草整地开挖的排水沟。近两年，贵州省林业科学研究院的学者还在花溪高坡采集到泥炭藓和云贵水韭并发现千屈菜群落。当然，首先应该肯定，这些牧场为贵州各地民众提供了牛奶和牛羊肉，丰富了市场，满足了贵州各地民众对畜产品的需求。但同时也应该客观地看到，沼泽湿地变成牧场后也带来了一些生态问题。如近些年，贵阳花溪区高坡乡是严重缺水的乡镇之一，每到春耕季节，很多农民都因无水灌溉而犯愁。因为缺水，制约了高坡部分村寨的发展。从湿地生态学的角度来讲，高坡缺水问题与山顶沼泽消亡有很大关系。沼泽湿地是山顶隐形水库，沼泽中分布的泥炭藓等具有极强贮水功能，沼泽湿地贮存的水分持续地补给小溪小河及地下水，滋养着高坡的农田。建成草场后贮水功能降低，地表水、地下水补给缺失，加之近年来降水减少，就造成了干旱。

图 **4-23** 盘县四格坡上牧场(牛棚梁子)

图 **4-24** 苗族传统捕鱼法

因此，鉴于贵州属于湿地小省，湿地面积不大，自然湿地十分宝贵，不提倡在沼泽湿地种树。同时，贵州牧场不宜再扩大，经营好现有的牧场，控制养殖规模才是正确的选择。在条件允许情况下，建议在牧场的低凹处适当恢复种植些湿地植物，如泥炭藓等。恢复部分湿地，有利于改善区域生态状况，同时还有助于提高牧场牧草质量。

2.4　渔业存在问题及措施建议

古语道："靠山吃山，靠水吃水"，意思是人们习惯于依靠其所在的自然环境生存和繁衍。大自然给予了贵州人民丰富的馈赠，清水江、乌江、赤水河等江河中鱼类资源很丰富，一些临水而居的人家祖祖辈辈以打鱼为生，依靠渔业收入维系生存、养育后代。他们遵循自然法则，懂得有节制地索取，与江河和谐相处(图 4-24)。然而，近些年，有些人则将渔业当成致富、牟利的手段，经济利益驱使他们欲壑难平，对江河进行无休止、无节制的索取，给鱼类资源带来了危害。以赤水河为例，中国科学院水生生物研究所于 2010 年 5 ~6 月和 9 ~10 月在赤水河赤水镇、赤水市和合江县的 3 个江段进行了渔获物调查。通过统计各江段的渔业捕捞情况计算年捕捞量，得出赤水镇江段、赤水市江段和合江县江段的年捕捞重量分别为 7290 公斤、24303 公斤和 17128 公斤；总捕捞数量为 163029 尾、465037 尾和 339486 尾。为了保护和恢复长江渔业资源，根据《渔业法》的有关规定和"十五"期间我国渔业经济发展的要求，经国务院同意，农业部已从 2003 年起开始实行长江禁渔期制度。2006 年《贵州省渔业条例》颁布实施后，规定贵州省禁渔期为每年 2 月 1 日 12：00 ~5 月 31 日 12：00。尽管如此，禁渔期非法捕捞活动几乎从来没有停止过。有些人为了获取更多而大肆捕捞，甚至采用电、毒、滚钩等方式，过度捕捞已成为目前各大江河鱼类资源减少和破坏的主要原因。赤水市每年渔政执法检查都会没收大量非法捕鱼工具，其中有一种名为"地龙网"的捕捞工具破坏性很大，网孔细小，每天可捕鱼 5 ~10 公斤，被捕到的鱼几乎都是鱼苗，被卖给养殖户做饲料。此外，还有些人使用甲氰菊酯等农药毒鱼，不仅对鱼的毒害很大，而且还严重污染水质。统计显示，2013 年 1 ~6 月赤水市相关部门已出动执法车 107 辆(次)，出动执法船 78 艘(次)，查处违法捕捞行为 12 起，没收电鱼设备 16 套，没收各类网具 25 张，没收用于炸鱼大雷炮 19 枚，拆除采卵草垛 150 余垛，收缴并销毁滚钩 80 张，没收非法捕捞船只 5 艘，放生野生河鱼 326 公斤，没收违法捕捞工具和处罚款共计价值 5 万余元。为保护鱼类资源，贵州各地还开展了大规模放流活动。2012 年 5 月 9 日，在赤水河赤水市境内段举行的第四次大规模放流活动投放珍稀特有鱼类苗 31 万多尾，价值约 75.5 万元，类似的放流活动每年都在全省各大江河进行。建议继续加大执法力度，打击违法捕捞现象，让江河休养生息，同时继续开展放流活动，用人工手段辅助鱼类资源恢复。

草海是贵州最大的湖泊。草海渔民的捕捞活动及与之相关的特产等也值得关注。"草海细鱼"是草海特产之一，是当地渔民用湖中麦穗鱼、洞庭栉鰕虎鱼、青鳉等小型鱼类制成的干制品，年产量 20000 ~25000 公斤。还有一种特产是水虿干，即蜻蜓幼虫的干制品。蜻蜓属于不完全变态昆虫，到了适宜的季节雌蜻蜓就会将卵产于草海湖中，孵化出的幼虫在羽化后到成虫期之前的阶段叫水虿，水虿需要栖息于水中，是一种凶猛的猎食昆虫。水虿变成蜻蜓需要的时间依种类不同而长短不一，短的两三个月，普通种类 1 ~3 年，长的七八年才能完全成熟，期间还需经过 8 ~14 次蜕皮。当地人将其打捞起来晾晒干后出售，对水虿的大规模捕捞，使草海蜻蜓资源锐减。此外，近些年伴随旅游兴起，草海出现了的一项水上活动——水上烧烤，即取草海鲫鱼做原料配上简单的佐料在游船上进行烧烤。于是草海水面一年四季都布满了渔民安置的迷魂阵，这种迷网只有一个进口没有出口，网孔很细密，鱼只要进入绝对不可能逃出来，无节制的捕捞给草海鱼类资源造成极大破坏。尊重当地的饮食文化是应该的，建议通过人工饲养等方式，满足当地需求，减轻对野外资源的破坏；也可以引导当地逐步转变饮食习惯。同时，应该加大对游客的宣传教育，没有了市场需求也就失去了生产动力。

2.5 工业存在问题及措施建议

在贵州，说到与湿地相关的工业首推酿酒业。赤水河是我国最著名的“美酒河”，国内有一权威媒体曾撰文指出：赤水河乃中国白酒之地理酒核。赤水河因其独特的地理环境和水文气候特性，不出百里必有好酒(图4-25)。流经地域出产了茅台、董酒、习酒、郎酒等数十种蜚声中外的美酒，约占中国名酒的60%。赤水河畔的仁怀市茅台镇被誉为“中国第一酒镇”，是茅台酒的故乡，也是贵州酿酒业重镇。茅台镇酿酒史始于何时，无从考证。在茅台镇出土的文物中，有相当部分是商周时代的酒具，说明当时已经有酒。历史上最早记载赤水河畔酿酒史的是司马迁的《史记》，在中国的酿酒史上，真正完全用粮食经制曲酿造的白酒始于唐宋，当时赤水河畔茅台一带所产的大曲酒就已经成为朝廷贡品。至明末清初，仁怀一带出现了村村有酿酒作坊，户户闻酒香的兴旺景象。到1840年，茅台地区白酒的产量已达170余吨，创下中国酿酒史上首屈一指的生产规模。“家唯储酒卖，船只载盐多”成为那一时期茅台繁忙景象的历史写照。贵州茅台酒是中国民族工业率先走向世界的代表，1915年荣获巴拿马万国博览会金奖，与法国科涅克白兰地、英国苏格兰威士忌并称为世界三大(蒸馏)名酒，是我国大曲酱香型白酒鼻祖。此后近1个世纪以来，先后连续14次荣获国际金奖，并蝉联历次国内名酒评比之冠，被公认为中国国酒。2001年，茅台酒成为我国白酒首个被国家纳入原产地域保护的产品。2014年5月27日，世界著名财经杂志《福布斯》发布的全球2000强企业排行榜中，贵州茅台酒股份公司排名第875位，名列中国酒类上榜企业榜首，在世界酒类企业中位列第9。俗话说，“水是酒之血”，有好水才能出好酒。新中国成立后，茅台酒酿造用水全部取自赤水河。可以这样说，赤水河成就了茅台酒的荣耀与辉煌。

图**4-25** 溶洞窖酒

与湿地密切相关的还有造船业。铜仁市思南县船舶生产的历史悠久，据嘉靖《思南府志》记载，早在明正德六年(1511)就已经开始造船了，但直至民国时期，境内仍无一家正式的造船厂。工匠平素散居农村，遇到有人雇请才聚集工作，多在江边搭棚用椿木建船，所造船只较小，一般只能载重3~8吨。新中国成立后，贵州省政府对铜仁地区航运事业十分重视，1957年7月，贵州省交通厅派出木船检修小组到思南县对旧式木船进行维修和改造。此后，维修小组的人与省交通厅机械筑路队下放人员共同组建了贵州省铜仁专区思南造船厂。1968年初，由船厂自行设计制造的第一艘50吨级钢质货轮竣工，1969年9月下水试航成功。从此，乌江航运结束了木质拖轮拖带式运输方式。2002 年，这家隶属省交通厅的国企完成了改制，变身为民营思南兴黔船业有限公司。近年来，内河船舶的强劲需求为其迎来了春天，2010 年 1 月至 11 月，销售额完成 1500 万元。目前贵州省最大的船舶制造企业是贵州金州港船舶运输有限公司造船厂，该厂是 2010 年 6 月由江苏南京阳江龙程船业有限公司出资组建的，落户黔西南州。2011 年 4 月 28 日，该厂生产的贵州第一艘千吨级机动船在北盘江白层码头正式下水，标志着贵州高等航道没有贵州自己建造的千吨级机动船舶的历史已一去不复返。

2.6 旅游业存在问题及措施建议

贵州湿地景观优美，省内许多著名旅游景区的王牌景点都是湿地景观，如黄果树瀑布、荔波小七孔、安顺龙宫、兴义马岭河峡谷等国家级风景名胜区及赤水景区、南江大峡谷景区等实际都是在进行湿地观光游览(图 4-26)。其中，黄果树瀑布是海内外游客来贵州旅游的首选目的地。每年“五一”和“十一”黄金周，单日游客接待量就在 10 万左右。近两年获国家林业局批准的六盘水明湖湿地公园、贵阳阿哈湖国家湿地公园等也正在成为城镇居民生态旅游和休闲度假的场所。据不完全统计，六盘水明湖国家湿地公园自 2012 年 5 月开园以来一年半时间内累计接待游人 100 余万人次；贵阳阿哈湖湿地公园从 2012 年 9 月开园至 2014 年 6 月共计接待游客达 500 万余人次，其中单日最高入园人数超过 8 万人次，平均周末、节假日游客量达 3.5 万人次。冬季去威宁草海观鸟的游客也呈逐年上升趋势。

图 **4-26** 游人如织的荔波小七孔鸳鸯湖

在当今社会，生态环境不断恶化，人类面临着前所未有的生存压力和心理负担。在这种情况下，人居环境改善和心理环境的转移成为现代人的普遍追求，休闲旅游自然成为人们所崇尚的活动。湿地以独特的美学价值受到了人们的青睐，走近湿地，从事亲水活动、观赏水鸟等已经成了新时尚。目前，贵州开展的湿地旅游活动还停留在观光游的层次，游客只是单纯欣赏湿地之美，其他收获很少。贵州省已获批准的六盘水明湖等国家湿地公园或国家湿地公园试点应该认真思考，把湿地作为生态科普与生态旅游的重要载体，为游人提供多元化、科普化游憩方式。并注重发掘当地民族文化和湿地文化，把湿地旅游开发与民俗活动、文化体验紧密结合起来，塑造具有唯一性和不可替代性的自身特色，才能脱颖而出，才能吸引并留住游客。

2.7 城乡供水存在问题及措施建议

水是生命之源，人们的日常生活离不开水。湿地是地球上淡水的主要储蓄地，人类生活用水、工业生产用水和农业灌溉用水均来源于湿地。贵州各地生活、生产用水都取自水库、河流、山塘等。根据《2012 贵州水资源公报》，全省总供水量 91.52 亿立方米，占当年水资源总量的 9.40%。以地表水供水为主，地表水供水量 88.75 亿立方米，约占总供水量的 97%；地下水源供水量 1.10 亿立方米，约占总供水量的 1.20%；其他水源供水量 1.67 亿立方米，约占总供水量的 1.80%。其中，长江流域总供水量 61.02 亿立方米，珠江流域总供水量 30.50 亿立方米。全省总用水量 91.52 亿立方米，其中农业灌溉用水 47.95 亿立方米，占总用水量的 52.40%；林牧渔畜用水 2.33 亿立方米，约占总用水量的 2.50%；工业用水 24.99 亿立方米，占总用水的 27.30%；城镇公共用水 4.99 亿立方米，占总用水量 5.50%；居民生活用水 10.67 亿立方米，占总用水量的 11.70%；生态环境用水 0.59 亿立方米，占总用水量的 0.60%。相对于水资源条件，贵州供水能力不足，存在工程性缺水问题，未来将成为制约经济社会发展的“瓶颈”(图 4-27)。2011 年年初，贵州省政府工作报告显示，贵州农村饮水困难人口达 1060 万人。据测算，2015 年和 2020 年，全省需水量分别为 139 亿多立方米和 159 亿立方米，即使考虑在建的水利工程新增供水量，届时仍将缺水 41 亿和 60 亿立方米。有近 1300 万农村人口饮水不安全。根据发展目标，贵州将通过 5 年到 10 年时间，从根本上扭转水利建设明显滞后的局面。“十二五”期内基本解决农村饮水安全问题，建成农村人口人均半亩基本口粮田，水利工程年供水量达到 127 亿立方米，基本解决工程性缺水问题。

图 **4-27** 六枝梭戛的背水妇女

“引不来水，留不住水”依然是造成贵州部分农村缺水的最主要的原因。政府的投资不小，但效果并不好。全国平均每立方米水的工程成本约为 6 元，贵州则需要 15 元以上。同时，一些水利设施在修建后并没有达到预想的效果，或者干脆就被废弃了。目前，贵州省水资源开发利用率不足 10%，远远低于全国水平。为了探索提高水资源利用效率的方法，贵州省喀斯特资源环境与发展研究中心在贞丰县、普定县先后实验了“拦截地下水出水点成水库”“筑水池引暗河水”等方法解决农村饮水困难问题，投资从 2 万元到 20 多万元不等。实验取得了成功：贞丰县花江镇投资 2 万元的小水池能蓄水 2000 多立方米，常年有水；投资 20 多万元的普定县阿宝塘水库可以浇灌 300 多公顷的蔬果种植地。他们的实践证明，发展乡村小水利工程，是有效解决农村用水问题必要和可行的措施之一，可作为大型水利设施的补充。

2.8　污水净化存在问题及措施建议

河流具有自净能力。河流生态系统可通过自我调节使水质逐渐恢复洁净。河流生态系统越完整，其自净能力越强。当废水进入河流，经过一段流程后，河水和废水两者混合为一体，混合体中虽然掺杂废水带来的各种污染物，但其浓度已经降低，这种作用称为稀释。在流动过程中废水带来的悬浮物在水流平缓的河段沉降河底，发生了沉淀作用。污水进入河水后，病原体由于失去适宜的环境难于繁殖，并逐渐死亡。同时，河流湿地中生长的动植物、微生物和细菌等通过湿地生物地球化学过程的转换，包括物理过滤、生物吸收和化学合成与分解等，将生活和生产污水中的有机物和有毒物质吸收、分解或转化，使湿地水体得到净化。利用河流这一功能，在很长一段时间里，贵州省城乡生产生活污水都是直接排放到河流中的。

贵州许多城市都有一条穿城而过的河流，许多长者都有儿时在河边垂钓、嬉戏和游泳的经历。但现在河流水质普遍都很差，都在进行治理。为什么？因大量生活生产污水排入，河流不堪重负。近些年。贵州各级政府正在积极推进城镇污水治理。数据显示："十一五"规划末期，全省建成了113座污水处理厂，提前实现了县县建成污水处理设施的规划目标。污水处理厂总规模171.43万立方米/天。实际处理水量119.37万立方米/天，目前，全省城镇生活污水总量274.90万立方米/天，城镇污水平均处理率43.42%，其中贵阳市污水处理率达88.71%，市(自治州)所在城市(含贵阳市)平均处理率81.27%，县城平均处理率58.11%。另据调查，省内大部分建制镇无污水处理设施。此外，污水管网建设滞后增大了污水收集的难度。相对于市政生活污水，工业污水处理难度更大。以仁怀市为例，除茅台酒厂外，仁怀市目前共拥有204家白酒生产企业，不少企业的生产用水均取自赤水河。长期以来，企业生产过程中排放的高浓度有机废水成了这条"美酒河"水环境治理的沉重负担。据统计，如果按照每生产1吨白酒产生4~5吨废水计算，位于仁怀市荣昌坝的名酒工业园区每年产生的高浓度有机废水就达到20余万吨。从白酒生产车间排出的呈酱黄色的锅底水和窖池黄水，其COD浓度往往高达60000毫克/升以上，如果不经处理或处理不达标直接排入赤水河，将对赤水河的水环境造成严重破坏。为了从根本上解决白酒企业污水处理的难题，保护赤水河，仁怀市采取了系列措施。截至2013年12月，引导企业投资5亿多元建成酿酒废水治理设施500余套，酿酒废水设施建设覆盖率提高到95%以上。还积极推行第三方治理、第三方监管，按照"连片治理，集中处理，政府主导，企业买单"的原则，实行工业废水集中处理。投资1.2亿元在仁怀名酒工业园区建成了3座集中连片的净水厂；在白酒企业聚集区投入近13亿元建造8座酿酒废水集中处理设施。然而，省内其他市(区、县)工业污水的处理更多是由企业自己来完成。为自身的盈利，一些企业忘记了应该履行的社会责任，将未经过处理的污水排入河流。都柳江上游水体污染事件就是这种丧失道德、没有社会责任感的企业酿成的。2007年12月，独山县某公司制酸车间未经许可擅自违法生产排污，导致都柳江上游部分河段砷超标，造成17人轻度砷中毒，沿河约2万人生活用水困难。经采取有力措施治理，沿河群众生活用水基本恢复正常，有关责任人则被警方予以刑拘。

河流自净能力是有限的。近年来河流水量在减少，但污染物却在增加，超过了自净力，河水就会被污染，而河流治污却是个漫长的过程。大家必须关注河流水资源安全问题，企业必须树立社会责任感。

2.9 水运存在问题及措施建议

贵州素以“地无三里平”著称，山高坡陡，沟壑纵横，山地和丘陵占国土面积的92.5%。自古，贵州交通不便就是不争的事实。李白诗云“蜀道之难，难于上青天!”其实黔道的艰难堪比蜀道。明代思想家王阳明曾留书感叹：“连峰际天兮，飞鸟不通；游子怀乡兮，不知西东。”1926年春，时任贵州省长的周西成从香港购回一辆福特汽车，这是贵州的第一辆汽车。汽车从香港行至广西后，沿清水江水路转运到贵州榕江县，又用2只小船拼搭运至三都县，然后被拆散靠人挑马驮辗转十几天才运达贵阳。在过去很长时期里，河流是贵州的重要交通运输通道。乌江、赤水河、清水江、红水河(南盘江)、北盘江、都柳江等大江大河就是贵州通往外界的航道，就是贵州的交通命脉。都柳江是黔桂两省水上交通的枢纽，其水运繁荣于清代。清雍正六年至七年(1728～1729)，贵州巡抚张广泗整治都柳江航道，三都以下能常年通航木船。史称“苗木”的黔东南杉木则是顺清水江而下进入沅江，再由长江转入大运河运往全国各地。直到20世纪50年代以前，都柳江干支流水运都起着重要的作用(图4-28)。

《国务院关于加快长江等内河水运发展的意见》(国发〔2011〕2号)把内河水运发展上升为国家战略。2011年，国家规划在贵州的“西南水运出海中线通道(贵州段)”航运扩建工程已全面完工。工程投资4.6亿元，经过3年多的建设，已建成“南下珠江”，可通行500吨级船舶的四级航道360公里，航道年通过能力1020万吨，为推进红水河复航打下了坚实的基础。

图**4-28** 都柳江木舟

乌江一直是贵州北入长江的水运大通道。直到20世纪80年代，满载煤炭、烤烟和矿石的贵州船队还可从乌江入长江抵达上海。资料记载，1984～1990年的7年间，乌江、赤水两大长江水系航道完成货物周转量6.445亿吨公里，占全省总量的39%。至1990年底，贵州的长江船队有9个，年运输能力20万吨。乌江梯级电站开发建成后，乌江航道被阻断，航运停止。

赤水河是长江唯一没有筑坝的一级支流，故一直通航至今。作为黔北唯一通航的大河，赤水河历来就是川、黔之间大宗货物运输的重要水道。据史料记载，赤水河航运兴起于东汉时期，兴盛于清朝，并延续至今。在历史长河里，赤水河不仅是沿岸各族人民交通运输的黄金通道，也是沿岸地方社会、经济、文化发展的重要纽带和基础。保存在千年古镇习水土城的“船帮”见证了赤水河航道船运曾经的兴旺，如今，赤水河水上运输依然一派繁荣景象。2010 年，赤水河水路货物运输量达到 540 万吨，客运量达 40 万人次，船舶通航密度逐年增加，贵州、四川常年航行于赤水河的运输船舶 1100 余艘，港航企业 58 家，从业人数达 6000 余人。近年来，因赤水河水位过低，每年的端午节前后停航成了常事。2013 年赤水河航运建设扩能工程被列入议事日程。由于赤水河是长江上游珍稀、特有鱼类国家级自然保护区核心区，被看做是长江珍稀鱼类最后的希望。因此，此举受到环保志愿者和鱼类保护专家的普遍关注。2013 年 6 月，国家级自然保护区评审委员会委员、中国水产科学研究院长江水产研究所危起伟研究员在“赤水河航运建设扩能工程对长江上游珍稀特有鱼类国家级自然保护区水生生态影响评价”专题会议上公开表示反对。2013 年 8 月 19 日，一则题为《专家呼吁赤水河告急》的新闻出现在网络上。从地方经济发展的角度来看，治理赤水河河道可以理解，但从湿地生态保护角度看，此举将对鱼类资源造成极大破坏。中国科学院、社科院水生动物专家联合发布的报告显示：赤水河中的绝大多数鱼类属于漂流性繁殖，产卵不需专门的场所，所有鱼卵都是在顺水漂流的过程中完成孵化的。每年产漂流性卵的鱼类在吴公岩至马桑坪这段不通航河段的产卵数量可达 5000 万 ~9000 万只。而赤水河中很多的巨石、沙滩等则构成了某些特有鱼类繁衍和生存所必需的环境。此外，赤水河道不宽，行船噪声、旋转的螺旋桨都会对鱼类造成巨大的威胁，根本无法做到真正的船只无害通过。所谓无害通过是以船速不显著超过鱼类瞬间快速游泳的速度为原则，鉴于多数鱼类正常的游动速度约 1 公里/小时，瞬间快速游动大约可为正常速度的 2 ~3 倍，再加上长江上游流速约 3 ~4 公里/小时，专家确定船舶通过保护区核心区的速度不得超过 7 公里/小时。但这显然不符合赤水河航运业者的期盼。

这确实是个两难的抉择：建立长江上游珍稀、特有鱼类国家级自然保护区的动议是为减轻三峡水库水电建设对鱼类资源所带来的不利影响。2000 年 4 月，国务院批准建设该处保护区。可是，2005 年 4 月，为配合金沙江流域下游两个世界级水电站溪洛渡和向家坝的开发建设，保护区范围就被迫作了调整，将原来的合江—雷波段向下迁移，调整至重庆三峡库区库尾至宜宾向家坝坝下的江段。2011 年，为了配合小南海水电站的建设，再度收缩保护区下游终点，将小南海江段划出保护区。现在，赤水河肩负着整个长江鱼类资源保护的重任。赤水河鱼类保护确实重要，关乎整个长江流域珍稀鱼类的命运，关系长江生态系统的安全，但这需要整个长江流域乃至国家层面的共同行动。必须尽快建立起湿地生态补偿机制，让赤水河沿岸受益于赤水河保护。否则，一味要求赤水河沿岸牺牲经济利益为鱼类保护让步是不能长久的。

2.10　水能发电存在问题及措施建议

贵州河网密度大、河流坡度陡，天然落差大，产水模数高，水能资源丰富。全省水能资源理论蕴藏量列全国第 6 位，平均每平方公里土地面积拥有水能资源理论储量 106 千瓦。水能资源主要集中在乌江、南盘江、北盘江、清水江、赤水河上(图 4-29)，这四江一河的水位落差集中的河段多，开发条件优越，水能蕴藏量和可开发容量占全省的 80% 。贵州水能资源的丰沛和水利建设取得的成就虽然值得庆贺，但依然需要冷静和清醒地关注生态的变化。2007 年，贵州大学学者对清水江研究表明，清水江流域众多的电站水坝阻断了半洄游性鱼类如青鱼、草鱼、鲢、鳙，以及稀有鱼类白甲鱼、瓣结鱼、光倒刺鲃等上溯生殖洄游的路径，使沅江中下游鱼类无法进入清水江

图 4-29 雨后的荔波茂兰国家级保护区三岔河

产卵繁殖。水坝使清水江干支流原有鱼类产卵场消失或向各支流上游迁移，导致清水江适宜的鱼类产卵场在总体上减少，进而不利于各种鱼类的繁殖。同时，水坝还使清水江许多急流江段或浅水滩头消失，河流由流水变为静水。清水江中原有适应急流生活的鱼类如洞庭华鲮、光倒刺鲃、长身鳜、光唇鱼属、白甲鱼属、平鳍鳅科和鳅科等鱼类失去栖息环境，特别是泸溪直口鲮、圆吻鲴、白甲鱼属和平鳍鳅科等刮食性鱼类失去可供刮食藻类的浅水滩头而不能摄食。2010 年，贵州师大学者研究表明，自然河段中，底栖动物物种丰富，以节肢动物占优势。梯级水库的修建使底质环境差异变小，底栖动物物种丰度、密度和生物多样性降低，群落类型趋于简单，优势类群表现不明显；并且水库建成的年代越久，底栖动物的丰度、密度就越低，群落的组成类群就越少，物种组成以寡毛类和摇蚊类为主。也就是说，梯级电站的修建对底栖动物的物种组成、密度分布、多样性、群落类型等都造成了负面影响。随着底栖动物减少，必然带来食物链、食物网发生变化，整个湿地生态系统发生改变也是必然的。

目前，贵州大江大河干流上都已经进行了梯级开发，猫跳河甚至还是我国梯级水电站开发最早并且开发较为完整的河流之一。但从维护代际公平和维护河流生态系统生物多样性的角度出发，笔者呼吁今后应该慎重进行水电站及水库的建设，为子孙多留下几条自由流趟的河流，为鱼类等水生生物留些生存空间。不能流淌或者没有鱼儿的河流都是没有生机和活力的，人类强加给河流的变化，最终都将自己承受恶果。

2.11 其 他

提到“水城”，大家自然会想到意大利威尼斯，脑海中浮现出那窄窄的水道、密集的小船、古老的建筑，那是一个与水密切相关的城市。贵州省六盘水市有个县城取名水城，这地方现在看来似乎与水没有关系，但究其历史，确实与水有密切关联，最早竟然是建在湿地中的城池。老的水城县城也称“荷城”，建制有 282 年历史。水不仅是这座城池赖以生存的生命之源，而且还是保护这座城池的天然屏障。正如记载所言：“四山崭削，一水潆洄，为罗甸之要区。”其中“一水”即指水城河，又名响水河。此河发源于梅花山下的沙子坡及德坞，由数股山泉汇聚成河然后蜿蜒而下如护城河般环绕在城池周边。水城河水系发达、支流众多，故而城外河溪纵横、沟渠无数，雨季时是一片汪洋，城池犹如在水中央，于是得名“水城”。又因远眺城池宛如一片荷叶浮在水面，又得名“荷城”。水城通判陈昌言留下诗句：“环城无翳水无波，回望城浮一叶荷”。旧时水城不开北城门，除了风水说北门有杀气之外，与这一带的地理形势不无关系。据《水城厅采访册之三·营建门·城池》(陈昌言，清·光绪)记载："咸丰时，'粤匪'由威宁路至城西，近云南沟，当先两骑陷泥淖中，不得出，遂杀马绕道遁。"又有记载："当秋冬水落时，若塞其下流，亦堵蓄防止而成巨浸。泥淖深者不可测，浅亦未可以腾跃。"故可推断，当时，水城城北是一片沼泽地，终年积水。1957 年 6 月，贵州省城市建设局区域规划组拍摄的一张"水城城关周围全景"照片显示，城内清一色的瓦房，城外则是水清如镜的万顷良田。后来随着人口增加，城市不断扩大，水城看不到水了，只有渠道化的水城河从城中穿过。年长的水城人都还记得当初许多地方修楼建房时，打地基很费劲，往往需要打很深才行，因为都是烂泥地(即沼泽地)。如今六盘水市政府请来北京土人景观与建筑规划设计研究院的专家为水城河综合治理出谋划策，重建了明湖村湿地，申报建设了明湖国家湿地公园；围绕"生态治理、综合治理"的设计理念，以"水城 绿道 珠链 碧河"为主题，力求将水城河打造成一条自然生态廊道、休闲游憩廊道、城市生活廊道；恢复河道的健康，提升河道的活力，增强水城河的安全性、亲水性、可游性，激发城市活力和土地价值，提升城市品位。

图 **4-30** 榕江小丹江村

贵州许多城市都是滨河而建，因此不少人关于故乡的记忆都与家乡的河流有着关联(图 4-30)，如歌中所唱："遥远的夜空有一个弯弯的月亮，弯弯的月亮下面是那弯弯的小桥，小桥的旁边有一条弯弯的小船，弯弯的小船悠悠是那童年的阿娇……"但这种宁静优美的意境现在几乎都找不到了，弯弯的小河和小桥都没有了，穿城而过的基本都是渠道化的河道。湖畔沼泽、河漫滩几乎都不存在，或已修上住房，或种上庄稼、或建上厂房、学校。现在和未来，贵州各地一批批新区又将临河湖而起……相比较而言，贵州沼泽湿地的境遇最差、最糟。许多地方风力发电的选址就在沼泽湿地上，如龙里县五里坪及亮山一带、盘县牛棚梁子等沼泽湿地都是风力发电的施工地；龙里县部分沼泽变成了度假村和跑马场；土地占补平衡中，沼泽地也成了首选地之一；还有前面已经介绍的种植和养殖业的需求……贵州沼泽湿地承载太多，有些不堪重负了，还未被世人完全认知却已经面临消亡的危机了。

第二节 湿地资源可持续利用前景分析

湿地资源是大自然赐予人类的宝贵财富，是维持人类生存的重要生态系统，在生态良性循环中占有重要的位置。加强资源保护与可持续利用，是改善生态环境、实现可持续发展战略的重要前提。湿地资源可持续利用则必须以湿地资源保护为前提保障。

1 可持续利用的潜力

1.1 可持续利用应遵循的原则

湿地可持续利用应该遵循的主要原则有三，其一是要实现湿地保护和利用间的平衡，即必须以维护公共利益即湿地生态价值为前提。在此限度内可适当开发利用，以达到生态、经济共同发展。其二是要维持效益和公正间的平衡。从社会学的视角看，所谓环境公正有 3 层含义：第一层含义是指所有人都应有享受清洁环境而不遭受不利环境伤害的基本权利；第二层含义是指环境破坏的责任与环境保护的义务相对称；第三层次含义是要在效益与公正间寻求平衡点，人与自然的关系应该是和谐、统一、公平的。人类对湿地不能一味索取，利用要适度，必须限制在湿地可承受的范围内，达到对资源的索取与湿地自身恢复、更新之间的协调，不能引起湿地生态特征变化。其三是要维护代际间平衡，即当代人利用湿地的同时必须保证后代人平等使用湿地的权利。具体讲就是，不可采取掠夺式方式利用湿地，必须在保证其可再生能力前提下加以利用。

1.2 潜力分析

1.2.1 景观异质性高

关于景观异质性的定义很多，较普遍的定义是指在景观中对某一物种或更高级的生物组织的存在起决定作用的资源(或某种性状)在空间(或时间)上的变异程度或强度。其理论内涵是景观组分或要素如基质、廊道、动物、植物、生物量、热能、水分等在空间中的不均匀分布。多样性指数、斑块密度、优势度、边缘密度等都是描述和分析景观异质性的指标，它是景观生态学的重要属性。简单来讲，景观异质性是指景观类型的差异，即景观类型的多样性，代表的是景观镶嵌的空间复杂性，是土地镶嵌固有的特征。景观异质性的存在决定了景观空间格局的多样性和斑块多样性。贵州湿地种类多样，分 4 类 15 型(包括稻田/冬水田)，全国湿地分 5 类 34 型，贵州湿地的类与型占全国湿地类与型的比例分别是 80% 和 44.12%。除去近海与海岸湿地外，其他 4 个湿地类，包括河流、湖泊、沼泽和人工湿地在贵州都有分布(图 4-31、图 4-32)。贵州山地面积大、高原台地破碎化，湿地在山地、山原、丘陵中穿行，存在于喀斯特地貌与常态地貌间，加上与森林相互映衬，形成了差异很大的湿地景观。

图 **4-31**　茂兰国家级自然保护区洞腮河

图 **4-32**　台江县翁密河

1.2.2　景观多样

生物多样性是现代生态学研究的三大热点之一，它反映在景观生态学中即是景观多样性。景观多样性描述的是景观结构、功能、动态的多样性和复杂性。贵州湿地生物多样性丰富，而且不同湿地类型中物种组成也不同，因此也就决定了贵州湿地具景观多样性。景观多样性的保存也有利于景观异质性的维持。由于多样性造成的不同斑块间的差别创造了新的生态过程，影响到物质、能量和信息的流动，进而又会对异质性产生促进或抑制作用。

1.2.3　湿地资源丰富

贵州湿地资源丰富，包括土地资源、水资源、生物资源、景观资源、水能资源等，尤其是湿地生物多样性十分丰富，为可持续利用提供了优越的物质基础。如，可培植湿地植物用作营造湿地景观和园林水景的重要素材(图 4-33)；沉水植物、浮水植物、挺水植物均可用于水面造景和绿化，按各自的生活形态点缀水面、水底、岸边，同时还能净化水体。另一方面，全省湿地野生动植物产业也在起步。泥炭藓人工种植业在黔南贵定、独山等地兴起；大鲵人工养殖业在黔南贵定、遵义正安等地发展已经基本形成规模。只要加以引导，即可在保护野生资源的前提下，通过人工饲养、种植为市场服务和创造经济收益。

图 **4-33** 湿地植物千屈菜

1.2.4 湿地文化多元悠久

贵州湿地文化是民族文化、农耕文化、渔猎文化等多元文化的演绎。贵州省是一个民族众多的省份，少数民族人口数量较多，仅次于广西和云南，居全国第三位。全省有少数民族 48 个，世居民族有汉族、苗族、布依族、侗族、土家族、彝族、仡佬族、水族、回族、白族、瑶族、壮族、毛南族、蒙古族、仫佬族、羌族、满族等 17 个。不同的民族有不同文化背景，彝族、白族是古代氐羌族后裔；壮族、侗族、布依族、水族、仡佬族是古代百越族后裔；苗族、瑶族是以盘古祖先为神的所谓南蛮系民族；土家族是古巴人的后裔。不同文化背景的少数民族共同生活在贵州土地上，在这里交汇、碰撞，加上汉族中原文化的浸润、影响，再经过漫长历史的沉淀和融合，积淀了厚重的、极具地域特色的文化底蕴，也赋予贵州湿地丰富的文化内涵，贵州湿地也因此有了灵魂，变得立体而生动。

2 贵州湿地可持续利用的优势及保障措施建议

2.1 可持续利用的优势

2.1.1 国际层面湿地保护形势

湿地与森林、海洋并称全球三大生态系统。国际上历来重视湿地保护。世界湿地保护经历了湿地过度开垦和破坏、湿地保护与控制利用、湿地全面保护与科学恢复 3 个阶段。与之对应，世界湿地保护政策经历了鼓励湿地利用、湿地保护与限制使用和湿地“零净损失”3 个阶段。为遏制湿地面积下降，近年美国提出了湿地“零净损失”政策目标。即任何地方的湿地都应该尽可能受到保护，转换成其他用途的湿地数量必须通过开发或恢复的方式加以补偿，从而保持甚至增加湿地资源基数。随后，“零净损失”目标相继被一些国家所采纳，成为当今国际上湿地保护最重要的政策措施。目前，具有国际法效应的湿地保护的公约是《关于特别是作为水禽栖息地的国际重要湿地公约》(简称“湿地公约”)。这也是唯一针对一种特定生态系统的政府间全球环境条约，旨在通过国家行动和国际合作来保护与合理利用湿地，并以此作为在全世界实现可持续发展的一种途径。该公约于 1971 年 2 月 2 日由 18 个国家的代表在伊朗拉姆萨尔通过，至 2014 年 1 月共有 168 个缔约成员国，我国于 1992 年 7 月 31 日加入。此外，相关的国际公约还包括：一是《生物多样性公约》。这是一项保护地球生物资源的国际性公约，旨在保护濒临灭绝的植物和动物，最大限度地保护地球上多种多样的生物资源，以造福于当代和子孙后代。公约于 1993 年 12 月 29 日正式生效。二是《保护迁徙野生动物种公约》。该公约 1979 年 6 月 23 日签订于德国波恩，旨在通过制定并实施合作协议，禁止捕捉濒危物种，保护其生境及控制其他不良影响因素，以保护那些越过各国管辖边界或在边界外进行移栖的野生动物物种。三是《濒危野生动植物种国际贸易公约》。该公约1973年6月21日在美国华盛顿通过，1975年7月1日正式生效，至1995年2月底共计有128个缔约国，我国于1981年正式加入该公约。该公约旨在通过国际合作确保野生动植物物种的国际贸易不至于威胁相关物种的生存，通过在科学机构的控制下由管理机构签发进出口许可证来保护某些濒危物种，使之不致遭到过度开发利用。四是《联合国气候变化框架公约》。该公约1992年6月在巴西里约热内卢通过，目前已有190多个缔约国，是世界上第一个为全面控制二氧化碳等温室气体排放，应对全球气候变暖给人类经济和社会带来不利影响的国际公约，也是国际社会在应对全球气候变化问题上进行国际合作的一个基本框架。该公约旨在控制大气中二氧化碳、甲烷和其他温室气体的排放，将温室气体的浓度稳定在使气候系统免遭破坏的水平上。

2.1.2 国家层面湿地保护形势

我国政府自加入《湿地公约》以来，认真履约并积极组织开展湿地保护工作，特别是最近十年，国务院先后批准实施了《中国湿地保护行动计划》《全国湿地保护工程规划(2002～2030年)》《全国湿地保护工程“十二五”实施规划》等，还专门下发了《国务院办公厅关于加强湿地保护管理的通知》等。此外，连续几年的中央一号文件和政府工作报告都对湿地保护提出了具体要求。近两年，湿地保护工作被提到新的高度给予关注。2012年11月8日，中共中央总书记胡锦涛在中国共产党第十八次全国代表大会上做了题为《坚定不移沿着中国特色社会主义道路前进为全面建成小康社会而奋斗》的报告，提出“必须树立尊重自然、顺应自然、保护自然的生态文明理念，把生态文明建设放在突出地位，融入经济建设、政治建设、文化建设、社会建设各方面和全过程，努力建设美丽中国，实现中华民族永续发展”；提出要“加大自然生态系统和环境保护力度……扩大森林、湖泊、湿地面积，保护生物多样性”；提出“保护生态环境必须依靠制度。要把资源消耗、环境损害、生态效益纳入经济社会发展评价体系……建立反映市场供求和资源稀缺程度、体现生态价值和代际补偿的资源有偿使用制度和生态补偿制度”；还提出要“同国际社会一道积极应对全球气候变化”。十八届三中全会《决定》中要求划定生态保护红线。习近平总书记做出了“绿水青山就是金山银山”、“山水林田湖是一个生命共同体”的重要论述。截至2013年12月，国家相继出台了一系列的与湿地相关的单要素资源法，如：《中华人民共和国水法》《中华人民共和国渔业法》《中华人民共和国野生动物保护法》《中华人民共和国水污染防治法》等。全国有18个省份已经颁布了省级湿地保护法规，如：《北京市湿地保护条例》《江西省湿地保护条例》《云南省湿地保护条例》等。国家林业局先后颁布施行了《国家湿地公园管理办法(试行)》《国家湿地公园验收办法(试行)》《国家湿地公园总体规划导则》《湿地保护管理规定》等一系列规章制度。其中，《湿地保护管理规定》明确指出：国家对湿地实行保护优先、科学恢复、合理利用、持续发展的方针；为深化改革，加强规范中央财政林业补助资金使用和管理，提高资金使用效益。2014年4月30日，财政部与国家林业局联合印发了《中央财政林业补助资金管理办法》。将湿地补贴纳入中央财政预算安排，主要用于开展湿地保护与恢复、退耕还湿试点、湿地生态效益补偿试点、湿地保护奖励等相关活动。国家林业局正在筹备举行《湿地保护条例(草案)》听证会，湿地立法正在推进中。

2.1.3 省级层面湿地保护形势

从2012年开始，贵州省湿地保护事业步入快车道。特别是2014年4月10日省政府主持召开了贵州省第二次湿地资源调查成果新闻发布会后，湿地保护工作得到省委、省政府的高度重视。2014 年 4 月 11 日，赵克志书记针对我省湿地资源面积减少退化的现状做出重要指示，要求加强湿地保护工作。4 月 23 日再次做出重要指示："我省湿地资源珍贵脆弱，只能保护，不能破坏；只能增加，不能减少；只能科学利用，不能放任退化。各级各部门要把湿地保护工作牢牢抓在手上，坚决遏制我省湿地减少退化的势头。"5 月 22 日，陈敏尔省长做出批示："我省湿地资源保护现状不容乐观，要加大投入、管理和改革力度，采取有效措施，统筹抓好湿地修复、生态涵养等工作，以实际行动守住发展和生态两条底线。" 2014 年 4 月，省林业厅连续下发了《关于进一步加强湿地保护工作的意见》和《关于认真贯彻落实省委书记赵克志对全省湿地保护工作重要批示精神的通知》2 个文件，要求各级林业部门认真履行职责，切实加大湿地保护工作力度，严厉打击破坏湿地生态系统的违法行为。同时，组织召开全省湿地保护工作暨培训会议，传达学习省委书记赵克志对湿地保护工作的重要批示精神，对贯彻落实提出具体要求。省林业厅黎平副厅长通报了当前全省湿地保护工作情况，并从认清形势、强化责任使命、明确目标任务、加强人才队伍建设、提高执行力、保护与发展等 6 个方面强调了贵州省湿地保护的重要性，并就下一步如何开展湿地保护工作提出了具体要求。2014 年 6 月，组织编制了《贵州省湿地保护与建设方案》并在全省生态文明大会上印发。2014 年 7 月，组织编制了《贵州省湿地保护发展规划》，已通过了专家评审上报省政府并获批。以湿地"零净损失"的理念划定了湿地保护红线，明确到 2020 年全省湿地保有量不低于 21 万公顷。这个红线既是建设生态文明的目标线，也是实现有序发展的保障线。这是贵州湿地保护史上的一项重要制度性创新，有利于增强湿地保护刚性约束。2014 年 9 月，贵州省启动了森林保护"六个严禁"执法专项行动，制定并印发了《贵州省森林保护"六个严禁"执法专项行动方案》，明确全省森林保护要求"六个严禁"，即严禁盗伐林木、严禁掘根剥皮等毁林活动、严禁非法采集野生植物、严禁烧荒野炊等容易引发林区火灾行为、严禁擅自破坏植被从事采石采砂取土等活动、严禁擅自改变林地用途造成生态系统逆向演替。专项行动时间是从 2014 年 9 月 20 日起至 2015 年 3 月 20 日，围绕各类征占用林地(湿地)建设工程项目、自然保护区、风景名胜区、重要野生动物栖息繁衍地、各类生产加工交易野生动植物场所等重点部位和重点区域，严厉查处非法占用、毁坏林地(湿地)，盗伐滥伐林木和非法收购盗伐滥伐林木，非法采集、收购、捕猎、运输、加工、销售野生动植物资源及其制品，破坏国家重点保护植物资源和野生动物，重大森林火灾，森林资源保护和监管工作失职渎职等重点案件。此外，《贵州省湿地保护条例》已进入实地调研和文本修改阶段。2014 年 9 月，省林业厅金小麒厅长代表省政府作了全省湿地保护工作情况报告；10 月，贵州省十二届人大常委会第十一次会议分 4 个组审议了报告……

2.2 可持续利用的保障措施建议

2.2.1 抓好制度建设

俗话说"不以规矩，不能成方圆"。规矩就是规章制度，是人们应该遵守的，用来规范行为的规则、条文，它保证了良好的秩序，是各项事业成功的重要保证。制度建设是一个制定制度、执行制度并在实践中检验和完善制度的动态过程。因此，开启湿地保护事业，制度建设应该先行。国家层面上，应该按照生态文明制度建设的总体要求，有计划地、逐步地建立包括自然湿地保护制度、退化湿地恢复制度、湿地生态效应补偿制度、湿地保护红线制度、湿地生态系统评价制度、湿地生态系统功能动态监测和预警制度等一系列重要制度，形成较为完整的湿地保护制度框架。省级层面，首先应该抓紧制定《贵州省湿地公园管理办法》《贵州省级湿地公园总体规划导则》《贵州省级财政补助资金管理办法》等，然后再制定深层次的专项制度，逐步建立、完善贵州省湿地保护制度体系，规范贵州省湿地管理工作。

2.2.2 完善法律、政策支撑

从国家层面来讲，首先，必须尽快出台《国家湿地保护条例》，从法律上对湿地进行定义，在充分尊重目前已有的单要素法的基础上，从加强湿地生态系统保护角度做出规定，规范行为。特别是对湿地资源调查监测、湿地占用征用的监督管理、各种破坏行为的处罚、怎样更好地履行国际公约等制定一些更明确的、更有操作性的条款和规定，为湿地保护提供法律支撑。特别需要指出的是，要对湿地多种价值(特别是美学价值)进行法律认定，有助于加深公众对湿地的全面认知。据资料，美国法律已对湿地美学价值予以了认定，美国第八巡回上诉法院审判国家野生动物联盟诉农业部农业稳定与保护局一案证明了这一点。该案中，美国国家野生动物联盟指出，如果农业稳定与保护局同意土地生产者转变湿地将极大地损害湿地的美学价值，人们原来可以对湿地野生动物进行欣赏、喂养、拍摄的权利会因此受到损害。法院最后肯定了原告的诉请，认定“被告的行为对湿地和湿地野生动物给人们带来的美学价值是一种伤害，转变湿地的行为同时也造成了饮用水污染的增大，降低了地下水的供应量……”其次，应对《中华人民共和国土地管理法》等的相关条款进行修正。《中华人民共和国土地管理法》第四条规定：“国家实行土地用途管制制度。国家编制土地利用总体规划，规定土地用途，将土地分为农用地、建设用地和未利用地。严格限制农用地转为建设用地，控制建设用地总量，对耕地实行特殊保护。前款所称农用地是指直接用于农业生产的土地，包括耕地、林地、草地、农田水利用地、养殖水面等；建设用地是指建造建筑物、构筑物的土地，包括城乡住宅和公共设施用地、工矿用地、交通水利设施用地、旅游用地、军事设施用地等；未利用地是指农用地和建设用地以外的土地”。据此规定，沼泽等湿地被列为未利用地。2007 年 8 月 10 日，中华人民共和国质量监督检验检疫总局和中国国家标准化管理委员会联合发布了《土地利用现状分类》，标志着我国土地资源分类首次拥有了全国统一的国家标准。《土地利用现状分类》国家标准采用一级、二级两个层次的分类体系，将我国土地分为 12 个一级类，57 个二级类。一级类包括耕地、园地、林地、草地、商服用地、工矿仓储用地、住宅用地、公共管理与公共服务用地、特殊用地、交通运输用地、水域及水利设施用地、其他土地。其中水域及水利设施用地包括河流水面、湖泊水面、水库水面、坑塘水面、沿海滩涂、内陆滩涂、沟渠等二级类。沼泽地则被列为其他土地的二级类。这一标准中湿地各种类型仍然是被割裂开的，仍然未认可湿地是一种独立资源，不利于湿地资源的保护。建议国家层面依据湿地分类标准对土地资源重新进行分类。同时，应尽快构建湿地保护及利用的综合政策体系。湿地保护是一项建立在复杂利益关系调整基础上的事业，既涉及私人利益与公共利益关系的调整，也关系到国家短期利益与长期利益的取舍，这就客观要求湿地保护政策必须具有综合协调功能，通过市场、税收、补偿等经济手段处理湿地保护和利用中的各种利益关系，对法律和管理手段进行补充。

省级层面，首先必须尽快出台《贵州省湿地保护条例》，通过立法明确湿地保护的社会责任，以及通过法律规范社会对湿地利用的行为。

2.2.3 争取多渠道资金支持

近年来，国家对湿地保护资金在逐年增加，但目前各省能申请的湿地方面的资金只有3项，一是湿地保护工程项目，只有列入《全国湿地保护工程规划(2002～2030年)》与国民经济和社会发展5年计划同步的实施规划中的项目才能申请；二是中央财政林业补助资金中的湿地补贴，用于开展湿地保护与恢复、退耕还湿试点、湿地生态效益补偿试点、湿地保护奖励等相关活动；三是中央财政专项，用于湿地调查、监测、履约和重大活动等。其中，只有湿地保护工程项目中有可持续利用项目内容，其他项目资金均未设计此内容。建议在国家层面设立可持续利用专项基金，用于支持开展可持续利用的相关研究，如湿地植物人工培植、湿地动物人工繁殖等。相应的，贵州省级层面应该设立可持续利用专项资金，资助科研人员开展湿地可持续利用的相关研究。省林业厅也应当建立起激励机制，鼓励、支持科研人员从事相关研究，并促成其成果应用和转化。

2.2.4 加强科学研究

贵州属于经济欠发达省份，湿地保护工作起步较晚，湿地科研相对薄弱，对许多理论和技术问题缺乏系统深入研究，制约了湿地保护、管理及开发利用深入开展。应有针对性地组织开展相关科学研究，为湿地可持续利用提供强大技术保障。如，开展湿地资源环境功能和效益的定性、定量分析，建立湿地质量、功能和效益评价指标体系；开展湿地开发潜力、阈值与风险分析，进行湿地资源可持续高效经营原理、技术研究；开展湿地生态系统逆向演替和衰退规律研究，提出退化湿地恢复重建的生物对策、技术和措施，提出水资源模型及优化管理对策；开展人工复合湿地生态农业模式研究等。

2.2.5 开展湿地综合保护

组织开展湿地资源综合保护，通过开展湿地资源开发利用可持续性评价，预测湿地未来状况，判断开发利用是否具可持续性，从而对其造成的不良影响进行调控，防止生态恶化；加大退耕还湖还沼力度，对已经开垦但未取得应有效益的湿地应退耕还湖还沼，尽可能恢复原有自然湿地景观，使其发挥多样湿地功能；提高森林覆盖率，减轻水土流失，减少湖河淤积；制定水资源管理战略，加强水资源开发对湿地生态环境影响的预警监测，建立最优河流水量分配方式，维持流域重要湿地的自然状态及生态功能；严格控制湿地周边的污染源和排污途径，减轻人为干扰因素和工程措施影响，并对已经受污染的湿地有计划地进行治理与恢复，选择有代表性的退化湿地开展恢复和重建工程试点。

2.2.6 促进当地社区参与湿地管理

当地社区居民在湿地保护和利用方面处于极为重要的地位，他们是湿地资源的传统利用者，必须使当地社区成为湿地资源的管理者，参与湿地保护，并使他们从中受益，才能使湿地保护活动得到支持，并继续开展下去，才能实现湿地资源的可持续利用。特别是贫穷与湿地保护问题交织在一起的地区，促进当地社会经济的发展，提供替代生计，提高当地人民的生活水平和改善当地的生活环境，应该是开展湿地保护与可持续利用的重要目标。

2.2.7 鼓励开展生态旅游

开展生态旅游是贵州湿地可持续合理利用的一种有效途径。贵州湿地景观异质性高、景观多样、湿地资源丰富、民族文化丰富且湿地文化多元悠久，这些都是开展湿地生态旅游的优势所在(图4-34)。可以把湿地公园作为生态旅游的重要载体，在湿地公园合理利用区组织开展湿地生态旅游等活动，在宣教展示区组织开展湿地科普游览，并带动相关加工 业、种植业和服务业发展，所得收益可反哺湿地保护，形成保护与开发的良性循环。

图 **4-34**　草海的黑颈鹤与斑头雁

需要特别指出的是，湿地生态旅游应该与生态科普紧密联系起来，这样能提升生态旅游项目的档次和品味。寓教于乐是大众(特别是青少年群体)更易接受的方式，可运用科普化游憩方式替代传统静态的科普方式或室内体验科普方式，以湿地环境为依托，利用动植物动态实景开展科普活动，最大程度拉近人与自然的距离。可从人的感官系统出发来设计旅游项目，围绕体现湿地生物的声、形、色、味等方面进行创新。此外，湿地旅游项目与产品开发应当与当地民俗活动与民族文化体验紧密结合，可结合当地湿地文化和湿地农渔产品，形成诸如布依渔村、水上人家、湿地农事体验、饭稻羹鱼生活体验等特色体验项目。这样，既解决了旅游综合配套问题，又为农民提供就业机会，还可为当地特色农副产品加工和销售提供平台。

第五章
湿地资源评价

第一节 湿地生态状况

1 贵州湿地的水资源状况

根据2003~2012年《贵州省水资源公报》，贵州省多年平均降雨量2076.353亿立方米，2003~2012年全省平均降雨量1865.989亿立方米，低于多年平均降雨量，总体呈现出丰水年与枯水年交替出现、降雨量年季间差别逐渐显著，且随着全省人口的逐年增加，人均水资源总量逐年降低的趋势。

水资源总量分布与降雨量分布基本吻合，总体呈现出由东南向西北递减的趋势。统计结果表明，十年监测期内珠江流域年均水资源总量是长江流域年均水资源总量的59.17%，但人均水资源总量是长江流域的1.45倍。原因为人口主要聚集在工业较为集中、经济较为发达的贵阳市(人口密度554人/平方公里，2003~2012年平均值，下同)、六盘水市(人口密度288人/平方公里)、遵义市(人口密度199人/平方公里)；而少数民族聚集的珠江流域人口密度较低，黔西南州为167人/平方公里，黔南州为123人/平方公里，黔东南州仅为114人/平方公里(图5-1，表5-1)。

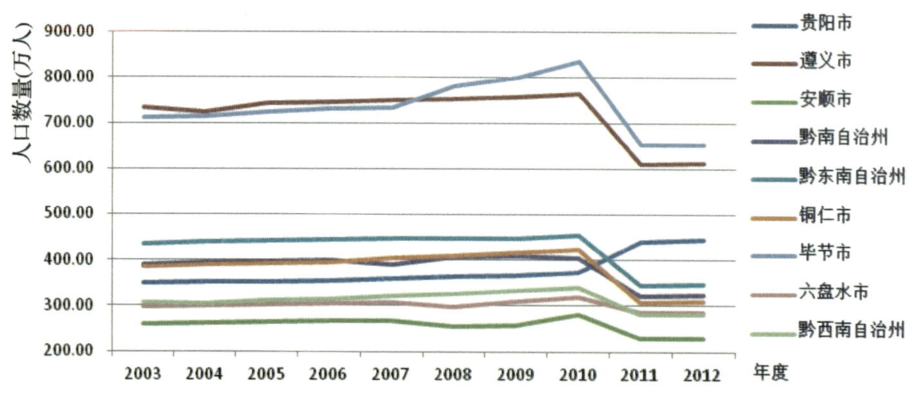

图5-1 贵州省各市级行政区人口数量动态变化

表 5-1 贵州省三级流域水资源情况一览

三级水资源分区	项 目	2003 年	2004 年	2005 年	2006 年	2007 年	2008 年	2009 年	2010 年	2011 年	2012 年
全省	降水量（亿立方米）	1826.488	1990.077	1745.513	1788.300	2043.514	2231.000	1673.390	1948.100	1445.610	1967.900
	水资源总量（亿立方米）	916.074	990.892	834.630	814.600	1054.622	1141.000	910.464	956.500	626.350	974.030
	地表水资源量（亿立方米）	916.074	990.892	834.630	814.600	1054.622	1141.000	910.464	956.500	626.350	974.030
	地下水资源量（亿立方米）	247.871	254.690	237.867	235.100	259.898	265.000	249.008	251.400	216.690	253.320
	人均水资源量（立方米/人）	2367	2555	2123	2060	2649	2826	2226	2283	1806	2796
	人口数量（万人）	3870	3878	3931	3955	3981	4039	4090	4189	3469	3484
北盘江	降水量（亿立方米）	228.666	230.093	234.452	221.948	274.588	285.200	205.793	249.200	167.363	239.296
	水资源总量（亿立方米）	106.562	113.129	122.181	90.975	136.893	134.900	102.050	102.900	63.152	108.372
	地表水资源量（亿立方米）	106.562	113.129	122.181	90.975	136.893	134.900	102.050	102.900	63.152	108.372
	地下水资源量（亿立方米）	26.875	27.549	28.298	25.810	29.191	29.100	26.786	26.800	23.088	27.266
	人均水资源量（立方米/人）	2134	2405	2558	1952	3029	2966	1989	1837	1334	2283
	人口数量（万人）	499	470	478	466	452	455	513	560	473	475
南盘江	降水量（亿立方米）	99.804	82.999	95.742	95.791	107.568	104.200	71.056	95.600	48.423	85.552
	水资源总量（亿立方米）	46.741	38.970	41.812	46.787	56.429	58.000	35.924	45.400	20.689	42.425
	地表水资源量（亿立方米）	46.741	38.970	41.812	46.787	56.429	58.000	35.924	45.400	20.689	42.425
	地下水资源量（亿立方米）	10.438	9.692	9.982	10.470	11.323	11.500	9.359	10.300	7.416	10.043
	人均水资源量（立方米/人）	3045	2413	2679	2974	3520	3369	2047	2683	1457	2975
	人口数量（万人）	153	161	156	157	160	172	176	169	142	143
柳江	降水量（亿立方米）	168.144	213.680	176.632	199.824	188.091	252.000	174.747	193.400	147.330	189.760
	水资源总量（亿立方米）	80.490	103.381	84.048	105.751	96.904	150.800	91.568	87.900	63.633	94.395
	地表水资源量（亿立方米）	80.490	103.381	84.048	105.751	96.904	150.800	91.568	87.900	63.633	94.395
	地下水资源量（亿立方米）	16.042	16.981	16.202	17.080	16.745	18.600	16.526	16.400	15.189	16.643
	人均水资源量（立方米/人）	3493	4449	3591	4492	4575	6948	4217	3672	3421	5053
	人口数量（万人）	230	232	234	235	212	217	217	240	186	187

（续）

三级水资源分区	项 目	2003年	2004年	2005年	2006年	2007年	2008年	2009年	2010年	2011年	2012年
红水河	降水量（亿立方米）	155.614	173.168	157.249	187.910	195.714	227.100	148.965	204.800	153.749	177.542
	水资源总量（亿立方米）	73.698	82.181	75.287	94.326	116.192	134.500	85.007	118.300	73.478	101.195
	地表水资源量（亿立方米）	73.698	82.181	75.287	94.326	116.192	134.500	85.007	118.300	73.478	101.195
	地下水资源量（亿立方米）	17.491	18.253	17.646	19.244	20.857	22.100	18.503	21.000	17.494	19.784
	人均水资源量（立方米/人）	2805	3139	2616	3339	4413	5468	3353	3966	2967	4065
	人口数量（万人）	263	262	288	283	263	246	254	298	248	249
石鼓以下干流	降水量（亿立方米）	35.194	38.948	37.913	35.990	43.634	52.100	30.010	41.700	27.181	37.589
	水资源总量（亿立方米）	12.175	13.822	13.531	12.613	15.292	19.800	12.811	20.200	7.896	15.450
	地表水资源量（亿立方米）	12.175	13.822	13.531	12.613	15.292	19.800	12.811	20.200	7.896	15.450
	地下水资源量（亿立方米）	7.124	7.480	7.419	7.222	7.776	8.600	7.265	8.700	6.033	7.807
	人均水资源量（立方米/人）	1503	1700	1025	949	1740	2146	1359	1332	665	1301
	人口数量（万人）	81	81	132	133	88	92	94	152	119	119
思南以下	降水量（亿立方米）	183.817	202.324	166.398	151.363	194.657	185.100	157.304	196.600	147.368	170.993
	水资源总量（亿立方米）	107.072	110.106	85.679	72.580	97.521	83.100	85.183	113.100	48.943	85.737
	地表水资源量（亿立方米）	107.072	110.106	85.679	72.580	97.521	83.100	85.183	113.100	48.943	85.737
	地下水资源量（亿立方米）	20.962	21.121	19.119	17.966	20.203	18.900	19.128	21.400	15.310	19.200
	人均水资源量（立方米/人）	3382	3390	2268	1913	2307	2439	2469	2869	1604	2800
	人口数量（万人）	317	325	378	380	423	341	345	394	305	306
思南以上	降水量（亿立方米）	499.360	527.024	464.174	455.293	563.042	615.300	458.904	494.800	387.114	561.791
	水资源总量（亿立方米）	239.290	264.543	215.804	186.358	288.572	305.800	244.132	230.200	171.879	270.735
	地表水资源量（亿立方米）	239.290	264.543	215.804	186.358	288.572	305.800	244.132	230.200	171.879	270.735
	地下水资源量（亿立方米）	77.745	80.451	75.365	71.764	83.375	85.200	79.104	77.500	69.705	81.768
	人均水资源量（立方米/人）	1559	1702	1507	1265	1808	1814	1476	1532	1300	2035
	人口数量（万人）	1535	1554	1432	1473	1596	1682	1654	1502	1322	1330

（续）

三级水资源分区	项　目	2003 年	2004 年	2005 年	2006 年	2007 年	2008 年	2009 年	2010 年	2011 年	2012 年
宜宾至宜昌干流	降水量（亿立方米）	22.792	26.290	23.363	20.676	22.980	22.300	16.806	22.700	17.960	18.307
	水资源总量（亿立方米）	14.654	14.904	14.808	8.536	12.849	11.400	9.236	12.500	6.687	10.488
	地表水资源量（亿立方米）	14.654	14.904	14.808	8.536	12.849	11.400	9.236	12.500	6.687	10.488
	地下水资源量（亿立方米）	2.531	2.556	2.547	1.852	2.346	2.200	1.938	2.300	1.608	2.086
	人均水资源量（立方米/人）	3025	3012	2564	1473	2869	2222	1795	2111	1411	2207
	人口数量（万人）	48	49	58	58	45	51	51	59	47	48
赤水河	降水量（亿立方米）	104.471	110.042	112.001	95.505	112.207	112.500	93.890	108.500	85.412	113.035
	水资源总量（亿立方米）	43.977	52.661	50.936	44.208	51.445	56.800	46.509	48.000	30.391	55.614
	地表水资源量（亿立方米）	43.977	52.661	50.936	44.208	51.445	56.800	46.509	48.000	30.391	55.614
	地下水资源量（亿立方米）	13.706	14.455	14.272	13.758	14.360	14.800	13.948	14.100	12.376	14.684
	人均水资源量（立方米/人）	1701	2015	1791	1604	2178	2060	1670	1589	1268	2315
	人口数量（万人）	259	261	284	276	236	276	279	302	240	240
沅江浦市镇以下	降水量（亿立方米）	22.272	19.956	14.507	17.454	20.964	19.900	17.028	23.900	17.279	22.986
	水资源总量（亿立方米）	16.689	14.433	10.351	12.175	16.453	14.800	11.986	18.200	10.367	16.560
	地表水资源量（亿立方米）	16.689	14.433	10.351	12.175	16.453	14.800	11.986	18.200	10.367	16.560
	地下水资源量（亿立方米）	3.487	3.285	2.863	3.062	3.467	3.300	3.042	3.600	2.865	3.476
	人均水资源量（立方米/人）	5063	4565	3088	3619	4964	4007	3207	5062	3945	6272
	人口数量（万人）	33	32	34	34	33	37	37	36	26	26
沅江浦市镇以上	降水量（亿立方米）	306.354	365.553	263.082	306.591	320.068	355.700	298.887	317.000	246.431	351.048
	水资源总量（亿立方米）	174.726	182.762	120.194	140.324	166.073	171.400	186.059	159.700	129.232	173.062
	地表水资源量（亿立方米）	174.726	182.762	120.194	140.324	166.073	171.400	186.059	159.700	129.232	173.062
	地下水资源量（亿立方米）	51.470	52.866	44.153	46.912	50.254	51.100	53.408	49.300	45.607	50.567
	人均水资源量（立方米/人）	3873	4067	2622	3041	3510	3649	3957	3356	3587	4785
	人口数量（万人）	451	449	458	461	473	470	470	476	360	362

注：1. 数据来源 2003～2012 年《贵州省水资源公报》；

2. 2011 年、2012 年为常住人口，其他年度为户籍人口。

表 5-2 贵州省市级行政区水资源情况一览

行政区	项 目	2003 年	2004 年	2005 年	2006 年	2007 年	2008 年	2009 年	2010 年	2011 年	2012 年
全省	降水量（亿立方米）	1826.488	1990.077	1745.513	1788.300	2043.514	2231.000	1673.390	1948.100	1445.610	1967.900
	水资源总量（亿立方米）	916.074	990.892	834.630	814.600	1054.622	1141.000	910.464	956.500	626.350	974.030
	地表水资源量（亿立方米）	916.074	990.892	834.630	814.600	1054.622	1141.000	910.464	956.500	626.350	974.030
	地下水资源量（亿立方米）	247.871	254.690	237.867	235.100	259.898	265.000	249.008	251.400	216.690	253.320
	人均水资源量（立方米/人）	2367	2555	2123	2060	2649	2826	2226	2283	1806	2796
	人口数量（万人）	3870	3878	3931	3955	3981	4039	4090	4189	3469	3484
贵阳市	降水量（亿立方米）	75.013	83.135	77.239	73.935	91.677	99.000	76.898	78.800	62.752	92.835
	水资源总量（亿立方米）	42.678	43.447	42.834	34.577	56.461	57.400	39.544	28.300	27.516	48.821
	地表水资源量（亿立方米）	42.678	43.447	42.834	34.580	56.461	57.400	39.544	28.300	27.516	48.821
	地下水资源量（亿立方米）	12.901	12.979	12.921	12.045	14.091	14.100	12.593	11.300	11.219	13.452
	人均水资源量（立方米/人）	1224	1238	1213	974	1569	1577	1077	759	627	1097
	人口数量（万人）	349	351	353	355	360	364	367	373	439	445
遵义市	降水量（亿立方米）	336.734	354.817	307.095	267.414	331.218	320.900	270.186	324.800	252.178	305.742
	水资源总量（亿立方米）	172.986	187.457	161.535	121.719	163.472	147.000	133.494	162.400	107.982	153.208
	地表水资源量（亿立方米）	172.986	187.457	161.535	121.720	163.472	147.000	133.494	162.400	107.982	153.208
	地下水资源量（亿立方米）	42.327	43.448	41.286	37.429	41.480	39.400	38.658	41.100	36.075	40.535
	人均水资源量（立方米/人）	2357	2593	2173	1632	2181	1955	1766	2125	1770	2505
	人口数量（万人）	734	723	743	746	750	752	756	764	610	612
安顺市	降水量（亿立方米）	95.554	95.887	94.069	100.427	120.901	138.100	88.858	117.000	81.030	110.304
	水资源总量（亿立方米）	45.760	52.953	47.358	46.256	72.054	78.300	51.391	56.900	34.590	60.314
	地表水资源量（亿立方米）	45.760	52.953	47.358	46.260	72.054	78.300	51.391	56.900	34.590	60.314
	地下水资源量（亿立方米）	12.331	13.018	12.437	12.282	14.351	15.400	12.877	13.000	11.104	13.569
	人均水资源量（立方米/人）	1760	2018	1792	1739	2695	3054	2003	2034	1517	2641
	人口数量（万人）	260	262	264	266	267	256	257	280	228	228

（续）

行政区	项　目	2003 年	2004 年	2005 年	2006 年	2007 年	2008 年	2009 年	2010 年	2011 年	2012 年
铜仁市	降水量（亿立方米）	218.947	209.766	165.912	194.485	220.532	224.600	187.169	223.000	162.949	231.936
	水资源总量（亿立方米）	129.664	114.802	87.771	101.632	126.954	127.900	106.760	128.500	68.718	129.861
	地表水资源量（亿立方米）	129.664	114.802	87.771	101.630	126.954	127.900	106.760	128.500	68.718	129.861
	地下水资源量（亿立方米）	29.988	28.700	26.038	27.452	29.759	30.100	27.861	29.900	23.722	29.869
	人均水资源量（立方米/人）	3356	2943	2234	2570	3146	3127	2569	3047	2231	4197
	人口数量（万人）	386	390	393	395	404	409	416	422	308	309
黔东南州	降水量（亿立方米）	310.038	410.756	298.110	335.371	336.164	399.000	316.839	329.400	260.696	353.708
	水资源总量（亿立方米）	166.059	193.845	133.113	159.827	160.214	193.700	184.568	148.500	128.189	155.456
	地表水资源量（亿立方米）	166.059	193.845	133.113	159.830	160.214	193.700	184.568	148.500	128.189	155.456
	地下水资源量（亿立方米）	46.993	49.093	41.708	44.176	45.789	47.400	49.380	44.800	42.613	45.242
	人均水资源量（立方米/人）	3819	4421	3014	3595	3585	4334	4142	3275	3705	4477
	人口数量（万人）	435	439	442	445	447	447	446	454	346	347
黔南州	降水量（亿立方米）	262.237	303.527	264.798	301.729	311.939	372.400	265.074	314.600	245.904	300.143
	水资源总量（亿立方米）	125.807	154.535	121.339	139.648	178.142	219.100	151.484	166.500	112.252	161.281
	地表水资源量（亿立方米）	125.807	154.535	121.339	139.650	178.142	219.100	151.484	166.500	112.252	161.281
	地下水资源量（亿立方米）	31.990	34.446	31.311	32.605	35.910	37.900	33.963	34.800	30.578	34.614
	人均水资源量（立方米/人）	3222	3925	3061	3502	4550	5394	3704	4124	3497	4999
	人口数量（万人）	390	394	396	399	391	406	409	404	321	323
黔西南州	降水量（亿立方米）	197.206	177.042	186.773	193.388	224.347	225.800	149.971	205.400	121.845	178.688
	水资源总量（亿立方米）	105.047	94.468	101.577	91.777	121.422	111.700	83.529	92.000	51.396	88.970
	地表水资源量（亿立方米）	105.047	94.468	101.577	91.780	121.422	111.700	83.529	92.000	51.396	88.970
	地下水资源量（亿立方米）	22.903	21.989	22.534	21.982	24.238	23.600	21.095	21.900	17.652	21.691
	人均水资源量（立方米/人）	3434	3106	3258	2919	3775	3425	2515	2708	1836	3164
	人口数量（万人）	306	304	312	314	322	326	332	340	280	281

（续）

行政区	项 目	2003 年	2004 年	2005 年	2006 年	2007 年	2008 年	2009 年	2010 年	2011 年	2012 年
六盘水市	降水量（亿立方米）	112.994	117.983	121.867	103.216	128.117	134.100	107.258	116.500	78.786	120.912
	水资源总量（亿立方米）	41.467	49.786	49.556	38.862	53.594	63.300	41.884	44.800	26.834	52.121
	地表水资源量（亿立方米）	41.467	49.786	49.556	38.860	53.594	63.300	41.884	44.800	26.834	52.121
	地下水资源量（亿立方米）	12.489	13.290	13.200	12.225	13.548	14.300	12.545	12.800	10.896	13.493
	人均水资源量（立方米/人）	1394	1656	1637	1276	1751	2123	1350	1404	942	1823
	人口数量（万人）	298	301	303	305	306	298	310	319	285	286
毕节市	降水量（亿立方米）	217.765	237.165	229.651	218.381	278.619	317.500	211.136	238.600	179.472	273.632
	水资源总量（亿立方米）	86.606	99.598	89.548	80.335	122.309	142.300	117.811	128.500	68.869	124.000
	地表水资源量（亿立方米）	86.606	99.598	89.548	80.340	122.309	142.300	117.811	128.500	68.869	124.000
	地下水资源量（亿立方米）	35.948	37.727	36.431	34.944	40.730	42.800	40.037	41.800	32.831	40.857
	人均水资源量（立方米/人）	1216	1393	1235	1100	1666	1824	1475	1541	1056	1901
	人口数量（万人）	712	715	725	731	734	780	799	834	652	652

注：1. 数据来源 2003 ~2012 年《贵州省水资源公报》；
2. 2011 年、2012 年为常住人口，其他年度为户籍人口。

2003 ~2012 年全省降水量在 1445.610 亿 ~2231.000 亿立方米之间，降水量较为丰富。全省地表水资源量在 626.350 亿 ~1054.622 亿立方米之间。地表水资源由于贵州省岩溶地貌发育、土壤瘠薄、山高坡陡等原因，受降雨量影响较为显著，且总体与降雨量呈正相关，径流系数在 0.43 ~0.54 之间。全省地下水资源量在 216.690 亿 ~265.000 亿立方米之间。地下水资源受降雨量影响较小，基本维持在相对稳定的水平，总体与降雨量关联性不大。地下水资源占水资源总量的比例在 0.12 ~0.15 之间(图 5-2)。

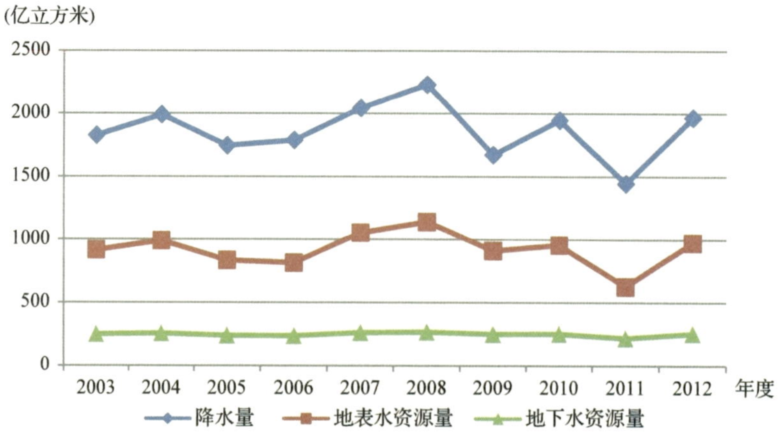

图 5-2 贵州省水资源量年度变化

从2003~2012年降水量、地表水资源量以及地下水资源量统计结果来看，思南以上降水量最大，年均降水量502.680亿立方米；沅江浦市镇以上降水量次之，年均降水量313.071亿立方米；沅江浦市镇以下降水量最小，年均降水量19.625亿立方米。思南以上地表水资源量最大，年均地表水资源量241.731亿立方米；沅江浦市镇以上地表水资源量次之，年均地表水资源量160.353亿立方米；宜宾至宜昌干流地表水资源量最小，年均地表水资源量11.606亿立方米。思南以上地下水资源量最大，年均地下水资源量78.198亿立方米；沅江浦市镇以上地下水资源量次之，年均地表水资源量49.564亿立方米；宜宾至宜昌干流地表水资源量最小，年均地表水资源量2.196亿立方米。

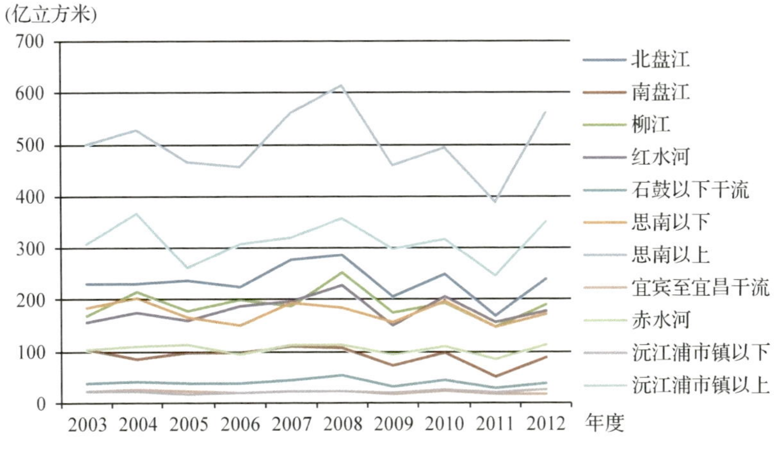

图**5-3**　贵州省三级流域降水量年度变化

年度变化分析结果表明，思南以上降水量、地表水资源量以及地下水资源量的年度变化波动最大；沅江浦市镇以上降水量、地表水资源量以及地下水资源量的年度变化波动次之；宜宾至宜昌干流降水量、地表水资源量以及地下水资源量的年度变化波动最小(图5-3至图5-5)。

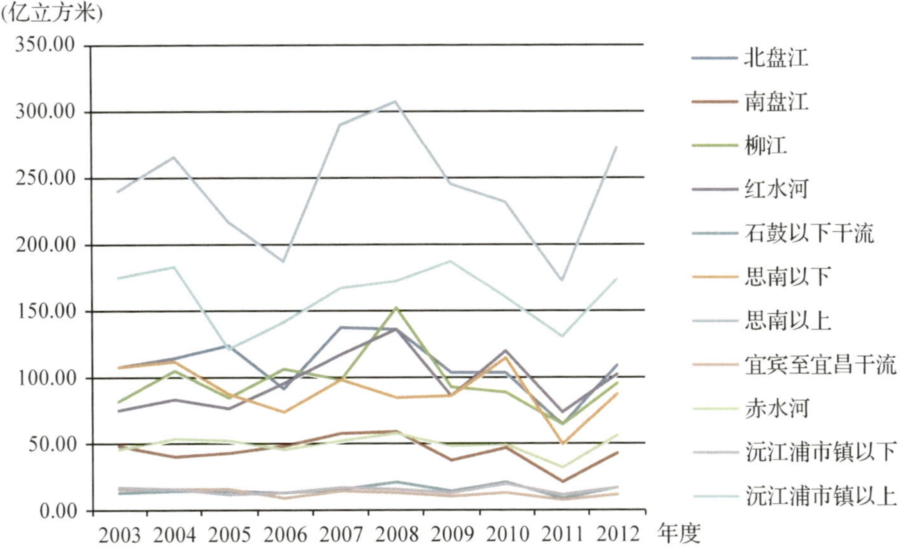

图**5-4**　贵州省各三级流域地表水资源量年度变化

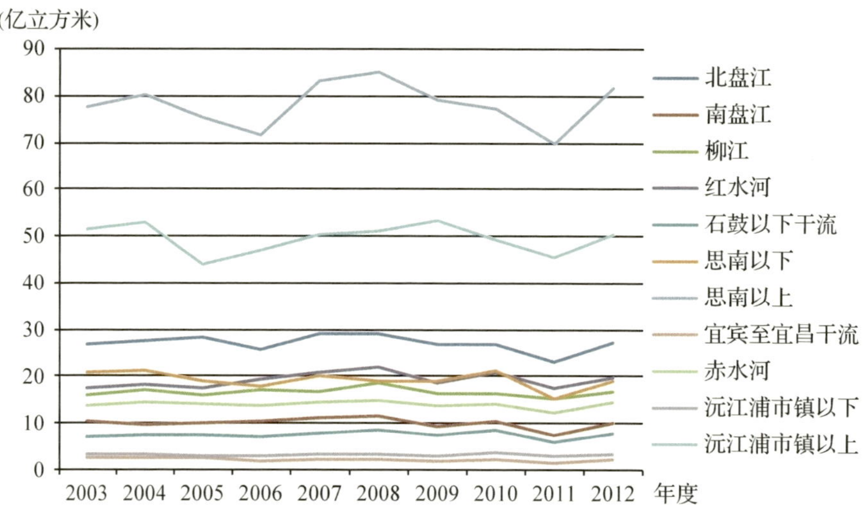

图 5-5 贵州省三级流域地下水资源量年度变化

2 贵州湿地的水质状况

水是地球上一切生物赖以生存以及人类生产生活不可缺少的最基本物质。不同用途的水质要求有不同的质量标准。有国务院各主管部委、局颁布的国家标准，有省、市一级颁布的地方标准，还有不同行业统一颁布的行业标准以及各大型全国性企业统一颁布的企业标准等。目前，对水质要求最基本、适用性最广的是由国家环保总局发布的《地表水环境质量标准》(GB3838—2002)。

2.1 水质测定标准

水质为水体质量的简称。它标志着水体的物理(如色度、浊度、臭味等)、化学(无机物和有机物的含量)和生物(细菌、微生物、浮游生物、底栖生物)的特性及其组成的状况。依据地表水水域环境功能和保护目标，水质按功能高低划分为5类。

Ⅰ类：主要适用于源头水、国家自然保护区；

Ⅱ类：主要适用于集中式生活饮用水地表水源地一级保护区、珍稀水生生物栖息地、鱼虾类产卵场、仔稚幼鱼的索饵场等；

Ⅲ类：主要适用于集中式生活饮用水地表水源地二级保护区、鱼虾类越冬场、洄游通道、水产养殖区等渔业水域及游泳区；

Ⅳ类：主要适用于一般工业用水区及人体非直接接触的娱乐用水区；

Ⅴ类：主要适用于农业用水区及一般景观要求水域。

对应地表水上述五类水域功能，将地表水环境质量标准基本项目标准值分为五类，不同功能类别分别执行相应类别的标准值。水域功能类别高的标准值严于水域功能类别低的标准值。同一水域兼有多类使用功能的，执行最高功能类别对应的标准值。实现水域功能与达到功能类别标准为同一含义。

五类水质的划分标准及测定方法分别见表5-3、表5-4。

表5-3　地表水环境质量标准基本项目标准限值(毫克/升)

分类项目及标准值		Ⅰ类	Ⅱ类	Ⅲ类	Ⅳ类	Ⅴ类
水温(℃)		人为造成的环境水温变化应限制在：周平均最大温升≤1；周平均最大温降≤2				
pH值(无量纲)		6～9				
溶解氧	≥	饱和率90%(或7.5)	6	5	3	2
高锰酸盐指数	≤	2	4	6	10	15
化学需氧量(COD)	≤	15	15	20	30	40
五日生化需氧量(BOD5)	≤	3	3	4	6	10
氨氮(NH_3-N)	≤	0.15	0.5	1	1.5	2
总磷(以P计)	≤	0.02(湖、库0.01)	0.1(湖、库0.025)	0.2(湖、库0.05)	0.3(湖、库0.1)	0.4(湖、库0.2)
总氮(湖、库以N计)	≤	0.2	0.5	1	1.5	2
铜	≤	0.01	1	1	1	1
锌	≤	0.05	1	1	2	2
氟化物(以F^-计)	≤	1	1	1	1.5	1.5
硒	≤	0.01	0.01	0.01	0.02	0.02
砷	≤	0.05	0.05	0.05	0.1	0.1
汞	≤	0.00005	0.00005	0.0001	0.001	0.001
镉	≤	0.001	0.005	0.005	0.005	0.01
铬(六价)	≤	0.01	0.05	0.05	0.05	0.1
铅	≤	0.01	0.01	0.05	0.05	0.1
氰化物	≤	0.005	0.05	0.02	0.2	0.2
挥发酚	≤	0.002	0.002	0.005	0.01	0.1
石油类	≤	0.05	0.05	0.05	0.5	1
阴离子表面活性剂	≤	0.2	0.2	0.2	0.3	0.3
硫化物	≤	0.05	0.1	0.2	0.5	1
粪大肠菌群(个/L)	≤	200	2000	10000	20000	40000

注：超过Ⅴ类水质标准的水体基本上已无使用功能。

表 5-4 地表水环境质量标准基本项目分析方法(毫克/升)

序号	基本项目	分析方法	测定下限	方法来源
1	水温(℃)	温度计法		GB13195—91
2	pH	玻璃电极法		GB6920—86
3	溶解氧	碘量法 电化学探头法	0.2	GB7489—89 GB11913—89
4	高锰酸盐指数		0.5	GB11892—89
5	化学需氧量	重铬酸盐法	5	GB11914—89
6	五日生化需氧量	稀释与接种法	2	GB7488—87
7	氨氮	纳氏试剂比色法 水杨酸分光光度法	0.05 0.01	GB7479—87 GB7481—87
8	总磷	钼酸铵分光光度法	0.01	GB11893—89
9	总氮	碱性过硫酸钾消解紫外分光光度法	0.05	GB11894 - 89
10	铜	2，9-二甲基-1，10-菲啰啉分光光度法 二乙基二硫代氨基甲酸钠分光光度法 原子吸收分光光度法(整合萃取法)	0.06 0.01 0.001	GB7473—87 GB7474—87 GB7475—87
11	锌	原子吸收分光光度法	0.05	GB7475—87
12	氟化物	氟试剂分光光度法 离子选择电极法 离子色谱法	0.05 0.05 0.02	GB7483—87 GB7484—87 HJ/T84—2001
13	硒	2，3-二氨基萘荧光法 石墨炉原子吸收分光光度法	0.00025 0.003	GB11902—89 GB/T15505—1995
14	砷	二乙基二硫代氨基甲酸银分光光度法 冷原子荧光法	0.007 0.00006	GB7485—87 *
15	汞	冷原子吸收分光光度法 冷原子荧光法	0.00005 0.00005	GB7468—87 *
16	镉	原子吸收分光光度法(螯合萃取法)	0.001	GB7475—87
17	铬(六价)	二苯碳酰二肼分光光度法	0.004	GB7467—87
18	铅	原子吸收分光光度法螯合萃取法	0.01	GB7475—87
19	总氰化物	异烟酸-吡唑啉酮比色法 吡啶-巴比妥酸比色法	0.004 0.002	GB7487—87
20	挥发酚	蒸馏后 4-氨基安替比林分光光度法	0.002	GB7490—87
21	石油类	红外分光光度法	0.01	GB/T16488—1996
22	阴离子表面活性剂	亚甲蓝分光光度法	0.05	GB7494—87
23	硫化物	亚甲基蓝分光光度法 直接显色分光光度法	0.005 0.004	GB/T16489—1996 GB/T17133—1997
24	粪大肠菌群	多管发酵法、滤膜法		*

注：暂采用上述分析方法，待国家方法标准发布后，执行国家标准；

*采用《水和废水监测分析方法(第三版)》，中国环境科学出版社，1989 年。

为了控制水污染，保护水资源，维持生态平衡，保障人体健康，合理利用水资源，促进经济发展，贵州省人民政府于1994年4月18日颁布实施了《贵州省地面水域水环境功能划类规定》，对省境内的主要河流的水质做了要求(表5-5)。

表5-5　贵州省主要河流环境功能类别

水系	水域名称	水域范围	流经地区	类别	备注
北盘江水系	拖长江	王家庄以上段	盘县、六盘水	Ⅱ	
		王家庄—小支尚		Ⅳ	
	清水河	小支尚—清水河、革香河汇合口		Ⅳ	
	革香河	清水河、革香河汇合口—革香河北盘江汇合口		Ⅲ	
	可渡河	可渡河、革香河汇合口以上段	水城	Ⅱ	
	北盘江	拖长江、可渡河汇合口—南北盘江汇合口	水城、晴隆、贞丰、罗甸、册亨、望谟、关岭、紫云	Ⅲ	
	打邦河	桂家河、六枝河、桂家河汇合口以上段	六枝、关岭、镇宁	Ⅱ	
		三丈水—六枝河、落别汇合口		Ⅳ	
		六枝河、落别河汇合口—六枝桂家河汇合口		Ⅲ	
		六枝河、桂家河汇合口—打邦河、北盘江汇合口		Ⅱ	
南盘江水系	马别河	马岭镇水贾河入口以上段	盘县、普定、兴义	Ⅱ	
		马岭镇木贾河入口—马别河、南盘江汇合口		Ⅲ	
	南盘江	贵州境内段	安龙、册亨	Ⅲ	
都柳江水系	都柳江	猴场以上河段	独山、都匀、三都、榕江、从江	Ⅱ	
		猴场—榕江		Ⅲ	
		榕江—从江		Ⅱ	
红水河水系	蒙江	惠水以上段	惠水、罗甸、紫云	Ⅱ	
		惠水—格凸河、涟江汇合口		Ⅳ	
		格凸河、涟江汇合口以下		Ⅲ	
	红水河	贵州境内段	望谟、罗甸	Ⅲ	
乌江水系	大河	叉河吊水岩以上段	威宁、六盘水	Ⅱ	
		叉河吊水岩—岩脚寨		Ⅳ	
	响水河	窑上水库—范家寨	六盘水	Ⅴ	
	三岔河	岩脚寨—三岔河、波玉河汇口	六盘水市、普定、平坝、清镇	Ⅲ	
		三岔河、波玉河口—三岔河、六冲河汇口		Ⅲ	
	六冲河	麻姑—赫章	赫章、毕节、纳雍、黔西、大方、织金	Ⅳ	
		赫章—七星关		Ⅲ	
		七星关—六冲河三岔河汇合口		Ⅱ	
	倒天河	倒天河水库以上段	毕节、大方	Ⅱ	
		倒天河水库坝下—杨家塘桥		Ⅲ	
		杨家塘桥—前所河口		Ⅳ	
		前所河口—倒天河、六冲河汇合口		Ⅲ	
	乌江上流段	三岔河、六冲河汇合口—乌江、湘江汇合口	清镇、息烽、遵义、黔西、修文	Ⅱ	

（续）

水系	水域名称	水域范围	流经地区	类别	备注
乌江水系	猫跳河	百花水库坝口以下—与乌江汇合口	贵阳、清镇、修文	Ⅲ	
	清水河	南明河贵阳中曹水厂以上段	花溪区、乌当区、南明区	Ⅱ	
		南明河贵阳中曹水厂—水口寺		Ⅲ	
		南明河贵阳水口寺—普渡桥		Ⅳ	
		普渡桥—清水河与乌江汇合口	开阳、乌当区	Ⅲ	
	湘江	喇叭河、亲郊水厂以上段	遵义	Ⅱ	
		高坪河、喇叭河汇合口以上段		Ⅲ	
		关塘—龙溪桥		Ⅲ	
		龙溪桥—两渡水		Ⅳ	
		两渡水—与干流乌江汇合口		Ⅲ	
	洛江	牛蹄以上段	遵义	Ⅱ	
		牛蹄—贵州钢绳厂拦河坝		Ⅲ	
		贵州钢绳厂拦河坝—洛江、湘江汇合口		Ⅳ	
	乌江干流段	乌江、湘江汇合口—思南	思南、遵义、瓮安、余庆、湄潭、凤冈	Ⅲ	
		思南—省界(贵州境内段)	石阡、德江、沿河、印江	Ⅱ	
赤水河水系	赤水河	茅台镇以上河段	毕节、仁怀、金沙、习水、赤水	Ⅱ	茅台酒厂以上河段，除整体按照Ⅱ类要求外，还应划出Ⅰ类水环境功能区，其长度范围由地区划定
		茅台镇—赤水市(贵州境内段)		Ⅲ	
牛栏江横江水系	牛栏河	贵州境内段	威宁	Ⅱ	
洞庭湖水系	舞阳河	镇远以上河段	黄平、施秉、镇远、玉屏	Ⅱ	
		镇远—玉屏(贵州境内)		Ⅲ	
	清水江	钓鱼台以上河段	都匀	Ⅱ	
		钓鱼台—城市截流沟(文峰塔)		Ⅲ	
		截流沟下(文峰塔)—营盘		Ⅳ	
		营盘—抚溪江(省境内段)	凯里、剑河、锦屏、麻江、台江、天柱	Ⅲ	
	巴拉河	挂丁镇以上河段	雷山、凯里、台江	Ⅱ	
		挂丁镇—巴拉河、清水东汇合口		Ⅳ	
	锦江	江口以上河段	江口、铜仁	Ⅱ	江口以上河段，除整体按Ⅱ类要求外，还应按自然保护区标准要求，划出Ⅰ类水环境功能区，其长度范围由地区划定
		江口—铜仁		Ⅱ	
		铜仁—漾口		Ⅲ	

2.2 水质测定结果

根据以上测定标准，结合2003～2012年《贵州省水资源公报》，全省水质状况总体以Ⅱ类～Ⅳ类水质为主。Ⅰ类水质仅在个别区域的部分河流的河段存在，如梵净山国家级自然保护区、雷公山国家级自然保护区、宽阔水国家级自然保护区、麻阳河国家级自然保护区、习水国家级自然保护区、长江上游珍稀特有鱼类国家级自然保护区、茂兰国家级自然保护区等区域的部分河流的河段水质达到Ⅰ类水质。由于贵阳市、黔东南州、铜仁市及六盘水市等市(州)的工业及城市生活污水影响，导致该区域内的河流、湖泊水质显著下降，如乌江思南以上、乌江思南以下、沅江浦市镇以上、南盘江、北盘江等河流的部分河段存在Ⅴ类和劣Ⅴ类水质(表5-6、表5-7)。

表5-6 贵州省三级流域水质情况一览(%)

水资源分区	水质级别	监测年度									
		2003年	2004年	2005年	2006年	2007年	2008年	2009年	2010年	2011年	2012年
北盘江	Ⅰ类	0	0	0	0	0	0	0	0	0	0
	Ⅱ类	55.2	66.3	66.3	22.8	0	0	0	0	22.8	48.4
	Ⅲ类	6.4	14.3	14.3	54.7	54.7	48.4	55.4	29.8	25.7	29.0
	Ⅳ类	27.4	6.0	6.0	7.0	22.8	47.7	0	66.3	47.7	18.7
	Ⅴ类	0	0	0	0	7.0	0	40.7	0	0	0
	劣Ⅴ类	11.0	13.3	13.3	15.5	15.5	3.9	3.9	3.9	3.8	3.9
南盘江	Ⅰ类	0	0	0	0	0	0	0	0	0	0
	Ⅱ类	15.3	25.7	27.2	19.9	0	93.1	93.1	74.3	92.2	92.2
	Ⅲ类	64.9	66.4	64.9	26.7	94.2	1.1	0	18.8	0	0
	Ⅳ类	0	0	0	47.6	0	0	0	0	2	2
	Ⅴ类	0	0	0	0	0	0	0	6.9	0	0
	劣Ⅴ类	19.8	7.9	7.9	5.8	5.8	5.8	6.9	0	5.8	5.8
柳江	Ⅰ类	0	0	0	0	0	0	0	0	0	0
	Ⅱ类	100	100	100	73.8	55.8	0	49.5	0	55.8	100
	Ⅲ类	0	0	0	0	18.0	73.8	24.3	55.8	0	0
	Ⅳ类	0	0	0	26.2	26.2	26.2	26.2	44.2	44.2	0
	Ⅴ类	0	0	0	0	0	0	0	0	0	0
	劣Ⅴ类	0	0	0	0	0	0	0	0	0	0
红水河	Ⅰ类	0	0	0	0	0	0	0	0	0	0
	Ⅱ类	78.8	84.1	84.1	100	65.8	0	20.8	0	36.6	82
	Ⅲ类	21.2	15.9	15.9	0	34.2	100	79.2	100	45.4	0
	Ⅳ类	0	0	0	0	0	0	0	0	18.0	0
	Ⅴ类	0	0	0	0	0	0	0	0	0	0
	劣Ⅴ类	0	0	0	0	0	0	0	0	0	18.0

（续）

水资源分区	水质级别	监测年度									
		2003 年	2004 年	2005 年	2006 年	2007 年	2008 年	2009 年	2010 年	2011 年	2012 年
金沙江石鼓以下干流	Ⅰ类	0	0	0	0	0	0	0	0	0	0
	Ⅱ类	100	100	100	100	0	0	0	0	0	100
	Ⅲ类	0	0	0	0	0	0	0	0	100	0
	Ⅳ类	0	0	0	0	100	100	100	100	0	0
	Ⅴ类	0	0	0	0	0	0	0	0	0	0
	劣Ⅴ类	0	0	0	0	0	0	0	0	0	0
乌江思南以下	Ⅰ类	0	0	0	0	0	0	0	0	0	0
	Ⅱ类	100	100	80	80	0	0	0	0	38.5	77.8
	Ⅲ类	0	0	20.0	20.0	80.0	80.0	39.0	80.0.	36.7	0
	Ⅳ类	0	0	0	0	20.0	20.0	41.0	0	0	0
	Ⅴ类	0	0	0	0	0	0	0	0	0	0
	劣Ⅴ类	0	0	0	0	0	0	20.0	20.0	24.8	22.2
乌江思南以上	Ⅰ类	0	0	0	0	0	0	0	0	0	0
	Ⅱ类	43.8	64.8	50.7	57.3	25.4	31.2	22.6	16.7	24.3	47.6
	Ⅲ类	28.8	4.7	23.6	0	24.4	33.0	13.8	28.4	23.9	12.6
	Ⅳ类	12.8	11.9	5.9	17.4	31.6	10.2	16.4	17.1	20.8	0
	Ⅴ类	0	5.5	0	12.2	5.5	14.9	14.9	0	0	2.5
	劣Ⅴ类	14.6	13.1	19.8	13.1	13.1	10.7	32.3	37.9	31.0	37.3
宜宾至宜昌干流	Ⅰ类	0	0	0	0	0	0	0	0	0	0
	Ⅱ类	100	100	100	0	0	0	0	0	0	100
	Ⅲ类	0	0	0	0	0	100	0	100	100	0
	Ⅳ类	0	0	0	100	100	0	100	0	0	0
	Ⅴ类	0	0	0	0	0	0	0	0	0	0
	劣Ⅴ类	0	0	0	0	0	0	0	0	0	0
赤水河	Ⅰ类	0	0	0	0	0	0	0	0	0	0
	Ⅱ类	82.3	100	39.5	39.5	0	0	0	0	0	100
	Ⅲ类	17.7	0	60.5	0	0	0	0	100	98.9	0
	Ⅳ类	0	0	0	42.8	100	100	100	0	1.1	0
	Ⅴ类	0	0	0	17.7	0	0	0	0	0	0
	劣Ⅴ类	0	0	0	0	0	0	0	0	0	0
沅江浦市镇以下	Ⅰ类	0	0	0	0	0	0	0	0	0	0
	Ⅱ类	100	100	100	100	0	0	0	0	0	100
	Ⅲ类	0	0	0	0	0	0	0	0	0	0
	Ⅳ类	0	0	0	0	100	100	100	100	100	0
	Ⅴ类	0	0	0	0	0	0	0	0	0	0
	劣Ⅴ类	0	0	0	0	0	0	0	0	0	0

（续）

水资源分区	水质级别	监测年度									
		2003 年	2004 年	2005 年	2006 年	2007 年	2008 年	2009 年	2010 年	2011 年	2012 年
沅江浦市镇以上	Ⅰ类	0	0	0	0	0	0	0	0	0	0
	Ⅱ类	36.6	42.4	45.6	36.6	19.2	2.1	0	0	0	52.8
	Ⅲ类	14.8	9.0	5.8	0	2.1	28.5	28.5	47.0	38.7	0
	Ⅳ类	0	0	0	14.8	31.6	45.6	18.5	0	15	5.3
	Ⅴ类	0	0	2.8	2.8	0	0	5.9	0	3.7	3.8
	劣Ⅴ类	48.6	48.6	45.8	45.8	47.1	23.8	47.1	53.0	42.6	38.1

表 5-7　贵州省各市级行政区水质情况一览(%)

行政区	水质级别	监测年度									
		2003 年	2004 年	2005 年	2006 年	2007 年	2008 年	2009 年	2010 年	2011 年	2012 年
贵阳市	Ⅰ类	0	0	0	0	0	0	0	0	0	0
	Ⅱ类	39.7	39.8	6.1	39.7	71.8	39.7	71.8	39.7	40.8	74.9
	Ⅲ类	0	0	33.6	0	0	32.1	0	32.1	34.1	0
	Ⅳ类	32.1	32.1	32.1	32.1	0	0	0	0	0	0
	Ⅴ类	0	0	0	0	0	0	0	0	0	0
	劣Ⅴ类	28.2	28.2	28.2	28.2	28.2	28.2	28.2	28.2	25.1	25.1
遵义市	Ⅰ类	0	0	0	0	0	0	0	0	0	0
	Ⅱ类	59.8	95.4	76.4	70.6	11.6	0	0	0	22.4	70.2
	Ⅲ类	31.7	0	19.0	0	59.0	76.4	20.4	64.9	58.9	0
	Ⅳ类	0	0	0	19.3	24.8	19.0	57.9	0	0.4	0
	Ⅴ类	0	0	0	5.5	0	0	0	0	0	0
	劣Ⅴ类	8.5	4.6	4.6	4.6	4.6	4.6	21.7	35.1	18.3	29.8
安顺市	Ⅰ类	0	0	0	0	0	0	0	0	0	0
	Ⅱ类	81.2	79.0	79.0	51.4	0	0　0	0	0	24.5	79.0
	Ⅲ类	8.3	0	0	27.7	54.5	79.1	86.6	68.1	63.7	7.6
	Ⅳ类	0	7.5	7.5	7.5	24.5	7.5	9.2	27.7	7.6	0
	Ⅴ类	0	0	0	0	7.5	9.2	0	0	0	9.2
	劣Ⅴ类	10.5	13.4	13.4	13.4	13.5	4.2	4.2	4.2	4.2	4.2
铜仁市	Ⅰ类	0	0	0	0	0	0	0	0	0	0
	Ⅱ类	94.9	100	39.8	58.7	0	0	0	0	0	43.0
	Ⅲ类	5.1	0	60.2	0	16.3	16.3	0	26.1	1.9	16.5
	Ⅳ类	0	0	0	41.3	83.7	55.3	39.8	32.6	53.8	8.2
	Ⅴ类	0	0	0	0	0	18.9	28.4	0	0	0
	劣Ⅴ类	0	0	0	0	0	9.5	31.8	41.3	44.3	32.3
黔东南州	Ⅰ类	0	0	0	0	0	0	0	0	0	0
	Ⅱ类	40.8	40.8	52.0	23.2	24.0	0	0	0	0	61.0
	Ⅲ类	11.2	11.2	0	0	0	35.6	35.6	35.6	45.6	0
	Ⅳ类	0	0	0	28.8	29.9	54.9	18.3	18.3	15.5	0
	Ⅴ类	0	0	3.5	3.5	0	0	0	0	4.4	4.5
	劣Ⅴ类	48.0	48.0	44.5	44.5	46.1	9.5	46.1	46.1	34.5	34.5

（续）

行政区	水质级别	监测年度									
		2003 年	2004 年	2005 年	2006 年	2007 年	2008 年	2009 年	2010 年	2011 年	2012 年
黔南州	Ⅰ类	0	0	0	0	0	0	0	0	0	0
	Ⅱ类	85.3	89.5	77.4	83.1	63.0	10.7	33.6	0	45.5	72.2
	Ⅲ类	0	0	0	0	20.1	70.8	47.9	75.4	17.3	0
	Ⅳ类	0	0	0	0	9.0	10.7	1.6	7.7	20.0	0
	Ⅴ类	0	0	0	9.0	0	0	0	0	0	0
	劣Ⅴ类	14.7	10.5	22.6	7.9	7.9	7.9	16.9	16.9	17.2	27.8
黔西南州	Ⅰ类	0	0	0	0	0	0	0	0	0	0
	Ⅱ类	24.8	17.4	18.4	19.9		93.1	93.1	93.1	94.1	94.1
	Ⅲ类	61.8	77.2	76.2	26.6	94.2	1.1	0	0	0	0
	Ⅳ类	0	0	0	47.6	0	0	0	0	0	0
	Ⅴ类	0	0	0	0	0	0	0	0	0	0
	劣Ⅴ类	13.4	5.4	5.4	5.8	5.8	5.8	6.9	6.9	5.9	5.9
六盘水市	Ⅰ类	0	0	0	0	0	0	0	0	0	0
	Ⅱ类	23.6	32.8	78.4	0	23.6	0	0	0	23.2	23.2
	Ⅲ类	0	0	0	32.9	32.9	23.6	23.6	23.6	0	53.3
	Ⅳ类	54.6	23.6	0	23.6	0	68.0	68.0	68.0	68.6	15.3
	Ⅴ类	0	21.8	0	21.9	21.9	0	0	0	0	0
	劣Ⅴ类	21.8	21.8	21.6	21.6	21.6	8.4	8.4	8.4	8.2	8.2
毕节市	Ⅰ类	0	0	0	0	0	0	0	0	0	0
	Ⅱ类	47.9	84.2	86.6	84.5	0	41.3	22.5	22.5	23.8	97.7
	Ⅲ类	50.0	13.4	11.3	0	22.5	15.8	18.8	18.8	53.5	0
	Ⅳ类	0	0	0	13.4	75.3	27.3	43.2	43.2	20.4	0
	Ⅴ类	0	0	0	0	0	13.4	13.4	13.4	0	0
	劣Ⅴ类	2.1	2.4	2.1	2.1	2.2	2.1	2.1	2.1	2.3	2.3

2.3 水质评价

采取德尔菲法对水质进行量化评价，Ⅰ类～劣Ⅳ类水质的赋值分别为9、7、5、3、1、0，对应权重分别为0.36、0.28、0.20、0.12、0.04及0.00（表5-8）。

表5-8 水质评价指标一览

水质级别	赋 值	权 重	备 注
Ⅰ类	9	0.36	
Ⅱ类	7	0.28	
Ⅲ类	5	0.20	
Ⅳ类	3	0.12	
Ⅴ类	1	0.04	
劣Ⅴ类	0	0.00	已无利用价值

根据以上评价方法，结合各流域水系及行政区的水质情况，得出其相应的水资源情况，分别如图 5-6、图 5-7 和表 5-9、表 5-10。

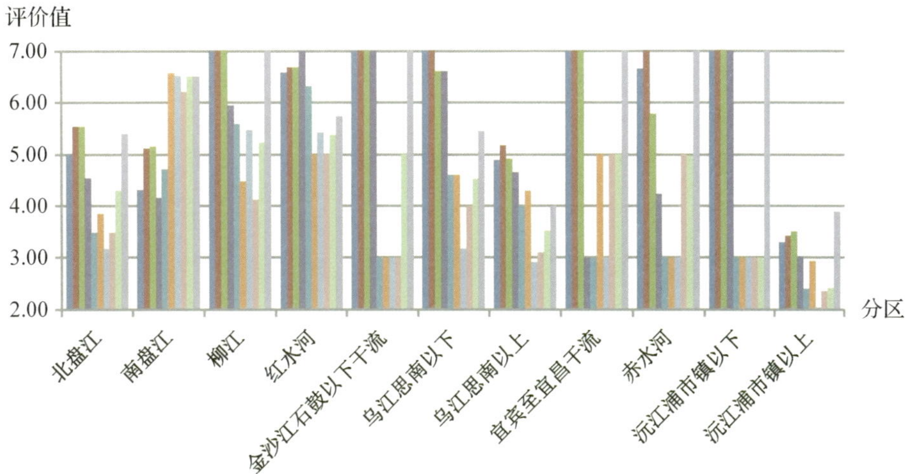

图 **5-6**　贵州省三级流域水质状况

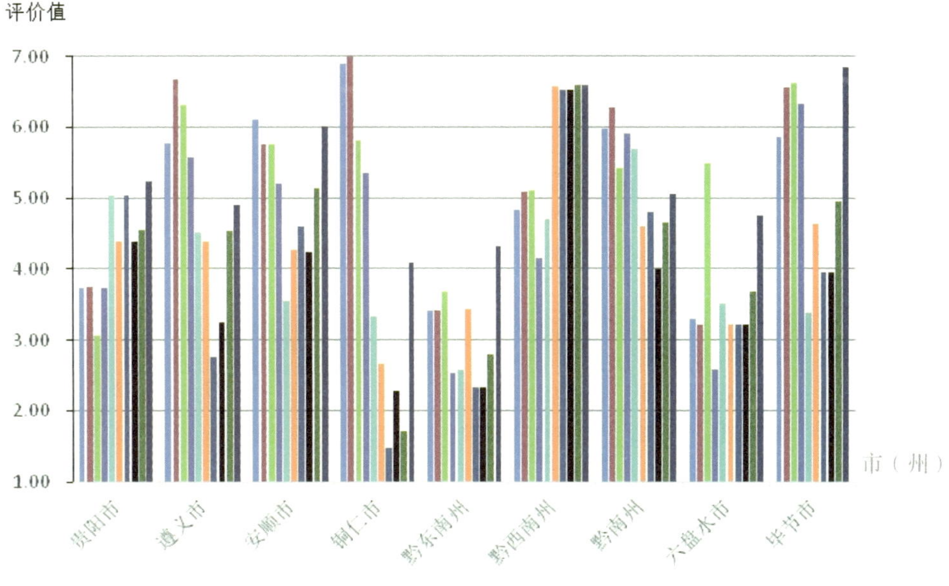

图 **5-7**　贵州省各市级行政区水质状况

表 5-9 贵州省三级流域水质评价情况一览

水质综合值 / 水资源分区	监测年度									
	2003 年	2004 年	2005 年	2006 年	2007 年	2008 年	2009 年	2010 年	2011 年	2012 年
北盘江	5.01	5.54	5.54	4.54	3.49	3.85	3.18	3.48	4.31	5.40
南盘江	4.32	5.12	5.15	4.16	4.71	6.57	6.52	6.21	6.51	6.51
柳江	7.00	7.00	7.00	5.95	5.59	4.48	5.47	4.12	5.23	7.00
红水河	6.58	6.68	6.68	7.00	6.32	5.00	5.42	5.00	5.37	5.74
金沙江石鼓以下干流	7.00	7.00	7.00	7.00	3.00	3.00	3.00	3.00	5.00	7.00
乌江思南以下	7.00	7.00	6.60	6.60	4.60	4.60	3.18	4.00	4.53	5.45
乌江思南以上	4.89	5.18	4.91	4.66	4.00	4.29	2.91	3.10	3.52	3.99
宜宾至宜昌干流	7.00	7.00	7.00	3.00	3.00	5.00	3.00	5.00	5.00	7.00
赤水河	6.65	7.00	5.79	4.23	3.00	3.00	3.00	5.00	4.98	7.00
沅江浦市镇以下	7.00	7.00	7.00	7.00	3.00	3.00	3.00	3.00	3.00	7.00
沅江浦市镇以上	3.30	3.42	3.51	3.03	2.40	2.94	2.04	2.35	2.42	3.89

表 5-10 贵州省各市级行政区水质评价情况一览

水质综合值 / 行政区	监测年度									
	2003 年	2004 年	2005 年	2006 年	2007 年	2008 年	2009 年	2010 年	2011 年	2012 年
贵阳市	3.74	3.75	3.07	3.74	5.03	4.38	5.03	4.38	4.56	5.24
遵义市	5.77	6.68	6.30	5.58	4.51	4.39	2.76	3.25	4.53	4.91
安顺市	6.10	5.76	5.76	5.21	3.54	4.27	4.61	4.24	5.13	6.00
铜仁市	6.90	7.00	5.80	5.35	3.33	2.66	1.48	2.28	1.71	4.08
黔东南州	3.42	3.42	3.68	2.52	2.58	3.43	2.33	2.33	2.79	4.32
黔南州	5.97	6.27	5.42	5.91	5.69	4.61	4.80	4.00	4.65	5.05
黔西南州	4.83	5.08	5.10	4.15	4.71	6.57	6.52	6.52	6.59	6.59
六盘水市	3.29	3.22	5.49	2.57	3.52	3.22	3.22	3.22	3.68	4.75
毕节市	5.85	6.56	6.63	6.32	3.38	4.63	3.95	3.95	4.95	6.84

从年度序列上来看，各流域、市(州)的水资源状况总体上均呈现出先恶化后好转的趋势。主要原因为 2006 ~ 2010 年地方经济的快速发展，基础设施建设普遍，对生态环境破坏较为严重，水资源状况不容乐观；2011 年起，全省从生态文明建设角度出发，重视对生态环境的保护与治理，水质状况有所好转。特别是贵阳市，以生态文明会议为契机，环境治理与生态环境保护效果成效显著，水质状况改善较为明显。

从流域分布来看，珠江流域普遍好于长江流域，这与区域水资源总量状况基本吻合，表明水资源总量越多，湿地面积越大，水质净化能力和净化速度越强，水质状况越好。

从行政区域来看，安顺市、黔南州、毕节市与黔西南州总体水质状况较好，这与区域经济发展呈负相关；贵阳市由于重视污水治理与环境保护，水质状况较为稳定，且逐年好转；遵义市、黔东南州、铜仁市及六盘水市由于重工业发展迅速，水质状况总体不佳，且有进一步恶化的趋势。

3 湖泊水库富营养化状况

3.1 富营养化概念

富营养化是指生物所需的氮、磷等营养物质大量进入湖泊、河口、海湾等缓流水体，引起藻类及其他浮游生物迅速繁殖，水体溶氧量下降，鱼类及其他生物大量死亡的现象。大量死亡的水生生物沉积到湖底，被微生物分解，消耗大量的溶解氧，使水体溶解氧含量急剧降低，水质恶化，以致影响到鱼类的生存，大大加速了水体的富营养化过程。

在自然条件下，随着河流夹带冲击物和水生生物残骸在湖底的不断沉降淤积，湖泊(水库)会从贫营养湖(水库)过渡为富营养湖(水库)，进而演变为沼泽和陆地。这原是一种极为缓慢的过程。但由于人类的活动，将大量工业废水和生活污水以及农田径流中的植物营养物质排入湖泊、水库、河口、海湾等缓流水体后，水生生物特别是藻类大量繁殖，使生物的种群种类数量发生改变，破坏了水体的生态平衡，加快了富营养化进程。

水体出现富营养化现象时，蓝藻(严格意义上应称为蓝细菌)、绿藻、硅藻等藻类成为水体中的优势种群，大量繁殖后使水体呈现蓝色、红色、棕色、乳白色等颜色。这种现象在江、河、湖泊中叫水华(水花)，在海中叫赤潮。这些藻类有恶臭、有毒，鱼不能食用。藻类遮蔽阳光，使湖泊水库等水体中的深水植物因光合作用受到阻碍而死去，腐败后放出氮、磷等物质，再供藻类利用。这样，年深月久，造成恶性循环，藻类大量繁殖，水质恶化而又腥臭，水中缺氧，造成鱼类窒息死亡。

水体富营养化过程与氮、磷的含量及氮磷含量的比率密切相关。反映营养水平的指标总氮、总磷，反映生物类别及数量的指标叶绿素 a 和反映水中悬浮物及胶体物质多少的指标透明度作为控制湖泊富营养化的一组指标。有文献报道，当总磷浓度超过 0.1 毫克/升(如果磷是限制因素)或总氮浓度超过 0.3 毫克/升(如果氮是限制因素)时，藻类会过量繁殖。经济合作与发展组织(OECD)提出富营养湖的几项指标量为：平均总磷浓度大于 0.035 毫克/升；平均叶绿素浓度大于 0.008 毫克/升；平均透明度小于 3 米。

3.2 富营养化评价分级

湖泊水库富营养化评价，就是通过与湖泊水库营养状态有关的一系列指标及指标间的相互关系，对湖泊水库的营养状态做出准确的判断。目前，我国湖泊水库富营养化评价的基本方法主要有营养状态指数法(卡尔森营养状态指数(TSI)、修正的营养状态指数、综合营养状态指数(TLI)、营养度指数法和评分法。

卡尔森指数法是美国科学家卡尔森在 1977 年提出来的，这一评价方法克服了单一因子评价富营养化的片面性，而是综合各项参数，力图将单变量的简易与多变量综合判断的准确性相结合。卡尔森指数是以湖水透明度(SD)为基准的营养状态评价指数。其表达式为：

$$TSI(SD) = 10\left(6 - \frac{\ln SD}{\ln 2}\right)$$

$$TSI(chla) = 10\left(6 - \frac{2.04 - 0.68\ln chla}{\ln 2}\right)$$

$$TSI(TP) = 10\left(6 - \frac{\ln(48/TP)}{\ln 2}\right)$$

式中：TSI 为卡尔森营养状态指数；SD 为湖水透明度值(米)；chla 为湖水中叶绿素 a 含量(毫克/立方米)；TP 为湖水中总磷浓度(毫克/立方米)。

综合营养状态指数公式为：

$$TLI(\sum) = \sum_{j=1}^{m} w_j \cdot TLI(j)$$

式中：TLI(∑)为综合营养状态指数；TLI(j)为第j种参数的营养状态指数；w_j 为第j种参数的营养状态指数的相关权重。

以 chla 作为基准参数，则第j种参数的归一化的相关权重计算公式为：

$$W_j = \frac{r_{ij}^2}{\sum_{j=1}^{m} r_{ij}^2}$$

式中：r_{ij}为第j种参数与基准参数 chla 的相关系数；m 为评价参数的个数。

我国湖泊水库的 chla 与其他参数之间的相关关系 r_{ij}与 r_{ij}^2见表 5-11。

表 5-11 中国湖泊部分参数与 chla 的相关关系

参 数	chla	TP	TN	SD	COD_{mn}
r_{ij}	1	0.84	0.82	-0.83	0.83
r_{ij}^2	1	0.7056	0.6724	0.6889	0.6889

营养状态分级为了说明湖泊水库富营养状态情况，采用 0~100 的一系列连续数字对湖泊水库营养状态进行分级：

TLI(∑) <30 贫营养(Oligotropher)

30≤TLI(∑)≤50 中营养(Mesotropher)

50<TLI(∑) <60 轻度富营养(Lighteutropher)

60<TLI(∑)≤70 中度富营养(Middleeutropher)

TLI(∑) >70 重度富营养(Hypereutropher)

在同一营养状态下，指数值越高，其营养程度越重。

3.3 富营养化评价结果

根据 2007~2012 年《贵州省水资源公报》，全省纳入富营养化监测的共 14 座水库，分别为贵阳市阿哈水库、红枫湖水库和百花湖水库、红花岗区南郊水库、红花岗区北郊水库、西秀区普定水库，毕节市倒天河水库和利民水库，都匀市茶园水库，六盘水市窑上水库和玉舍水库，兴义市兴西湖水库，凯里市里禾水库，遵义县乌江渡水库。

2007～2012 年连续 6 年的监测结果表明，贵阳市红花岗区南郊水库和北郊水库、西秀区普定水库，毕节市倒天河水库和利民水库，都匀市茶园水库，凯里市里禾水库等 7 座水库的富营养化水平稳定在“中营养”水平。通过关停周边工矿企业、建设污水处理厂、规范库区餐饮旅游业以及加大农业面源污染等有效治理，六盘水市窑上水库和玉舍水库的富营养化水平从“轻度富营养”降低为“中营养”；遵义县乌江渡水库也从“中度富营养”降低为“轻度富营养”；贵阳市红枫湖水库和百花湖水库，兴义市兴西湖水库的富营养化水平也由“中度富营养化”向“轻度富营养化”和“中营养”方向改善。受三桥工业区、林东矿务局等工矿企业排污，以及金筑镇等生活废水的影响，贵阳市阿哈水库的富营养化状况由“中营养”上升为“轻度富营养”。全省 14 个水库监测点的富营养化状况见表 5-12，图 5-8。

表 5-12 贵州省水库监测点富营养化状况

年度 / 水库名称	2007 年	2008 年	2009 年	2010 年	2011 年	2012 年
贵阳市阿哈水库	2	2	3	3	3	3
贵阳市红枫湖水库	4	4	2	3	2	2
贵阳市百花湖水库	4	4	2	3	3	2
贵阳市红花岗区南郊水库	2	2	2	2	2	2
贵阳市红花岗区北郊水库	2	2	2	2	2	2
贵阳市西秀区普定水库	2	2	2	2	2	2
毕节市倒天河水库	2	2	2	2	2	2
毕节市利民水库	2	2	2	2	2	2
都匀市茶园水库	2	2	2	2	2	2
六盘水市窑上水库	3	3	2	2	2	2
六盘水市玉舍水库	3	3	2	2	2	2
兴义市兴西湖水库	2	2	2	4	2	3
凯里市里禾水库	2	2	2	2	2	2
遵义市乌江渡水库	4	4	3	3	3	3

注：1 为贫营养；2 为中营养；3 为轻度富营养；4 为中度富营养；5 为重度富营养。

4 湿地生态状况

4.1 评价方法

湿地生态状况，直接反映湿地生态系统的健康水平，也是评价湿地生态功能是否正常发挥和满足人类需要的重要依据。笔者依据本次调查成果数据，综合利用反映湿地生态状况的自然湿地面积、生物多样性、水环境以及湿地利用和受威胁状况等方面的指标，整合区划为 2 个一级指标、5 个二级指标和 13 个三级指标，对本次重点调查湿地进行了湿地生态状况的综合评价。各评价指标见表 5-13。

表 5-13 指标体系一览

一 级	二 级	三 级	因 子	分 级	赋 值
自然指标	景观指标	自然湿地率（%）	自然湿地面积/湿地总面积	80～100	9
				60～80	7
				40～60	5
				20～40	3
				0～20	1
		湿地密度（无量纲）	平均斑块面积/湿地总面积	0.8～1.0	9
				0.6～0.8	7
				0.4～0.6	5
				0.2～0.4	3
				0～0.2	1
	生物多样性指标	湿地斑块密度（个/平方公里）	湿地斑块数/湿地总面积	16～20	9
				12～16	7
				8～12	5
				4～8	3
				0～4	1
		单位面积物种多度（种/平方公里）	物种数量/湿地面积	400～500	9
				300～400	7
				200～300	5
				100～200	3
				0～100	1
	水环境指标	植物覆盖度	植被面积/湿地面积	0.8～1.0	9
				0.6～0.8	7
				0.4～0.6	5
				0.2～0.4	3
				0～0.2	1
		外来物种入侵	有、无	无	8
				有	2
		污染物	有、无	无	8
				有	2
		富营养化	贫营养、中营养、富营养3级	贫营养	8
				中营养	5
				富营养	2
		水质级别	Ⅰ、Ⅱ、Ⅲ、Ⅳ、Ⅴ5类	Ⅰ类	9
				Ⅱ类	7
				Ⅲ类	5
				Ⅳ类	3
				Ⅴ类	1
				劣Ⅴ类	0

（续）

一　级	二　级	三　级	因　子	分　级	赋　值
人为干扰指标	社会指标	人口密度（人/平方公里）	人口数量/重点调查面积	0～200	9
				200～400	7
				400～600	5
				600～800	3
				800～1000	1
	威胁指标	利用情况	工业（旅游业）、农业（种植业、牧业、林业）、水源地、未利用4级	未利用	9
				水源地	7
				农业（种植业、牧业、林业）	5
				工业（旅游业）	3
		威胁因子数量	数量	10－数量	采用“10－数量”赋值
		威胁程度	安全、轻、重3级	安全	8
				轻度	5
				重度	2

注：区间值右含左不含。

指标赋值如下：

（1）自然湿地率为自然湿地面积与湿地总面积的比值，单位为%。根据贵州省湿地状况，按大小分为5级，即80%（不含，下同）～100%赋值为9，60%～80%赋值为7，40%～60%赋值为5，20%～40%赋值为3，0%～20%赋值为1。指标值越高反映的生态状况越好。

（2）湿地密度为平均斑块面积与湿地总面积的比值，无量纲。根据贵州省湿地状况，按大小分为5级，即0.8～1.0赋值为9，0.6～0.8赋值为7，0.4～0.6赋值为5，0.2～0.4赋值为3，0～0.2赋值为1。指标值越高反映的生态状况越好。

（3）湿地斑块密度为湿地斑块数与湿地总面积的比值，单位为个/平方公里。根据贵州省湿地状况，按大小分为5级，即16～20赋值为9，12～16赋值为7，8～12赋值为5，4～8赋值为3，0～4赋值为1。指标值越高反映的生态状况越好。

（4）单位面积物种多度为物种数量与湿地面积的比值，单位为种/平方公里。根据贵州省湿地状况，按大小分为5级，即400～500赋值为9，300～400赋值为7，200～300赋值为5，100～200赋值为3，0～100赋值为1。指标值越高反映的生态状况越好。

（5）植物覆盖度为植被面积与湿地面积的比值，单位为%。根据贵州省湿地状况，按大小分为5级，即80%～100%赋值为9，60%～80%赋值为7，40%～60%赋值为5，20%～40%赋值为3，0%～20%赋值为1。指标值越高反映的生态状况越好。

（6）外来物种入侵指因迁移扩散、人为活动等因素出现在其自然分布范围之外的物种。“无”赋值为8，“有”赋值为2。

（7）污染物指进入环境后能够直接或者间接危害人类的物质。“无”赋值为8，“有”赋值为2。

（8）富营养化是氮、磷等植物营养物质含量过多而引起的水质污染现象。分贫营养、中营养和富营养3级，其中贫营养赋值为8，中营养赋值为5，富营养赋值为2。

(9)水质为水体质量的简称。根据《地面水环境质量标准》(GB3838－2002)划分为Ⅰ、Ⅱ、Ⅲ、Ⅳ、Ⅴ5类(劣Ⅴ类已无利用价值，一般不纳入)，其中Ⅰ类赋值为9，Ⅱ类赋值为7，Ⅲ类赋值为5，Ⅳ类赋值为3，Ⅴ类赋值为1，劣Ⅴ类赋值为0。

(10)人口密度为人口数量与重点调查面积的比值，单位为人/平方公里。根据贵州省湿地状况，按大小分为5级，即800～1000人赋值为1，600～800人赋值为3，400～600人赋值为5，200～400人赋值为7，0～200人赋值为9。指标值越高反映的生态状况越好。

(11)利用情况为湿地为人们生产生活发挥效能的情况，分工业(旅游业)、农业(种植业、牧业、林业)、水源地、未利用4级。其中未利用赋值为9，水源地赋值为7，农业(种植业、牧业、林业)赋值为5，工业(旅游业)赋值为3。

(12)威胁因子为本次调查所涉及的12个威胁因子。采取“10－威胁因子数量”方式赋值。

(13)威胁程度分为3级。安全赋值8，轻度赋值5，重度赋值2。

根据以上评价指标，采用层次分析方法(AHP)和德尔菲法，对评价指标进行分级和赋值，确定指标权重(表5-14)。

表5-14 指标体系权重

一级	权重	二级	权重	三级	权重
自然指标	0.6	景观指标	0.1	自然湿地率	0.030
				湿地密度	0.012
				湿地斑块密度	0.018
		生物多样性指标	0.45	单位面积物种多度	0.108
				植物覆盖度	0.108
				外来物种入侵	0.054
		水环境指标	0.45	污染物	0.054
				富营养	0.081
				水质级别	0.135
人为干扰指标	0.4	社会指标	0.4	人口密度	0.064
				利用情况	0.096
		威胁指标	0.6	威胁因子数量	0.084
				威胁程度	0.156

根据统计学累计求和公式，计算每处重点调查湿地生态状况综合得分。综合评价得分越高，湿地保护状况越完好；综合评价得分越低，湿地保护状况越不容乐观。

$$综合得分 = \sum 指标值 \cdot 指标权重$$

4.2 评价结果

根据全省第二次湿地资源调查结果，对39个重点调查湿地的13个因子进行调查汇总评价，得出39个重点调查湿地的湿地质量状况。其中，自然湿地率100%的有梵净山国家级自然保护区湿地区、茂兰国家级自然保护区湿地区、雷公山国家级自然保护区湿地区等18个重点湿地区，红枫湖自然湿地率最低，仅为1.17%。湿地密度最大的是盘县大麦塘湿地区，为1.00%；盘县娘娘山湿地区和威宁锁黄仓国家湿地公园(试点)湿地区的湿地密度次之，为0.50%；都柳江湿地区的湿地密度最小，仅为0.04‰。湿地斑块密度最大的是贞丰龙头大山州级保护区湿地区，为17.02个/平方公里；茂兰国家级自然保护区湿地区的湿地斑块密度次之，为14.68个/平方公里；贵州龙里南部沼泽化草甸湿地区的湿地斑块密度最小，仅为0.10个/平方公里。单位面积物种多度最大的是贞丰龙头大山州级保护区湿地区，为414.07种/平方公里；贵定岩下县级保护区湿地区的单位面积物种多度次之，为346.80种/平方公里；乌江思南以上河段湿地区的单位面积物种多度最小，仅为1.09种/平方公里。植物覆盖度最大的是盘县娘娘山湿地区，为0.84%；草海国家级自然保护区湿地区植物覆盖度次之，为0.77%；百花湖湿地区、红枫湖湿地区、威宁锁黄仓国家湿地公园(试点)湿地区和乌江思南以上河段湿地区的植物覆盖度最小，仅为0.01%。外来物种入侵的湿地区为草海国家级自然保护区湿地区、佛顶山省级自然保护区湿地区以及石阡鸳鸯湖国家湿地公园(试点)湿地区等33个重点湿地区；梵净山国家级自然保护区湿地区、茂兰国家级自然保护区湿地区以及麻阳河国家级自然保护区湿地区等6个重点调查湿地区目前尚未发现有外来入侵物种。污染物在39个重点调查湿地区均存在，富营养化程度为富营养的有草海国家级自然保护区湿地区、花溪十里河滩城市湿地公园湿地区和乌江思南以下河段湿地区；中营养的有宽阔水国家级自然保护区湿地区、大沙河省级自然保护区湿地区以及北盘江湿地区等32个重点调查湿地；贫营养的为梵净山国家级自然保护区湿地区、雷公山国家级自然保护区湿地区以及佛顶山省级自然保护区湿地区等4个重点调查湿地。水质级别为Ⅱ类水质的湿地区有梵净山国家级自然保护区湿地区、宽阔水国家级自然保护区湿地区以及佛顶山省级自然保护区湿地区等7个重点调查湿地；草海国家级自然保护区湿地区、大沙河省级自然保护区湿地区以及百花湖湿地区等32个重点调查湿地的水质级别为Ⅲ类水质；人口密度最大的是宽阔水国家级自然保护区湿地区，为767人/平方公里，威宁锁黄仓国家湿地公园(试点)湿地区人口密度次之，为753人/平方公里，茂兰国家级自然保护区人口密度最小，为39人/平方公里。湿地利用情况主要为工业(旅游业)的重点湿地有草海国家级自然保护区湿地区、百里杜鹃省级自然保护区湿地区以及贵州安龙招堤绿海湿地区等11个重点调查湿地；湿地利用情况主要为农业(种植业、牧业、林业)的重点湿地有贵州龙里南部沼泽化草甸湿地区、桐梓柏箐市级保护区湿地区以及㵲阳河湿地区等22个重点调查湿地；湿地利用情况主要为水源地的重点调查湿地有红枫湖湿地区、百花湖湿地区以及宽阔水国家级自然保护区湿地区等6个重点调查湿地。威胁因子最多的重点调查湿地为贵州安龙招堤绿海湿地区、金沙冷水河县级保护区湿地区以及南盘江湿地区等9个重点调查湿地，有10个威胁因子；威胁因子最少的重点调查湿地为北盘江湿地区，有1个威胁因子。威胁程度为安全的重点调查湿地有梵净山国家级自然保护区湿地区、佛顶山省级自然保护区湿地区以及雷公山国家级自然保护区湿地区等12个重点调查湿地；威胁程度为轻度的重点调查湿地有草海国家级自然保护区湿地区、大沙河省级自然保护区湿地区以及都柳江湿地区等26个重点调查湿地；威胁程度为重度的重点调查湿地为赫章雨帽山湿地区。各重点调查湿地的湿地质量情况，详见表5-15。

表 5-15 贵州省重点调查湿地质量情况

重点调查湿地名称	自然湿地率（%）	湿地密度	湿地斑块密度（个/平方公里）	单位面积物种多度（种/平方公里）	植物覆盖度	外来物种入侵	污染物	富营养化	水质级别	人口密度（人/平方公里）	利用情况	威胁因子数量	威胁程度
梵净山国家级自然保护区湿地区	100	0.04	5.53	49.73	0.16	无	有	贫营养	Ⅱ	75	农业（种植业、牧业、林业）	10	安全
茂兰国家级自然保护区湿地区	88.88	0.09	14.68	266.88	0.21	无	有	贫营养	Ⅱ	39	农业（种植业、牧业、林业）	7	轻度
雷公山国家级自然保护区湿地区	100	0.03	8.62	89.75	0.23	有	有	贫营养	Ⅱ	107	农业（种植业、牧业、林业）	10	安全
麻阳河国家级自然保护区湿地区	100	0.08	3.82	33.73	0.27	无	有	中营养	Ⅲ	134	农业（种植业、牧业、林业）	6	安全
习水国家级自然保护区湿地区	97.20	0.03	6.72	71.88	0.12	有	有	中营养	Ⅱ	278	农业（种植业、牧业、林业）	10	安全
宽阔水国家级自然保护区湿地区	85.94	0.06	5.04	91.01	0.27	有	有	中营养	Ⅱ	767	水源地	6	轻度
大沙河省级自然保护区湿地区	100	0.13	6.47	147.90	0.26	有	有	中营养	Ⅲ	42	农业（种植业、牧业、林业）	5	轻度
佛顶山省级自然保护区湿地区	100	0.10	11.37	235.33	0.20	有	有	贫营养	Ⅱ	141	农业（种植业、牧业、林业）	10	安全
百里杜鹃省级自然保护区湿地区	59.71	0.08	8.06	77.90	0.11	有	有	中营养	Ⅲ	206	工业（旅游业）	8	安全
贞丰龙头大山州级保护区湿地区	100	0.33	17.02	414.07	0.04	有	有	中营养	Ⅲ	327	农业（种植业、牧业、林业）	8	轻度
金沙冷水河县级保护区湿地区	70.59	0.04	6.94	38.65	0.05	有	有	中营养	Ⅲ	154	农业（种植业、牧业、林业）	10	安全
桐梓柏箐市级保护区湿地区	100	0.04	4.37	24.50	0.08	有	有	中营养	Ⅲ	147	农业（种植业、牧业、林业）	6	轻度
贵定岩下县级保护区湿地区	100	0.33	10.73	346.80	0.20	有	有	中营养	Ⅲ	113	农业（种植业、牧业、林业）	9	轻度

（续）

重点调查湿地名称	自然湿地率（%）	湿地密度	湿地斑块密度（个/平方公里）	单位面积物种多度（种/平方公里）	植物覆盖度	外来物种入侵	污染物	富营养化	水质级别	人口密度（人/平方公里）	利用情况	威胁因子数量	威胁程度
绥阳双河溶洞县级保护区湿地区	100	0.25	3.46	76.98	0.10	有	有	中营养	Ⅲ	190	农业（种植业、牧业、林业）	9	安全
普安下厂河县级保护区湿地区	100	0.13	7.80	81.89	0.07	有	有	中营养	Ⅲ	214	水源地	8	轻度
黔西渭河县级保护区湿地区	100	0.33	2.17	62.19	0.02	有	有	中营养	Ⅲ	245	农业（种植业、牧业、林业）	9	安全
草海国家级自然保护区湿地区	87.12	0.10	0.31	5.13	0.77	有	有	富营养	Ⅲ	629	工业（旅游业）	3	轻度
百花湖湿地区	5.41	0.17	0.48	5.83	0.01	有	有	中营养	Ⅲ	202	水源地	8	轻度
北盘江湿地区	69.39	0.01	1.30	1.34	0.02	有	有	中营养	Ⅲ	205	工业（旅游业）	1	轻度
都柳江湿地区	98.30	0.00	2.80	2.65	0.17	有	有	中营养	Ⅲ	129	农业（种植业、牧业、林业）	7	轻度
安龙招堤绿海湿地区	48.19	0.08	5.93	51.37	0.03	有	有	中营养	Ⅲ	231	工业（旅游业）	10	安全
龙里南部沼泽化草甸湿地区	100	0.13	0.10	1.44	0.38	有	有	中营养	Ⅲ	92	农业（种植业、牧业、林业）	7	轻度
赫章雨帽山湿地区	100	0.13	3.40	44.57	0.70	有	有	中营养	Ⅲ	147	农业（种植业、牧业、林业）	9	重度
红枫湖湿地区	1.17	0.08	0.22	1.34	0.01	有	有	中营养	Ⅲ	295	水源地	4	轻度
红水河湿地区	5.05	0.06	0.63	3.24	0.20	无	有	中营养	Ⅲ	87	农业（种植业、牧业、林业）	9	轻度
花溪十里河滩城市湿地公园湿地区	24.25	0.11	1.74	24.21	0.03	有	有	富营养	Ⅲ	736	水源地	8	安全

（续）

重点调查湿地名称	自然湿地率（%）	湿地密度	湿地斑块密度（个/平方公里）	单位面积物种多度（种/平方公里）	植物覆盖度	外来物种入侵	污染物	富营养化	水质级别	人口密度（人/平方公里）	利用情况	威胁因子数量	威胁程度
龙滩库区湿地区	10.16	0.03	0.71	1.73	0.22	有	有	中营养	Ⅲ	113	工业（旅游业）	9	轻度
南盘江湿地区	100	0.01	2.38	2.67	0.05	有	有	中营养	Ⅲ	75	工业（旅游业）	10	安全
盘县大麦塘湿地区	100	1.00	3.94	204.72	0.06	有	有	中营养	Ⅲ	302	农业（种植业、牧业、林业）	10	轻度
盘县娘娘山湿地区	100	0.50	1.20	28.73	0.84	无	有	中营养	Ⅲ	152	农业（种植业、牧业、林业）	9	轻度
三板溪库区湿地区	100	0.04	0.45	2.47	0.08	有	有	中营养	Ⅲ	126	工业（旅游业）	7	轻度
石阡鸳鸯湖国家湿地公园（试点）湿地区	86.86	0.13	1.96	29.47	0.12	有	有	中营养	Ⅲ	170	工业（旅游业）	10	轻度
天生桥电站库区湿地区	3.69	0.06	0.27	1.34	0.03	有	有	中营养	Ⅲ	179	工业（旅游业）	9	轻度
威宁锁黄仓国家湿地公园（试点）湿地区	100	0.50	1.30	55.86	0.01	无	有	中营养	Ⅲ	753	农业（种植业、牧业、林业）	6	轻度
乌江思南以上河段湿地区	51.79	0.01	0.81	1.09	0.01	有	有	中营养	Ⅲ	292	工业（旅游业）	5	轻度
乌江思南以下河段湿地区	99.69	0.09	0.24	2.48	0.12	有	有	富营养	Ⅲ	330	工业（旅游业）	9	轻度
㵲阳河湿地区	87.84	0.01	2.57	2.07	0.19	有	有	中营养	Ⅲ	150	农业（种植业、牧业、林业）	6	轻度
云贵水韭保护点湿地区	84.27	0.20	6.85	79.42	0.07	有	有	中营养	Ⅲ	609	农业（种植业、牧业、林业）	8	轻度
长江上游珍稀特有鱼类国家级自然保护区湿地区	99.56	0.02	2.62	7.56	0.02	有	有	中营养	Ⅱ	281	水源地	6	轻度

贵州省重点调查湿地质量综合评价结果见表5-16。

应用湿地生态状况评价方法，推算出全省39处重点调查湿地质量的综合得分在3.27~6.09之间，处于中等质量水平(综合评价理论值1.46~8.74)，说明贵州省湿地质量现状与总体目标要求存在一定的差距，还具有一定的提升空间。

表5-16　贵州省重点调查湿地质量评价结果

重点调查湿地名称	自然湿地率	湿地密度	湿地斑块密度(个/平方公里)	单位面积物种多度(种/平方公里)	植物覆盖度	外来物种入侵	污染物	富营养化	水质级别	人口密度(人/平方公里)	利用情况	威胁因子数量	威胁程度	合计
梵净山国家级自然保护区湿地区	0.27	0.01	0.05	0.11	0.11	0.43	0.11	0.65	0.95	0.58	0.48	0.84	1.25	5.84
茂兰国家级自然保护区湿地区	0.27	0.01	0.13	0.54	0.32	0.43	0.11	0.65	0.95	0.58	0.48	0.59	0.78	5.84
雷公山国家级自然保护区湿地区	0.27	0.01	0.09	0.11	0.32	0.11	0.11	0.65	0.95	0.58	0.48	0.84	1.25	5.77
麻阳河国家级自然保护区湿地区	0.27	0.01	0.02	0.11	0.32	0.43	0.11	0.41	0.68	0.58	0.48	0.50	1.25	5.17
习水国家级自然保护区湿地区	0.27	0.01	0.05	0.11	0.11	0.11	0.11	0.41	0.95	0.45	0.48	0.84	1.25	5.15
宽阔水国家级自然保护区湿地区	0.27	0.01	0.05	0.11	0.32	0.11	0.11	0.41	0.95	0.19	0.67	0.50	0.78	4.48
大沙河省级自然保护区湿地区	0.27	0.01	0.05	0.32	0.32	0.11	0.11	0.41	0.68	0.58	0.48	0.42	0.78	4.54
佛顶山省级自然保护区湿地区	0.27	0.01	0.09	0.54	0.11	0.11	0.11	0.65	0.95	0.58	0.48	0.84	1.25	5.99
百里杜鹃省级自然保护区湿地区	0.15	0.01	0.09	0.11	0.11	0.11	0.11	0.41	0.68	0.45	0.29	0.67	1.25	4.44
贞丰龙头大山州级保护区湿地区	0.27	0.04	0.16	0.97	0.11	0.11	0.11	0.41	0.68	0.45	0.48	0.67	0.78	5.24
金沙冷水河县级保护区湿地区	0.21	0.01	0.05	0.11	0.11	0.11	0.11	0.41	0.68	0.58	0.48	0.84	1.25	4.95
桐梓柏箐市级保护区湿地区	0.27	0.01	0.05	0.11	0.11	0.11	0.11	0.41	0.68	0.58	0.48	0.50	0.78	4.20
贵定岩下县级保护区湿地区	0.27	0.04	0.09	0.76	0.11	0.11	0.11	0.41	0.68	0.58	0.48	0.76	0.78	5.18
绥阳双河溶洞县级保护区湿地区	0.27	0.04	0.02	0.11	0.11	0.11	0.11	0.41	0.68	0.58	0.48	0.76	1.25	4.93

（续）

重点调查湿地名称	自然湿地率	湿地密度	湿地斑块密度（个/平方公里）	单位面积物种多度（种/平方公里）	植物覆盖度	外来物种入侵	污染物	富营养化	水质级别	人口密度（人/平方公里）	利用情况	威胁因子数量	威胁程度	合计
普安下厂河县级保护区湿地区	0.27	0.01	0.05	0.11	0.11	0.11	0.11	0.41	0.68	0.45	0.67	0.67	0.78	4.43
黔西渭河县级保护区湿地区	0.27	0.04	0.02	0.11	0.11	0.11	0.11	0.41	0.68	0.45	0.48	0.76	1.25	4.80
草海国家级自然保护区湿地区	0.27	0.01	0.02	0.11	0.76	0.11	0.11	0.16	0.68	0.19	0.29	0.25	0.78	3.74
百花湖湿地区	0.09	0.01	0.02	0.11	0.11	0.11	0.11	0.41	0.68	0.45	0.67	0.67	0.78	4.22
北盘江湿地区	0.21	0.01	0.02	0.11	0.11	0.11	0.11	0.41	0.68	0.45	0.29	0.08	0.78	3.37
都柳江湿地区	0.27	0.01	0.02	0.11	0.11	0.11	0.11	0.41	0.68	0.58	0.48	0.59	0.78	4.26
安龙招堤绿海湿地区	0.15	0.01	0.05	0.11	0.11	0.11	0.11	0.41	0.68	0.45	0.29	0.84	1.25	4.57
龙里南部沼泽化草甸湿地区	0.27	0.01	0.02	0.11	0.32	0.11	0.11	0.41	0.68	0.58	0.48	0.59	0.78	4.47
赫章雨帽山湿地区	0.27	0.01	0.02	0.11	0.76	0.11	0.11	0.41	0.68	0.58	0.48	0.76	0.31	4.61
红枫湖湿地区	0.03	0.01	0.02	0.11	0.11	0.11	0.11	0.41	0.68	0.45	0.67	0.34	0.78	3.83
红水河湿地区	0.03	0.01	0.02	0.11	0.11	0.43	0.11	0.41	0.68	0.58	0.48	0.76	0.78	4.51
花溪十里河滩城市湿地公园湿地区	0.09	0.01	0.02	0.11	0.11	0.11	0.11	0.16	0.68	0.19	0.67	0.67	1.25	4.18
龙滩库区湿地区	0.03	0.01	0.02	0.11	0.32	0.11	0.11	0.41	0.68	0.58	0.29	0.76	0.78	4.21
南盘江湿地区	0.27	0.01	0.02	0.11	0.11	0.11	0.11	0.41	0.68	0.58	0.29	0.84	1.25	4.79
盘县大麦塘湿地区	0.27	0.11	0.02	0.54	0.11	0.11	0.11	0.41	0.68	0.45	0.48	0.84	0.78	4.91
盘县娘娘山湿地区	0.27	0.06	0.02	0.11	0.97	0.43	0.11	0.41	0.68	0.58	0.48	0.76	0.78	5.66
三板溪库区湿地区	0.27	0.01	0.02	0.11	0.11	0.11	0.11	0.41	0.68	0.58	0.29	0.59	0.78	4.07
石阡鸳鸯湖国家湿地公园（试点）湿地区	0.27	0.01	0.02	0.11	0.11	0.11	0.11	0.41	0.68	0.58	0.29	0.84	0.78	4.32

（续）

重点调查湿地名称	自然湿地率	湿地密度	湿地斑块密度（个/平方公里）	单位面积物种多度（种/平方公里）	植物覆盖度	外来物种入侵	污染物	富营养化	水质级别	人口密度（人/平方公里）	利用情况	威胁因子数量	威胁程度	合计
天生桥电站库区湿地区	0.03	0.01	0.02	0.11	0.11	0.11	0.11	0.41	0.68	0.58	0.29	0.76	0.78	4.00
威宁锁黄仓国家湿地公园（试点）湿地区	0.27	0.06	0.02	0.11	0.11	0.43	0.11	0.41	0.68	0.19	0.48	0.50	0.78	4.15
乌江思南以上河段湿地区	0.15	0.01	0.02	0.11	0.11	0.11	0.11	0.41	0.68	0.45	0.29	0.42	0.78	3.65
乌江思南以下河段湿地区	0.27	0.01	0.02	0.11	0.11	0.11	0.11	0.16	0.68	0.45	0.29	0.76	0.78	3.86
㵲阳河湿地区	0.27	0.01	0.02	0.11	0.11	0.11	0.11	0.41	0.68	0.58	0.48	0.50	0.78	4.17
云贵水韭保护点湿地区	0.27	0.01	0.05	0.11	0.11	0.11	0.11	0.41	0.68	0.19	0.48	0.67	0.78	3.98
长江上游珍稀特有鱼类国家级自然保护区湿地区	0.27	0.01	0.02	0.11	0.11	0.11	0.11	0.41	0.95	0.45	0.67	0.50	0.78	4.50

具体来讲，综合评价得分处于前3位的重点调查湿地为佛顶山省级自然保护区湿地区(5.99)、雷公山国家级自然保护区湿地区(5.77)和盘县娘娘山湿地区(5.66)。这与几处保护区健全的管护机构、限制性保护开发措施以及完善的保护措施息息相关。综合评价得分后3位的为北盘江湿地区(3.37)、乌江思南以上河段湿地区(3.65)以及草海国家级自然保护区湿地区(3.74)。这与北盘江湿地及乌江思南以上河段湿地水电资源开发、网箱养殖以及集雨面广面源污染严重有关；而草海国家级自然保护区湿地区处于威宁县县城边缘，人口密度大、污染较为严重，湿地斑块集中、水体净化能力较差，乡村旅游业发展势头较为强劲，湿地生态环境保护形势较为严峻。

第二节 湿地受威胁情况

长期以来，人们对湿地的重要性认识不足。随着贵州省西部大开发战略的实施，道路、水电站、人畜饮水等基础设施建设步伐加快，工业化、城市化发展迅速，大量挤占了湿地的发展空间，破坏了湿地的生态环境，削弱了湿地的净化功能，危害了湿地生物多样性，对湿地构成严重的威胁。本次湿地资源调查选取了基建和城市化、围垦、泥沙淤积、污染、过度捕捞和采集、非法狩猎、水利工程和饮水、盐碱化、外来物种入侵、过牧、森林过度采伐以及沙化等12种主要威胁因子进行调查，贵州省境内湿地存在除盐碱化和沙化以外的10种威胁。

1 湿地单因子威胁情况分析

1.1 基建和城市化

贵州省是我国西南部欠发达省份，省委省政府积极响应国家号召，借助“西部大开发战略”发展的有利时机，加快基础设施建设步伐。2003～2012年间，黔中水利枢纽工程、龙滩水电站、三板溪水电站、天生桥水电站等大中型水利项目施工建设，众多贵州高速公路以及贵广、沪昆等高速铁路集中开工建设，工业园区建设在全省各县(市、区)全面铺开，城市化建设步伐加快。10年间，贵州省经济社会发展取得了可喜成绩，但全省的生态环境却付出了代价。

第二次湿地资源调查结果表明，全省39个重点调查湿地直接受基建和城市化影响面积2940.22公顷，占全省湿地面积的1.40%。特别是城市聚集区，基建和城市化建设速度较快的地区，对湿地的破坏更为明显。如草海国家级自然保护区湿地区、乌江思南以下河段湿地区、贵州龙里南部沼泽化草甸湿地区、龙滩库区湿地区以及红枫湖湿地区等，湿地资源破坏严重，湿地面积缩小，湿地质量有所下降。

1.2 围 垦

围垦是人们为获取土地而对湿地资源进行掠夺式破坏的行为，会导致湿地生态系统遭受严重破坏。在贵州山高坡陡、土地瘠薄，工程性缺水严重的省情下，耕地资源短缺，人地矛盾突出，人们对湿地资源的保护意识较为淡薄，迫于生活的压力，势必导致人们围垦河道、湖泊、沼泽行为的产生。

第二次湿地资源调查结果表明，全省被围垦破坏的湿地面积3075.00公顷，占全省湿地总面积的1.77%。围垦地点主要集中在贵州龙里南部沼泽化草甸湿地区、草海国家级自然保护区湿地区、北盘江湿地区以及普安下厂河县级保护区湿地区等河流、湖泊的河漫滩或湖盆边缘地带。湿地被填埋、压覆后，土壤表层水循环系统被破坏，湿地的净化能力被削弱，导致水体污染进一步加剧。

此外，人们有紧邻河、湖、田建房、筑路的习惯。在导致湿地资源被侵占、破坏的同时，湿地的缓冲减灾能力也被消减降低，对湿地周边人民的生命财产安全也形成极大的威胁。

1.3 泥沙淤积

贵州省喀斯特石漠化发育完全，在亚热带温暖季风气候作用下，水土流失状况较为严重。根据《贵州省水土流失公告(2006～2010)》，2010年全省的水土流失面积55269.40平方公里，占土地总面积的31.37%，土壤侵蚀模数1361吨/(平方公里·年)，年水土流失量23981万吨。而河流的年输沙量仅为4241万吨，有19740万吨泥沙淤积在河流、库塘内。泥沙淤积导致河床、库塘基底抬高，库容逐年减小，对防洪、饮水、灌溉以及水电站安全形成一定的威胁。

泥沙淤积的原因除了贵州省水土流失严重的客观原因以外，还与各类基础设施建设乱倾倒弃土弃渣淤塞河道、库区，破坏湿地资源有关。此外，由于缺乏监管，部分开发建设项目也会直接挤占湿地资源，导致河道变窄、边坡切割变深、水土流失风险加大。大量的水电站和饮灌水库建设，导致库区水深增大，水流流速减缓，大量泥沙沉积在库区内，造成泥沙的淤积。第二次湿地资源调查结果表明，全省泥沙淤积影响面积 2412.50 公顷，占全省湿地总面积的 1.15%。受影响的湿地区主要集中在草海国家级自然保护区、北盘江湿地、乌江思南以上河段湿地以及红枫湖湿地等重点调查湿地。

1.4　污　染

近年来，通过大力实施污染减排、强化环境执法监督、不断推进自然生态与农村环境保护，在经济、社会取得较快发展的同时，全省环境质量总体保持稳定。但由于城市化、工业化以及农业现代化快速发展，大量排放的工业废水和废渣、城镇生活污水和垃圾以及农业面源污染等仍然导致部分区域湿地水质恶化，严重危害湿地生物多样性，进而降低了湿地生态环境质量。

据《2012 年贵州省环境状况公报》，2012 年全省化学需氧量排放量 332986 吨，其中，工业和生活源排放量 264552 吨，农业源排放量 63204 吨；氨氮排放量 38755 吨，其中，工业和生活源排放量 30240 吨，农业源排放量 7889 吨。第二次湿地资源调查结果表明，全省重点调查湿地污染影响面积 5287.47 公顷，占全省湿地总面积的 2.52%。主要受污染湿地分布在草海国家级自然保护区湿地区、北盘江湿地区、都柳江湿地区、乌江思南以上河段湿地区和三板溪库区湿地区。主要污染物为总磷、氨氮、化学需氧量等。污染物的排放导致区域生态环境恶化，水质降低，如乌江水系干流、清水江、南盘江以及红水河等河流的部分河段水质仅处于Ⅲ类～劣Ⅴ类之间。

1.5　过度捕捞和采集

湿地同陆地、海洋相比，面积相对小，但湿地生态系统支持了全部淡水生物群落和部分盐生生物群落。它兼有水域和陆地生态系统的特点，具有极其特殊的生态功能，是地球上最重要的生命支持系统。因此，国际上通常把森林、海洋和湿地并称为全球三大生态系统。湿地这种独特生境使它具有丰富的陆生与水生动植物资源，同时也是世界上生物多样性最丰富、单位生产力最高的自然生态系统。

人口的增加和受经济利益的趋使，致使对湿地资源的破坏增大。例如，电鱼、炸鱼甚至毒鱼活动时有发生，导致野生鱼类资源面临极大威胁。甚至部分农户铤而走险，捕捞和贩卖国家二级重点保护野生动物大鲵。第二次湿地资源调查表明，全省重点调查湿地有 5655 公顷存在过度捕捞和采集现象，占全省湿地总面积的 2.70%。过度捕捞和采集行为主要存在于北盘江湿地区、都柳江湿地区以及三板溪库区湿地等重点调查湿地，造成这些区域生物物种数量减少，生物多样性降低，削弱了生态系统的稳定性。

1.6　非法狩猎

湿地由于生境类型众多，植物资源和动物资源丰富，是众多野生动物生活、繁衍的理想栖息地，其间生长着多种多样的生物物种，不仅物种数量多，而且有很多是中国特有的，具有重大的科研价值和经济价值。湿地作为重要的动物集聚地，在维持生态平衡、保持生物多样性和珍稀物种资源方面发挥着重要作用。

然而，由于极少数人的法制观念不强，在利益驱使下，非法猎杀和贩卖野生动物的行为时有发生，从而对湿地动物物种及数量造成严重威胁，某些湿地鸟类因网套或毒杀而濒危，甚至绝迹。第二次湿地资源调查表明，全省重点调查湿地有125公顷存在非法狩猎现象，占全省湿地总面积的0.06%。

1.7 水利工程

贵州省是我国水资源相对较为丰富的西部省份之一，但由于岩溶石漠化发育完全，土层较为瘠薄，涵养水源能力差，“工程性缺水”较为严重。为解决“工程性缺水”难题，全省大力兴建各种水利工程，小至小水池、小水窖，大至饮灌型水库、水电站等，甚至有些地方，为确保工程安全，对河道边坡进行了硬化或埋设预制混凝土管道等。这些工程的实施，虽然提升了水资源的利用效率，但由于改变了河流或水库的形态，对湿地生态环境、物种分布及生长繁殖等造成一定的影响，不利于生物多样性保护和生态系统稳定性。

第二次湿地资源调查表明，全省重点调查湿地有6786.88公顷受到水利工程影响，占全省湿地总面积的3.24%。受水利工程影响的湿地主要分布在乌江思南以上河段湿地区、都柳江湿地区、三板溪库区湿地区、北盘江湿地区以及红枫湖湿地区等水电站和水库建设较为集中的重点调查湿地内。

1.8 外来物种入侵

外来物种入侵是指生物物种由原产地通过自然或人为的途径迁移到其自然分布区域之外的生态环境的过程。入侵的外来物种会破坏景观的自然性和完整性，摧毁生态系统，危害动植物多样性，影响遗传多样性和人畜健康。据保守统计，我国的入侵物种有488种，其中植物265种，动物171种，菌类微生物26种，以西南和沿海地区最为严重。世界自然保护联盟公布的全球100种最具威胁的外来入侵物种中，我国发现了约50种，对农业、林业、水利、畜牧业等造成严重危害。

第二次湿地资源调查结果表明，全省发现入侵的有《中国外来入侵物种名单（第一批）》中列出的4种，即紫茎泽兰（破坏草）、喜旱莲子草（空心草）、飞机草以及凤眼莲；《中国外来入侵物种名单（第二批）》中列出的3种，即大薸、土荆芥以及刺苋；《中国外来入侵物种名单（第三批）》中列出的5种，即钻形紫菀（钻叶紫菀）、三叶鬼针草（鬼针草）、小蓬草、苏门白酒草以及一年蓬，合计12种。全省重点调查湿地发现外来物种入侵面积4680.53公顷，占全省湿地总面积的2.23%，主要分布在天生桥电站库区湿地区、北盘江湿地区、草海国家级自然保护区湿地区以及乌江思南以上河段湿地区等重点调查湿地内。

1.9 过 牧

湿地丰富的水草资源是理想的放牧场所，特别是在洪泛平原湿地、草本沼泽、灌丛沼泽、森林沼泽以及沼泽化草甸等湿地，水草丰美、地势平缓、视野开阔，是人们放牧的绝佳地点。

第二次湿地资源调查结果表明，全省适宜放牧的湿地面积为11052.09公顷，占全省湿地总面积的52.70%。其中，存在过牧的湿地面积2360.44公顷，占全省湿地总面积的1.15%，主要分布在贵州龙里南部沼泽化草甸湿地区、草海国家级自然保护区湿地区和北盘江湿地区。过牧导致湿地植被破坏严重，生物多样性减少，生态系统被破坏，潜在的水土流失危害加剧。

1.10 森林过度采伐

湿地周边的森林不仅能营造良好的生态环境，为湿地动植物提供栖息场所和食物来源，而且能起到很好的减少水土流失、缓冲自然灾害的作用。

近年来，随着经济社会的发展，湿地周边的森林被砍伐，湿地生态环境破坏严重，给湿地资源保护带来严峻考验。第二次湿地资源调查结果表明，全省重点调查湿地存在森林过度采伐的湿地面积230公顷，占全省湿地总面积的0.11%，主要分布在北盘江湿地区、百里杜鹃省级自然保护区湿地区以及普安下厂河县级保护区湿地区。

2 湿地综合因子威胁情况分析

经济社会的快速发展、人口的持续增加、产业化和规模化日益集聚，以及人们保护意识淡薄、无法律法规保障，导致过度开发利用湿地资源，湿地面积减少，功能衰减。目前，全省湿地面临的威胁主要有：湿地开发利用过度，面积不断萎缩；湿地污染状况没有好转，质量恶化的趋势没有得到根本控制；外来物种的入侵及肆意掠夺破坏，湿地生物多样性及生物资源保护形势不容乐观；喀斯特石漠化治理任重而道远，水土流失危害依然较为严重，给河流、水库湿地保护带来巨大压力。

第二次湿地资源调查结果表明，全省39个重点调查湿地总面积93252.32公顷，受威胁面积33625.04公顷，占重点调查湿地总面积的36.06%。其中，受威胁面积最大的为水利工程和引水，面积6786.88公顷，占受威胁总面积的20.18%；其次为过度捕捞和采集，面积5727.00公顷，占受威胁总面积的17.03%；污染面积5287.47公顷，占受威胁总面积的15.72%（图5-8）。

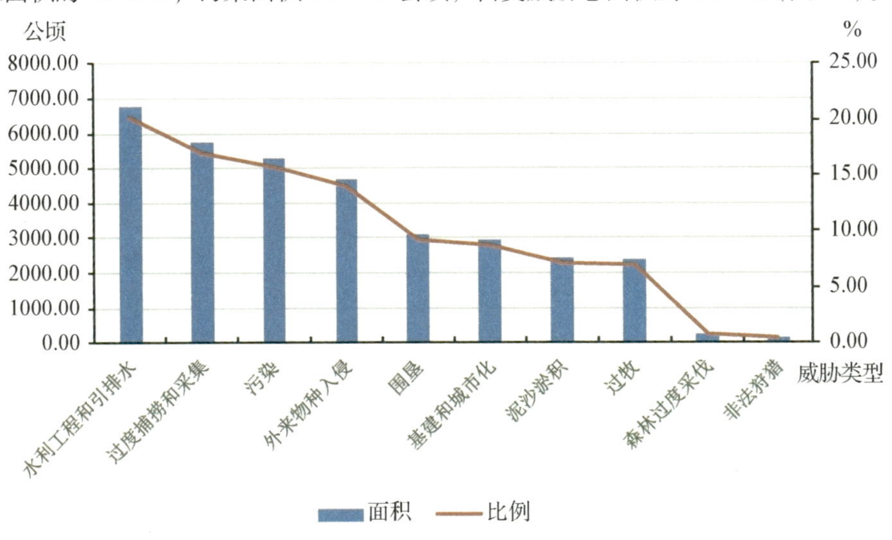

图5-8 贵州省重点调查湿地受威胁状况示意

3 受威胁程度分析

第二次湿地资源调查结果表明，全省39个重点调查湿地中受基建和城市化、围垦、泥沙淤积、污染、过度捕捞和采集、非法狩猎、水利工程和饮水、外来物种入侵、过牧以及森林过度采伐等10种主要威胁因子威胁的湿地面积高达33625.04公顷，占重点调查湿地总面积的36.06%，湿地资源保护形势比较严峻。

当前来看，全省湿地受威胁程度均在“轻度”以下的可控范围内。但随着《国务院关于进一步促进贵州经济社会又好又快发展的若干意见》的出台，贵州省的社会经济发展速度将会更快，基础设施建设力度将会更大，对湿地的破坏也可能会进一步加剧，湿地资源保护所面临的威胁将会进一步加强，如何做好湿地资源保护与经济社会的协调发展将是今后面临的重大课题。

第三节 湿地资源变化及原因分析

1 面积变化及原因分析

1.1 面积变化情况

第一次湿地资源调查表明，截至1998年底，全省共有湿地216610.09公顷，占全省国土面积的1.23%。其中，天然湿地166394.73公顷，占湿地总面积76.82%；人工湿地50215.36公顷，占湿地总面积23.18%。天然湿地中，河流湿地139062.30公顷(图5-9)，占湿地总面积的64.20%；湖泊湿地2704.15公顷，占湿地总面积的1.25%；沼泽湿地24628.28公顷，占湿地总面积的11.37%。

图 5-9 贵阳小车河

第二次湿地资源调查成果表明，全省共有湿地 209726. 85 公顷，占全省国土面积的 1. 19%。其中，天然湿地 151651. 16 公顷，占湿地总面积 72. 31%；人工湿地 58075. 69 公顷，占湿地总面积 27. 69%。天然湿地中，河流湿地 138154. 76 公顷，占湿地总面积的 65. 87%；湖泊湿地 2517. 70 公顷，占湿地总面积的 1. 20%；沼泽湿地 10978. 70 公顷，占湿地总面积的 5. 24%（表 5-17）。

表 5-17　贵州省前后两次湿地资源调查结果对照

起　源	湿地类	第一次调查		第二次调查		增　减	
		面积(公顷)	比例(%)	面积(公顷)	比例(%)	增减面积(公顷)	增减比例(%)
天　然	河流湿地	139062. 30	64. 20	138154. 76	65. 87	-907. 54	-0. 65
	湖泊湿地	2704. 15	1. 25	2517. 70	1. 20	-186. 45	-6. 89
	沼泽湿地	24628. 28	11. 37	10978. 70	5. 24	-13649. 58	-55. 42
	小　计	166394. 73	76. 82	151651. 16	72. 31	-14743. 57	-8. 86
人　工	人工湿地	50215. 36	23. 18	58075. 69	27. 69	7860. 33	15. 65
合　计		216610. 09	100	209726. 85	100	-6883. 24	-3. 18

通过前后两次湿地资源调查成果统计分析得知，第二次湿地资源调查，较第一次湿地资源调查湿地总面积减少 6883. 24 公顷，减少率 3. 18%。其中，天然湿地面积较第一次湿地资源调查减少 14743. 57 公顷，减少率 8. 86%；人工湿地面积较第一次湿地资源调查增加 7860. 33 公顷，增加率 15. 65%。

1. 2　原因分析

1. 2. 1　两次湿地资源调查方法不一样

第一次全国湿地资源调查，贵州省是利用 1:5 万地形图结合收集相关成果资料获取的统计数据；本次调查是利用"3S"技术，将遥感影像图与地形图相结合，在室内进行初步判读解译，再由各县(市、区)技术员实地进行调查验证，省林业厅组织有关人员进行质检，然后，国家林业局对调查成果进行了抽检和验收，最后才形成本次湿地资源调查数据。第二次湿地调查采用的方法更加科学有效，技术路线更加切实可行，调查成果的准确度和精度均大大提高。

1. 2. 2　精度要求不一样

本次湿地资源调查由于采用"3S"技术结合实地调查以及收集相关资料等方式开展，调查的精度比第一次湿地资源调查采取地形图、目测以及收集资料统计分析的方式获取湿地资源数据显著要高，也更加符合贵州省实际。

1. 2. 3　人为活动的干扰对湿地面积影响较大

由于贵州省特殊的地形地貌限制，随着西部大开发步伐的加快，大批城镇建设、基础设施建设、河道硬化等建设项目均占用和破坏一定的天然湿地资源，是导致天然湿地资源缩减的主要因素之一。本次湿地资源调查较上一次调查天然湿地面积减少了 14743. 57 公顷。近期省内外大量的水库及水电站建设是导致天然湿地向人工湿地转变的决定性因素，本次湿地资源调查较上一次调查人工湿地面积增加了 7860. 33 公顷。

2 类型变化及原因分析

2.1 类型变化情况

贵州省第一次湿地资源调查划分湿地为4个湿地类18个湿地型，第二次湿地资源调查整合为4个湿地类15个湿地型。第二次湿地资源调查根据贵州省实际情况，增加了洪泛平原湿地和喀斯特溶洞湿地2个湿地型；将池塘、水库及拦河坝区3个湿地型整合为库塘1个湿地型；将终年泡水的稻田和半年泡水的稻田2个湿地型整合为稻田1个湿地型；变更和整合了季节性泛洪的农业用地和烧砖取土集水坑2个湿地型。第二次湿地资源调查未将稻田/冬水田纳入湿地资源调查范畴(表5-18)。

表5-18 贵州省前后两次湿地分类系统对照

<table>
<tr><th colspan="3">第一次湿地资源调查</th><th colspan="3">第二次湿地资源调查</th></tr>
<tr><th>起 源</th><th>湿地类</th><th>湿地型</th><th>起 源</th><th>湿地类</th><th>湿地型</th></tr>
<tr><td rowspan="3">天 然</td><td>河流湿地</td><td>河流、溪流、长期的
河流、溪流、间断性的</td><td rowspan="3">天 然</td><td>河流湿地</td><td>永久性河流
季节性或间歇性河流
洪泛平原湿地
喀斯特溶洞湿地</td></tr>
<tr><td>湖泊湿地</td><td>淡水湖、长期的
淡水湖、季节性或间断性的</td><td>湖泊湿地</td><td>永久性淡水湖
季节性淡水湖</td></tr>
<tr><td>沼泽和草甸湿地</td><td>草本沼泽
藓类沼泽
箭竹为主的沼泽
喀斯特森林沼泽
湿草甸</td><td>沼泽湿地</td><td>草本沼泽
藓类沼泽
灌丛沼泽
森林沼泽
沼泽化草甸</td></tr>
<tr><td>人 工</td><td>人工湿地</td><td>鱼塘
池塘
水库
拦河坝区
沟渠
终年泡水的稻田
半年泡水的稻田
季节性泛洪的农业用地
烧砖取土集水坑</td><td>人 工</td><td>人工湿地</td><td>水产养殖场
库塘
运河/输水河
稻田/冬水田</td></tr>
</table>

2.2 原因分析

贵州省是世界著名的喀斯特省，也是世界上喀斯特溶洞分布最广、发育最典型的地区。喀斯特出露面积占全省总面积的61.9%，除地表有峰林、峰丛、石林、天生桥等喀斯特形态充分发育外，地下溶洞也广泛分布在全省各地。岩溶形成的地下暗河、暗洞面积不容忽视，故本次调查增加了喀斯特溶洞湿地湿地型。但目前人们对绝大多数溶洞的探知还处于初级阶段，加之岩溶洞穴调查需要专业的技术装备和人员，调查周期较长，风险大，对调查人员技术要求高等原因，因此，本次湿地资源调查也仅调查了喀斯特溶洞湿地斑块5块，面积17.83公顷。

由于河流水位的季节性消长，泥沙冲刷与沉积交替显现，在部分河道内存在的洪泛平原湿地被农户季节性开垦利用。由于第一次湿地资源调查时没有洪泛平原湿地这种类型，故列成季节性泛洪的农业用地。第二次湿地调查则变更为的洪泛平原湿地，共调查洪泛平原湿地斑块44块，面积750.92公顷。

由于鱼塘、池塘以及水库等不存在本质的区别，彼此间界定较为困难，因此本次湿地资源调查将其整合为库塘1种湿地类型，更利于调查人员掌握，实际操作性更强。

近几年贵州省已基本无取土烧砖活动，原烧砖取土形成的集水坑已与池塘无本质区别，因此本次湿地资源调查也将“烧砖取土集水坑”这一湿地类型精简归类到“库塘”湿地类型。

3 生物多样性变化及原因分析

3.1 生物多样性变化情况

贵州省第一次湿地资源调查表明，全省湿地维管束植物约300种左右。调查记录鱼类237种，隶属于6目20科102属；两栖类9科18属56种；爬行类5科12属23种；鸟类128种，另11个亚种，分属13目24科。

第二次湿地资源调查结合过往研究形成的结果表明，全省湿地高等植物共有115科249属518种(含种下分类等级，下同)；其中苔藓植物18科24属30种，维管束植物97科225属488种。在维管束植物中，包括蕨类植物14科17属21种，被子植物83科467种。全省湿地脊椎动物747种，隶属5纲32目103科。其中，鱼类7目19科250种；两栖类2目9科67种；爬行类2目13科89种；鸟类12目43科278种；哺乳类9目19科63种。湿地生物资源种类均较第一次湿地资源调查有所增加。

3.2 原因分析

3.2.1 调查方法不同

第一次湿地资源调查中，湿地动植物资源调查是在前期研究成果的基础上辅以外业补充调查得出的；而第二次湿地资源调查中，动植物调查是通过随机布设样方的方式实地调查并辅以有关统计资料得出的。二者的调查方法不同。

3.2.2 调查的起始标准不同

第一次湿地资源调查中，动植物资源调查起始标准为分布物种，对物种数量和分布没有限制；而第二次湿地资源调查中，动植物资源调查则为普遍分布物种，需要具有一定的规模，对分布的广度也有一定的要求，调查要求更为苛刻。

3.2.3 调查的时间段不一样

第一次湿地动植物外业调查时间为1995~1997年，历时3年，且实现了全年覆盖；第二次湿地动植物资源的实地调查主要集中在2012年4~10月的夏季，并辅以有关统计资料汇总得出，因此对动植物的检出具有一定的局限性。

4 保护状况变化及原因分析

4.1 保护状况变化情况

第一次湿地资源调查时贵州省境内尚未建立专门的湿地保护区，仅依托湿地建立了一些与湿地有关的保护区。如归省环保厅管理的草海国家级自然保护区，隶属于金沙县林业局管理的金沙县冷水河县级保护区，以及以饮用水源为主要保护目的的以百花湖、红枫湖、阿哈水库等为代表的水库近2000个，由水利、林业、农业以及城建等部门协调合作管理。由于当时尚未建立专门的管理机构，湿地资源没有得到足够的重视，过分重视经济发展而忽视了对生态资源的保护，工业废弃物及生活废水的无节制排放对水体水质造成破坏，大量农药的施用导致面源污染较为严重，陡坡耕种与毁林开垦等造成严重的水土流失危害，围湖造田、开挖沼泽种茶叶、无节制采集泥炭藓以及大量的基础设施建设挤占湿地空间。总而言之，第一次湿地资源调查时，全省的湿地资源保护处于无序发展阶段。

第二次湿地资源调查时，全省纳入重点调查的湿地有39个，其中列入《中国湿地保护行动计划》国家重要湿地名录的有威宁草海湿地和红枫湖湿地2处，威宁草海湿地同时也是国家级自然保护区。此外，全省还拥有4个湿地类型保护区，与湿地相关的自然保护区16处，其中有7处国家级自然保护区(因管理体制问题，赤水桫椤国家级自然保护区未纳入重点调查)，3处省级自然保护区，2处市(州)级自然保护区，4处县级自然保护区，湿地资源得到有效保护(图5-10)。此

图 **5-10** 兴义万峰国家湿地公园(试点)马岭河峡谷

外，为强化对湿地资源的监测、保护与利用，2012年10月，贵州省林业厅批准成立了“贵州省湿地资源监测中心”。湿地保护区及有关自然保护区的建立，为湿地保护的有效开展奠定了坚实的基础；各类林业工程的实施，防止了水土流失，保护了生态，改善了水质；生态敏感区工业的整治及生活污水的集中处理，使污水排放量显著降低；农药使用得到有效管控，面源污染有所降

低。各类建设项目监管措施的落实，强化了对水土流失的防治以及生态环境的保护，湿地生态的破坏在一定程度上得以遏制。

4.2　原因分析

4.2.1　领导重视

国务院针对贵州专门出台了《关于进一步促进贵州经济社会又好又快发展的若干意见》(国发〔2012〕2号)，文件明确提出，要加强水源地和湿地建设，从而为全省湿地保护建设提供强有力的政策保障。贵州省委、省政府十分重视全省的生态建设，2009年，贵阳有前瞻性地组织开展"生态文明贵阳会议"，并于2013年升格为生态文明贵阳国际论坛，成为我国唯一以生态文明为主题的国家级国际性论坛。结合贵州省实际，2011年省委省政府及时编制和实施了《贵州省水利建设生态、建设石漠化治理综合规划》，规划的实施为推动全省生态状况好转，建设"两江"上游生态屏障，改善人民生产生活条件，推动贵州经济社会科学发展打下了坚实的基础。2014年4~5月，赵克志书记、陈敏尔省长先后做出指示，要求加强全省湿地资源保护。贵州省林业厅为强化对湿地资源的科学有效系统化管理，按照国家林业局湿地办有关文件精神，成立了"贵州省湿地保护中心"，先后组织编制了《贵州省湿地保护与建设方案》《贵州省湿地保护发展规划》，划定了湿地保护红线；此外，《贵州省湿地保护条例》已进入实地调研和文本修改阶段。

4.2.2　组织管理机构趋于完善

近年来，贵州省加大了以保护区建设为抓手的湿地保护开发建设的力度。在本次39个重点调查湿地的调查中，湿地类型及与相关的自然保护区有19处，列入《中国湿地保护行动计划》国家重要湿地名录的2处。湿地保护开发利用与各级各类保护区建设更加紧密，更加息息相关，更加符合经济社会可持续发展的总体要求。

4.2.3　监测体系基本健全

第二次湿地资源调查期间，为更好地监测贵州省湿地资源状况，贵州省水利厅每年向社会发布《贵州省水资源公报》，及时通报全省的水资源、主要河流及水库的水质、富营养状况(监测2007~2012年)等情况。贵州省环境保护厅每年向社会发布《贵州省环境状况公报》，通报全省的主要污染物减排、水环境以及生态环境等情况。为掌握全省湿地资源动态，分析评估湿地效益，贵州省林业厅于2012年10月批准成立了"贵州省湿地资源监测中心"，湿地监测的布点工作正在有序开展。

4.2.4　湿地开发利用程度较高

贵州省水资源相对较为丰富，但工程性缺水较为严重。第二次湿地调查期间，贵州省正值大力发展水电站和饮用灌溉水库建设，如乌江上游的沙陀、北盘江上的董箐、马马岩等3座大型水电站开工建设，导致河流湿地向库塘湿地转换。贵州省旅游资源开发是以喀斯特湿地为核心发展起来的，特别是如红枫湖、万峰湖、东风湖以及清水江水库等周边旅游建设项目的蓬勃发展均与湿地的开发利用息息相关，但大批旅游项目的开发建设，给湿地的保护带来严峻考验。因此，如何权衡与协调开发与保护的关系是当前全省湿地开发利用所面临的重大研究课题之一。

第六章 湿地保护与管理

第一节 湿地保护管理现状

1 保护形式

截至 2012 年年底，全省第二次湿地资源调查结束时，贵州省湿地保护体系尚未形成。现有保护形式分为保护区、湿地公园和其他保护形式(城市湿地公园、饮用水水源保护区)，包括：国家湿地公园(试点)2 个；国家城市湿地公园 2 个；湿地类型的自然保护区(以保护湿地生态系统为主的保护区)4 个；相关的自然保护区 16 个。其中，麻阳河国家级自然保护区、道真大沙河省级保护区(图 6-1)、金沙冷水河县级自然保护区还获得过国家湿地保护项目资金。2012 ~ 2013 年间，贵州省湿地公园建设工作取得了突破性进展，新增了 17 个国家湿地公园(试点)。且六盘水明湖于 2013 年 9 月通过了国家湿地公园(试点)验收，获正式授牌。2014 年，又新增 11 个国家湿地公园(试点)，4 个省级湿地公园。贵阳阿哈湖于 2015 年 1 月正式授牌国家湿地公园。即截至 2015 年 1 月，全省有 2 个国家湿地公园，28 个国家湿地公园(试点)，4 个省级湿地公园。

1.1 国家湿地公园及国家湿地公园试点

1.1.1 六盘水明湖国家湿地公园

该湿地公园位于贵州省六盘水市中心城区西郊，乌江主源三岔河支流水城河的源头。范围包括龙贵地水库、窑上水库、水城河(窑上水库至党校段)、明湖村湿地及明湖小三峡 5 个组成部分。湿地公园总面积 197. 70 公顷，湿地面积 84. 65 公顷，湿地率 42. 82% 。湿地类型包括人工湿地、河流湿地 2 个湿地类的库塘、永久性河流 2 个湿地型。其中，明湖村湿地为恢复重建的景观水面，面积 38. 20 公顷，类似浅水湖泊。此地明朝时为天然沼泽，后经世代开垦逐渐演变为稻田、鱼塘及民居。2011 年恢复为湿地，并重建湿地生态系统(图 6-2)。明湖村湿地开启了贵州省湿地恢复重建的先河，为贵州恢复重建湿地的代表。该湿地公园记录有维管束植物 98 科 209 属 259 种(含亚种、变种、变型及栽培种，下同)。其中，蕨类植物 10 科 14 属 19 种，种子植物 88 科 195 属 240 种。记录有野生脊椎动物 31 目 64 科 151 种。包括哺乳类 5 目 7 科 17 种，鸟类 17 目 38 科

82 种，爬行类 2 目 5 科 19 种，两栖类 2 目 8 科 19 种，鱼类 5 目 6 科 14 种。其中，有国家Ⅱ级保护野生动物贵州疣螈、白腹锦鸡等 11 种。湿地公园还是地方特有种水城拟小鲵和水城角蟾的模式标本产地。

图 **6-1**　道真大沙河省级保护区之灰阡河

图 **6-2**　明湖村湿地

六盘水独特的民族文化、煤雕艺术和钢城文化铸就了湿地公园深厚的文化底蕴。森林、库塘、峰丛、峡谷、洞穴等在这里组合形成了秀美多样的景观。冬季，数百只红嘴鸥在此驻足翱翔，形成了六盘水一景。湿地公园于 2012 年 4 月 28 日基本建成并向广大市民免费开放。2012 年 12 月，经国家林业局批准开展国家湿地公园(试点)建设，2013 年通过试点验收获正式授牌。

1.1.2　贵阳阿哈湖国家湿地公园

该湿地公园位于贵州省贵阳市中心城区西南部南明河上游，范围包括阿哈水库及其部分汇水区，游鱼河、金钟河、白岩河、烂泥沟河、蔡冲河部分河段，南郊公园以及小车河(图 6-3)。其保护保育区——阿哈水库是贵阳市重要的饮用水源地，为贵阳市民提供清洁用水，维护着贵阳市水生态安全。湿地公园总面积 1218 公顷，湿地面积 473 公顷，湿地率 38.83%。湿地类型包括河流湿地、沼泽湿地、人工湿地 3 个湿地类和永久性河流、喀斯特溶洞湿地、草本沼泽、库塘湿地、稻田湿地 5 个湿地型。湿地公园记录有维管束植物 137 科 345 属 582 种。其中，蕨类植物 15 科 18 属 25 种，裸子植物 4 科 9 属 12 种，被子植物 118 科 318 属 545 种，常见水生高等植物有菰、蔗草、香蒲、篦齿眼子菜、狐尾藻等。记录有野生脊椎动物 26 目 62 科 206 种。包括哺乳类 7 目

图 **6-3**　贵阳阿哈湖国家湿地公园之小车河

12科28种，鸟类16目37科136种，爬行类2目7科27种，两栖类1目6科15种。其中，有国家Ⅱ级保护野生动物白尾鹞、领角鸮等11种；属中国特有种(或亚种)的鸟类有灰胸竹鸡等7种，其中水雉为贵州省鸟类种和科的新纪录。

湿地公园及周边历史文化悠久，我国明代杰出的旅行家、地理学家徐霞客曾游览小车河并在《徐霞客游记》中进行了记载。公园内人工湖、流水、山石、森林、地下河、溶洞唯美组合，随着季节、视角的变化呈现千姿百态的绚丽画面，使人心旷神怡，流连忘返。2012年3月，贵阳市人民政府启动湿地公园的建设，在小车河重点打造了碧溪云霞、落樱飞雪、芰荷深处、木兰林语、茗泉问茶、杜鹃花谷、水磨时光、侗岭春深、蝶泉亭、廊桥烟溪、听鸟谷等景点，于当年9月完成了湿地公园一期工程建设并向公众开放。2013年年末，经国家林业局批准开展国家湿地公园试点建设，2015年1月，获正式授牌。

1.1.3 石阡鸳鸯湖国家湿地公园试点

该湿地公园位于贵州省东北部铜仁市石阡县中部(图6-4)，范围包括山坪水库库区(鸳鸯湖、情人谷)和包溪河2大片区，因聚集了上千对野生鸳鸯而得名。湿地公园总面积778公顷，湿地面积256公顷，湿地率32.90%。湿地类型包括河流湿地、人工湿地2个湿地类的永久性河流、库塘、稻田3个湿地型。湿地公园记录有维管束植物156科445属790种。包括蕨类植物23科34属66种，裸子植物5科6属7种，种子植物128科405属717种。其中，国家Ⅰ级保护野生植物有南方红豆杉等3种，国家Ⅱ级保护野生植物有篦子三尖杉、楠木等14种。省级保护树种有青檀。记录有野生脊椎动物31目79科248种，包括哺乳类7目16科36种，鸟类16目43科142种，爬行类3目6科23种，两栖类2目6科18种，鱼类3目8科32种。国家Ⅰ级保护野生动物有林麝、白颈长尾雉2种；国家Ⅱ级保护野生动物有鸳鸯、大鲵、水獭等23种。湿地公园是贵州野生鸳鸯的主要栖息地之一，目前鸳鸯越冬种群有1000只左右，留鸟种群有700只左右。另外，包溪河口苗寨栖息的白鹭达上百只。

图6-4 石阡鸳鸯湖国家湿地公园试点

环抱于苍翠群山中的鸳鸯湖岸线蜿蜒，微波潋滟；情人谷深幽宁静；包溪河口苗寨民风醇朴，寨中古楠木终年苍翠，观景亭与风雨桥沧桑、雅致。2011年3月经国家林业局批准开展国家湿地公园试点建设，是贵州省第一个获批的国家湿地公园试点。

1.1.4 威宁锁黄仓国家湿地公园试点

该湿地公园位于贵州省毕节市威宁县境内，草海国家级自然保护区下游，属横江水系洛泽河的上游湖泊。湿地公园总面积244.67公顷，湿地面积76.68公顷，湿地率31.34%。湿地类型为永久性淡水湖泊(图6-5)。其丰、枯水期湖面积变幅较大。湿地公园记录有维管束植物93科200属263种。其中，蕨类植物有13科16属21种，裸子植物3科3属3种，被子植物77科181属239种。湖中水草茂盛，主要种类有竹叶眼子菜、穿叶眼子菜等。记录有野生脊椎动物24目56科165种。包括鸟类17目42科130种，爬行类2目2科12种，两栖类2目7科12种，鱼类3目5科11

种。其中，有国家Ⅰ级保护野生动物黑颈鹤；国家Ⅱ级保护野生动物松雀鹰、灰鹤等9种(图6-5)。

图6-5 威宁锁黄仓湿地

威宁是个多民族聚集地，众多民族孕育了丰富多彩的民俗文化和民族风情，也成就了湿地公园独特的地域民风和多民族融合的人文景观。这里拥有众多的民族节日和庆典，如热情奔放的彝族“火把节”、规模盛大的回族“开斋节”、欢快明朗的苗族“花山节”等。湿地公园的四季景致瑰丽多变，各具特色。以冬季最为热闹和生动，黑颈鹤、灰鹤、斑头雁等成群聚集于此，或嬉戏，或觅食，是观鸟的最好季节。2012年12月，经国家林业局批准开展国家湿地公园试点建设。

1.1.5 余庆飞龙湖国家湿地公园试点

该湿地公园位于贵州省遵义市余庆县中西部，范围主要包括构皮滩水电站形成的库区及周边部分山体，因水面形似飞龙命名为飞龙湖。湿地公园总面积2742.90公顷，湿地面积(以630米水位线计)2305.50公顷，湿地率84.05%。主要湿地类型为库塘。湿地公园记录有维管束植物103科250属308种。其中，蕨类20科28属36种，种子植物83科222属272种。其中，国家Ⅰ级保护野生植物有南方红豆杉、银杏2种，国家Ⅱ级保护野生植物有榉木、楠木等。记录有野生脊椎动物29目58科136种。包括哺乳类7目13科23种，鸟类13目27科64种，爬行类3目5科13种，两栖类2目6科12种，鱼类4目7科24种。其中，国家Ⅱ级保护野生动物有鸳鸯、大鲵、斑头鸺鹠、猕猴等12种。

构皮滩电站是贵州历史上最大的水电站，国家“十五”期间开工建设的大型水电工程项目及贵州“西电东送”的标志性工程，也是在喀斯特地区建起的世界第一高的双曲拱坝。其独有的水利工程奇观、水利文化和周边浓厚纯朴的苗族民俗风情交相辉映。湖区景色宜人，岛屿星罗棋布，形成了湖中谷、湖中峡等奇特山水景观。两岸裸露石灰岩悬崖峭壁上生长的小蓬竹，苍翠柔韧，顽强茂盛，它们相互牵挂缠绕，似藤似竹，远处望去宛若起伏的绿色波涛，形成了飞龙湖一景。2012年12月经国家林业局批准开展国家湿地公园试点建设。

1.1.6 思南白鹭湖国家湿地公园试点

该湿地公园位于贵州省铜仁市思南县境内，范围主要包括乌江中游河段和黑滩河、六池河等支流，以及周边部分山体，主体是思林电站库区。湿地公园总面积4264.80公顷，湿地面积2514.90公顷，湿地率58.97%。湿地类型包括河流湿地、人工湿地2个湿地类的永久性河流、库塘、喀斯特溶洞湿地3个湿地型。湿地公园记录维管束植物102科241属320种。包括蕨类植物17科25属30种，裸子植物4科7属7种，被子植物81科209属283种。其中，国家Ⅰ级保护野生植物有珙桐，国家Ⅱ级保护野生植物有黄杉、榉木2种。记录有野生脊椎动物29目73科214种。包括哺乳类6目16科41种，鸟类14目32科78种，爬行类3目6科24种，两栖类1目5科15种，鱼类5目14科56种。其中，国家Ⅱ级保护野生动物有胭脂鱼、鸳鸯、游隼等9种，中国特有种鱼类有长薄鳅、三角鲂、宽口光唇鱼、侧条光唇鱼、华鲮、中华纹胸鮡等15种。

湿地公园地处黄金水道乌江之上，其所在地思南县历史悠久，有“先有思南，而后贵州”之说。土家文化、码头文化、纤夫文化和盐运文化等在这里交汇、碰撞，形成了独具魅力的地域湿地文化。如今，昔日的辉煌已远去，唯有尚存的乌江古纤道、周家盐号等向后人昭示沧桑厚重的历史。风光旖旎的高峡平湖、壮美雄奇的乌江山水和鬼斧神工的喀斯特地质地貌构成的自然景观与博大精深的乌江文化、绚烂多彩的民族风情、蔚为壮观的水电工程等人文景观相互融合，成就了湿地公园怡人景色。2013 年 12 月，经国家林业局批准开展国家湿地公园试点建设。

1.1.7 兴义万峰国家湿地公园试点

该湿地公园位于贵州省黔西南州兴义市区东南部，珠江流域红水河上游，范围包括万峰湖和万峰林两个片区(图 6-6)。湿地类型包括河流湿地和人工湿地 2 个湿地类的永久性河流、喀斯特溶洞湿地、库塘、稻田 4 个湿地型。湿地公园总面积 3755 公顷，湿地总面积 2295.08 公顷，湿地率 61.12%。湿地公园记录有维管束植物 125 科 320 属 399 种。包括蕨类植物 11 科 12 属 14 种，裸子植物 3 科 3 属 3 种，被子植物 111 科 305 属 382 种。其中，湿地维管束植物有 42 科 66 属 72 种，常见湿地植物有水蓼、碎米荠、圆叶节节菜、穗状狐尾藻、沼生水马齿、泽泻等。分布有国家Ⅱ级保护野生植物红椿。湿地公园共记录有野生脊椎动物 31 目 83 科 96 种 289 种。包括哺乳类 9 目 20 科 57 种，鸟类 15 目 34 科 125 种，爬行类 2 目 11 科 39 种，两栖类 1 目 5 科 18 种，鱼类 4 目 13 科 50 种。其中，有国家Ⅰ级保护野生动物黑叶猴和林麝 2 种，国家Ⅱ级保护野生动物水獭、山瑞鳖、灰林鸮等 21 种。常见湿地鸟类有鸬鹚、苍鹭、小白鹭、绿翅鸭、黑水鸡、长嘴剑鸻、白腰草鹬、矶鹬等。

图 **6-6** 兴义万峰林“八卦田”

湿地公园内及周边居住的布依族属水滨民族，与水有着不解之缘。逐水而居，稻作农耕、祭祀山川，无不显示了布依族特色鲜明的湿地文化。纳灰河两岸的万亩稻田形状各异、千姿百态，在不同的季节呈现出了变幻万千的景观。尤其以分布于万峰林中的“八卦田”稻田景观最具特色，布依族人顺应地势，以岩溶漏斗为中心，弧型展布开垦稻田，构成了“八卦”图案，造型层叠有序，巧夺天工，被称为大地的眼睛(图 6-6)。布依族人巧妙地根据岩溶水系的分布特征，将地质环境造成的“缺陷”转化成极具本民族特色的稻作农耕模式，将大自然的考验转变为馈赠，体现了布依族人因地制宜，天人合一的理念，是巧妙利用自然的典范。湿地公园风光独好，万峰湖烟波浩渺，湖光潋滟。万峰林壮丽奇美，成千上万的山峦组成浩瀚峰林，水、峰、林、田、寨融为一体，构成山中有峰，峰中有田，田边有寨，寨旁有水，美如画卷的景致。2013 年 12 月，经国家林业局批准开展国家湿地公园试点建设。

1.1.8 德江白果坨国家湿地公园试点

该湿地公园位于贵州省铜仁市德江县东南部，范围包括独鱼溪至思南县交界处的乌江主河道及印江河部分河段，主体是沙沱电站库区。湿地公园总面积 1652.69 公顷，湿地面积 845.91 公顷，湿地率为 51.18%。湿地类型包括河流湿地、人工湿地 2 个湿地类的永久性河流、季节性河流、库塘3个湿地型。湿地公园记录有维管束植物102科230属305种。包括蕨类植物16科21属23种，裸子植物4科6属8种，被子植物82科203属274种。常见水生植物有野荸荠、灯芯草、水芹、菖蒲、金鱼藻等。其中，有国家Ⅰ级保护野生植物珙桐，国家Ⅱ级保护野生植物鹅掌楸。记录有野生脊椎动物28目70科183种。包括哺乳类6目15科40种，鸟类13目30科66种，爬行类3目6科21种，两栖类1目6科15种，鱼类5目13科41种。其中，有国家Ⅱ级保护野生动物胭脂鱼、黑耳鸢、鸳鸯等7种；中国特有种鱼类有长薄鳅、华鲮等11种。

湿地公园及周边民族文化风情浓郁，文化历史源远流长，以傩文化、奇石文化等为代表的民族、地域文化融合形成了独具特色的湿地文化。湿地公园山峰层峦叠嶂，错落有致，峡谷壁立千仞，怪石嶙峋，集"雄、奇、险、秀、幽、人文"于一体。2013年12月，经国家林业局批准开展国家湿地公园试点建设。

1.1.9　安龙招堤国家湿地公园试点

该湿地公园位于贵州省黔西南州安龙县城东北隅，范围是以招堤为中心，从巧硐湖沿陂塘河，经荷花池至绿海子的湿地及周边部分山体，属于珠江流域北盘江水系。湿地公园总面积507.70公顷，湿地面积278.20公顷，湿地率54.80%。湿地类型包括湖泊、河流、沼泽与人工4个湿地类的永久性淡水湖、永久性河流、喀斯特溶洞湿地、库塘等10个湿地型。湿地公园记录有维管束植物85科215属309种。包括蕨类植物9科10属14种，裸子植物3科5属8种，被子植物73科200属287种。其中，国家Ⅱ级保护植物有贵州萍蓬草。常见湿地植物有茴茴蒜、石龙芮、莲(荷花)、菰、野灯心草、水毛花、睡莲、贵州萍蓬草、黑藻等。记录有野生脊椎动物31目70科199种。包括哺乳类7目14科33种，鸟类14目33科83种，爬行类3目7科29种，两栖类2目7科17种，鱼类5目9科37种。其中，有国家Ⅱ级保护野生动物贵州疣螈、苍鹰、红腹锦鸡、猕猴等13种；中国或贵州省特有动植物有贵州萍蓬草、灰胸竹鸡、贵州菊头蝠等14种。

湿地公园所在地安龙县历史文化悠远，有贵州迄今保存最完整的古代水利工程——招堤；有招公筑堤的壮举和张之洞父子的轶事；有丰富多彩的布依族民俗；有布依族抗清首领王囊仙的传奇；有300余年的荷文化、摩崖石刻文化、建筑文化、宗教文化……湿地公园景色宜人，绿海子风光旖旎，巧硐湖秀美如画，招堤十里荷塘柳树如烟、荷香四溢。2013年12月，经国家林业局批准开展国家湿地公园试点建设。

1.1.10　江口国家湿地公园试点

该湿地公园位于贵州省铜仁市江口县境内梵净山国家级自然保护区山脚下，范围主要包括太平河、闵孝河部分河段，以及两岸部分山体。水系属沅江水系锦江上游一级支流。湿地类型为河流湿地。湿地公园总面积661公顷，湿地面积279.30公顷，湿地率42.25%。湿地公园记录有维管束植物70科146属194种。其中，蕨类植物8科10属13种，种子植物62科136属181种。湿地维管束植物共41科64属84种。常见湿地植物有枫杨、水莎草、蔗草、水蓼、竹叶眼子菜等。记录有野生脊椎动物32目76科275种(亚种)。包括哺乳类7目16科41种、鸟类17目36科135种、爬行类2目7科28种、两栖类2目8科27种(亚种)、鱼类4目9科44种。其中，国家Ⅱ级保护野生动物有黄脚渔鸮、水獭、红腹锦鸡、棕背田鸡等14种；中国特有物种有尾斑瘰螈、峨眉髭蟾、小口白甲鱼和稀有白甲鱼等；还有中国特有珍稀贝类，如瓶圆田螺、球河螺、卵河螺和三带田螺等。

湿地公园及周边尚存众多至今保留完好的明清年间遗留下的民舍和作坊；佛教文化底蕴深厚；被誉为“中国土家第一村”的云舍土家民俗文化村民风古朴、清幽雅俗；太平河岸线曲折优美，尤其是河漫滩上鹅卵石与枫杨林所构成的刚柔相济的景致令人过目不忘，流连忘返。2013 年 12 月，经国家林业局批准开展国家湿地公园试点建设。

1.1.11 纳雍大坪箐国家湿地公园试点

该湿地公园位于贵州省毕节市纳雍县境内，乌江北源六冲河上游源头。范围东起大坪箐，南至大麻窝垭口，北抵姜家屋基，西到小坝。湿地公园总面积 1074 公顷，湿地面积 551.40 公顷，湿地率 51.34%。湿地类型包括沼泽湿地和人工湿地 2 个湿地类的，藓类沼泽、草本沼泽、灌丛沼泽、森林沼泽、库塘 5 个湿地型。湿地公园记录有高等植物 183 科 455 属 780 种，包括苔藓植物 43 科 75 属 157 种，蕨类植物 25 科 44 属 80 种，种子植物 115 科 336 属 543 种。其中，国家Ⅰ级保护野生植物有光叶珙桐、云贵水韭 2 种，国家Ⅱ级保护野生植物有十齿花和香果树 2 种。湿地公园记录有野生脊椎动物 21 目 45 科 131 种(及亚种)，包括哺乳类 8 目 17 科 38 种，鸟类 9 目 20 科 73 种，两栖类及爬行类共 4 目 8 科 20 种(及亚种)。国家Ⅱ级保护野生动物有猕猴、贵州疣螈、青鼬、鸢、红隼等 15 种，其中贵州疣螈种群数量很大，极易观察到；中国特有种有贵州疣螈、峨眉林蛙、昭觉林蛙、云南小狭口蛙、锈链腹链蛇等 9 种(亚种)。这里还是白鹭等候鸟的重要迁徙驿站，每年 10～12 月，成百上千的白鹭都会汇聚于湿地上空。

泥炭藓、金发藓和曲尾藓是大坪箐沼泽湿地的灵魂。有雨时节，它们如海绵般吸纳雨水，贮存在体内空隙中，天放晴后又缓缓地将水分吐出，形成地表径流汇成条条溪流顺着山势流淌下去，最终集聚形成飞瀑跌入谷底河中。湿地公园的春夏是缤纷的，各色野花竞相开放：有紫色的滇龙胆，黄色的金丝桃、驴蹄草，白色的光叶珙桐花、珠光香青，红色的西南山茶、桃叶杜鹃，紫色的通泉草、西南绣球，紫红色的朝天罐……湿地公园及周边民族风情多姿多彩，有苗族的“跳花坡”“打嘎”，彝族的“搓子舞”，布依族的“六月六”等。特别是舞姿古朴矫健的苗族芦笙舞——“滚山珠”，以其粗犷豪放的风格、高难惊险的动作和深厚的文化内涵成为少数民族民间艺术中的一枝奇葩，流播广远，享誉中外，已被列入国家级非物质文化遗产。2013 年 12 月，经国家林业局批准开展国家湿地公园试点建设。

1.1.12 沿河乌江国家湿地公园试点

该湿地公园位于贵州省铜仁市沿河县东部，范围包括沿河土家族自治县内乌江主河道和支流白泥河部分河段，以及周边漫滩和部分山体。湿地公园总面积 1136.35 公顷，湿地面积 560.80 公顷，湿地率 49.35%。湿地类型包括河流湿地、沼泽湿地、人工湿地 3 个湿地类的永久性河流、洪泛平原湿地、草本沼泽、库塘等 7 个湿地型。湿地公园记录有维管束植物 163 科 554 属 908 种。其中，蕨类植物 36 科 58 属 98 种，裸子植物 7 科 10 属 11 种，被子植物 120 科 486 属 799 种。常见湿地植物为眼子菜科、水鳖科、浮萍科、莎草科、灯芯草科及泽泻科植物。湿地公园记录有野生脊椎动物 33 目 93 科 366 种。包括哺乳类 7 目 17 科 42 种，鸟类 16 目 46 科 169 种，爬行类 2 目 8 科 25 种，两栖类 2 目 6 科 15 种，鱼类 6 目 16 科 115 种。其中，有国家Ⅰ级保护野生动物达氏鲟、林麝 2 种；国家Ⅱ级保护野生动物胭脂鱼、大鲵、鸳鸯、苍鹰等 17 种；属长江上游特有鱼类的有达氏鲟、岩原鲤、短体副鳅、乌江副鳅、长薄鳅、红唇薄鳅等 27 种。

湿地公园及周边，人文景观源远流长。乌江古纤道记录了先民开发乌江流域的足迹；贵州历史上最早的书院——鸾塘书院曾经的辉煌密实地尘封于此。湿地公园峰青峦秀，溪河幽静，河湾峡谷众多，形成山重水复、山水环抱的独特景观。其中，沿河乌江峡谷宛如天然山水画廊，峡谷两岸翠绿葱郁，重峦叠嶂，奇峰屹立，山似斧劈、水如碧玉，有"乌江百里画廊"之称。2013 年 12 月，经国家林业局批准开展国家湿地公园试点建设。

1.1.13 安顺邢江河国家湿地公园试点

该湿地公园位于贵州省安顺市西秀区东北部，贵阳市饮用水源地——红枫湖上游，属长江流域乌江水系。范围包括邢江河在安顺市西秀区旧州镇、刘官乡、黄腊乡的河段及沿岸地带。湿地公园面积 601.24 公顷，湿地面积 486.60 公顷，湿地率 80.93%。湿地类型包括河流湿地和人工湿地 2 个湿地类的永久性河流、洪泛平原和稻田 3 个湿地型。湿地公园共记录有维管束植物 93 科 231 属 306 种。其中，蕨类植物 13 科 19 属 21 种，种子植物 80 科 212 属 285 种。湿地植物，共 47 科 105 属 135 种，常见湿地植物有蔗草、牛毛毡、菖蒲、狐尾藻、贵州水车前、竹叶眼子菜等。记录有野生脊椎动物 30 目 64 科 172 种。包括哺乳类 7 目 11 科 21 种，鸟类 16 目 40 科 106 种，爬行类 1 目 3 科 12 种，两栖类 2 目 5 科 12 种，鱼类 4 目 5 科 21 种。其中，国家Ⅱ级保护野生动物有虎纹蛙、鸳鸯、松雀鹰和猕猴等 11 种；中国特有种有贵州疣螈、华西雨蛙、峨眉林蛙等 12 种。常见湿地鸟类有钳嘴鹳、苍鹭、白鹭、牛背鹭、池鹭、鸳鸯、绿翅鸭和白腰草鹬等。特别值得关注的是钳嘴鹳，过去分布在东南亚的印度、尼泊尔、越南、老挝等国家，近年来出现在中国，目前只在云南省、贵州省有记录。

湿地公园所在地是黔中地区难得的平坝沃土，为贵州的重要农业产区。人与湿地在长期博弈中实现了和谐共融。河上古朴典雅的小桥，河边依然留存的水车、水磨、水碾坊等无不体现屯堡先民们非凡的智慧与文化。踏入邢江河两岸的屯堡村庄，仿佛感觉到时光的倒流。这里年长的妇女身着蓝色长袍大袖、丝绸系腰、绣花翘头布鞋，俨然一身地道的明朝江南汉族女子装束，依然保留着当年由江南繁华地带初到滇黔边寨时的风采，这份坚持成就了今日独特的一景。邢江河的美丽无处不在，水美，终年清澈；河美，自然弯曲；滩美，大大小小的河心洲、边滩形态各一，像月牙，似乌龟，若长蛇，如鲤鱼；岸美，河边垂柳丛丛、竹林簇簇，蓬勃葱茏；稻田美，勤劳的屯堡人在广袤土地上耕作出四季各异的田园美景。2013 年 12 月，经国家林业局批准开展国家湿地公园试点建设。

1.1.14 六盘水娘娘山国家湿地公园试点

该湿地公园位于贵州省六盘水市辖区西南部，跨水城县和盘县，地处珠江流域北盘江上游的乌都河流域。范围主要包括娘娘山顶区域以及八一水库、六车河峡谷。湿地公园总面积 2680 公顷，湿地面积 1060 公顷，湿地率 39.55 %。湿地类型包括沼泽和人工湿地 2 个湿地类的藓类沼泽、灌丛沼泽、森林沼泽、草本沼泽、库塘 5 个湿地型。湿地公园记录有高等植物 140 种，隶属 56 科 102 属。包括苔藓植物 2 科 2 属 2 种，蕨类植物 6 科 7 属 7 种，种子植物 48 科 93 属 131 种。其中，湿地植物 16 科 20 属 24 种。记录有野生脊椎动物 25 目 54 科 191 种。包括哺乳类 7 目 11 科 26 种，鸟类 13 目 29 科 107 种，爬行类 1 目 5 科 19 种，两栖类 1 目 4 科 10 种，鱼类 3 目 5 科 29 种。有国家Ⅰ级保护野生动物黑叶猴，国家Ⅱ级保护野生动物藏酋猴、穿山甲等 11 种；中国特有种有叶结鱼、昆明裂腹鱼和灰裂腹鱼等。

娘娘山及六车河滋养了这方土地上勤劳勇敢、能歌善舞的各民族同胞，也创造了绚丽多彩的民族民间文化。布依族的水漂蜡染绘进了刺梨花的芬芳；彝族“水拌酒”飘香百里，嘹亮的酒令唱响了彝家儿女的情怀，篝火燃起了彝家人对美好生活的憧憬；苗族小伙奔放的芦笙舞和苗族姑娘婉转动人的情歌使人流连忘返。湿地公园的美尤在于绝壁上悬挂的瀑布，终年不断，神奇壮美(图6-7)。瀑布的成因在于柳杉林下厚厚金发藓形成的高低起伏的藓丘；在于泥炭藓海绵般神奇的吸水能力；还在于山顶被自然风力修剪成球形的杜鹃和含笑。站在湿地公园宽缓平坦的山顶沼泽地旁，但见蓝天白云之下，远处小山丘上一道柳杉；阳光下棕色的马儿在悠闲地吃着草；眼里是深浅不一的绿色，耳边是风声与鸟鸣，恍如到了苏格兰牧场。2013 年 12 月，经国家林业局批准开展国家湿地公园试点建设。

图 **6-7** 娘娘山瀑布

1.1.15 万山长寿湖国家湿地公园试点

该湿地公园位于贵州省铜仁市万山区西南方，距万山新城谢桥新区不到 10 公里，属沅江水系锦江上游一级支流。范围包括温溪河、木杉河及其沿线三级电站库区。湿地类型包含河流湿地和人工湿地 2 个湿地类的永久性河流、库塘和稻田 3 个湿地型。湿地公园总面积 480.12 公顷，湿地面积 158.72 公顷，湿地率为 33.06%。湿地公园记录有维管束植物 107 科 248 属 321 种。其中，蕨类植物 14 科 21 属 30 种，种子植物 93 科 227 属 291 种。常见湿地植物有水莎草、狗牙根、野灯芯草、石菖蒲、黑藻等。记录有野生脊椎动物 29 目 61 科 143 种。包括，哺乳类 8 目 16 科 24 种，鸟类 12 目 24 科 61 种，爬行类 3 目 7 科 17 种，两栖类 2 目 7 科 14 种，鱼类 4 目 7 科 27 种，其中，有国家Ⅱ级保护野生动物大鲵、鸳鸯、雀鹰、红隼等 10 种；中国特有种大鲵、华西大蟾蜍、棘指角蟾、华西雨蛙等 10 种。

湿地公园景观灵秀小巧，河、湖、溪、泉、瀑布汇集于此，形成了谷中藏水、曲径通幽、既刚且柔的自然风光。木杉河畔是远近闻名的国家老龄委批准挂牌贵州的第一个“长寿村”，近 50 年来村里出了 37 位百岁老人，为湿地公园平添了神秘色彩。2013 年 12 月，经国家林业局批准开展国家湿地公园试点建设。

1.1.16 北盘江大峡谷国家湿地公园试点

该湿地公园位于贵州省西南部黔西南州贞丰县和安顺市关岭县、镇宁县 3 县交界处，范围主要包括北盘江董箐电站库区，北盘江、打帮河部分河段。湿地公园总面积 4124.50 公顷，湿地总面积 2088.20 公顷，湿地率 50.63%。湿地类型包括河流湿地和人工湿地 2 个湿地类的永久性河流、洪泛平原湿地和库塘 3 个湿地型。湿地公园记录有维管束植物 116 科 291 属 394 种。其中，蕨类植物 15 科 15 属 18 种，裸子植物 4 科 6 属 6 种，被子植物 97 科 270 属 370 种。记录有野生脊椎动物 30 目 73 科 201 种。包括哺乳类 7 目 15 科 31 种，鸟类 14 目 33 科 82 种，爬行类 3 目 8 科 30 种，两栖类 1 目 5 科 16 种，鱼类 5 目 12 科 42 种。其中，有国家Ⅰ级保护野生动物黑叶猴；国家Ⅱ级保护野生动物虎纹蛙、苍鹰、凤头鹰、普通鵟等 11 种。

北盘江大峡谷堪称贵州峡谷之最(图 6-8)，既有长江三峡的秀丽险峻，又具美国科罗拉多大峡谷的雄奇壮美。船行其中，步移景迁，印象最深的是那段屹立着如刀削斧劈般绝壁的峡谷，两岸绝壁犹如气势磅礴的巨幅长廊壁画，五彩缤纷，色彩丰富。更神奇的是其上着生姿态各异的钟乳石，让人不禁惊叹大自然的鬼斧神工。随船行进峡谷还能仰望关兴高等级公路上的北盘江大桥全景。大桥主跨 380 多米，桥面至江面高差达 400 多米，犹如天路一般高悬半空中，让人不禁想起"一桥飞架南北，天堑变通途"的诗句。而从大桥俯瞰大峡谷，则感受到峡谷的深邃悠长、如玉带般柔美的另一面。特别是雾气升起时，烟云缭绕，让人有种恍若仙境般的感觉。此外，峡谷还萦绕着远古壁画、古城遗址等夜郎文化之谜；拥有铁索桥、摩崖石刻、古驿道等人文景观。2013 年 12 月，经国家林业局批准开展国家湿地公园试点建设。

图 **6-8**　北盘江大峡谷

1.1.17　碧江国家湿地公园试点

该湿地公园位于贵州省铜仁市碧江区境内，武陵山脉主峰梵净山的东南边缘，包括后洞河水库及后洞河至清水塘电站河段、小江河部分河段及周边部分汇水区。湿地公园总面积 416.75 公顷，湿地面积 228.45 公顷，湿地率 54.82%。湿地类型包括河流湿地和人工湿地 2 个湿地类的永久性河流、洪泛平原湿地和库塘 3 个湿地型。湿地公园记录有维管束植物 120 科 241 属 332 种。其中，蕨类植物 15 科 19 属 24 种，裸子植物 8 科 14 属 19 种，被子植物 97 科 208 属 289 种。其中，有国家Ⅰ级保护野生植物红豆杉；国家Ⅱ级保护野生植物榉树。记录有野生脊椎动物 30 目 71 科 189 种。其中，哺乳类 6 目 15 科 38 种，鸟类 14 目 31 科 73 种，爬行类 3 目 7 科 24 种，两栖类 2 目 7 科 17 种，鱼类 5 目 11 科 37 种。有国家Ⅱ级保护野生动物大鲵、鸳鸯、红隼等 10 种；此外还有中国特有种北草蜥。

湿地公园风光旖旎，别具神韵，天生桥峡谷令人叹为观止，陡峭的石壁耸立两岸犹如瑰丽画卷，其上堆砌着无数的钙华，或如奇花玉树，或似珍禽异兽，千姿百态，异彩纷呈。无数瀑布从山顶向峡谷倾泻，那水雾似随风飘舞的薄纱弥漫于峡谷中。成群鸳鸯游弋在清澈的水面上，将寂静的山谷变得生动、鲜活。2013 年 12 月，经国家林业局批准开展国家湿地公园试点建设。

1.1.18　晴隆光照湖国家湿地公园试点

该湿地公园位于贵州省黔西南州晴隆县境内，范围包括北盘江光照水电站晴隆县与关岭县境内库区及周边部分区域。湿地公园总面积 3981.37 公顷，湿地面积 2183.40 公顷，湿地率为 54.84%。湿地类型包括河流湿地、人工湿地 2 个湿地类的永久性河流、季节性河流、库塘 3 个湿地型。湿地公园记录有维管束植物 119 科 271 属 377 种。其中，蕨类植物 18 科 19 属 22 种，裸子植物 2 科 3 属 3 种，被子植物 99 科 249 属 352 种。分布有国家Ⅱ级保护野生植物樟树和花榈木 2 种。常见湿地植物有窄叶蚊母树、河滩冬青、披散木贼、浮萍等。记录有野生脊椎动物 28 目 64 科 161 种。其中，哺乳类 6 目 11 科 19 种，鸟类 12 目 26 科 54 种，爬行类 3 目 9 科 25 种，两栖类 1 目 4 科 15 种，鱼类 6 目 14 科 48 种。有国家Ⅰ级保护野生动物蟒蛇、黑叶猴 2 种，国家Ⅱ级保护野生动物普通鵟、红隼、白腹锦鸡等 7 种；中国特有种鱼类泉水鱼、卷口鱼、昆明裂腹鱼等

12 种。

湿地公园景色婀娜多姿、姿态万千。船行光照湖，随时都有新意和惊喜，时而进入宽阔无边的湖面，时而辗转于峡谷之中，时而可见飞瀑凌空飞泄，时而可见古树青藤顽强生长于石缝间。2013 年 12 月，经国家林业局批准开展国家湿地公园试点建设。

1.1.19 罗甸蒙江国家湿地公园试点

该湿地公园位于黔南州罗甸县中南部，属珠江水系红水河上游。范围主要包括蒙江、坝王河、高于河的部分河段及周边河谷，主体是龙滩水电站罗甸境内库区。湿地公园总面积 7226.11 公顷，湿地面积 3469 公顷，湿地率 48.01%。湿地类型包括河流湿地、人工湿地 2 个湿地类的永久性河流、洪泛平原湿地、库塘、稻田 4 个湿地型。湿地公园记录有维管束植物 146 科 389 属 635 种。其中，蕨类 12 科 12 属 12 种，裸子植物 8 科 11 属 15 种，被子植物 126 科 366 属 608 种。其中，有国家Ⅰ级保护野生植物掌叶木、贵州特有种贵州金花茶。湿地公园记录有野生脊椎动物 31 目 105 科 411 种。其中，哺乳类 5 目 24 科 52 种，鸟类 15 目 41 科 161 种，爬行类 2 目 13 科 47 种，两栖类 2 目 8 科 42 种，鱼类 7 目 19 科 109 种。国家Ⅰ级保护野生动物有蟒、林麝 2 种，国家Ⅱ级保护野生动物有大鲵、细痣蝾螈、虎纹蛙、猕猴、红腹锦鸡等 26 种。

湿地公园周边世居的布依族、苗族特有的风俗文化悠远；罗甸奇石造型生动、线条流畅。湿地公园拥有开阔、清澈、碧绿的水面，逶迤曲折的岸线。晴空万里的日子里，水平如镜、烟波浩渺，远处山峦重重叠叠、郁郁葱葱，山抱水环，山水相依，波光倒影，交相辉映。2013 年 12 月，经国家林业局批准开展国家湿地公园试点建设。

2014 年，贵州新增 11 处国家湿地公园试点和 4 处省级湿地公园，分别是：汇川喇叭河国家湿地公园试点、水西柯海国家湿地公园试点、习水东风湖国家湿地公园试点、遵义乐民河国家湿地公园试点、湄潭湄江湖国家湿地公园试点、六盘水牂牁江国家湿地公园试点、荔波黄江河国家湿地公园试点、黎平八舟河国家湿地公园试点、贵定摆龙河国家湿地公园试点、凤冈龙潭河国家湿地公园试点、都匀清水江国家湿地公园试点、石阡小龙河省级湿地公园、清镇老马河省级湿地公园、凤冈蒲水河省级湿地公园、遵义兴隆省级湿地公园。

1.2 自然保护区

截至 2013 年年底，贵州省共有 122 个自然保护区。其中，林业部门主管的 104 个自然保护区，基本上都是 20 世纪末申报建立的，当时保护区类型中尚无湿地类型保护区。因此，如果严格从申报审批角度来讲，贵州省只有独山都柳江源湿地省级保护区(2013 年获批)是湿地类型的保护区。为便于组织开展湿地保护管理工作，贵州省依据主要保护对象重新对全省自然保护区进行了梳理，将全省自然保护区分为湿地保护区、相关保护区和森林与野生动物类型保护区。其中，湿地保护区是指以湿地野生动植物或湿地生态系统为主要保护对象的自然保护区，如草海国家级自然保护区；相关保护区是指以森林生态系统和野生动植物为主要保护对象，但湿地资源相对丰富的自然保护区，如梵净山国家级自然保护区、茂兰国家级自然保护区等(图 6-9)。森林与野生动物类型自然保护区是指以森林生态系统和野生动植物为主要保护对象，且湿地资源不丰富的自然保护区。截至 2013 年，贵州省有湿地保护区 4 个，相关保护区 16 个。

图 **6-9**　茂兰国家级自然保护区翁昂喀斯特漏斗底部河流湿地

1.2.1　湿地保护区

1.2.1.1　草海国家级自然保护区

该自然保护区位于云贵高原东部乌蒙山麓贵州省西部，毕节市威宁县城西南侧，地理坐标东经 104°10′16″～104°20′40″，北纬 26°47′32″～26°52′52″。保护区面积 9922.6 公顷，以草海湖集雨区域划定(图 6-10)。其中核心区 2162.05 公顷，缓冲区 539.10 公顷，实验区 6898.44 公顷。草海是

图 **6-10**　草海国家级自然保护区

贵州省最大的淡水湖泊，也是我国面积最大的岩溶湖，为我国亚热带高原湿地生态系统的典型代表，是我国特有的高原鹤类——黑颈鹤的重要越冬地之一，也是黑颈鹤地理位置最东的栖息地。1985 年，贵州省人民政府批准建立草海省级保护区，1992 年经国务院批准晋升为国家级自然保护区，被誉为“天然博物馆”“物种基因库”“世界最佳湿地观鸟区之一”，被《中国生物多样性保护行动计划》列为一级重要保护湿地。

草海地处贵州西部高原面上发育的溶蚀盆地，盆地周边环绕高原丘陵，地形西、南、东三面较高，北面是泄水方向，入洛泽河进横江入金沙江。草海地区属亚热带高原季风区，具光照丰富、冬暖夏凉、冬干夏湿等特点，年平均气温 10.50 ℃，最热月(7 月)均温 17.70 ℃，最冷月(1 月)均温 1.90℃。有卯家海子河、东山河、白马河和大中河等小河流汇入，平均水深 2～3 米，平均海拔 2171.70 米，平均水温 25.20 ℃，pH 值 7.74，总矿化度 206.89 毫克/升，湿地水分年更新率 0.97。第二次湿地资源调查显示：草海湖面积 1097.70 公顷，周边沼泽 1675.15 公顷。草海湿地生态系统结构和功能完整，水生动植物种类丰富，且生产力较高。据调查，草海分布有浮游

植物8门96属207种，平均生物量4.70毫克/升。苔藓植物36科68属145种，蕨类植物17科29属52种，种子植物124科372属672种。种子植物中，裸子植物5科13属15种，被子植物119科359属657种。仅水生维管束植物就有25科37属49种，以水葱、水莎草、李氏禾、光叶眼子菜、菹草、狐尾草等为优势种。涵盖了挺水植物、浮水植物、沉水植物3个类型，形成了茂密、壮观的水下植物群落，覆盖率达80%，在国内外极罕见。草海野生动物资源也十分丰富。共记录有浮游动物69属140种，平均生物量2.33毫克/升。底栖动物83属121种。鱼类4目12属14种，以鲤形目最多，共9种，鲈形目3种，鳉形目和合鳃目各1种。草海是草海云南鳅模式标本产地。两栖类2目7科12属14种，爬行类3目6科14属19种。其中，贵州疣螈属国家Ⅱ级重点保护野生动物。鸟类是草海极其重要的生物资源，迄今已记录鸟类17目46科224种。其中繁殖鸟122种(包括留鸟101种，占草海鸟类种数的45.09%；夏候鸟21种，占草海鸟类种数的9.38%)；冬候鸟75种，占草海鸟类种数的33.48%；旅鸟13种，占草海鸟类种数的5.80%；居留情况不清的14种，占草海鸟类种数的6.25%。属国家重点保护的野生动物有34种。其中，国家Ⅰ级保护野生动物7种，包括黑颈鹤、白鹳、黑鹳、白琵鹭等，国家Ⅱ级保护野生动物27种，包括灰鹤、白琵鹭、黑脸琵鹭、大天鹅、草原雕等。本省只见于草海的鸟类有白鹳、黑鹳、白琵鹭、黑脸琵鹭、大天鹅、黑颈鹤、白头鹤、白尾海雕、白肩雕等。黑颈鹤、灰鹤、赤麻鸭、赤颈鸭、白骨顶、红头潜鸭等则是构成草海冬候鸟的优势种群。目前，钳嘴鹳和水雉的居留型尚不能明确。此外，记录到草海哺乳类有7目11科18种。该自然保护区属林业部门主管。

1.2.1.2 长江上游珍稀特有鱼类国家级自然保护区

该自然保护区是我国为保护珍稀特有鱼类设立的唯一一个国家级自然保护区。为维护长江上游鱼类种群多样性和长江上游自然生态环境，合理持续利用渔业资源，补救因水电工程建设和经济建设等人为因素对自然生态系统造成的影响，及时拯救长江上游濒危鱼类，按照国务院批准的《长江流域综合利用规划简要报告》和水利部制定的《长江三峡水利枢纽初步设计报告》，1997年经四川省人民政府批准，将原泸州市长江珍稀特有鱼类自然保护区和宜宾地区珍稀鱼类自然保护区合并，定名为长江合江—雷波段省级自然保护区。主要保护对象为达氏鲟、白鲟、胭脂鱼等长江上游珍稀鱼类及水域生态系统，总面积18052公顷。2000年4月，国务院〔2000〕30号文件批准升格为国家级自然保护区。2005年4月国务院国办函〔2005〕29号文件对保护区范围作了调整，并更名为“长江上游珍稀特有鱼类国家级自然保护区”。保护区范围涉及贵州、云南、四川和重庆4个省份。地理坐标东经104°09′~106°30′，北纬27°29′~29°04′，保护区面积33174.2公顷，核心区10803.5公顷，缓冲区15804.6公顷，实验区6566.1公顷。主要保护对象为白鲟、达氏鲟、胭脂鱼、岩原鲤等70多种珍稀特有鱼类及其栖息生境。包括金沙江向家坝水电站坝轴线下1.80公里处至重庆长江马桑溪江段，长度353.16公里；赤水河河源至河口，长度628.23公里；岷江月波至河口，长度90.10公里；越溪河下游码头上至谢家岩，长度32.1公里；长宁河下游古河镇至江安县，长度13.4公里，南广河下游落角星至南广镇，长度6.18公里；永宁河下游渠坝至河口，长度20.63公里；沱江下游胡市镇至沱江河口，长度17.01公里。调整后的保护区设核心区5处，分别是：金沙江下游三块石以上500米至长江上游南溪镇，长江上游弥陀镇至松既镇，赤水河干流上游鱼洞至白车村，赤水河干流中游五马河口至大同河口，赤水河干流习水河口至赤水河口。国办函〔2011〕156号再次对保护区范围进行调整，保护区面积调整为31713.80公顷，保护区重庆辖区内范围被缩小，将松溉镇至马桑溪大桥水域调整为非保护区水域，调出长度22.50公里；将石门镇至地维大桥由缓冲区调整为实验区，长度73.30公里。该自然保护区属农业部门主管。

1.2.1.3 独山都柳江源湿地省级自然保护区

该自然保护区位于贵州独山县东北隅，独山县与都匀市、三都县交界处，珠江流域西江水系第二大支流都柳江源头(图6-11)。地理坐标北纬25°47′26″～26°01′05″，东经107°34′05″～107°45′12″。保护区总面积21304.74公顷，其中核心区5380.03公顷，缓冲区5290.02公顷，实验区10634.69公顷。主要保护对象是原生性泥炭藓沼泽湿地生物资源、森林资源与生态环境。都柳江源湿地自然保护区的前身为独山深沟自然保护区，于1999年经独山县人民政府批准成立县级自然保护区，2013年9月，省政府批准为省级湿地保护区。

图**6-11** 独山都柳江源湿地省级自然保护区

受构造运动的影响，独山都柳江源湿地自然保护区整体上位于舒缓背斜核部。区内断层发育，整体地形切割破碎，完整性差，主要地貌类型为构造侵蚀台地和峡谷型河流侵蚀地貌。构造侵蚀台地多分布于高海拔地区，隔水性好，滞水能力强，形成保护区内重要的第一级地表径流、地下径流的汇流区，为沼泽及河流湿地的形成提供了基础。该区年日照时数1190.20～1355.80小时，年日照百分率为27%～31%，年太阳总辐射3603.60～3880.20兆焦/平方米，是贵州乃至全国最低值区之一，有夏季最多、冬季最少、春季略多于秋季的季节分布规律。年平均气温在11～17.90℃之间，冬冷夏热，秋温略高于春温，春季升温缓且秋季降温缓慢，略显海洋型气候特征，属北亚热带高原季风湿润气候。年降水量为996.20～1607.60毫米，夏半年降水充沛，4～10月降水量达863.90～1366.90毫米，占年降雨量的85%。保护区生物多样性丰富，植被主要由次生性常绿落叶阔叶混交林、落叶阔叶林组成，在地势陡峭地区残存少量的常绿阔叶林。保护区共记录有大型真菌41科81属162种和变种，苔藓植物70科130属382种，蕨类植物34科65属190种，野生种子植物174科684属1458种。其中，国家Ⅰ级保护野生植物有南方红豆杉、红豆杉和伯乐树3种，国家Ⅱ级保护野生植物有十齿花、樟树、楠木、榉木、香果树、金毛狗等14种。共记录鱼类4目12科34属42种，两栖类及爬行类4目11科22属30种，鸟类10目43科91种，哺乳类8目21科31属40种。其中，国家Ⅰ级保护野生动物有云豹、林麝、白颈长尾雉3种，国家Ⅱ级保护野生动物有苏门羚、水獭、猕猴、大鲵、细痣疣螈等12种。该自然保护区属林业部门主管。

1.2.1.4 贵定岩下县级自然保护区

该自然保护区位于贵州黔南州贵定县岩下乡境内，黔南州贵定县、都匀市与黔东南州麻江县交界处。保护区面积约63平方公里，平均海拔1100米，属典型喀斯特高原山地地貌。境内地层岩性及地质构造复杂，新构造断裂裂隙发育，岩石的富水性强，河源水文地质环境较好，溶洞、溪河繁多，地表水与地下水交替循环，是长江支系沅江水域的重要源头区。区域属于中亚热带湿润季风气候区，垂直气候带明显，四季分明，光、水、热同期，降雨丰富。年平均气温13.90℃，最热月(7月份)均温23.20℃，最冷月(1月)均温3.30℃。区内植被主要是以常绿落叶阔叶混交林为主的次生植被。常见植物种有杜鹃花科、槭树科、山矾科植物；灌木多为山茶科等种类。区内偶见鸳鸯、雀鹰、野猪等野生动物。贵州大学学者初步查明：岩下野生大鲵种群集中分布在一个以地下水域为依托，地面水网与地下河流相连的区域，栖息地以地下水域为主。根据繁殖洞穴的大鲵苗涌出量与大鲵繁殖特征，推算岩下野生大鲵种群密度约为 0.09 公斤/平方米，总资源量约为 1700 公斤。其种群数量在 20 世纪 80 年代末后急剧减少，90 年代中期至 2000 年后，数量变化趋于缓和。岩下保护区野生大鲵分布的集中性、生境自然条件的优越性以及繁殖洞穴的大规模涌苗现象在全国均属少见。2004 年，岩下乡成立了核心区面积为 3 平方公里的大鲵自然保护区，在上游河段 5 公里内禁止采矿等行为，同时对 5 公里范围内的民居建设进行规划。同年 10 月，贵定县通过招商引资成立了集科研、人工饲养繁殖、保护为一体的娃娃鱼养护基地。2006 年，岩下乡被命名为"中国娃娃鱼之乡"。该自然保护区属农业部门主管。

1.2.2 相关自然保护区

在贵州，有些森林与野生动物类型的自然保护区虽然主要保护对象是森林生态系统或者野生动植物，但湿地资源也相对丰富。如梵净山国家级自然保护区、习水国家级自然保护区(图 6-12)、麻阳河国家级自然保护区的河流湿地就很丰富；雷公山国家级保护区的沼泽湿地在贵州省具有一定的代表性；而茂兰国家级自然保护区则分布有珍贵、稀有的喀斯特森林沼泽湿地。多年来，这些保护区也承担着保护湿地资源的职责，因此，将这些保护区称为相关自然保护区。贵州省共有各级相关自然保护区 16 个。其中，国家级自然保护区 7 个，分别是梵净山国家级自然保护区、茂兰国家级自然保护区、雷公山国家级自然保护区、麻阳河国家级自然保护区、习水国家级自然保护区、宽阔水国家级自然保护区、赤水桫椤国家级自然保护区。省级自然保护区 3 个，分别是大沙河省级自然保护区、佛顶山省级自然保护区、百里杜鹃省级自然保护区。市(州)级自然保护区 2 个，即桐梓柏箐市级自然保护区、贞丰龙头大山州级自然保护区。县级自然保护区 4 个，分别是金沙冷水河县级自然保护区、绥阳双河溶洞县级自然保护区、普安下厂河县级自然保护区、黔西渭河县级自然保护区。省级以上自然保护区均成立了专门的管理机构；县级自然保护区由当地县林业局进行管理。其中，麻阳河国家级自然保护区、大沙河省级自然保护区、金沙冷水河县级自然保护区还得到国家湿地保护工程项目经费或国家财政湿地补助专项经费用于开展湿地保护工作。

图 **6-12** 习水国家级自然保护区漏仓沟

1.3 其他保护形式

在贵州，还存在其他湿地保护形式，尽管他们审批的初衷不是湿地保护，但也承担了对湿地某些资源的保护与利用。例如，城市湿地公园和饮用水水源保护区。截至 2014 年 6 月，贵州省有城市湿地公园 2 个，即花溪十里河滩国家城市湿地公园、红枫湖—百花湖国家城市湿地公园(图 6-13)。还有许多饮用水水源保护区。其中，全省 9 个中心城市划定了 19 个集中式饮用水水源保

图 **6-13**　红枫湖

护区，多为水库和河流；县级城市饮用水水源保护区的划定工作还在进行中。

2　全省湿地保护管理状况

2.1　全省湿地保护率及保护湿地分布现状

2.1.1　全省湿地保护率

第二次湿地资源调查表明，截至2012年年底，贵州省湿地保护率(受保护的湿地面积占全省湿地总面积的百分比)为26.53%，自然湿地保护率(受保护的自然湿地面积占全省自然湿地总面积的百分比)为15.31%。

2.1.2　全省保护湿地分布现状

截至2013年年底，贵州省尚无国际重要湿地，只有草海与红枫湖被列入《国家重要湿地名录》，省级重要湿地认证工作还未开展。目前，全省具有保护价值的湿地主要是通过建立保护区或申报湿地公园的方式加以保护的，全省湿地保护区及相关保护区、湿地公园的分布状况就是受保护湿地的分布状况(图6-14)。

2.1.2.1　长江流域

分布有国家湿地公园和国家湿地公园试点13个，分别是：六盘水明湖国家湿地公园、贵阳阿哈湖国家湿地公园试点(2015年1月已被正式授牌国家湿地公园)、石阡鸳鸯湖国家湿地公园试点、威宁锁黄仓国家湿地公园试点、余庆飞龙湖国家湿地公园试点、思南白鹭湖国家湿地公园试点、德江白果坨国家湿地公园试点、江口国家湿地公园试点、纳雍大坪箐国家湿地公园试点、沿河乌江国家湿地公园试点、安顺邢江河国家湿地公园试点、万山长寿湖湿地公园试点、碧江国家湿地公园试点。

分布有湿地保护区3个，分别是：草海国家级自然保护区、长江上游珍稀特有鱼类国家级自然保护区、贵定岩下大鲵县级自然保护区。

分布有相关保护区13个，分别是：梵净山国家级自然保护区、雷公山国家级自然保护区、宽阔水国家级自然保护区、麻阳河国家级自然保护区、习水国家级自然保护区、赤水桫椤国家级自然保护区、大沙河省级自然保护区、佛顶山省级自然保护区、百里杜鹃省级自然保护区、金沙冷水河县级自然保护区、绥阳双河溶洞县级自然保护区、黔西渭河县级自然保护区、桐梓柏箐市

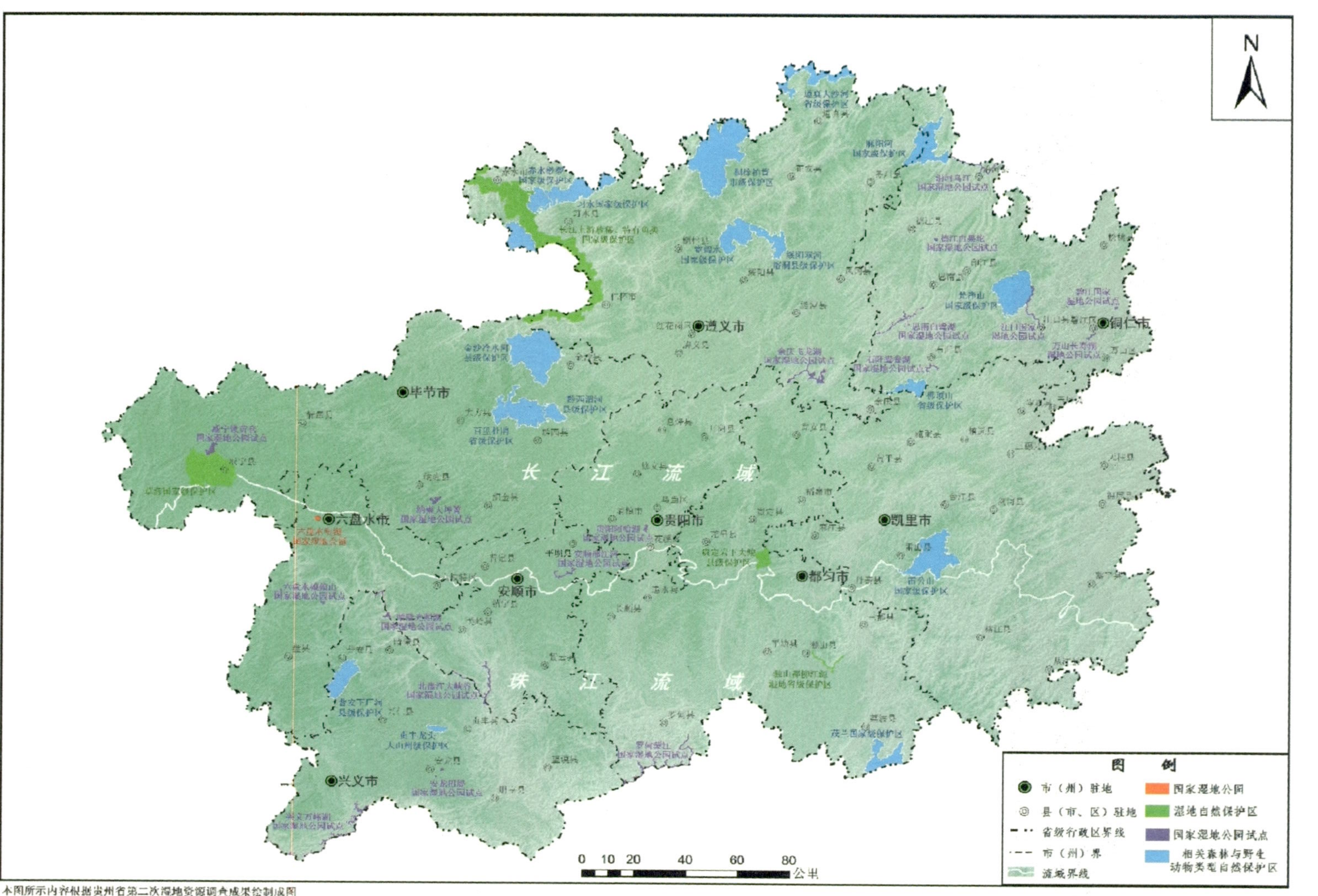

图 6-14 贵州湿地保护现状(截至 2013 年年底)

级自然保护区。

2.1.2.2　珠江流域

分布有国家湿地公园试点6个，分别是：兴义万峰国家湿地公园试点、安龙招堤国家湿地公园试点、六盘水娘娘山国家湿地公园试点、北盘江大峡谷国家湿地公园试点、晴隆光照湖国家湿地公园试点、罗甸蒙江国家湿地公园试点。

分布有湿地保护区1个，即独山都柳江源湿地省级自然保护区。

分布有相关保护区3个，分别是：茂兰国家级自然保护区、贞丰龙头大山州级自然保护区、普安下厂河县级自然保护区。

2.2　全省湿地保护管理现状

2.2.1　湿地保护管理和监测体系现状

为加强全省湿地保护管理工作，2012年10月，贵州省林业调查规划院加挂“贵州省湿地资源监测中心”牌子，组建了由专业林业调查人员组成的湿地监测队伍，主要负责承担全省湿地资源调查与监测。2014年4月，经贵州省机构编制委员会批准，将“贵州省三三五六项目管理中心”更名为“贵州省湿地保护管理中心”，属贵州省林业厅正县级财政全额预算管理事业单位，编制7名，宗旨是为全省湿地保护管理提供服务。业务范围包括：负责贯彻执行国家及省有关湿地保护利用的方针、政策和法律法规；负责拟定全省湿地保护规划及相关技术标准和规范，并组织实施；组织开展全省湿地资源调查、动态监测和信息统计工作；负责组织建立省级以上湿地保护小区、湿地公园的专业评审、申报工作；承担并完成国家林业局湿地保护管理中心安排的各项工作。

此外，六盘水明湖国家湿地公园、贵阳阿哈湖国家湿地公园(图6-15)、石阡鸳鸯湖国家湿地公园试点、余庆飞龙湖国家湿地公园试点、威宁锁黄仓国家湿地公园试点等先后经批准成立了湿地公园管理机构。

图6-15　贵阳阿哈湖国家湿地公园

2.2.2　开展法规规章建设，组织编制湿地保护相关规划

近年来，贵州省相继出台了一系列与湿地相关的地方性单要素法规、规章，包括：《贵州省

实施〈中华人民共和国水法〉办法》《贵州省水文管理办法》《贵州省河道管理条例》《贵州省取水许可和水资源费征收管理办法》《贵州省水能资源使用权有偿出让办法》《贵州省防洪条例》《贵州省渔业条例》《贵州省环境保护条例》《贵州省陆生野生动物保护办法》等；一些重要水源地还出台了专门的保护条例，如《贵州省红枫湖、百花湖水资源环境保护条例》《贵州省红枫湖、百花湖水资源环境保护条例修正案》《贵阳市阿哈水库水资源环境保护条例》《贵州省夜郎湖水资源环境保护条例》《赤水河流域管理与保护条例》等，对贵州湿地保护工作起到了促进和推动的作用。另一方面，贵州湿地保护立法正在有序推进中。2013 年 7 月，召开了《贵州湿地保护条例》立法讨论会，成立了立法小组；8 月《贵州湿地保护条例》被列入贵州省人大立法调研规划；10 月，省林业厅分管副厅长带队到省人大做了湿地立法专题汇报；2014 年元月至 7 月对条例进行修改、完善、征求意见；8 月进入立法调研和再修改、征求意见阶段。此外，贵州省林业厅还先后组织编制了《贵州湿地保护工程中长期规划(2010 ~ 2030 年)》《贵州省湿地保护与建设方案》《贵州省湿地保护发展规划(2014 ~ 2030 年)》等。

2.2.3 环境保护法治化建设

2007 年，贵阳市提出建设生态文明城市。同年 11 月 20 日设立贵阳市中级人民法院环境保护审判庭和清镇市人民法院环境保护法庭，对涉及环保类的案件实行民事、刑事和行政诉讼“三诉合一”集中管辖。以生态保护公益诉讼作为首要突破点，先后审结了全国首例环境公益行政诉讼案件——中华环保联合会诉清镇市国土资源局行政不作为公益诉讼；贵州省首例环境公益民事诉讼案件——贵阳市“两湖一库”管理局诉贵州天峰化工有限公司污染侵权公益诉讼；“福海生态园”毁林开发案等。通过这些案件的审理，不仅在短时间内破解了“两湖一库”水资源污染问题，使“两湖一库”水质从劣Ⅴ类上升至Ⅱ类、Ⅲ类，森林覆盖率提升至 43.20%，空气质量优良天数 95% 以上，而且还形成了环境公益诉讼证据保全、先予执行、专家证言采信、法律意见书告诫等一系列配套公益诉讼工作制度，实现了生态保护审判法律效果、社会效果、生态效果的统一。在审结的案件中，有贵州天峰化工公司污染红枫湖等 10 件环境公益诉讼案件，占 2007 年以来全国环境公益诉讼的 50% 以上。贵阳市在环境司法方面积极有成效的探索，得到了社会各方面的充分肯定，被《人民法院报》评价为环境公益诉讼的“贵阳模式”。2012 年，全国人大在修改民事诉讼法过程中，专门调研贵阳生态保护“两庭”的公益诉讼司法实践，并在之后确立了环境公益诉讼的司法制度，弥补了我国公益诉讼法律制度的空白。2013 年初，为完善贵阳市生态保护的司法体系，服务和促进生态文明城市建设工作，贵阳市将原“贵阳市中级人民法院环境保护审判庭和清镇市人民法院环境保护法庭”分别更名为“生态保护审判庭和生态保护法庭”。同时，在贵阳市检察院和清镇市检察院，以及贵阳市公安局分别组建了生态保护检察局和生态保护公安分局，初步形成了完备的生态环保司法工作体制。截至 2014 年 1 月，共受理各类环境刑事、民事、行政、执行案件 722 件，审结、执结 711 件，结案率为 98.60%。其中，涉及红枫湖、百花湖和阿哈水库(“两湖一库”)的水资源保护案件 80 余件。2014 年 2 月，贵阳中院出台了《关于进一步加强生态保护审判工作的若干意见》12 条，已通过媒体向社会做出承诺，将继续在严打破坏生态违法犯罪行为、推进公益诉讼、强化司法、行政、公众之间的立体联动、便民利民参与司法活动等方面努力探索创新，开创工作新局面。据了解，2014 年，贵州省法院系统将推广环境审判“贵阳模式”，全面开展环境公益诉讼，选择部分中、基层法院设置生态保护人民法庭或生态保护审判庭，实现全省民事、行政环保案件相对集中管理，以便更好地使用环境司法的力量保护环境，促进经济社会发展与生态环境保护相协调。

2.2.4 科普宣教

2012 年 2 月 2 日，贵州省林业厅、共青团贵州省委、毕节市人民政府在威宁县联合举办了全省首次“世界湿地日”纪念活动。另外还举行了湿地保护万人签名、保护湿地专题文艺表演、草海鸟类生态摄影展、草海观鸟和湿地保护大家谈电视访谈等系列纪念活动。此后，每年“湿地日”，贵州各地都组织开展了形式多样、内容丰富的纪念活动，进行湿地保护科普宣传。如 2014 年湿地日前夕，贵州省林业厅分管副厅长黎平坐客《金黔在线》栏目，进行了题为《加强湿地保护，贵州在行动》视频访谈，此外，还印制了湿地保护宣传折页、宣传册、挂历等宣传材料向公众发放。2013 年 7 月，配合《森林与人类》编辑部编制出版了《森林与人类——中国湿地之旅贵州湿地专辑》(总第 277 期)。为确保专辑质量，贵州省林业厅选派专业技术人员参与专辑内容策划、遴选图片、组稿、撰文、审核等一系列工作，专辑定位为展示贵州湿地之美，通过讲述故事和展示唯美的湿地图片，帮助人们走近贵州湿地，了解贵州湿地，唤起人们对湿地的喜爱进而激发人们的保护意识。此专辑是《森林与人类》为我国西南地区出版的第一本湿地专辑，也是全国继江苏省之后的第二本湿地专辑。

2.2.5 组织完成全省第二次湿地资源调查，建立了全省湿地资源数据库

2011 年 7 月至 2012 年 12 月，贵州省首次运用“3S”技术与实地调查相结合的调查方法，严格执行首先室内判读遥感数据，然后进行现地验证和实地调查，最后室内修正调查结果的调查流程。对全省 6218 块湿地斑块进行了调查核实，获取并收集了湿地类型、面积、分布、受威胁情况和生态状况等各方面的成果数据 559600 条，编制完成了调查报告，通过了包括 8 位院士在内的多学科、多行业专家组成的成果鉴定委员会的鉴定并获得好评，在省湿地资源监测中心建立了全省湿地资源数据库。2014 年 4 月 10 日，贵州省人民政府主持召开了新闻发布会，省林业厅发布了全省第二次湿地资源调查成果，共有 20 余家中央驻黔媒体、省(市)级主要媒体的文字、摄影、摄像记者计 30 余人出席并进行了报道。

2.2.6 组织开展各层次的湿地专项考察、培训

湿地保护在贵州是一项新课题，要快速推进全省湿地保护工作，离不开地方党委、政府决策者的支持与重视。在国家林业局湿地保护管理中心大力支持和浙江省、江苏省、上海市林业厅(局)鼎力相助下，2012 年 6 月 25 日至 7 月 2 日，中共贵州省委组织部与省林业厅联合举办了贵州省湿地保护管理专题培训班。这是全国第一个地方党政领导干部湿地保护专题培训班，也是目前全国教师和学员级别最高的湿地专题培训班。共计 25 人参加了本次培训，其中有州(市)党委、政府分管领导 8 人。学员先后实地考察了杭州西溪国家湿地公园、中国湿地博物馆、杭州西湖湿地、苏州太湖国家湿地公园、无锡蠡湖国家湿地公园、无锡梁鸿国家湿地公园、上海崇明西沙国家湿地公园和崇明东滩鸟类国家级自然保护区等地，并分别与江苏、浙江、上海 2 省 1 直辖市的政府、林业部门、湿地公园及湿地保护区的领导和专家进行了座谈交流。这次培训是一个里程碑，促成了党委、政府层面对湿地保护工作的重视和支持，强化了林业主管部门对湿地资源的管理职责。2013 年，铜仁市将湿地保护工作列入对县级党委政府的目标考核内容。此后，在国家湿地公园申报建设过程中，通过召开省级评审会及现地考察评估会，促成省内相关专家、国家林业

局派遣的现地考察专家组与各湿地公园申报县党委、政府领导的对话与交流，对地方党委、政府领导进行了湿地保护理念的宣教普及。

2014年4月22日至23日，省林业厅组织召开了全省湿地保护工作暨培训会议，传达学习了省委书记赵克志对湿地保护工作的重要批示精神，对贯彻落实提出了具体要求。会议采取以会代训方式，邀请北京林业大学自然保护区学院院长雷光春先生和上海海洋大学教授王丽卿女士分别作了题为《世界湿地保护现状及对我国湿地保护管理的启示》《水环境生态建设理论与实践》的培训报告。全省各市(州)林业(绿化)局、国家湿地公园及国家湿地公园试点、省林业调查规划院、省林业科学院、湿地及相关保护区的主要负责人等共计110多人参加了培训。

2.2.7 举办“2013年长江湿地保护网络年会暨湿地保护与绿色转型”论坛

2013年1月，经党中央、国务院同意，外交部正式批准，生态文明贵阳会议升格为生态文明贵阳国际论坛，成为目前中国唯一以生态文明为主题的国家层面的高端国际论坛。贵州省林业厅把握机遇，在举办“生态文明贵阳国际论坛2013年年会”期间，与国家林业局湿地保护管理中心、世界自然基金会(WWF)共同举办了“2013年长江湿地保护网络年会暨湿地保护与绿色转型”论坛，来自长江流域12个省份的湿地保护网络成员单位代表、政府、企业、国内外专家学者共聚贵阳，就如何通过网络平台聚集更多力量保护长江湿地、推动湿地的社会化参与等进行了交流研讨。网络年会系列活动内容丰富多彩，包括“美丽湿地，生命长江”——长江湿地保护的人和事；长江湿地保护网络成员单位风采展示及评述；从“公益捐赠到战略投资”——企业参与水资源保护的进阶思考，公益企业家沙龙等系列活动。作为生态文明贵阳国际论坛分论坛的“湿地保护与绿色转型”论坛则积聚了国内外湿地保护精英的智慧火花。各位专家各抒己见，分别就如何推动湿地保护社会化参与，湿地保护如何支撑绿色发展和实现绿色转型表达了各自的观点。省林业厅利用东道主的便利，组织各市(自治州)林业局、国家级自然保护区、国家湿地公园派员参会，对基层工作者进行了一次高规格的培训。由于会议级别高，来宾人员组成复杂，会议内容丰富，会议组织难度和工作量相对大。尽管如此，省林业厅与贵阳市生态文明建设委员会通力合作，与世界自然基金会专家共同工作，克服了重重困难确保了会议成功举办。不仅历练了队伍，提升了贵州省湿地保护工作人员的综合素质和能力，而且增强了各级林业主管部门的职责意识。这是长江湿地保护网络年会在长江上游省份举办的首次会议，也是历次长江湿地保护网络年会中论坛规格最高的会议。

2.2.8 加强与省内外专家团队的广泛联系，用竞争促进省内队伍的快速成长

科学技术是第一生产力，组织开展对湿地生态系统的科学研究，掌握湿地生态系统运行的规律，以及为湿地公园制订科学的规划，是加强湿地保护的根本性措施。基于贵州省湿地保护事业正处在高速发展时期，省内从事湿地保护的专家与规划团队力量相对薄弱，迫切需要先进理念和技术支撑，贵州省在依靠省内相关专家和团队的基础上，注重与国内各湿地保护与规划的专家团队建立广泛联系。近年来，国家高原湿地研究中心、国家林业局调查规划设计院、国家林业局中南林业调查规划设计院、南京大学、中国科学院等团队相关专家先后来到贵州，为贵州省湿地保护管理科学决策和湿地公园规划建设提供服务。同时，通过引入竞争机制，提供机会让本省规划单位进行场外观摩和同场竞技交流，促进了省内规划队伍的快速成长，并为构建全省湿地保护科技支撑体系夯实了基础。

第二节 湿地保护管理建议

1　抓好全省三大湿地网络体系建设

1.1　完善全省湿地保护网络体系

依据贵州省湿地资源的特点，以抢救性保护和维护代际公平为原则，在全省建立以湿地保护区为基础，湿地公园为主体，湿地保护小区及其他保护形式为补充的湿地保护网络(图6-16)。尽管截至2015年6月，贵州省已经有2个国家湿地公园，28个国家湿地公园试点，4个省级湿地公园，4个湿地保护区，16个相关保护区，初步形成了全省湿地保护网络。但还需要进行补充和调整，让网络结构趋于更加合理。鉴于目前国家湿地公园还可以进行直报，全省各级政府申报国家湿地公园的积极性很高。需注意在尽量申报国家湿地公园的同时，要考虑数量的控制；加强省级湿地公园的申报审批，确保两者数量比适中；鼓励湿地资源相对丰富的市(州)、县，建立市(州)、县(区、市)级湿地公园；加强珠江流域湿地公园的申报建设工作，确保珠江流域与长江流域湿地公园数量比例适中；鼓励湿地保护区申报建设，尽可能增加全省湿地保护区的数量。在云贵水韭的分布地、白鹭聚集地、钳嘴鹳分布点等面积相对较小，不适宜建立保护区或湿地公园的地方建立保护小区。不干预其他部门采取其他形式开展湿地保护工作，但相关法律、法规和规章规定禁止重复的除外。

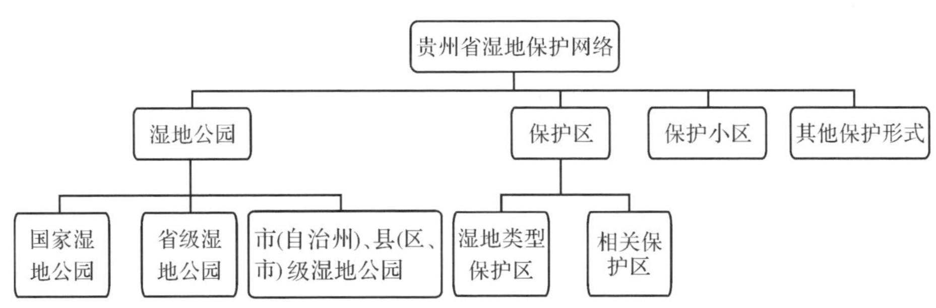

图6-16　贵州省湿地保护网络体系构成图

抓好国际重要湿地、国家重要湿地、贵州省重要湿地的申报、确认和监测工作。确保湿地面积不减少，湿地功能不削弱，提高贵州喀斯特高原湿地在全国和世界的影响。

1.2　构建全省湿地管理网络体系

充分发挥政府对湿地保护的牵头和推动作用，由县级以上人民政府牵头成立林业、发展和改革、财政、国土资源、环境保护、住房和城乡建设、水利、农业、旅游、科技、法制等有关部门组成的湿地保护委员会，形成共同参与的协商机制，提高湿地保护管理效率。同时，林业主管部门要确实承担起湿地保护的组织、协调和管理工作。目前，贵州省湿地保护中心已成立，应该敦促各市(州)、县(区、市)级林业局尽快成立湿地保护管理机构或指派相应机构负责辖区湿地保护管理工作。只有尽快构建省、市(州)、县(区、市)三级湿地保护管理体系，才能更好地开展全省湿地保护管理工作。同时，湿地自然保护区和国家湿地公园试点等要解决好机构和人员队伍问题，有机构有人是开展工作的基本前提。

积极推动全省湿地保护能力建设工作，组织开展不同层次人员的培训，不断提高管理者的综合素质，提升技术人员的业务水平和服务能力。

1.3 完善全省湿地资源监测网络体系

图 **6-17** 麻阳河

贵州已经完成全省第二次湿地资源调查。目前，贵州省湿地监测中心也已成立。应在此基础上进一步完善全省的湿地资源监测体系，在全省建立起省级湿地监测中心—市(州)级监测站—基层监测站的3级监测体系。建议建立9个市(州)级湿地监测站，负责本行政区内(省级以上自然保护区和省级以上湿地公园除外)的湿地监测。建立48个基层监测站，具体分布为：六盘水明湖国家湿地公园、贵阳阿哈湖国家湿地公园各1个监测点，石阡鸳鸯湖等28个国家湿地公园试点各1个监测点，石阡小龙河等4个省级湿地公园各1个监测点；4个湿地自然保护区各设1个监测站；省级以上相关保护区各设1个监测站，包括梵净山国家级自然保护区、茂兰国家级自然保护区、雷公山国家级自然保护区、麻阳河国家级自然保护区(图6-17)、习水国家级自然保护区、宽阔水国家级自然保护区、赤水桫椤国家级自然保护区、大沙河省级自然保护区、佛顶山省级自然保护区、百里杜鹃省级自然保护区等10个保护区。同时，加强能力建设，给各监测站配备相应仪器设备和进行人员培训，使其能够承担湿地资源的各项调查监测任务，完成相关信息的收集与上报。充分利用“3S”技术，建立湿地资源数据库，提取湿地生态环境信息，模拟预测湿地资源时空演变规律，对生态系统结构和功能进行评价，找出威胁主要因子，为制定湿地可持续管理方案，指导湿地资源的可持续利用提供科学依据。

2 组建湿地保护专家团队

2.1 吸纳国内外专家团队

科学管“湿”离不开专家团队的支撑。贵州必须以开放的姿态，继续加强与全国各地从事湿地保护管理、科学研究等相关专业团队的广泛交流与合作，并与国际上的相关组织和团队建立联系。将国际、国内的专家请进来，将湿地保护的最新理念与技术引入贵州，才能推动全省湿地保护管理工作的跨越式发展。

2.2 组建省内本土专家团队

要尽快联络省内从事湿地以及相关研究的专业人员，建立起贵州省湿地保护专家组，构建起湿地保护管理的智囊团。同时制定激励机制，鼓励科研机构与大专院校的团队开展相关科学研究。目前，贵州师范大学、贵州林业科学院、贵州科学院生物研究所等科研机构和大专院校已有团队在开展湿地监测或湿地修复的相关研究。应通过与科技厅合作，引导这些团队更多开展湿地相关研究。湿地公园与湿地保护区要欢迎这些团队去开展研究工作，给他们提供方便和支持，同时也要派员参与到项目中，努力提高自身人员的科研水平。

3 加快湿地保护法规及规章制度建设

3.1 法规建设

湿地保护法律法规的缺失是制约贵州湿地保护工作健康发展的主要原因。把湿地保护与合理利用纳入法治轨道，从根本上解决湿地所面临的严峻问题是当务之急。湿地是一个完整的生态系统，其高度整体性、复杂性、特殊性要求出台湿地专门法律。一方面，湿地作为特定的法律调整对象，但其法律定义缺失急需明确；另一方面，针对湿地保护和管理面临的特殊问题，如湿地资源的有偿使用、湿地生态用水保障、湿地开发利用许可、湿地生态系统综合管理等，目前没有现成的法律规定可以参照，湿地保护管理中时常会出现无法可依的尴尬局面。当前贵州省湿地立法工作正在有序进行，必须一步一个脚印地稳步推进，争取早日出台《贵州省湿地保护条例》。通过立法，明确湿地保护的社会责任；通过法律，规范社会对湿地利用的行为。

3.2 规章制度建设

要加快部门规章制度建设，应尽快组织调研，编写制定《贵州省湿地公园管理办法》《贵州省级湿地公园总体规划导则》《贵州省级财政补助资金管理办法》《贵州省重点湿地保护名录》等，逐步建立完善贵州省湿地保护规章制度，规范贵州省湿地管理工作。

4 建立多元湿地保护资金渠道

4.1 设立贵州省湿地保护专项资金

近年来，云南、江西、江苏、福建等省份已建立省级湿地保护专项资金用于支持开展本省湿地保护工作。当前贵州省湿地保护工作已经提到重要议事日程，贵州省的湿地保护事业正处在蓬勃发展阶段，全省湿地保护管理体系雏形基本形成，因此，应积极沟通汇报，力争省财政厅增设湿地保护专项资金，用于支持全省开展湿地监测、科研宣教、恢复及重建、保护管理、可持续利用、奖励补偿等相关工作。其中，奖励补偿应该主要针对湿地保护的贡献者，对象是直接承担湿地生态保护责任的乡镇政府、村委会及农户，或是因湿地保护需要导致生产经营活动受到限制的权益人，或是因遭受湿地鸟类等野生动物取食造成经济损失的经营者等。为确保专项资金高效、规范使用，可制定湿地保护专项资金管理办法，采用项目申报制度。根据项目内容确定经费额度，由省林业厅承担项目的技术审核，省财政厅下拨的湿地保护专项资金。同时力争市(州)、县各级政府将湿地保护纳入国民经济和社会发展规划，所需经费纳入同级财政预算。

4.2 鼓励多元化资金注入

鼓励社会各界积极参与湿地保护工作，创新湿地公园建设、管理模式，积极引导企业参与、社会支持，吸纳多元化资金注入湿地公园建设、管理。目前，贵阳阿哈湖国家湿地公园、六盘水娘娘山国家湿地公园（图6-18）试点都有民营企业投资参与，正在积极探索如何才能从根本上解决湿地资源保护的资金、动力和机制问题。

图 **6-18** 盘县娘娘山森林沼泽

4.3 建立利用反哺促进保护的机制

应针对导致湿地生态系统破坏的湿地开发利用活动征收税费，建立利用反哺促进保护的机制。本着"谁破坏，谁补偿；谁受益，谁付费；谁污染，谁治理"的原则，对受益者和破坏者征收补偿金用于补偿湿地保护及参与保护的贡献者，从而消除湿地开发利用活动产生的经济负外部性（即指某个经济行为个体的湿地开发利用活动使他人或社会受损，却没有为此承担成本。这种损失并不是在有关各方以价格为基础的交换中发生的，因此是外在的），限制湿地破坏行为的发生，为湿地生态系统恢复筹措资金；对湿地保护的贡献者给予补偿（包括资金、技术、实物）和政策上的优惠，促成公平的湿地保护格局，激励社会公众和群体参与湿地保护管理工作。要推动实现湿地生态效益从无偿使用到有偿使用的转变，把湿地资源的生态价值通过价格体现出来，明确湿地保护的权、责、利，利用经济手段和市场手段对生态效益进行补偿，实现利用资源创造经济价值的利益再分配，从根本上解决湿地资源保护的动力和机制。

5 组织开展多层次的宣教培训

5.1 针对公众的宣教培训

要利用"世界湿地日""爱鸟周""野生动物保护宣传月"等纪念日集中进行全民湿地保护知识宣传普及。应通过电视、广播、报刊、网络等各种宣传工具从多角度、多层面广泛向社会各界宣传和普及湿地基本知识。如组织编制贵州湿地保护系列专题片，在省内各大电视台播放；让全社会更多地了解湿地并认识湿地功能、作用及其重要性；呼吁广大公众参与到保护湿地的队伍当中，从身边做起、从自己做起、从当下做起，共同保护、修复我们的生态家园，逐步把保护湿地化为全社会每个人的自觉行动。

5.2 针对青少年的宣教培训

各地可结合实际，灵活采用各种方式促进青少年湿地保护意识的形成。如建立青少年湿地宣传教育基地；举办专题讲座；组织开展"湿地进学校""大手拉小手，用心呵护湿地"等主题活动；

组织开展湿地征文评选、湿地知识竞赛等活动；也可组织举办“走近湿地专题夏(冬)令营”活动，让孩子们走进自然，亲近湿地；还可招募青年志愿者参与保护区、湿地公园工作，对他们进行相关专业知识培训，通过亲身体验提高他们的湿地保护意识，再通过他们去传播湿地保护的理念。

5.3　针对决策者的培训

必须继续开展针对各级决策者的相关培训，让他们了解湿地、关注湿地、关心湿地，从而在决策时想到湿地，考虑湿地。

附录1 贵州湿地调查区域植物名录

序号	科	属	种	
			中文名	拉丁名
一、苔藓植物				
1	指叶苔科	鞭苔属	白边鞭苔	*Bazzania oshimensis*
2	溪苔科	溪苔属	溪苔	*Pellia epiphylla*
3	带叶苔科	带叶苔属	多形带叶苔	*Pallavicinia ambigua*
4			暖地带叶苔	*Pallavicinia leveri*
5	瘤冠苔科	瘤冠苔属	瘤冠苔	*Mannia fragrans*
6		紫背苔属	紫背苔	*Plagiochasma rupestre*
7	蛇苔科	蛇苔属	蛇苔	*Conocephalum conicum*
8	地钱科	地钱属	粗裂地钱	*Marchantia paleacea*
9	泥炭藓科	泥炭藓属	狭叶泥炭藓	*Sphagnum cuspidatum*
10			长叶泥炭藓	*Sphagnum falcatulum*
11			多纹泥炭藓	*Sphagnum multifibrosum*
12			卵叶泥炭藓	*Sphagnum ovatum*
13			泥炭藓	*Sphagnum palustre*
14	曲尾藓科	曲柄藓属	疏网曲柄藓	*Campylopus laxitextus*
15			节茎曲柄藓	*Campylopus umbellatus*
16		青毛藓属	丛叶青毛藓	*Dicranodontium caespitosum*
17		曲尾藓属	曲尾藓	*Dicranum scoparium*
18	白发藓科	白发藓属	疣叶白发藓	*Leucobryum scabrum*
19	凤尾藓科	凤尾藓属	网孔凤尾藓	*Fissidens polypodioides*
20	丛藓科	丛本藓属	阔叶丛本藓	*Anoectangium clarum*
21	紫萼藓科	砂藓属	黄砂藓	*Racomitrium nomodontoides*
22	珠藓科	珠藓属	直叶珠藓	*Bartramia ithyphylla*
23		泽藓属	东亚泽藓	*Philonotis turneriana*
24	羽藓科	羽藓属	短肋羽藓	*Thuidium kanedae*
25	柳叶藓科	大湿原藓属	大湿原藓	*Calliergone cuspidate*
26	棉藓科	棉藓属	直叶棉藓	*Plagiothecium eurphyllum* var. *eurphyllum*
27	灰藓科	灰藓属	大灰藓	*Hypnum plumaeforme*
28	金发藓科	金发藓属	金发藓	*Polytrichum commune*
29		小金发藓属	东亚小金发藓	*Pogonatum inflexum*
30		仙鹤藓属	东亚仙鹤藓	*Atrichum yakushimense*

（续）

序号	科	属	种	
			中文名	拉丁名
二、维管束植物				
（一）蕨类植物				
1	石松科	石松属	笔直石松	*Lycopodium obscurum* form. *strictum*
2	水韭科	水韭属	云贵水韭	*Isoëtes yunguiensis*
3	木贼科	问荆属	问荆	*Equisetum arvense*
4			披散木贼	*Equisetum diffusum*
5			木贼	*Equisetum hyemale*
6			节节草	*Equisetum ramosissimum*
7	紫萁科	紫萁属	分株紫萁	*Osmunda cinnamomea*
8			华南紫萁	*Osmunda vachellii*
9	膜蕨科	蕗蕨属	蕗蕨	*Mecodium badium*
10		西藏瓶蕨属	南海瓶蕨	*Vandenboschia radicans*
11	桫椤科	桫椤属	桫椤	*Alsophila spinulosa*
12	稀子蕨科	稀子蕨属	大叶稀子蕨	*Monachosorum subdigitatum*
13		岩穴蕨属	岩穴蕨	*Ptilopteris maximowiczii*
14	鳞始蕨科	鳞始蕨属	鳞始蕨	*Lindsaea odorata*
15	蕨科	蕨属	毛轴蕨	*Pteridium revolutum*
16	水蕨科	水蕨属	水蕨	*Ceratopteris thalictroides*
17	蹄盖蕨科	蹄盖蕨属	薄叶蹄盖蕨	*Athyrium delicatulum*
18		菜蕨属	菜蕨	*Callipteris esculenta*
19	苹科	苹属	苹	*Marsilea quadrifolia*
20	槐叶苹科	槐叶苹属	槐叶苹	*Salvinia natans*
21	满江红科	满江红属	满江红	*Azolla imbricata*
（二）被子植物				
1	樟科	润楠属	狭叶润楠	*Machilus rehderi*
2			柳叶润楠	*Machilus salicina*
3	金粟兰科	金粟兰属	多穗金粟兰	*Chloranthus multistachys*
4			及已	*Chloranthus serratus*
5		草珊瑚属	草珊瑚	*Sarcandra glabra*
6	三白草科	裸蒴属	裸蒴	*Gymnotheca chinensis*
7		蕺菜属	蕺菜	*Houttuynia cordata*
8		三白草属	三白草	*Saururus chinensis*
9	胡椒科	草胡椒属	豆瓣绿	*Peperomia tetraphylla*

（续）

序号	科	属	种	
			中文名	拉丁名
10	马兜铃科	马蹄香属	马蹄香	*Saruma henryi*
11	睡莲科	芡属	芡实	*Euryale ferox*
12		莲属	莲	*Nelumbo nucifera*
13		萍蓬草属	贵州萍蓬草	*Nuphar borneti*
14			萍蓬草	*Nuphar pumila*
15		睡莲属	睡莲	*Nymphaea tetragona*
16	金鱼藻科	金鱼藻属	金鱼藻	*Ceratophyllum demersum*
17	毛茛科	银莲花属	草玉梅	*Anemone rivularis*
18		铁破锣属	铁破锣	*Beesia calthifolia*
19		驴蹄草属	驴蹄草	*Caltha palustris*
20		翠雀属	还亮草	*Delphinium anthriscifolium*
21			螺距黑水翠雀	*Delphinium potaninii* var. *bonvalotii*
22		毛茛属	禺毛茛	*Ranunculus cantoniensis*
23			茴茴蒜	*Ranunculus chinensis*
24			西南毛茛	*Ranunculus ficariifolius*
25			毛茛	*Ranunculus japonicus*
26			石龙芮	*Ranunculus sceleratus*
27	罂粟科	血水草属	血水草	*Eomecon chionantha*
28		绿绒蒿属	椭果绿绒蒿	*Meconopsis chelidonifolia*
29	紫堇科	紫堇属	紫堇	*Corydalis edulis*
30			大叶紫堇	*Corydalis temulifolia*
31	金缕梅科	蚊母树属	中华蚊母树	*Distylium chinense*
32			窄叶蚊母树	*Distylium dunnianum*
33	桑科	榕属	石榕树	*Ficus abelii*
34			大青树	*Ficus hookeriana*
35			壶托榕	*Ficus ischnopoda*
36			苹果榕	*Ficus oligodon*
37			聚果榕	*Ficus racemosa*
38			竹叶榕	*Ficus stenophylla*
39			长柄竹叶榕	*Ficus stenophylla* var. *macropodocarpa*
40			变叶榕	*Ficus variolosa*
41	荨麻科	水麻属	长叶水麻	*Debregeasia longifolia*
42			鳞片水麻	*Debregeasia squamata*
43		楼梯草属	短齿楼梯草	*Elatostema brachyodontum*
44			短毛楼梯草	*Elatostema nasutum* var. *puberulum*

（续）

序号	科	属	种	
			中文名	拉丁名
45	荨麻科	紫麻属	紫麻	*Oreocnide frutescens*
46			凹尖紫麻	*Oreocnide obovata* var. *paradoxa*
47		赤车属	赤车	*Pellionia radicans*
48		冷水花属	翠茎冷水花	*Pilea hilliana*
49	胡桃科	枫杨属	华西枫杨	*Pterocarya insignis*
50			枫杨	*Pterocarya stenoptera*
51	壳斗科	栎属	川滇高山栎	*Quercus aquifolioides*
52	苋科	莲子草属	喜旱莲子草	*Alternanthera philoxeroides*
53	石竹科	漆姑草属	漆姑草	*Sagina japonica*
54		繁缕属	雀舌草	*Stellaria alsine*
55			中国繁缕	*Stellaria chinensis*
56			峨眉繁缕	*Stellaria omeiensis*
57	蓼科	金线草属	金线草	*Antenoron filiforme*
58		蓼属	两栖蓼	*Polygonum amphibium*
59			绒毛钟花蓼	*Polygonum campanulatum* var. *fulvidum*
60			头花蓼	*Polygonum capitatum*
61			火炭母	*Polygonum chinense*
62			水蓼	*Polygonum hydropiper*
63			蚕茧草	*Polygonum japonicum*
64			愉悦蓼	*Polygonum jucundum*
65			柔茎蓼	*Polygonum kawagoeanum*
66			酸模叶蓼	*Polygonum lapathifolium*
67			长鬃蓼	*Polygonum longisetum*
68			倒毛蓼	*Polygonum molle* var. *rude*
69			小蓼花	*Polygonum muricatum*
70			尼泊尔蓼	*Polygonum nepalense*
71			掌叶蓼	*Polygonum palmatum*
72			丛枝蓼	*Polygonum posumbu*
73			刺蓼	*Polygonum senticosum*
74			箭叶蓼	*Polygonum sieboldii*
75			支柱蓼	*Polygonum suffultum*
76			戟叶蓼	*Polygonum thunbergii*
77		虎杖属	虎杖	*Reynoutria japonica*
78		酸模属	酸模	*Rumex acetosa*
79			水生酸模	*Rumex aquaticus*

（续）

序号	科	属	种	
			中文名	拉丁名
80	蓼科	酸模属	皱叶酸模	*Rumex crispas*
81			齿果酸模	*Rumex dentatus*
82			戟叶酸模	*Rumex hastatus*
83			羊蹄	*Rumex japonicus*
84			尼泊尔酸模	*Rumex nepalensis*
85	苋科	莲子草属	喜旱莲子草	*Alternanthera philoxeroides*
86	山茶科	柃木属	窄叶柃	*Eurya stenophylla*
87	藤黄科	金丝桃属	密腺小连翘	*Hypericum seniawinii*
88	茅膏菜科	茅膏菜属	茅膏菜	*Drosera peltata* var. *multisepala*
89	堇菜科	堇菜属	如意草	*Viola arcuata*
90			柔毛堇菜	*Viola fargesii*
91			萱	*Viola moupinensis*
92	柽柳科	柽柳属	柽柳	*Tamarix chinensis*
93	秋海棠科	秋海棠属	美丽秋海棠	*Begonia algaia*
94			周裂秋海棠	*Begonia circumlobata*
95			秋海棠	*Begonia grandis*
96			中华秋海棠	*Begonia grandis* subsp. *sinensis*
97			心叶秋海棠	*Begonia labordei*
98			裂叶秋海棠	*Begonia laciniata*
99			蕺叶秋海棠	*Begonia limprichtii*
100			云南秋海棠	*Begonia modestiflora*
101			掌裂叶秋海棠	*Begonia pedatifida*
102			盾叶秋海棠	*Begonia peltatifolia*
103			光叶秋海棠	*Begonia summoglabra*
104			一点血	*Begonia wilsonii*
105			习水秋海棠	*Begonia xishuiensis*
106	杨柳科	柳属	垂柳	*Salix babylonica*
107			云南柳	*Salix cavaleriei*
108			贵州柳	*Salix kouytchensis*
109			秋华柳	*Salix variegata*
110			紫柳	*Salix wilsonii*
111	十字花科	碎米荠属	弯曲碎米荠	*Cardamine flexuosa*
112			山芥碎米荠	*Cardamine griffithii*
113			碎米荠	*Cardamine hirsuta*

（续）

序号	科	属	种	
			中文名	拉丁名
114	十字花科	碎米荠	弹裂碎米荠	*Cardamine impatiens*
115			白花碎米荠	*Cardamine leucantha*
116			水田碎米荠	*Cardamine lyrata*
117			大叶碎米荠	*Cardamine macrophylla*
118		豆瓣菜属	豆瓣菜	*Nasturtium officinale*
119		蔊菜属	风花菜	*Rorippa globosa*
120			沼生蔊菜	*Rorippa islandica*
121			涩生蔊菜	*Rorippa palustris*
122	杜鹃花科	杜鹃花属	桃叶杜鹃	*Rhododendron annae*
123			美被杜鹃	*Rhododendron calostrotum*
124			金萼杜鹃	*Rhododendron chrysocalyx*
125			秀雅杜鹃	*Rhododendron concinnum*
126			腋花杜鹃	*Rhododendron racemosum*
127			锈叶杜鹃	*Rhododendron siderophyllum*
128			昭通杜鹃	*Rhododendron tsaii*
129			云南杜鹃	*Rhododendron yunnanense*
130	岩梅科	岩匙属	岩匙	*Berneuxia thibetica*
131	报春花科	报春花属	广东报春	*Primula kwangtungensis*
132			中甸海水仙	*Primula monticola*
133			海仙花	*Primula poissonii*
134			滇海水仙花	*Primula pseudodenticulata*
135			香海仙报春	*Primula wilsonii*
136	景天科	八宝属	八宝	*Hylotelephium erythrostictum*
137		红景天属	云南红景天	*Rhodiola yunnanensis*
138		景天属	东南景天	*Sedum alfredii*
139			珠芽景天	*Sedum bulbiferum*
140			凹叶景天	*Sedum emarginatum*
141	虎耳草科	金腰属	锈毛金腰	*Chrysosplenium davidianum*
142			肾萼金腰	*Chrysosplenium delavayi*
143			大叶金腰	*Chrysosplenium macrophyllum*
144		黄常山属	常山	*Dichroa febrifuga*
145		绣球属	圆锥绣球	*Hydrangea paniculata*
146		梅花草属	凹瓣梅花草	*Parnassia mysorensis*
147			倒卵叶梅花草	*Parnassia obovata*
148			鸡肫草	*Parnassia wightiana*

（续）

序号	科	属	种	
			中文名	拉丁名
149	虎耳草科	虎耳草属	虎耳草	*Saxifraga stolonifera*
150	蔷薇科	蛇莓属	蛇莓	*Duchesnea indica*
151		委陵菜属	西南委陵菜	*Potentilla lineata*
152	蝶形花科	百脉根属	百脉根	*Lotus corniculatus*
153	川苔草科	飞瀑草属	飞瀑草	*Cladopus nymani*
154	小二仙草科	小二仙草属	小二仙草	*Gonocarpus micranthus*
155		狐尾藻属	穗花狐尾藻	*Myriophyllum spicatum*
156			狐尾藻	*Myriophyllum verticillatum*
157	千屈菜科	千屈菜属	千屈菜	*Lythrum salicaria*
158		节节菜属	密花节节菜	*Rotala densiflora*
159			节节菜	*Rotala indica*
160			薄瓣节节菜	*Rotala rosea*
161			圆叶节节菜	*Rotala rotundifolia*
162	菱科	菱属	丘角菱	*Trapa japonica*
163			细果野菱	*Trapa maximowiczii*
164			欧菱	*Trapa natans*
165	桃金娘科	蒲桃属	轮叶蒲桃	*Syzygium grijsii*
166	柳叶菜科	柳叶菜属	毛脉柳叶菜	*Epilobium amurense*
167			光滑柳叶菜	*Epilobium amurense* subsp. *cephalostigma*
168			滇藏柳叶菜	*Epilobium blaxum*
169			腺茎柳叶菜	*Epilobium brevifolium* subsp. *trichoneurum*
170			圆柱柳叶菜	*Epilobium cylindricum*
171			柳叶菜	*Epilobium hirsutum*
172			锐齿柳叶菜	*Epilobium kermodei*
173			硬毛柳叶菜	*Epilobium pannosum*
174			小花柳叶菜	*Epilobium parviflorum*
175			长籽柳叶菜	*Epilobium pyrricholophum*
176			短梗柳叶菜	*Epilobium royleanum*
177			中华柳叶菜	*Epilobium sinense*
178		丁香蓼属	假柳叶菜	*Ludwigia epilobiloides*
179			毛草龙	*Ludwigia octovalvis*
180			丁香蓼	*Ludwigia prostrata*
181	野牡丹科	异药花属	异药花	*Fordiophyton faberi*
182		金锦香属	朝天罐	*Osbeckia opipara*
183		锦香草属	锦香草	*Phyllagathis cavaleriei*

（续）

序号	科	属	种	
			中文名	拉丁名
184	山茱萸科	梾木属	小梾木	*Cornus paucinervis*
185	冬青科	冬青属	河滩冬青	*Ilex metabaptista*
186	黄杨科	黄杨属	雀舌黄杨	*Buxus bodinieri*
187			狭叶黄杨	*Buxus stenophylla*
188	大戟科	五月茶属	小叶五月茶	*Antidesma venosum*
189		秋枫属	重阳木	*Bischofia polycarpa*
190		大戟属	钩腺大戟	*Euphorbia sieboldiana*
191			黄苞大戟	*Euphorbia sikkimensis*
192		水柳属	水柳	*Homonoia riparia*
193	凤仙花科	凤仙花属	长距凤仙花	*Impatiens dolichoceras*
194			大叶凤仙花	*Impatiens apalophylla*
195			芒萼凤仙花	*Impatiens atherosepala*
196			包氏凤仙花	*Impatiens bodinieri*
197			赤水凤仙花	*Impatiens chishuiensis*
198			绿萼凤仙花	*Impatiens chlorosepala*
199			厚裂凤仙花	*Impatiens crassiloba*
200			蓝花凤仙花	*Impatiens cyanantha*
201			齿萼凤仙花	*Impatiens dicentra*
202			梵净山凤仙花	*Impatiens fanjingshanica*
203			平坝凤仙花	*Impatiens ganpiuana*
204			贵州凤仙花	*Impatiens guizhouensis*
205			高坡凤仙花	*Impatiens labordei*
206			毛凤仙花	*Impatiens lasiophyton*
207			具鳞凤仙花	*Impatiens lepida*
208			细柄凤仙花	*Impatiens leptocaulon*
209			羊坪凤仙花	*Impatiens leveillei*
210			路南凤仙花	*Impatiens loulanensis*
211			齿苞凤仙花	*Impatiens martini*
212			块节凤仙花	*Impatiens pinfanensis*
213			紫花凤仙	*Impatiens purpurea*
214			匍匐凤仙花	*Impatiens reptans*
215			黄金凤	*Impatiens siculifer*
216			匙叶凤仙花	*Impatiens spathulata*
217			野凤仙花	*Impatiens textori*
218			毛萼凤仙花	*Impatiens trichosepala*

（续）

序号	科	属	种	
			中文名	拉丁名
219	伞形科	当归属	拐芹	*Angelica polymorpha*
220		积雪草属	积雪草	*Centella asiatica*
221		天胡荽属	中华天胡荽	*Hydrocotyle chinensis*
222			红马蹄草	*Hydrocotyle nepalensis*
223			天胡荽	*Hydrocotyle sibthorpioides*
224			肾叶天胡荽	*Hydrocotyle wilfordii*
225		藁本属	短片藁本	*Ligusticum brachylobum*
226		水芹属	水芹	*Oenanthe javanica*
227			卵叶水芹	*Oenanthe javanica* subsp. *rosthornii*
228			线叶水芹	*Oenanthe linearis*
229		变豆菜属	薄片变豆菜	*Sanicula lamelligera*
230			直刺变豆菜	*Sanicula orthacantha*
231	龙胆科	龙胆属	滇龙胆草	*Gentiana rigescens*
232			深红龙胆	*Gentiana rubicunda*
233	睡菜科	睡菜属	睡菜	*Menyanthes trifoliata*
234		荇菜属	荇菜	*Nymphoides peltata*
235	马鞭草科	过江藤属	过江藤	*Phyla nodiflora*
236	水马齿科	水马齿属	水马齿	*Callitriche palustris*
237	木犀科	梣属	白蜡树	*Fraxinus chinensis*
238	玄参科	石龙尾属	抱茎石龙尾	*Limnophila connata*
239			石龙尾	*Limnophila sessiliflora*
240		母草属	刺毛母草	*Lindernia setulosa*
241		通泉草属	长蔓通泉草	*Mazus longipes*
242		马先蒿属	平坝马先蒿	*Pedicularis ganpinensis*
243			拉氏马先蒿	*Pedicularis labordei*
244	苦苣苔科	唇柱苣苔属	羽裂唇柱苣苔	*Chirita pinnatifida*
245		马铃苣苔属	绢毛马铃苣苔	*Oreocharis sericea*
246		辐花苣苔属	辐花苣苔	*Thamnocharis esquirolii*
247	爵床科	金足草属	圆苞金足草	*Goldfussia pentstemonoides*
248		水蓑衣属	水蓑衣	*Hygrophila salicifolia*
249		观音草属	九头狮子草	*Peristrophe japonica*
250		山壳骨属（钩粉草属）	多花山壳骨	*Pseuderanthemum polyanthum*
251	狸藻科	狸藻属	黄花狸藻	*Utricularia aurea*
252			南方狸藻	*Utricularia australis*
253			挖耳草	*Utricularia bifida*

（续）

序号	科	属	种	
			中文名	拉丁名
254	狸藻科	狸藻属	短梗挖耳草	*Utricularia caerulea*
255			尖萼挖耳草	*Utricularia scandens* subsp. *firmula*
256			圆叶挖耳草	*Utricularia striatula*
257	桔梗科	半边莲属	半边莲	*Lobelia chinensis*
258			江南山梗菜	*Lobelia davidii*
259			山梗菜	*Lobelia sessilifolia*
260	茜草科	水团花属	水团花	*Adina pilulifera*
261			细叶水团花	*Adina rubella*
262		蛇根草属	广州蛇根草	*Ophiorrhiza cantoniensis*
263			日本蛇根草	*Ophiorrhiza japonica*
264		水锦树属	柳叶水锦树	*Wendlandia salicifolia*
265			水锦树	*Wendlandia uvariifolia*
266	忍冬科	忍冬属	女贞叶忍冬	*Lonicera ligustrina*
267			蕊帽忍冬	*Lonicera pileata*
268		荚蒾属	狭叶球核荚蒾	*Viburnum propinquum* var. *mairei*
269	菊科	蓟属	蓟	*Cirsium japonicum*
270		鳢肠属	鳢肠	*Eclipta prostrata*
271		旋覆花属	水朝阳旋覆花	*Inula helianthus – aquatica*
272		橐吾属	齿叶橐吾	*Ligularia dentata*
273			鹿蹄橐吾	*Ligularia hodgsonii*
274			狭苞橐吾	*Ligularia intermedia*
275		千里光属	菊状千里光	*Senecio laetus*
276	泽泻科	泽泻属	窄叶泽泻	*Alisma canaliculatum*
277			东方泽泻	*Alisma orientale*
278			泽泻	*Alisma plantago – aquatica*
279		冠果草属	冠果草	*Lophotocarpus guyanensis*
280		慈姑属	矮慈姑	*Sagittaria pygmaea*
281			欧洲慈姑	*Sagittaria sagittifolia* var. *longilobo*
282			野慈姑	*Sagittaria trifolia*
283			慈姑	*Sagittaria trifolia* var. *sinensis*
284	水鳖科	水筛属	有尾水筛	*Blyxa echinosperma*
285			水筛	*Blyxa japonica*
286		黑藻属	黑藻	*Hydrilla verticillata*
287		水车前属	海菜花	*Ottelia acuminata*
288			龙舌草	*Ottelia alismoides*

（续）

序号	科	属	种	
			中文名	拉丁名
289	水鳖科	水车前属	贵州水车前	*Ottelia sinensis*
290		苦草属	苦草	*Vallisneria natans*
291	眼子菜科	眼子菜属	菹草	*Potamogeton crispus*
292			鸡冠眼子菜	*Potamogeton cristatus*
293			眼子菜	*Potamogeton distinctus*
294			光叶眼子菜	*Potamogeton lucens*
295			微齿眼子菜	*Potamogeton maackianus*
296			竹叶眼子菜	*Potamogeton malaianus*
297			浮叶眼子菜	*Potamogeton natans*
298			尖叶眼子菜	*Potamogeton oxyphyllus*
299			篦齿眼子菜	*Potamogeton pectinatus*
300			穿叶眼子菜	*Potamogeton perfoliatus*
301			小眼子菜	*Potamogeton pusillus*
302	茨藻科	茨藻属	纤细茨藻	*Najas gracillima*
303			草茨藻	*Najas graminea*
304			多孔茨藻	*Najas indicaauct*
305			大茨藻	*Najas marina*
306			小茨藻	*Najas minor*
307	露兜树科	露兜树属	分叉露兜	*Pandanus furcatus*
308	天南星科	菖蒲属	菖蒲	*Acorus calamus*
309			金钱蒲	*Acorus gramineus*
310			长苞菖蒲	*Acorus rumphianus*
311			石菖蒲	*Acorus tatarinowii*
312		海芋属	海芋	*Alocasia odora*
313		天南星属	象南星	*Arisaema elephas*
314		芋属	野芋	*Colocasia antiquorum*
315			大野芋	*Colocasia gigantea*
316		半夏属	滴水珠	*Pinellia cordata*
317		大薸属	大薸	*Pistia stratiotes*
318	浮萍科	浮萍属	浮萍	*Lemna minor*
319		紫萍属	紫萍	*Spirodela polyrrhiza*
320		芜萍属	芜萍	*Wolffia arrhiza*
321	黄眼草科	黄眼草属	黄谷精	*Xyris capensis* var. *schoenoides*
322	鸭跖草科	蓝耳草属	蛛丝毛蓝耳草	*Cyanotis arachnoidea*
323			四孔草	*Cyanotis cristata*
324		水竹叶属	疣草	*Murdannia keisak*

（续）

序号	科	属	种	
			中文名	拉丁名
325	鸭跖草科	水竹叶属	水竹叶	*Murdannia triquetra*
326	谷精草科	谷精草属	高山谷精草	*Eriocaulon alpestre*
327			裂瓣谷精草	*Eriocaulon bilobatum*
328			谷精草	*Eriocaulon buergerianum*
329			白药谷精草	*Eriocaulon cinereum*
330			小谷精草	*Eriocaulon luzulifolium*
331			南投谷精草	*Eriocaulon nantoense*
332			疏毛谷精草	*Eriocaulon nantoense* var. *parviceps*
333			莲花池谷精草	*Eriocaulon nantoense* var. *trisectum*
334			褐色谷精草	*Eriocaulon pullum*
335			云贵谷精草	*Eriocaulon schochianum*
336			大药谷精草	*Eriocaulon sollyanum*
337	灯心草科	灯心草属	翅茎灯心草	*Juncus alatus*
338			葱状灯心草	*Juncus allioides*
339			星花灯心草	*Juncus diastrophanthus*
340			灯心草	*Juncus effusus*
341			西南灯心草	*Juncus inflexus* subsp. *austro－occidentalis*
342			细子灯心草	*Juncus leptospermus*
343			笄石菖	*Juncus prismatocarpus*
344			野灯心草	*Juncus setchuensis*
345			假灯心草	*Juncus setchuensis* var. *effusoides*
346		地杨梅属	中国地杨梅	*Luzula effusa* var. *chinensis*
347			散序地杨梅	*Luzula effusa*
348			多花地杨梅	*Luzula multiflora*
349	莎草科	薹草属	短芒薹草	*Carex breviaristata*
350			褐果薹草	*Carex brunnea*
351			二形鳞薹草	*Carex dimorpholepis*
352			川穗东薹草	*Carex fargesii*
353			溪生薹草	*Carex fluviatilis*
354			亨氏薹草	*Carex henryi*
355			狭穗薹草	*Carex ischnostachya*
356			峨眉薹草	*Carex omeiensis*
357			粉背薹草	*Carex pruinosa*
358			书带薹草	*Carex rochebruni*
359			大理薹草	*Carex rubro－brunnea* var. *taliensis*
360			花葶薹草	*Carex scaposa*

（续）

序号	科	属	种	
			中文名	拉丁名
361	莎草科	薹草属	硬果薹草	*Carex sclerocarpa*
362			高节薹草	*Carex thomsonii*
363		莎草属	扁穗莎草	*Cyperus compressus*
364			异型莎草	*Cyperus difformis*
365			高秆莎草	*Cyperus exaltatus*
366			碎米莎草	*Cyperus iria*
367			具芒碎米莎草	*Cyperus microiria*
368		飘拂草属	拟二叶飘拂草	*Fimbristylis diphylloides*
369		芙兰草属	黔芙兰草	*Fuirana rhizomatifer*
370		黑莎草属	黑莎草	*Gahnia tristis*
371		荸荠属	渐尖穗荸荠	*Heleocharis attenuata* var. *erhizomatosa*
372			荸荠	*Heleocharis dulcis*
373			透明鳞荸荠	*Heleocharis pellucida*
374			具槽秆荸荠	*Heleocharis valleculosa*
375			具刚毛荸荠	*Heleocharis valleculosa* form. *setosa*
376			牛毛毡	*Heleocharis yokoscensis*
377		水莎草属	水莎草	*Juncellus serotinus*
378		水蜈蚣属	短叶水蜈蚣	*Kyllinga brevifolia*
379		砖子苗属	展穗砖子苗	*Mariscus umbellatus* var. *evolutior*
380		扁莎属	球穗扁莎	*Pycreus globosus*
381			小球穗扁莎	*Pycreus globosus* var. *nilagiricus*
382		水葱属	萤蔺	*Schoenoplectus juncoides*
383			水毛花	*Schoenoplectus triangulates*
384			水葱	*Schoenoplectus tabernaemontani*
385		藨草属	百球藨草	*Scirpus rosthornii*
386			藨草	*Scirpus triqueter*
387			荆三棱	*Scirpus yagara*
388		珍珠茅属	二花珍珠茅	*Scleria biflora*
389	禾本科	假稻属	李氏禾	*Leersia hexandra*
390			假稻	*Leersia japonica*
391			秕壳草	*Leersia sayanuka*
392		菰属	菰	*Zizania latifolia*
393		狗牙根属	狗牙根	*Cynodon dactylon*
394		乱子草属	乱子草	*Muhlenbergia huegelii*
395		鼠尾粟属	鼠尾粟	*Sporobolus fertilis*
396		芦竹属	芦竹	*Arundo donax*

（续）

序号	科	属	种	
			中文名	拉丁名
397	禾本科	类芦属	类芦	*Neyraudia reynaudiana*
398		芦苇属	芦苇	*Phragmites australis*
399			卡开芦	*Phragmites karka*
400		小丽草属	小丽草	*Coelachne simpliciuscula*
401		弓果黍属	弓果黍	*Cyrtococcum patens*
402		稗属	长芒稗	*Echinochloa caudate*
403			旱稗	*Echinochloa crusgalli*
404			稗	*Echinochloa crusgalli*
405			水稗	*Echinochloa oryzoides*
406		蜈蚣草属	假俭草	*Eremochloa ophiuroides*
407		牛鞭草属	扁穗牛鞭草	*Hemarthria compressa*
408			牛鞭草	*Hemarthria sibirica*
409		莠竹属	竹叶茅	*Microstegium nudum*
410		芒属	五节芒	*Miscanthus floridulus*
411			芒	*Miscanthus sinensis*
412		黍属	心叶稷	*Panicum notatum*
413		雀稗属	双穗雀稗	*Paspalum distichum*
414		甘蔗属	斑茅	*Saccharum arundinaceum*
415			甜根子草	*Saccharum spontaneum*
416		菅草属	菅	*Themeda villosa*
417		马唐属	长花马唐	*Digitaria longiflora*
418			马唐	*Digitaria sanguinalis*
419		柳叶箬属	白花柳叶箬	*Isachne albens*
420			柳叶箬	*Isachne globosa*
421		囊颖草属	囊颖草	*Sacciolepis indica*
422		早熟禾属	早熟禾	*Poa annua*
423			小药早熟禾	*Poa nepalensis*
424			垂枝早熟禾	*Poa szechuensis* var. *debilior*
425		剪股颖属	多花剪股颖	*Agrostis micrantha*
426		看麦娘属	看麦娘	*Alopecurus aequalis*
427			日本看麦娘	*Alopecurus japonicus*
428		菵草属	菵草	*Beckmannia syzigachne*
429		沿沟草属	沿沟草	*Catabrosa aquatica*
430		淡竹叶属	淡竹叶	*Lophatherum gracile*
431		青篱竹属	冷箭竹	*Arundinaria faberi*
432			巴山木竹	*Arundinaria fargesii*

（续）

序号	科	属	种	
			中文名	拉丁名
433	禾本科	簕竹属	料慈竹	*Bambusa distegia*
434			孝顺竹	*Bambusa multiplex*
435			车筒竹	*Bambusa sinospinosa*
436		箭竹属	箭竹	*Fargesia spathacea*
437		刚竹属	水竹	*Phyllostachys heteroclada*
438		玉山竹属	水城玉山竹	*ushania shuichengensis*
439	黑三棱科	黑三棱属	曲轴黑三棱	*Sparganium fallax*
440			黑三棱	*Sparganium stoloniferum*
441	香蒲科	香蒲属	长苞香蒲	*Typha angustata*
442			水烛	*Typha angustifolia*
443			宽叶香蒲	*Typha latifolia*
444			香蒲	*Typha orientalis*
445	芭蕉科	芭蕉属	芭蕉	*Musa basjoo*
446	雨久花科	凤眼蓝属	凤眼蓝	*Eichhornia crassipes*
447		雨久花属	鸭舌草	*Monochoria vaginalis*
448	百合科	葱属	太白山葱	*Allium prattii*
449			多星韭	*Allium wallichii*
450		竹根七属	深裂竹根七	*Disporopsis pernyi*
451		萱草属	萱草	*Hemerocallis fulva*
452		玉簪属	紫萼	*Hosta ventricosa*
453		百合属	南川百合	*Lilium rosthornii*
454		藜芦属	尖被藜芦	*Veratrum oxysepalum*
455	石蒜科	石蒜属	忽地笑	*Lycoris aurea*
456			贵州石蒜	*Lycoris guizhouensis*
457			石蒜	*Lycoris radiate*
458			稻草石蒜	*Lycoris straminea*
459	鸢尾科	鸢尾属	长葶鸢尾	*Iris delavayi*
460			扇形鸢尾	*Iris wattii*
461	箭根薯科	裂果薯属	裂果薯	*Schizocapsa plantaginea*
462	水玉簪科	水玉簪属	水玉簪	*Burmannia disticha*
463	兰科	竹叶兰属	竹叶兰	*Arundina graminifolia*
464		白及属	黄花白及	*Bletilla ochracea*
465		独蒜兰属	独蒜兰	*Pleione bulbocodioides*
466		朱兰属	朱兰	*Pogonia japonica*
467		绶草属	绶草	*Spiranthes sinensis*

附录2 贵州湿地调查区域动物名录

序号	科	属	种	
			中文名	拉丁名
一、脊椎动物				
(一)鱼 类				
1	鲈形目	鮨科	中国少鳞鳜	*Coreoperca whiteheadi*
2			长身鳜	*Coreosiniperca roulei*
3			大眼鳜	*Siniperca kneri*
4			暗鳜	*Siniperca obscura*
5			斑鳜	*Siniperca scherzeri*
6			波纹鳜	*Siniperca undulata*
7		塘鳢科	黄黝鱼	*Hyspseleotris swinhonis*
8		鳢科	乌鳢	*Channa argus*
9			月鳢	*Channa asiatica*
10		鰕虎鱼科	子陵吻鰕虎鱼	*Rhinogobius giurinus*
11			洞庭栉鰕虎鱼	*Ctenogobius cliffordpopei*
12			褐栉鰕虎鱼	*Ctenogobius brunneus*
13			溪栉鰕虎鱼	*Ctenogobius duospilus*
14			普栉鰕虎鱼	*Ctenogobius giurinus*
15	鳗鲡目	鳗鲡科	鳗鲡	*Anguilla japonica*
16	鲶形目	鲿科	黄颡鱼	*Pelteobagrus fulvidraco*
17			瓦氏黄颡鱼	*Pelteobagrus vachelli*
18			光泽黄颡鱼	*Pelteobagrus nitidus*
19			中臀拟鲿	*Pseudobagrus medianalis*
20			乌苏拟鲿	*Pseudobagrus ussuriensis*
21			切尾拟鲿	*Pseudobagrus truncatus*
22			凹尾拟鲿	*Pseudobagrus emarginatus*
23			细体拟鲿	*Pseudobagrus pratti*
24			长脂拟鲿	*Pseudobagrus adiposalis*
25			短尾拟鲿	*Pseudobagrus brevicaudatus*
26			白边拟鲿	*Pseudobagrus albomarginatus*

（续）

序号	科	属	种	
			中文名	拉丁名
27	鲶形目	鲶科	西江鲶	*Silurus gilbert*
28			越南鲶	*Silurus cochinchinensis*
29			鲶	*Silurus asotus*
30			大口鲶	*Silurus meridionalis*
31			广西真鲶	*Silurus gilberti*
32			盔鲶	*Cranoglanis sinensis*
33		胡子鲶科	胡子鲶	*Clarias fuscus*
34		鮡科	中华纹胸鮡	*Glyptothorax sinensis*
35			福建纹胸鮡	*Glyptothorax fuliensis*
36			长尾鮡	*Pareuchiloglanis longicauda*
37			短鳍鮡	*Pareuchiloglanis feae*
38			前臀鮡	*Pareuchiloglanis anteanalis*
39		长臀鮠科	长臀鮠	*Cranoglanis bouderius*
40	鳉形目	鳉科	中华青鳉	*Oryzias latipes*
41		胎鳉科	食蚊鱼	*Gambusia affinis*
42	合鳃鱼目	合鳃鱼科	黄鳝	*Monopterus albus*
43	鲤形目	鲤科	棒花鱼	*Abbottina rivularis*
44			乐山棒花鱼	*Leshan gudgeon*
45			福建棒花鱼	*Abbotlina fukiensis*
46			建德棒花鱼	*Abbotlina tafangensis*
47			短须鱊	*Acheilognathus barbatulus*
48			须鱊	*Acheilognathus barbalus*
49			兴凯鱊	*Acheilognathus chankaensis*
50			越南鱊	*Acheilognathus tonkinensis*
51			虹彩光唇鱼	*Acrossocheilus iridescens*
52			厚唇光唇鱼	*Acrossocheilus labiatus*
53			北江光唇鱼	*Acrossocheilus beijiangensis*
54			细身光唇鱼	*Acrossocheilus elongatus*
55			宽口光唇鱼	*Acrossocheilus monticola*
56			侧条光唇鱼	*Acrossocheilus parallens*
57			云南光唇鱼	*Acrossocheilus yunnanensis*
58			高体近红鲌	*Ancherythroculter kurematsui*

（续）

序号	科	属	种	
			中文名	拉丁名
59	鲤形目	鲤科	黑尾近红鲌	*Ancherythroculter nigrocauda*
60			汪氏近红鲌	*Ancherythroculter wangi*
61			中华细鲫	*Aphyocypris chinensis*
62			鳙	*Aristichthys nobilis*
63			黑线鳘	*Atrilinea roulei*
64			宽头四须鲃	*Barbodes laticeps*
65			多鳞四须鲃	*Barbodes polylepis*
66			条纹二须鲃	*Capoeta semifasciolate*
67			鲫	*Carassius auratus*
68			圆口铜鱼	*Coreius guichenoti*
69			铜鱼	*Coreius heterodon*
70			草鱼	*Ctenopharyngodon idellus*
71			翘嘴鲌	*Culter alburnus*
72			达氏鲌	*Culter dabryi*
73			蒙古鲌	*Culter mongolicus*
74			蒙古红鲌	*rythroculter mongolicus*
75			翘嘴红鲌	*Erythroculter ilishaeformis*
76			青稍红鲌	*Erythroculter dabryi*
77			短臂近红鲌	*Ancherythrooulter kurematsui*
78			红鳍鲌	*Culter erythropterus*
79			拟尖头鲌	*Culter oxycephaloides*
80			红鳍原鲌	*Cuhrichthys erythropterus*
81			鲤	*Cyprinus carpio*
82			三角鲤	*Cyprinus multitaeniaLa*
83			多鳞盘口鲮	*Discocheilus multilepis*
84			宽头盘鮈	*Discogobio laticeps*
85			四须盘鮈	*Discogobio tetrabarbatus*
86			云南盘鮈	*Discogobio yunnanensis*
87			圆吻鲴	*Distoechodon tumirostris*
88			鲢	*Hypophalmichthys molitrix*
89			东方墨头鱼	*Garra orientalis*
90			墨头鱼	*Garra pingi*

（续）

序号	科	属	种	
			中文名	拉丁名
91	鲤形目	鲤科	嘉陵颌须鮈	*Gnathopogon herzensteini*
92			短须颌须鮈	*Gnathopogon imberbis*
93			银色颌须鮈	*Gnathopogon argentatus*
94			短身鳅鮀	*Gobiobotia abbreviata*
95			宜昌鳅鮀	*Gobiobotia filifer*
96			海南鳅鮀	*Gobiobotia kolleri*
97			南方鳅鮀	*Gobiobotia meridionalis*
98			唇䱻	*Hemibarbus labeo*
99			花䱻	*Hemibarbus maculatus*
100			间䱻	*Hemibarbus medius*
101			贝氏䱗	*Hemiculter bleelceri*
102			䱗	*Hemiculter leucisculus*
103			四川半䱗	*Hemiculterella sauvagei*
104			似鳡	*Luciocyprinus langsoni*
105			三角鲂	*Megalobrama terminalis*
106			乐山小鳔鮈	*Microphysogobio kiatingensis*
107			建德小鳔鮈	*Microphysogobio tafangensis*
108			长体小鳔鮈	*Microphysogobio elongatus*
109			福建小鳔鮈	*Microphysogobio fukiensis*
110			青鱼	*Mylopharyngodon piceus*
111			鳤鱼	*Ochetobius elongatus*
112			粗须白甲鱼	*Onychostoma barbata*
113			南方白甲鱼	*Onychostoma gerLachi*
114			小口白甲鱼	*Onychostoma lini*
115			珠江卵形白甲鱼	*Onychostoma ovalis rhomboides*
116			稀有白甲鱼	*Onychostoma rara*
117			白甲鱼	*Onychostoma sima*
118			马口鱼	*Opsariichthys bidens*
119			鳊	*Parabramis pekinensis*
120			广西副鱊	*Paracheilognathus meridianus*
121			异华鲮	*Parasinilabeo assimilis*
122			鲈鲤	*Percocyris pingi*

（续）

序号	科	属	种	
			中文名	拉丁名
123	鲤形目	鲤科	片唇鮈	*Platysmacheilus exiguus*
124			乌原鲤	*Procypris merus*
125			岩原鲤	*Procypris rabaudi*
126			似鳊	*Pseudobrama simoni*
127			巴马拟缨鱼	*Pseudocrossocheilus bamaensis*
128			泉水鱼	*Pseudogyrincheilus procheilus*
129			南方拟鰲	*Pseudohemiculter dispar*
130			海南拟鰲	*Pseudohemiculter hainanensis*
131			贵州拟鰲	*Pseudohemiculer kweichowensis*
132			寡鳞飘鱼	*Pseudolaubuca engraulis*
133			飘鱼	*PseudoLaubuca sinensis*
134			麦穗鱼	*Pseudorasbora parva*
135			卷口鱼	*Ptychidio jordani*
136			条纹小鲃	*Puntius semifasciolatus*
137			细鳊	*Rasborinus lineatus*
138			泸溪直口鲮	*Rectoris luxiensis*
139			变形直口鲮	*Rectoris mutabilis*
140			直口鲮	*Rectoris posehensis*
141			圆筒吻鮈	*RHinogobio cylindricus*
142			湖南吻鮈	*Rhinogobio hunanensis*
143			吻鮈	*RHinogobio typus*
144			长鳍吻鮈	*RHinogobio ventraLis*
145			高体鳑鲏	*Rhodeus ocellatus*
146			中华鳑鲏	*Rhodeus sinensis*
147			越南刺鳑鲏	*Acanthorhodeus tonkinensis*
148			江西鳈	*Sarcocheilichthys kiangsiensis*
149			黑鳍鳈	*Sarcocheilichthys nigripinnis*
150			小鳈	*Sarcocheilichthys parvus*
151			华鳈	*Sarcocheilichthys sinensis*
152			蛇鮈	*Saurogobio dabryi*
153			湘江蛇鮈	*Saurogobio xiangjiangensis*
154			昆明裂腹鱼	*Schizothorax grahami*

（续）

序号	科	属	种	
			中文名	拉丁名
155	鲤形目	鲤科	灰色裂腹鱼	*Schizothorax griseus*
156			四川裂腹鱼	*Schizothorax kozlovi*
157			光唇裂腹鱼	*Schizothorax lissolabiatus*
158			南方裂腹鱼	*Schizothorax meridionalis*
159			短须裂腹鱼	*Schizothorax waagchiachii*
160			威宁裂腹鱼	*Schizothorax yunnanensis*
161			齐口裂腹鱼	*Schizothorax prenanti*
162			彩石鲋	*Pseudoperilampus lighti*
163			粗须铲颌鱼	*Varicorhinus barbatus*
164			逆鱼	*Acanthobrama simoni*
165			唇鲮	*Semilabeo notabilis*
166			大眼华鳊	*Sinibrama macrops*
167			四川华鳊	*Sinibrama taeniatus*
168			桂华鲮	*Sinilabeo decorus*
169			长须华鲮	*Sinilabeo longibarbatus*
170			华鲮	*Sinilabeo rendahli*
171			洞庭华鲮	*Sinilabeo tungting*
172			伍氏华鲮	*Sinilabeo wui*
173			朱氏华鲮	*Sinilabeo zhui*
174			湘华鲮	*Sinilabeo decorus*
175			伍氏盆唇华鲮	*Sinilabeo discognathoides*
176			巴马缨唇鱼	*Crossocheilus banaensis*
177			华南鲤	*Cyprinus carpio*
178			细鳞斜颌鲴	*Plagiognathops micrnlepis*
179			华缨鱼	*Sinocrossocheilus guizhouensis*
180			小口华缨鱼	*Sinocrossocheilus microstomatus*
181			角金线鲃	*Sinocyclocheilus angularis*
182			狭孔金线鲃	*Sinocyclocheilus angustiporus*
183			双角金线鲃	*Sinocyclocheilus bicornutus*
184			驼背金线鲃	*Sinocyclocheilus cyphotergous*
185			巨须金线鲃	*Sinocyclocheilus hugriborbus*
186			长须金线鲃	*Sinocyclocheilus longibarbartus*

（续）

序号	科	属	种	
			中文名	拉丁名
187	鲤形目	鲤科	多斑金线鲃	*Sinocyclocheilus multipurtctatus*
188			粗壮金线鲃	*Sinocyclocheilus robustus*
189			大鳞金线鲃	*Sinocyclocheilus macrolepis*
190			倒刺鲃	*Spinibarbus denticulatus*
191			光倒刺鲃	*Spinibarbus hollandi*
192			中华倒刺鲃	*Spinibarbus sinensis*
193			银鮈	*Squaliobarbus argentatus*
194			赤眼鳟	*Squaliobarbus curriculus*
195			瓣结鱼	*Tor brevifilis*
196			叶结鱼	*Tor zonatus*
197			银鲴	*Xenocypris argentea*
198			黄尾鲴	*Xenocypris davidi*
199			细鳞鲴	*Xenocypris microlepis*
200			异鳔鳅鮀	*Xenophysogobio boulengeri*
201			瑶山鲤	*Yaoshanicus arcus*
202			宽鳍鱲	*Zacco platypus*
203			似细鲫	*Aphyocyprioides typus*
204		爬鳅科	黄果树爬岩鳅	*Beaufortia huantgguoshuensis*
205			贵州爬岩鳅	*Beaufortia kweichmvensis*
206			秉氏爬岩鳅	*Beaufortia pingi*
207			四川爬岩鳅	*Beaufortia szechuanensis*
208			大鳍间吸鳅	*Hemimyzon macroptera*
209			矮身间吸鳅	*Hemimyzon pumilicorporora*
210			短身金沙鳅	*Jinshaia abbreviata*
211			中华金沙鳅	*Jinshaia sinensis*
212			犁头鳅	*Lepturichthys fimbriata*
213			峨眉后平鳅	*Metahomaloptera omeiensis*
214			美丽小条鳅	*Micronemacheilus pulcher*
215			短体副鳅	*Paracobitis potanini*
216			红尾副鳅	*Paracobitis variegatus*
217			似原吸鳅	*Paraprotomyzon multifasciatus*
218			横纹南鳅	*Schistura fasciolata*

（续）

序号	科	属	种	
			中文名	拉丁名
219			下司华吸鳅	*Sinogastromyzon hsiashiensis*
220			西昌华吸鳅	*Sinogastromyzon sichuangensis*
221			四川华吸鳅	*Sinogastromyzon szechuanensis*
222			伍氏华吸鳅	*Sinogastromyzon wui*
223		爬鳅科	广西华平鳅	*Sinohomaloptera kwangsiensis*
224			鼻须高原鳅	*Triplophysa nasobarbatula*
225			贞丰高原鳅	*Triplophysa zhenfengensis*
226			平舟原缨口鳅	*Vanmanenia pingchowensis*
227			黑斑云南鳅	*Yunnanilus nigromaculatus*
228			斑带条鳅	*Nemachilus fasciolatus*
229			短体条鳅	*Nemachilus potaneni*
230			红尾条鳅	*Nemachilus berezowskii*
231			草海云南鳅	*Yunnanilus caohaiensis*
232			美丽沙鳅	*Botia pulchra*
233	鲤形目		宽体沙鳅	*Botia reevesae*
234			壮体沙鳅	*Botia robusta*
235			中华沙鳅	*Botia superciliaris*
236		鳅科	大斑花鳅	*Cobitis macrostigma*
237			中华花鳅	*Cobitis sinensis*
238			长薄鳅	*Leptobotia elongata*
239			桂林薄鳅	*Leptobotia guilinensis*
240			红唇薄鳅	*Leptobotia rubrilabris*
241			张氏薄鳅	*Leptobotia tchangi*
242			斑纹薄鳅	*Leptobotia zebra*
243			泥鳅	*Misgurnus anguillicaudatus*
244			武昌副沙鳅	*Parabotia banarescui*
245			双斑副沙鳅	*Parabotia bimaculata*
246			花斑副沙鳅	*Parabotia fasciata*
247			点面副沙鳅	*Parabotia maculosa*
248		胭脂鱼科	胭脂鱼	*Myxocyprinus asiaticus*
249	鲟形目	鲟科	达氏鲟	*Acipenser dabryanus*
250		长吻鲟科	白鲟	*Psehurus gladius*

（续）

序号	科	属	种	
			中文名	拉丁名
（二）两栖类				
1	有尾目	小鲵科	黄斑拟小鲵	*Pseudohynobius flavomaculatus*
2			宽阔水拟小鲵	*Pseudohynobius kuankuoshuiensis*
3			水城拟小鲵	*Pseudohynobius shuichengensis*
4		隐鳃鲵科	大鲵	*Andrias davidianus*
5		蝾螈科	细痣疣螈	*Tylototriton asperrimus*
6			贵州疣螈	*Tylototriton kweichowensis*
7			尾斑瘰螈	*Paramesotriton caudopunctatus*
8			无斑肥螈	*Pachytriton labiatus*
9			茂兰瘰螈	*Paramesotriton maolanensis*
10			龙里瘰螈	*Paramesotriton longliensis*
11			织金瘰螈	*Paramesotriton zhijinensis*
12	无尾目	角蟾科	利川齿蟾	*Oreolalax lichuanensis*
13			红点齿蟾	*Oreolalax rhodostigmatus*
14			峨眉髭蟾	*Vibrissaphora boringii*
15			雷山髭蟾	*Vibrissaphora leishanensis*
16			福建掌突蟾	*Leptolalax liui*
17			峨山掌突蟾	*Leptolalax oshanensis*
18			鳌掌突蟾	*Leptolalax pelodytoides*
19			腹斑掌突蟾	*Leptolalax ventripunctatus*
20			宽头短腿蟾	*Brachytarsophrys carinensis*
21			棘指角蟾	*Megophrys spinata*
22			小角蟾	*Megophrys minor*
23		蟾蜍科	黑眶蟾蜍	*Bufo melanostictus*
24			华西蟾蜍	*Bufo andrewsi*
25			中华蟾蜍	*Bufo gargarizans*
26		雨蛙科	无斑雨蛙	*Hyla immaculata*
27			华西雨蛙	*Hyla annectans*
28			三港雨蛙	*Hyla sanchiangensis*
29		蛙科	昭觉林蛙	*Rana chaochiaoensis*
30			峨眉林蛙	*Rana omeimontis*
31			黑斑侧褶蛙	*Pelophylax nigromaculata*

（续）

序号	科	属	种	
			中文名	拉丁名
32			滇侧褶蛙	*Pelophylax pleuraden*
33			中亚侧褶蛙	*PeLophylax terentievi*
34			威宁趾沟蛙	*Pseudorana weiningensis*
35			沼水蛙	*Hylarana guentheri*
36			阔褶水蛙	*Hylarana latouchii*
37			弹琴水蛙	*Hylarana adenopleura*
38			虎纹蛙	*Hoplobatrachus tigerinus*
39			大绿臭蛙	*Odorrana livida*
40			竹叶臭蛙	*Odorrana versabilis*
41			绿臭蛙	*Odorrana margaretae*
42		蛙科	无指盘臭蛙	*Odorrana grahami*
43			安龙臭蛙	*Odorrana anlungensis*
44			龙胜臭蛙	*Odorrana lungshengensis*
45			花臭蛙	*Odorrana schmackeri*
46			筠链臭蛙	*Odorrana junlianensis*
47	无尾目		务川臭蛙	*Odorrana wuchuanensis*
48			棘腹蛙	*paa boulengeri*
49			棘侧蛙	*paa shini*
50			棘胸蛙	*paa spinosa*
51			双团棘胸蛙	*paa yunnanensis*
52			崇安湍蛙	*Amolops chunganensis*
53			华南湍蛙	*Amolops ricketti*
54			斑腿泛树蛙	*Polypedates megacephalus*
55			无声囊泛树蛙	*Polypedates mutus*
56			大树蛙	*Rhacophorus dennysi*
57		树蛙科	白颌大树蛙	*Rhacophorus maximus*
58			峨眉树蛙	*Rhacophorus omeimontis*
59			经甫树蛙	*Rhacophorus chenfui*
60			黑点树蛙	*Rhacophorus nigropunclatus*
61			云南小狭口蛙	*Calluella yannanensis*
62		姬蛙科	粗皮姬蛙	*Microhyla butleri*
63			小弧斑姬蛙	*Microhyla heymonsi*

（续）

序号	科	属	种	
			中文名	拉丁名
64	无尾目	姬蛙科	合征姬蛙	*Microhyla mixtura*
65			饰纹姬蛙	*Microhyla ornata*
66			花姬蛙	*Microhyla pulchra*
67			多疣狭口蛙	*Kaloula verrucosa*
（三）爬行类				
1	龟鳖目	鳖科	山瑞鳖	*Palea steindachneri*
2			鳖	*Pelodiscus sinensis*
3		平胸龟科	平胸龟	*Platysternon megacephalum*
4		龟科	乌龟	*Chinemys reevesii*
5			眼斑水龟	*Sacalia bealei*
6	有鳞目	壁虎科	多疣壁虎	*Gekko japonicus*
7			荔波壁虎	*Gekko liboensis*
8			粗疣壁虎	*Gekko scabridus*
9			蹼趾壁虎	*Gekko subpalmatus*
10			云南半叶趾虎	*Hemiphyllodactylus yunnanensis*
11		鬣蜥科	丽纹龙蜥	*Japalura splendida*
12			四川龙蜥	*Japalura szechwanensis*
13			昆明龙蜥	*Japalura varcoae*
14		蛇蜥科	细脆蛇	*Ophisaurus gracilis*
15			脆蛇	*Ophisaurus harti*
16		蜥蜴科	北草蜥	*Takydromus septentrionalis*
17			南草蜥	*Takydromus sexlineatus meridionalis*
18		石龙子科	光蜥	*Ateuchosaurus chinensis*
19			中国石龙子	*Eumeces chinensis*
20			蓝尾石龙子	*Eumeces elegans*
21			铜蜓蜥	*Sphenomorphus indicus*
22		盲蛇科	钩盲蛇	*Ramphotyphlops braminus*
23		蟒科	蟒蛇	*Python molurus bivittatus*
24		游蛇科	青脊蛇	*Achalinus ater*
25			棕脊蛇	*Achalinus rufescens*
26			黑脊蛇	*Achalinus spinalis*

（续）

序号	科	属	种	
			中文名	拉丁名
27	有鳞目	游蛇科	绿瘦蛇	*Ahaetulla prasina*
28			无颞鳞腹链蛇	*Amphiesma atemporalis*
29			白眉腹链蛇	*Amphiesma boulengeri*
30			锈链腹链蛇	*Amphiesma craspedogaster*
31			棕网腹链蛇	*Amphiesma johannis*
32			八线腹链蛇	*Amphiesma octolineata*
33			丽纹腹链蛇	*Amphiesma optata*
34			坡普腹链蛇	*Amphiesma popei*
35			棕黑腹链蛇	*Amphiesma sauteri*
36			草腹链蛇	*Amphiesma stolata*
37			绞花林蛇	*Boiga kraepelini*
38			繁花林蛇	*Boiga multomaculata*
39			尖尾两头蛇	*Calamaria pavimentata*
40			钝尾两头蛇	*Calamaria septentrionalis*
41			翠青蛇	*Cyclophiops major*
42			黄链蛇	*Dinodon flavozonatum*
43			赤链蛇	*Dinodon rufozonatum*
44			王锦蛇	*Elaphe carinata*
45			灰腹绿锦蛇	*Elaphe frenata*
46			玉斑锦蛇	*Elaphe mandarina*
47			紫灰锦蛇	*Elaphe porphyracea*
48			绿锦蛇	*Elaphe prasina*
49			三索锦蛇	*Elaphe radiata*
50			黑眉锦蛇	*Elaphe taeniura*
51			双全白环蛇	*Lycodon fasciatus*
52			黑背白环蛇	*Lycodon ruhstrati*
53			颈棱蛇	*Macropisthodon rudis*
54			中国小头蛇	*Oligodon chinensis*
55			紫棕小头蛇	*Oligodon cinereus*
56			台湾小头蛇	*Oligodon formosanus*
57			侧条后棱蛇	*Opisthotropis lateralis*

（续）

序号	科	属	种	
			中文名	拉丁名
58	有鳞目	有蛇科	山溪后棱蛇	*Opisthotropis latouchii*
59			平鳞钝头蛇	*Pareas boulengeri*
60			台湾钝头蛇	*Pareas formosensis*
61			缅甸钝头蛇	*Pareas hamptoni*
62			福建钝头蛇	*Pareas stanleyi*
63			颈斑蛇	*Plagiopholis blakewayi*
64			紫沙蛇	*Psammodynastes pulverulentus*
65			横纹斜鳞蛇	*Pseudoxenodon bambusicola*
66			崇安斜鳞蛇	*Pseudoxenodon karlschmidti*
67			斜鳞蛇	*Pseudoxenodon macrops*
68			灰鼠蛇	*Ptyas korros*
69			滑鼠蛇	*Ptyas mucosus*
70			颈槽蛇	*Rhabdophis nuchalis*
71			红脖颈槽蛇	*Rhabdophis subminiatus*
72			虎斑颈槽蛇	*Rhabdophis tigrinus*
73			黑头剑蛇	*Sibynophis chinensis*
74			环纹华游蛇	*Sinonatrix aequifasciata*
75			乌华游蛇	*Sinonatrix percarinata*
76			渔游蛇	*Xenochrophis piscator*
77			乌梢蛇	*Zaocys dhumnades*
78			黑线乌梢蛇	*Zaocys nigromarginatus*
79		眼镜蛇科	银环蛇	*Bungarus multicinctus*
80			福建丽纹蛇	*Calliophis kelloggi*
81			丽纹蛇	*Calliophis macclellandii*
82			眼镜王蛇	*Ophiophagus hannah*
83		蝰科	白头蝰	*Azemiops feae*
84			尖吻蝮	*Deinagkistrodon acutus*
85			短尾蝮	*Gloydius brevicaudus*
86			山烙铁头	*Ovophis monticola*
87			菜花原矛头蝮	*Protobothrops jerdonii*
88			原矛头蝮	*Protobothrops mucrosquamatus*
89			福建竹叶青蛇	*Trimeresurus stejnegeri*

（续）

序号	科	属	种	
			中文名	拉丁名
(四)鸟 类				
1	鸊鷉目	鸊鷉科	小鸊鷉	*Tachybaptus ruficollis*
2			凤头鸊鷉	*Podiceps cristatus*
3			黑颈鸊鷉	*Podiceps nigricollis*
4	鹈形目	鸬鹚科	普通鸬鹚	*Phalacrocorax carbo*
5	鹳形目	鹭科	苍鹭	*Ardea cinerea*
6			草鹭	*Ardea purpurea*
7			大白鹭	*Egretta alba*
8			中白鹭	*Egretta intermedia*
9			白鹭	*Egretta garzetta*
10			牛背鹭	*Bubulcus ibis*
11			池鹭	*Ardeola bacchus*
12			绿鹭	*Butorides striatus*
13			夜鹭	*Nycticorax nycticorax*
14			海南鳽	*Gorsachius magnificus*
15			黄斑苇鳽	*Ixobrychus sinensis*
16			栗苇鳽	*Ixobrychus cinnamomeus*
17			黑鳽	*Dupetor flavicollis*
18			大麻鳽	*Botaurus stellaris*
19		鹳科	白头鹮鹳	*Mycteria leucocephala*
20			黑鹳	*Ciconia nigra*
21			东方白鹳	*Ciconia boyciana*
22			钳嘴鹳	*Anastomus oscitans*
23		鹮科	彩鹮	*Plegadis falcinellus*
24			白琵鹭	*Platalea leucorodia*
25			黑脸琵鹭	*Platalea minor*
26	雁形目	鸭科	大天鹅	*Cygnus cygnus*
27			小天鹅	*Cygnus columbianus*
28			豆雁	*Anser fabalis*
29			小白额雁	*Anser erythropus*
30			灰雁	*Anser anser*
31			斑头雁	*Anser indicus*

（续）

序号	科	属	种	
			中文名	拉丁名
32	雁形目	鸭科	赤麻鸭	*Tadorna ferruginea*
33			翘鼻麻鸭	*Tadorna tadorna*
34			棉凫	*Nettapus coromandelianus*
35			鸳鸯	*Aix galericulata*
36			赤颈鸭	*Anas penelope*
37			罗纹鸭	*Anas falcata*
38			赤膀鸭	*Anas strepera*
39			绿翅鸭	*Anas crecca*
40			绿头鸭	*Anas platyrhynchos*
41			斑嘴鸭	*Anas poecilorhyncha*
42			针尾鸭	*Anas acuta*
43			白眉鸭	*Anas querquedula*
44			琵嘴鸭	*Anas clypeata*
45			赤嘴潜鸭	*Netta rufina*
46			红头潜鸭	*Aythya ferina*
47			青头潜鸭	*Aythya baeri*
48			白眼潜鸭	*Aythya nyroca*
49			凤头潜鸭	*Aythya fuligula*
50			斑背潜鸭	*Aythya marila*
51			鹊鸭	*Bucephala claagula*
52			斑头秋沙鸭	*Mergellus albellus*
53			普通秋沙鸭	*Mergus merganser*
54			中华秋沙鸭	*Mergus squamatus*
55	隼形目	鹰科	黑冠鹃隼	*Aviceda leuphotes*
56			凤头蜂鹰	*Pernis ptilorhynchus*
57			鸢	*Milvus migrans*
58			白尾海雕	*Haliaeetus albicilla*
59			蛇雕	*Spilornis cheela*
60			白腹鹞	*Circus spilonotus*
61			白尾鹞	*Circus cyaneus*
62			鹊鹞	*Circus melanoleucos*

（续）

序号	科	属	种	
			中文名	拉丁名
63	隼形目	鹰科	凤头鹰	*Accipiter trivirgatus*
64			赤腹鹰	*Accipiter soloensis*
65			日本松雀鹰	*Accipiter gularis*
66			松雀鹰	*Accipiter virgatus*
67			雀鹰	*Accipiter nisus*
68			灰脸鵟鹰	*Butastur indicus*
69			普通鵟	*Buteo buteo*
70			草原雕	*Aquila nipalensis*
71			白肩雕	*Aquila heliaca*
72			乌雕	*Aquila clanga*
73			金雕	*Aquila chrysaetos*
74			白腹山雕	*Hieraaetus fasciatus*
75		隼科	燕隼	*Falco subbuteo*
76			游隼	*Falco peregrinus*
77	鹤形目	三趾鹑科	黄脚三趾鹑	*Turnix tanki*
78			棕三趾鹑	*Turnix suscitator*
79		鹤科	灰鹤	*Crus grus*
80			白头鹤	*Grus monacha*
81			黑颈鹤	*Crus nigricollis*
82		秧鸡科	白喉斑秧鸡	*Rallina eurizonoides*
83			蓝胸秧鸡	*Rallus striatus*
84			普通秧鸡	*Rallus aquaticus*
85			红脚苦恶鸟	*Amaurornis akool*
86			白胸苦恶鸟	*Amaurornis phoenicurus*
87			小田鸡	*Porzana pusilla*
88			红胸田鸡	*Porzana fusca*
89			棕背田鸡	*Porzana bicolor*
90			董鸡	*Callicrex cinerea*
91			紫水鸡	*Porphyrio porphyrio*
92			黑水鸡	*Gallinula chloropus*
93			骨顶鸡	*Fulica atra*

（续）

序号	科	属	种	
			中文名	拉丁名
94	鸻形目	水雉科	水雉	*Hydrophasianus chirurgus*
95		彩鹬科	彩鹬	*Rostratula benghalensis*
96		反嘴鹬科	黑翅长脚鹬	*Himantopus himantopus*
97			反嘴鹬	*Recurvirostra avosetta*
98		燕鸻科	普通燕鸻	*Glareola maldivarum*
99		鸻科	凤头麦鸡	*Vanellus vanellus*
100			灰头麦鸡	*Vanellus cinereus*
101			金斑鸻	*Pluvialis fulva*
102			灰斑鸻	*Pluviatis squatarola*
103			剑鸻	*Charadrius placidus*
104			金眶鸻	*Charadrius dubius*
105			环颈鸻	*Charadrius alexandrinus*
106		鹬科	丘鹬	*Scolopax rusticola*
107			孤沙锥	*Gallinago solitaria*
108			针尾沙锥	*Gallinago stenura*
109			扇尾沙锥	*Gallinago gallinago*
110			斑尾塍鹬	*Limosa lapponica*
111			黑尾塍鹬	*Limosa Limosa*
112			白腰杓鹬	*Numenius arquata*
113			鹤鹬	*Tringa erythropus*
114			红脚鹬	*Tringa totanus*
115			青脚鹬	*Tringa nebularia*
116			白腰草鹬	*Tringa ochropus*
117			林鹬	*Tringa glareola*
118			矶鹬	*Actitis hypoleucos*
119			泽鹬	*Tringa stagnatilis*
120			大滨鹬	*Calidris tenuirostris*
121			三趾滨鹬	*Calidris alba*
122			青脚滨鹬	*Calidris temminckii*
123			黑腹滨鹬	*Calidris alpina*
124			流苏鹬	*Philomachus pugnax*

（续）

序号	科	属	种	
			中文名	拉丁名
125	鸻形目	鸥科	海鸥	*Larus canus*
126			渔鸥	*Larus ichthyaetus*
127			棕头鸥	*Larus brunnicephalus*
128			红嘴鸥	*Larus ridibundus*
129			白翅浮鸥	*Chlidonias leucoptera*
130			短尾贼鸥	*Stercorarius parasiticus*
131	鹃形目	杜鹃科	棕腹杜鹃	*Cuculus fugax*
132			中杜鹃	*Cuculus saturatus*
133			小杜鹃	*Cuculus poliocephalus*
134			乌鹃	*Surniculus lugubris*
135			褐翅鸦鹃	*Centropus sinensis*
136			小鸦鹃	*Centropus bengalensis*
137	鸮形目	鸱鸮科	领角鸮	*Otus bakkamoena*
138			黄腿渔鸮	*Kempa flavipes*
139			领鸺鹠	*Glaucidium brodiei*
140			斑头鸺鹠	*Glaucidium cuculoides*
141	佛法僧目	翠鸟科	普通翠鸟	*Alcedo atthis*
142			白胸翡翠	*Halcyon smyrnensis*
143			蓝翡翠	*Halcyon pileata*
144			冠鱼狗	*Megaceryle lugubris*
145		佛法僧科	三宝鸟	*Eurystomus orientalis*
146	戴胜目	戴胜科	戴胜	*Upupa epops*
147	雀形目	燕科	家燕	*Hirundo rustica*
148			金腰燕	*Hirundo daurica*
149		鹡鸰科	白鹡鸰	*Motacilla alba*
150			黑背白鹡鸰	*Motacilla lugens*
151			日本鹡鸰	*Motacilla grandis*
152			黄头鹡鸰	*Motacilla citreola*
153			黄鹡鸰	*Motacilla flava*
154			灰鹡鸰	*Motacilla cinerea*
155			水鹨	*Anthus spinoletta*

（续）

序号	科	属	种	
			中文名	拉丁名
156	雀形目	鹎科	领雀嘴鹎	*Spizixos semitorques*
157			白喉红臀鹎	*Pycnonotus aurigaster*
158			红耳鹎	*Pycnonotus jocosus*
159			黑冠黄鹎	*Pycnortotus melanicterus*
160			白头鹎	*Pycnonotus sinensis*
161			黄臀鹎	*Pycnonotus xanthorrhous*
162			绿翅短脚鹎	*Hrpsipetes mcclellandii*
163			栗背短脚鹎	*Hemixos castanonotus*
164			黑短脚鹎	*Hypsipetes leucocephalus*
165		叶鹎科	橙腹叶鹎	*Chloropsis hardwickii*
166		伯劳科	虎纹伯劳	*Lanius tigrinus*
167			牛头伯劳	*Lanius bucephalus*
168			红尾伯劳	*Lanius crzstatus*
169			棕背伯劳	*Lanias schach*
170			灰背伯劳	*Lanius tephronotus*
171		黄鹂科	黑枕黄鹂	*Oriolus chinensis*
172			朱鹂	*Oriolus traillii*
173			鹊鹂	*Oriolus mellianus*
174		卷尾科	鸦嘴卷尾	*Dicrurus annectans*
175			发冠卷尾	*Dicrurus hottentottus*
176		椋鸟科	八哥	*Acridotheres cristatellus*
177			灰背椋鸟	*Sturnia sinensis*
178			灰头椋鸟	*Sturnia malabarica*
179			丝光椋鸟	*Sturnus sericeus*
180			灰椋鸟	*Sturnus cineraceus*
181		河乌科	褐河乌	*Cinclus pallasii*
182		鷦鷯科	鷦鷯	*Troglodytes troglodytes*
183		鸫科	栗背短翅鸫	*Brachypteryx stellata*
184			蓝短翅鸫	*Brachypteryx montana*
185			白腹短翅鸲	*Hodgsonius phoenicuroides*
186			红尾歌鸲	*Luscinia sibilans*
187			蓝喉歌鸲	*Luscinia svecicus*

（续）

序号	科	属	种	
			中文名	拉丁名
188	雀形目	鸫科	红喉歌鸲	*Luscinia calliope*
189			栗腹歌鸲	*Luscinia brunnea*
190			蓝歌鸲	*Luscinia cyane*
191			红胁蓝尾鸲	*Tarsiger cyanurus*
192			鹊鸲	*Copsychus saularis*
193			赭红尾鸲	*Phoenicurus ochruros*
194			白喉红尾鸲	*Phoenicurus schisticeps*
195			北红尾鸲	*Phoenicurus auroreus*
196			蓝额红尾鸲	*Phoenicurus frontalis*
197			红尾水鸲	*Rhyacornis fuliginosus*
198			白顶溪鸲	*Chaimarrornis leucocephalus*
199			白尾蓝地鸲	*Cinclidium leucurum*
200			小燕尾	*Enicurus scouleri*
201			黑背燕尾	*Enicurus immaculatus*
202			灰背燕尾	*Enicurus schistaceus*
203			紫宽嘴鸫	*Cochoa purpurea*
204			栗腹矶鸫	*Monticola rufiventris*
205			蓝矶鸫	*Monticola solitarius*
206			紫啸鸫	*Myophonus caeruleus*
207			白眉地鸫	*Zoothera sibirica*
208			长尾地鸫	*Zoothera dixoni*
209			虎斑地鸫	*Zoothera dauma*
210			乌鸫	*Turdus merula*
211		鹟科	乌鹟	*Muscicapa sibirica*
212			北灰鹟	*Muscicapa dauurica*
213			褐胸鹟	*Mascicapa muttui*
214			棕尾褐鹟	*Muscicapa ferruginea*
215			白眉姬鹟	*Ficedula zanthopygia*
216			橙胸姬鹟	*Ficedula strophiata*
217			红喉姬鹟	*Ficedula parva*
218			棕胸蓝姬鹟	*Ficedula hyperythra*
219			小斑姬鹟	*Ficedula westermanni*

（续）

序号	科	属	种	
			中文名	拉丁名
220	雀形目	鹟科	白腹蓝姬鹟	*Cyanoptila cyanomelana*
221			灰蓝姬鹟	*Ficedula tricolor*
222			铜蓝鹟	*Eumyias thalassina*
223			小仙鹟	*Niltava macgregoriae*
224			棕腹大仙鹟	*Niltava davidi*
225			棕腹仙鹟	*Niltava sundara*
226			海南蓝仙鹟	*Cyornis hainanus*
227			蓝喉仙鹟	*Cyornis rubeculoides*
228			山蓝仙鹟	*Cyornis banyumas*
229			方尾鹟	*Culicicapa ceylonensis*
230		扇尾鹟科	白喉扇尾鹟	*Rhipidura albicollis*
231		王鹟科	紫寿带鸟	*Terpsiphone atrocaudata*
232			寿带鸟	*Terpsiphone paradisi*
233		画眉科	黑脸噪鹛	*Garrulax perspicillatus*
234			白颊噪鹛	*Garrulax sannio*
235			黑领噪鹛	*Garrulax pectoralis*
236			棕噪鹛	*Garrulax poecilorhynchus*
237		扇尾莺科	金头扇尾莺	*Cisticola exilis*
238		莺科	栗头地莺	*Tesia castaneocoronata*
239			灰腹地莺	*Tesia cyaniventer*
240			沼泽大尾莺	*Megalurus palustris*
241			东方大苇莺	*Acrocephalus orientalis*
242			噪大苇莺	*Acrocephalus stentoreus*
243			钝翅稻田苇莺	*Acrocephalus concinens*
244			厚嘴苇莺	*Acrocephalus aedon*
245			黄腹柳莺	*Phylloscopus affinis*
246			棕腹柳莺	*Phylloscopus subaffinis*
247			褐柳莺	*Phylloscopus fuscatus*
248			棕眉柳莺	*Phylloscopus armandii*
249			巨嘴柳莺	*PhylLoscopus schwarzi*
250			黄眉柳莺	*Phylloscopus inornatus*
251			黄腰柳莺	*Phylloscopus proregutus*

（续）

序号	科	属	种	
			中文名	拉丁名
252	雀形目	莺科	柠檬腰柳莺	*Phylloscopus chloronotus*
253			极北柳莺	*Phylloscopus borealis*
254			暗绿柳莺	*Phylloscopus trochiloides*
255			双斑绿柳莺	*Phylloscopus plumbeitarsus*
256			冕柳莺	*Phylloscopus coronatus*
257			冠纹柳莺	*Phylloscopus reguloides*
258			白斑尾柳莺	*Phylloscopus davisoni*
259			黑眉柳莺	*Phylloscopus ricketti*
260			比氏鹟莺	*Seicercus valentini*
261			栗头鹟莺	*Seicercus castaniceps*
262			金眶鹟莺	*Seicercus burkii*
263			棕脸鹟莺	*Abroscopus albogularis*
264			长尾缝叶莺	*Orthotomus sutorius*
265		戴菊科	戴菊	*Regulus regulus*
266		长尾山雀科	黑眉长尾山雀	*Aegithalos bonvaloti*
267			红头长尾山雀	*Aegithalos concinnus*
268		鹀科	凤头鹀	*Melophus lathami*
269			蓝鹀	*Latoucheornis siemsseni*
270			灰眉岩鹀	*Emberiza godlewskii*
271			三道眉草鹀	*Emberiza cioides*
272			白眉鹀	*Emberiza tristrami*
273			栗耳鹀	*Emberiza fucata*
274			小鹀	*Emberiza pusilla*
275			黄喉鹀	*Emberiza elegans*
276			栗鹀	*Emberiza rutila*
277			灰头鹀	*Emberiza spodocephala*
278			苇鹀	*Emberiza pallasi*
（五）哺乳类				
1	猬形目	猬科	鼩猬	*Neotetracus sinensis*
2	鼩形目	鼹科	华南缺齿鼹	*Mogera insularis*
3			长尾鼩鼹	*Scaptonyx fusicaudus*

（续）

序号	科	属	种	
			中文名	拉丁名
4	鼩形目	鼩鼱科	中鼩鼱	*Sorex caecutiens*
5			喜马拉雅水鼩	*Chimarrogale himalayica*
6			臭鼩	*Suncus murinus*
7			灰麝鼩	*Crocidura attenuata*
8			短尾鼩	*Anourosorex squamipes*
9			黑齿鼩鼱	*Blarinella quadraticauda*
10			川西长尾鼩	*Chodsigoa hypsibia*
11			滇北长尾鼩	*Chodsigoa parva*
12			大长尾鼩	*Chodsigoa salenskii*
13			长尾大麝鼩	*Crocidura fuliginosa*
14	翼手目	假吸血蝠科	印度假吸血蝠	*Megaderma lyra*
15		菊头蝠科	角菊头蝠	*Rhinolophus cornutus*
16			马铁菊头蝠	*Rhinolophus ferrumequinum*
17			大菊头蝠	*Rhinolophus luctus*
18			大耳菊头蝠	*Rhinolophus macrotis*
19			皮氏菊头蝠	*Rhinolophus pearsoni*
20			贵州菊头蝠	*Rhinolophus rex*
21			托氏菊头蝠	*Rhinolophus thomasi*
22			鲁氏菊头蝠	*Rhinolophus rouxii*
23			菲菊头蝠	*Rhinolophus pusillus*
24		蝙蝠科	普通伏翼	*Pipistrellus pipistrellus*
25			灰伏翼	*Pipistrellus pulveratus*
26			南蝠	*Ia io*
27			彩蝠	*Kerivoula picta*
28	灵长目	猴科	猕猴	*Macaca mulatta*
29			藏酋猴	*Macaca thibetana*
30			黑叶猴	*Trachypithecus francoisi*
31	食肉目	鼬科	黄鼬	*Mustela sibirica*
32			黄腹鼬	*Mustela kathiah*
33			青鼬	*Martes flavigula*
34			鼬獾	*Melogale moschata*
35			狗獾	*Meles leucurus*

（续）

序号	科	属	种	
			中文名	拉丁名
36	食肉目	鼬科	猪獾	*Arctonyx collaris*
37			水獭	*Lutra lutra*
38		獴科	食蟹獴	*Herpestes urva*
39		猫科	豹猫	*Prionailurus bengalensis*
40	偶蹄目	猪科	野猪	*Sus scrofa*
41		鹿科	毛冠鹿	*Elaphodus cephalophus*
42	鳞甲目	鲮鲤科	中国穿山甲	*Manis pentadactyla*
43	啮齿目	松鼠科	红背鼯鼠	*Petaurista petaurista*
44			红白鼯鼠	*Petaurista alborufus*
45		鼠科	巢鼠	*Micromys minutus*
46			黑线姬鼠	*Apodemus agrarius*
47			高山姬鼠	*Apodemus chevrieri*
48			中华姬鼠	*Apodemus draco*
49			黄毛鼠	*Rattus losea*
50			褐家鼠	*Rattus norvegicus*
51			大足鼠	*Rattus nitidus*
52			拟家鼠	*Rattus pyctoris*
53			青毛鼠	*Berylmys bowersi*
54			板齿鼠	*Bandicota indica*
55		仓鼠科	黑腹绒鼠	*Eothenomys melanogaster*
56			大绒鼠	*Eothenomys miletus*
57			滇绒鼠	*Eothenomys eleusis*
58			昭通绒鼠	*Eothenomys olitor*
59			东方田鼠	*Microtus fortis*
60		刺山鼠科	猪尾鼠	*Typhlomys cinereus*
61		豪猪科	帚尾豪猪	*Atherurus macrourus*
62			豪猪	*Hystrix brachyura*
63	兔形目	兔科	托氏兔	*Lepus tolai*

附录3　贵州重点调查湿地概况

1. 草海国家级自然保护区湿地区

草海国家级自然保护区范围面积9600公顷，湿地区调查面积45154.08公顷，其中湿地面积3238.78公顷，主要湿地类型为永久性淡水湖湿地、草本沼泽湿地和库塘湿地，湖泊为淡水湖。地理坐标为东经104°04′~104°21′，北纬26°46′~26°59′；位于威宁县内。

调查中记录到湿地高等植物2门19科25属35种。记录到外来入侵植物1科1属1种。

湿地植被可划分为2个植被型组，6个植被型，10个群系。

调查中记录到湿地脊椎动物5纲27目60科229种。其中，鱼类2目4科11种，两栖类2目7科16种，爬行类1目3科13种，鸟类17目37科171种，哺乳类5目18科18种。

记录到国家重点保护野生动物35种。其中，国家Ⅰ级保护野生动物7种，国家Ⅱ级保护野生动物28种。在国家重点保护野生动物中，有湿地鸟类23种，其中国家Ⅰ级保护野生动物5种，国家Ⅱ级保护野生动物18种。

于1985年建立省级自然保护区湿地区，1992年晋升为国家级自然保护区湿地区，成立了贵州草海国家级自然保护区湿地区管理局。受毕节市人民政府、贵州省林业厅和国家林业局管理。

主要受到基建和城市化、围垦、泥沙淤积、污染、过度捕捞和采集、外来物种入侵、过牧等威胁。

2. 长江上游珍稀特有鱼类国家级自然保护区湿地区

长江上游珍稀特有鱼类国家级自然保护区范围面积31713.8公顷，湿地区调查面积102559.18公顷，其中湿地面积1943.29公顷，主要湿地类型为永久性河流湿地、季节性或间歇性河流湿地、洪泛平原湿地和库塘湿地。地理坐标为东经105°45′~106°24′，北纬27°42′~28°37′；位于赤水市、习水县、仁怀市及金沙县内。

调查中记录到湿地高等植物3门19科31属33种。国家重点保护野生植物1种。记录到外来入侵植物2科3属3种。

湿地植被可划分为4个植被型组，8个植被型，12个群系。

调查中记录到湿地脊椎动物5纲17目37科124种。其中，鱼类4目8科49种，两栖类1目6科11种，爬行类2目6科28种，鸟类7目12科26种，哺乳类3目5科10种。

记录到国家重点保护野生动物3种，其中，国家Ⅰ级保护野生动物2种，国家Ⅱ级保护野生动物1种。

于1997年经批准建立省级保护区，2000年晋升为国家级自然保护区。受国家农业部管理。由宜宾市水产渔政局加挂国家级自然保护区管理处牌子开展管理工作。

主要受到基建和城市化、泥沙淤积、污染、水利工程和引排水等威胁。

3. 贵定岩下县级保护区湿地区

贵定岩下县级保护区范围面积6300公顷，湿地区调查面积6054.87公顷，其中湿地面积27.97公顷，主要湿地类型为永久性河流湿地。地理坐标为东经107°18′~107°24′，北纬26°20′~26°25′；位于贵定县内。

调查中记录到湿地高等植物2门19科38属39种。记录到外来入侵植物1科1属1种。

湿地植被可划分为2个植被型组，4个植被型，5个群系。

调查中记录到湿地脊椎动物5纲15目29科63种。其中，鱼类4目8科25种，两栖类1目5科9种，爬行类1目2科5种，鸟类4目8科12种，哺乳类5目6科12种。

记录到国家重点保护野生动物1种，为国家Ⅱ级保护野生动物。

于1998年经批准建立县级自然保护区，组建岩下龙洞野生大鲵保护管理站，受贵定县人民政府管理。

主要受到围垦威胁。

4. 石阡鸳鸯湖国家湿地公园(试点)湿地区

石阡鸳鸯湖国家湿地公园(试点)范围面积778公顷，湿地区调查面积28725.77公顷，其中湿地面积407.25公顷，主要湿地类型为永久性河流湿地和库塘湿地。地理坐标为东经108°12′~108°16′，北纬27°26′~27°29′；位于石阡县内。

调查中记录到湿地高等植物1门18科42属47种。记录到外来入侵植物3科3属3种。

湿地植被可划分为2个植被型组，4个植被型，9个群系。

调查中记录到湿地脊椎动物5纲21目35科82种。其中，鱼类5目8科36种，两栖类1目5科8种，爬行类1目2科7种，鸟类9目13科21种，哺乳类5目7科10种。

记录到国家重点保护野生动物3种，全部为国家Ⅱ级保护野生动物。其中，湿地鸟类2种。

于2011年批准为国家湿地公园(试点)。受石阡县政府、贵州省林业厅管理。组建了石阡鸳鸯湖国家湿地公园管理局。

主要受到基建和城市化、污染等威胁。

5. 威宁锁黄仓国家湿地公园(试点)湿地区

威宁锁黄仓国家湿地公园(试点)范围面积244.67公顷，湿地区调查面积2031.28公顷，其中湿地面积153.96公顷，主要湿地类型为永久性河流湿地和永久性淡水湖湿地，湖泊为淡水湖。地理坐标为东经104°10′~104°14′，北纬26°52′~26°57′；位于威宁县内。

调查中记录到湿地高等植物1门17科26属26种。记录到外来入侵植物1科1属1种。

湿地植被可划分为3个植被型组，5个植被型，6个群系。

调查中记录到湿地脊椎动物5纲19目39科106种。其中，鱼类3目4科12种，两栖类1目5科10种，爬行类1目1科8种，鸟类10目23科64种，哺乳类4目6科13种。

记录到国家重点保护野生动物4种。其中，国家Ⅰ级保护野生动物1种，国家Ⅱ级保护野生动物3种。均为湿地鸟类。

于2012年批准为国家湿地公园试点。受威宁县人民政府、贵州省林业厅管理。组建了威宁锁黄仓国家湿地公园管理局。

主要受到基建和城市化、围垦、泥沙淤积、污染、过度捕捞和采集、外来物种入侵、过牧等威胁。

6. 花溪十里河滩城市湿地公园湿地区

花溪十里河滩城市湿地公园湿地区调查面积22976.90公顷，其中湿地面积516.30公顷，主要湿地类型为永久性河流湿地和库塘湿地。地理坐标为东经106°32′~106°43′，北纬26°20′~26°31′；位于花溪区内。

调查中记录到湿地高等植物3门40科69属81种，其中，国家重点保护野生植物1种。记录到外来入侵植物7科9属9种。

湿地植被可划分为4个植被型组，6个植被型，11个群系。

调查中记录到湿地脊椎动物5纲15目29科60种。其中，鱼类2目3科10种，两栖类1目5科10种，爬行类2目4科5种，鸟类8目14科31种，哺乳类2目3科4种。

记录到国家重点保护野生动物1种，为国家Ⅱ级保护野生动物。

于2009年经批准建立花溪十里河滩城市湿地公园。受贵阳市生态文明建设管理委员会管理。成立了花溪十里河滩城市湿地公园管理处。

主要受到基建和城市化、水利工程和引排水等威胁。

7. 梵净山国家级自然保护区湿地区

梵净山国家级自然保护区范围面积43414公顷，湿地区调查面积43499.87公顷，其中湿地面积416.21公顷，主要湿地类型为永久性河流湿地。地理坐标为东经108°46′~108°49′，北纬27°50′~28°02′；位于江口县、松桃县和印江县3县交汇处。

调查中记录到湿地高等植物3门43科61属65种，其中，国家重点保护野生植物2种。

湿地植被可划分为1个植被型组，3个植被型，12个群系。

调查中记录到湿地脊椎动物5纲25目47科167种。其中，鱼类4目7科51种，两栖类2目7科29种，爬行类2目7科34种，鸟类10目13科35种，哺乳类7目13科18种。

记录到国家重点保护野生动物5种，全部为国家Ⅱ级保护野生动物。

于1978年经批准建立省级自然保护区，1986年晋升为国家级自然保护区。受贵州省林业厅和国家林业局管理。组建了贵州梵净山国家级自然保护区管理处，后更名为贵州梵净山国家级自然保护区管理局。

8. 茂兰国家级自然保护区湿地区

茂兰国家级自然保护区范围面积21285公顷，湿地区调查面积22134.44公顷，其中湿地面积74.94公顷，主要湿地类型为永久性河流湿地、喀斯特溶洞湿地、水产养殖场和森林沼泽湿地。地理坐标为东经107°52′~108°46′，北纬25°09′~25°21′；位于荔波县内。

调查中记录到湿地高等植物3门50科79属88种，其中，国家重点保护野生植物1种。记录到外来入侵植物1科1属1种。

湿地植被可划分为3个植被型组，9个植被型，18个群系。

调查中记录到湿地脊椎动物5纲20目46科143种。其中，鱼类4目6科37种，两栖类2目6科16种，爬行类1目6科26种，鸟类8目20科46种，哺乳类5目8科18种。

记录到国家重点保护野生动物3种，全部为国家Ⅱ级保护野生动物。

于1986年经批准建立县级保护区，1987年晋升为省级保护区，1988年晋升为国家级自然保护区。受贵州省林业厅和国家林业局管理。组建了贵州茂兰国家级自然保护区管理处，后更名为贵州茂兰国家级自然保护区管理局，

主要受到污染、外来物种入侵、过牧的威胁。

9. 雷公山国家级自然保护区湿地区

雷公山国家级自然保护区范围面积47300公顷，湿地区调查面积48643.03公顷，其中湿地面积417.84公顷，主要湿地类型为永久性河流湿地和藓类沼泽湿地。地理坐标为东经108°05′~108°24′，北纬26°15′~26°32′；位于雷山县、台江县、剑河县和榕江县4县交界处。

调查中记录到湿地高等植物4门75科168属248种，其中，国家重点保护野生植物1种。记录到外来入侵植物1科1属1种。

湿地植被可划分为4个植被型组，6个植被型，26个群系。

调查中记录到湿地脊椎动物5纲16目34科130种。其中，鱼类1目2科12种，两栖类2目7科28种，爬行类2目7科45种，鸟类6目9科22种，哺乳类5目9科23种。

记录到国家重点保护野生动物6种，全部为国家Ⅱ级保护野生动物。

于1982年经批准建立省级自然保护区，2001年晋升为国家级自然保护区。受黔东南州人民政府、贵州省林业厅和国家林业局管理。组建了贵州雷公山国家级自然保护区管理处，后更名为贵州雷公山国家级自然保护区管理局，

10. 麻阳河国家级自然保护区湿地区

麻阳河国家级自然保护区范围面积31113公顷，湿地区调查面积35561.68公顷，其中湿地面积314.22公顷，主要湿地类型为永久性河流湿地。地理坐标为东经108°04′~108°20′，北纬28°37′~28°45′；位于沿河县与务川县交界处。

调查中记录到湿地高等植物1门16科13属23种。记录到外来入侵植物1科1属1种。

湿地植被可划分为1个植被型组，3个植被型，13个群系。

调查中记录到湿地脊椎动物5纲23目41科82种。其中，鱼类5目9科21种，两栖类1目5科14种，爬行类2目5科16种，鸟类9目11科16种，哺乳类6目11科15种。

记录到国家重点保护野生动物4种。其中，国家Ⅰ级保护野生动物1种，国家Ⅱ级保护野生动物3种。在国家重点保护野生动物中，湿地鸟类2种，全部为国家Ⅱ级保护野生动物。

于1994年经批准建立省级自然保护区，2003年晋升为国家级自然保护区。受贵州省林业厅和国家林业局管理。组建了贵州麻阳河国家级自然保护区管理处，后更名为贵州麻阳河国家级自然保护区管理局。

主要受到基建和城市化、污染、过度捕捞和采集、水利工程和引排水等威胁。

11. 习水国家级自然保护区湿地区

习水国家级自然保护区范围面积51911公顷，湿地区调查面积57635.58公顷，其中湿地面积431.25公顷，主要湿地类型为永久性河流湿地和库塘湿地。地理坐标为东经105°50′~106°29′，北纬28°07′~28°34′；位于习水县内。

调查中记录到湿地高等植物4门83科145属202种，其中，国家重点保护野生植物2种。记录到外来入侵植物6科6属6种。

湿地植被可划分为4个植被型组，6个植被型，11个群系。

调查中记录到湿地脊椎动物5纲23目43科136种。其中，鱼类3目5科20种，两栖类2目6科29种，爬行类2目7科32种，鸟类11目18科44种，哺乳类5目7科11种。

记录到国家重点保护野生动物2种，全部为国家Ⅱ级保护野生动物。

于1992年经批准建立县级自然保护区，1994年晋升为省级自然保护区，1997年晋升为国家级自然保护区。受贵州省林业厅和国家林业局管理。组建了贵州习水国家级自然保护区管理处，后更名为贵州习水国家级自然保护区管理局。

12. 宽阔水国家级自然保护区湿地区

宽阔水国家级自然保护区范围面积26231公顷，湿地区调查面积26252.20公顷，其中湿地面积337.34公顷，主要湿地类型为永久性河流湿地和库塘湿地。地理坐标为东经107°02′~107°14′，北纬28°06′~28°19′；位于绥阳县内。

调查中记录到湿地高等植物3门66科138属179种，其中，国家重点保护野生植物2种。记录到外来入侵植物4科4属4种。

湿地植被可划分为3个植被型组，7个植被型，23个群系。

调查中记录到湿地脊椎动物5纲26目55科153种。其中，鱼类4目7科26种，两栖类2目8科21种，爬行类1目4科13种，鸟类12目26科76种，哺乳类7目10科17种。

记录到国家重点保护野生动物7种。其中，国家Ⅰ级保护野生动物1种，国家Ⅱ级保护野生动物6种。在国家重点保护野生动物中，有湿地鸟类2种，全部为国家Ⅱ级保护野生动物。

于1989年经批准建立县级自然保护区，2001年晋升为省级自然保护区，2007年晋升为国家级自然保护区，组建了贵州宽阔水国家级自然保护区管理处，后更名为贵州宽阔水国家级自然保护区管理局，受贵州省林业厅和国家林业局管理。

主要受到过度捕捞和采集、非法狩猎、水利工程和引排水等威胁。

13. 大沙河省级自然保护区湿地区

大沙河省级自然保护区范围面积26690公顷，湿地区调查面积26342.44公顷，其中湿地面积123.73公顷，主要湿地类型为永久性河流。地理坐标为东经107°22′~107°48′，北纬29°00′~29°13′；位于道真县内。

调查中记录到湿地高等植物2门44科65属68种，其中，国家重点保护野生植物2种。记录到外来入侵植物1科1属1种。

湿地植被可划分为4个植被型组，7个植被型，18个群系。

调查中记录到湿地脊椎动物5纲22目49科120种。其中，鱼类5目9科32种，两栖类1目6科22种，爬行类2目9科29种，鸟类9目15科26种，哺乳类5目10科11种。

记录到国家重点保护野生动物3种，全部为国家Ⅱ级保护野生动物。其中，湿地鸟类2种。

于1982年经批准建立县级自然保护区，2001年晋升为省级自然保护区。受贵州省林业厅管理。组建了贵州大沙河省级自然保护区管理处，后更名为贵州大沙河省级自然保护区管理局。

主要受到泥沙淤积、污染、过度捕捞和采集、非法狩猎、水利工程和引排水等威胁。

14. 佛顶山省级自然保护区湿地区

佛顶山省级自然保护区范围面积12635公顷，湿地区调查面积12663.00公顷，其中湿地面积87.96公顷，主要湿地类型为永久性河流湿地。地理坐标为东经107°56′~108°12′，北纬27°15′~27°25′；位于石阡县内。

调查中记录到湿地高等植物1门35科58属70种。记录到外来入侵植物2科3属3种。

湿地植被可划分为3个植被型组，5个植被型，8个群系。

调查中记录到湿地脊椎动物5纲20目46科140种。其中，鱼类5目11科48种，两栖类2目7科23种，爬行类2目7科33种，鸟类6目10科21种，哺乳类5目11科15种。

记录到国家重点保护野生动物5种，全部为国家Ⅱ级保护野生动物。其中，湿地鸟类1种。

于1992年经批准建立县级自然保护区，2006年晋升为省级自然保护区。受贵州省林业厅管理。组建了贵州佛顶山省级自然保护区管理局。

15. 百里杜鹃省级自然保护区湿地区

百里杜鹃省级自然保护区范围面积18000公顷，湿地区调查面积42851.62公顷，其中湿地面积148.90公顷，主要湿地类型为永久性河流湿地、库塘湿地和季节性或间歇性河流湿地。地理坐标为东经105°46′~106°06′，北纬27°06′~27°21′；位于黔西县、大方县内。

调查中记录到湿地高等植物3门33科55属59种。记录到外来入侵植物4科4属4种。

湿地植被可划分为3个植被型组，4个植被型，5个群系。

调查中记录到湿地脊椎动物5纲19目35科74种。其中，鱼类2目3科16种，两栖类2目5科11种，爬行类1目3科7种，鸟类9目17科33种，哺乳类5目7科7种。

记录到国家重点保护野生动物7种，全部为国家Ⅱ级保护野生动物。其中，湿地鸟类4种。

于2007年经批准建立省级自然保护区。受毕节市人民政府管理。成立了贵州百里杜鹃自然保护区管理委员会。

主要受到污染、森林过度采伐等威胁。

16. 贞丰龙头大山州级保护区湿地区

贞丰龙头大山州级保护区范围面积2817公顷，湿地区调查面积3820.69公顷，其中湿地面积17.63公顷，主要湿地类型为永久性河流湿地。地理坐标为东经105°25′~105°33′，北纬25°22′~

25°24′；位于贞丰县内。

调查中记录到湿地高等植物2门9科17属17种。记录到外来入侵植物1科2属2种。

湿地植被可划分为3个植被型组，5个植被型，6个群系。

调查中记录到湿地脊椎动物5纲14目26科56种。其中，鱼类3目4科18种，两栖类2目5科7种，爬行类1目4科10种，鸟类4目6科7种，哺乳类4目7科14种。

记录到国家重点保护野生动物3种，全部为国家Ⅱ级保护野生动物。其中，湿地鸟类1种。

于1997年经批准建立州级自然保护区。受贞丰县林业局和黔西南州林业局管理。成立了龙头大山水源林自然保护区管理站。

主要受到外来物种入侵、过牧等威胁。

17. 金沙冷水河县级保护区湿地区

金沙冷水河县级保护区范围面积30041公顷，湿地区调查面积63376.14公顷，其中湿地面积331.22公顷，主要湿地类型为永久性河流湿地、库塘和输水河。地理坐标为东经105°51′~106°11′，北纬27°20′~27°44′；位于金沙县内。

调查中记录到湿地高等植物3门29科51属54种。记录到外来入侵植物3科4属4种。

湿地植被可划分为4个植被型组，6个植被型，17个群系。

调查中记录到湿地脊椎动物5纲22目33科80种。其中，鱼类3目5科24种，两栖类2目4科8种，爬行类1目2科7种，鸟类10目11科28种，哺乳类6目8科13种。

记录到国家重点保护野生动物4种，全部为国家Ⅱ级保护野生动物。其中，湿地鸟类2种。

于1992年经批准建立县级保护区。受金沙县林业局管理。

18. 桐梓柏箐市级自然保护区湿地区

桐梓柏箐市级保护区范围面积52000公顷，湿地区调查面积90188.59公顷，其中湿地面积526.52公顷，主要湿地类型为永久性河流湿地和季节性河流湿地。地理坐标为东经106°52′~107°06′，北纬28°26′~28°54′；位于桐梓县内。

调查中记录到湿地高等植物3门24科38属43种。记录到外来入侵植物4科5属5种。

湿地植被可划分为3个植被型组，4个植被型，8个群系。

调查中记录到湿地脊椎动物5纲17目36科94种。其中，鱼类3目5科20种，两栖类1目6科12种，爬行类2目5科22种，鸟类8目14科29种，哺乳类4目6科11种。

记录到国家重点保护野生动物1种，为国家Ⅱ级保护野生动物。

于1986年经批准建立县级自然保护区，2005年晋升为市级保护区，受桐梓县林业局和遵义市林业局管理。

主要受到基建和城市化、泥沙淤积、污染、水利工程和引排水的威胁。

19. 绥阳双河溶洞县级保护区湿地区

绥阳双河溶洞县级保护区范围面积3667公顷，湿地区调查面积16953.04公顷，其中湿地面积115.61公顷，主要湿地类型为永久性河流湿地和季节性河流湿地。地理坐标为东经107°13′~

107°26′，北纬28°05′~28°17′；位于绥阳县内。

调查中记录到湿地高等植物2门24科35属41种。记录到外来入侵植物2科2属2种。

湿地植被可划分为4个植被型组，5个植被型，5个群系。

调查中记录到湿地脊椎动物5纲14目25科55种。其中，鱼类2目2科12种，两栖类1目6科8种，爬行类1目2科8种，鸟类4目8科15种，哺乳类6目7科12种。

记录到国家重点保护野生动物2种，全部为国家Ⅱ级保护野生动物。

于2001年经批准建立县级保护区，受绥阳县林业局管理。

主要受到水利工程和引排水等威胁。

20. 普安下厂河县级保护区湿地区

普安下厂河县级保护区范围面积1100公顷，湿地区调查面积22385.79公顷，其中湿地面积102.58公顷，主要湿地类型为永久性河流湿地。地理坐标为东经104°51′~105°03′，北纬25°33′~25°47′；位于普安县内。

调查中记录到湿地高等植物2门14科22属22种。记录到外来入侵植物2科2属2种。

湿地植被可划分为3个植被型组，4个植被型，6个群系。

调查中记录到湿地脊椎动物5纲14目26科62种。其中，鱼类2目5科17种，两栖类2目4科11种，爬行类2目4科15种，鸟类3目5科7种，哺乳类5目8科12种。

记录到国家重点保护野生动物2种，全部为国家Ⅱ级保护野生动物。

于1997年建立县级自然保护区。受普安县林业局管理。

主要受到围垦、森林过度采伐等威胁。

21. 黔西渭河县级保护区湿地区

黔西渭河县级保护区湿地区调查面积9198.74公顷，其中湿地面积138.29公顷，主要湿地类型为永久性河流湿地。地理坐标为东经106°04′~106°12′，北纬27°08′~27°15′；位于黔西县内。

调查中记录到湿地高等植物2门15科23属23种。记录到外来入侵植物2科2属2种。

湿地植被可划分为2个植被型组，3个植被型，4个群系。

调查中记录到湿地脊椎动物5纲14目25科62种。其中，鱼类2目5科17种，两栖类2目4科11种，爬行类2目4科15种，鸟类3目5科7种，哺乳类5目7科12种。

记录到国家重点保护野生动物3种，全部为国家Ⅱ级保护野生动物。

于2005年建立县级自然保护区。由黔西县住房和城乡建设局管理。

22. 南盘江湿地区

南盘江湿地区调查面积159603.76公顷，其中湿地面积3403.60公顷，主要湿地类型为永久性河流湿地、季节性或间接性河流湿地。地理坐标为东经105°13′~106°10′，北纬24°41′~25°02′；位于安龙县、册亨县内。

调查中记录到湿地高等植物1门11科19属19种。记录到外来入侵植物4科4属4种。

湿地植被可划分为2个植被型组，3个植被型，6个群系。

调查中记录到湿地脊椎动物5纲22目39科83种。其中，鱼类4目9科31种，两栖类1目5科8种，爬行类1目2科4种，鸟类9目13科26种，哺乳类7目10科14种。

记录到国家重点保护野生动物3种，全部为国家Ⅱ级保护野生动物。其中，湿地鸟类2种。

目前没有建立专门的保护管理机构。

23. 北盘江湿地区

北盘江湿地区调查面积473312.12公顷，其中湿地面积12497.47公顷，主要湿地类型为永久性河流湿地、季节性或间歇性河流湿地、库塘湿地、输水河湿地。地理坐标为东经104°27′~106°12′，北纬24°51′~26°34′；涉及册亨县、关岭县、六枝特区、盘县、普安县、晴隆县、水城县、望谟县、威宁县、西秀区、兴仁县、贞丰县、镇宁县、紫云县等14个县(市、区)。

调查中记录到湿地高等植物2门36科75属83种。记录到外来入侵植物物种8科8属10种。

湿地植被可划分为4个植被型组，7个植被型，34个群系。

调查中记录到湿地脊椎动物5纲16目29科84种。其中，鱼类4目7科32种，两栖类1目4科12种，爬行类1目3科14种，鸟类7目9科18种，哺乳类3目6科8种。

目前没有建立专门的保护管理机构。

主要受到基建和城市化、围垦、泥沙淤积、污染、过度捕猎和采集、外来物种入侵、过牧、森林过度采伐、水利工程和引排水等威胁。

24. 红水河湿地区

红水河湿地区调查面积65068.93公顷，其中湿地面积2712.45公顷，主要湿地类型为永久性河流湿地和库塘湿地。地理坐标为东经106°07′~106°34′，北纬24°57′~25°17′；位于罗甸县、望谟县内。

调查中记录到湿地高等植物1门10科16属17种。

湿地植被可划分为2个植被型组，4个植被型，10个群系。

调查中记录到湿地脊椎动物5纲17目30科69种。其中，鱼类4目7科24种，两栖类1目4科10种，爬行类1目4科10种，鸟类6目8科15种，哺乳类5目7科10种。

记录到国家重点保护野生动物2种，全部为国家Ⅱ级保护野生动物。其中湿地鸟类1种。

目前没有建立专门的保护管理机构。

主要受到基建和城市化的威胁。

25. 乌江思南以上河段湿地区

乌江思南以上河段湿地区调查面积370850.37公顷，其中湿地面积13614.74公顷，主要湿地类型为永久性河流湿地、季节性或间歇性河流湿地、永久性淡水湖湿地、库塘湿地以及输水河湿地，湖泊为淡水湖。地理坐标为东经107°26′~107°58′，北纬26°18′~27°39′；涉及凤冈县、金沙县、开阳县、六枝特区、湄潭县、纳雍县、平坝县、普定县、黔西县、清镇市、石阡县、水城县、威宁县、瓮安县、西秀区、息烽县、修文县、余庆县、织金县、钟山区和遵义县等21个县(市、区)。

调查中记录到湿地高等植物3门28科50属54种。记录到外来入侵植物4科7属7种。

湿地植被可划分为5个植被型组，9个植被型，24个群系。

调查中记录到湿地脊椎动物5纲18目34科95种。其中，鱼类5目7科38种，两栖类2目6科10种，爬行类1目4科20种，鸟类4目8科15种，哺乳类6目9科12种。

记录到国家重点保护野生动物3种，全部为国家Ⅱ级保护野生动物。

目前没有建立专门的保护管理机构。

主要受到基建和城市化、泥沙淤积、污染、外来物种入侵、水利工程和引排水等威胁。

26. 乌江思南以下河段湿地区

乌江思南以下河段湿地区调查面积62817.54公顷，其中湿地面积4595.88公顷，主要湿地类型为永久性河流湿地和输水河湿地。地理坐标为东经107°54′~108°32′，北纬27°38′~28°39′；涉及德江县、沿河县和思南县3个县。

调查中记录到湿地高等植物1门7科9属10种。

湿地植被可划分为2个植被型组，3个植被型，5个群系。

调查中记录到湿地脊椎动物5纲15目29科104种。其中，鱼类5目10科65种，两栖类1目4科6种，爬行类1目2科13种，鸟类4目7科11种，哺乳类4目6科9种。

记录到国家重点保护野生动物3种，全部为国家Ⅱ级保护野生动物。

目前没有建立专门的保护管理机构。

主要受到基建和城市化的威胁。

27. 都柳江湿地区

都柳江湿地区调查面积463867.36公顷，其中湿地面积8459.86公顷，主要湿地类型为永久性河流湿地、季节性河流湿地、输水河湿地、库塘湿地和沼泽化草甸湿地。地理坐标为东经107°32′~109°02′，北纬25°27′~26°20′；涉及独山县、三都县、榕江县、从江县、黎平县、丹寨县和雷山县等7个县。

调查中记录到湿地高等植物2门54科109属122种。记录到外来入侵植物物种6科10属10种。

湿地植被可划分为4个植被型组，10个植被型，59个群系。

调查中记录到湿地脊椎动物5纲16目35科107种。其中，鱼类4目10科56种，两栖类2目7科16种，爬行类2目5科14种，鸟类4目7科14种，哺乳类4目6科7种。

记录到国家重点保护野生动物3种，全部为国家Ⅱ级保护野生动物。

目前没有建立专门的保护管理机构。

主要受到污染、过度捕捞、采集、水利工程和引排水等威胁。

28. 㵲阳河湿地区

㵲阳河湿地区调查面积227400.27万公顷，其中湿地面积5406.51公顷，主要湿地类型为永久性河流湿地、季节性或间接性河流湿地、洪泛平原湿地、库塘湿地和输水河湿地。地理坐标为东经107°39′~109°06′，北纬26°54′~27°36′；涉及镇远县、黄平县、施秉县、岑巩县、玉屏县、石阡县和江口县等7个县(市、区)。

调查中记录到湿地高等植物2门29科53属62种。记录到外来入侵植物4科6属6种。

湿地植被可划分为3个植被型组，6个植被型，24个群系。

调查中记录到湿地脊椎动物5纲14目26科54种。其中，鱼类2目3科13种，两栖类2目3科6种，爬行类1目3科7种，鸟类6目12科17种，哺乳类3目5科11种。

目前没有建立专门的保护管理机构。

主要受到基建和城市化、污染、过度捕捞和采集、水利工程和引排水等威胁。

29. 安龙招堤绿海湿地区

安龙招堤绿海湿地区调查面积23183.62公顷，其中湿地面积202.44公顷，主要湿地类型为永久性河流湿地、永久性淡水湖湿地、库塘湿地、输水河湿地，湖泊为淡水湖。地理坐标为东经105°21′~105°34′，北纬24°58′~25°11′；位于安龙县内。

调查中记录到湿地高等植物2门20科41属41种。国家重点保护野生植物1种。记录到外来入侵植物5科6属6种。

湿地植被可划分为4个植被型组，7个植被型，11个群系。

调查中记录到湿地脊椎动物5纲18目30科62种。其中，鱼类4目6科10种，两栖类2目5科10种，爬行类1目3科11种，鸟类5目6科11种，哺乳类6目10科20种。

记录到国家重点保护野生动物13种，全部为国家Ⅱ级保护野生动物。

受安龙县林业局管理。

30. 赫章雨帽山湿地区

赫章雨帽山湿地区调查面积20275.73公顷，其中湿地面积235.61公顷，主要湿地类型为永久性河流湿地、季节性或间歇性河流湿地、藓类沼泽湿地。地理坐标为东经104°46′~104°57′，北纬26°55′~27°07′；位于赫章县内。

调查中记录到湿地高等植物3门32科56属59种。记录到外来入侵植物3科3属3种。

湿地植被可划分为3个植被型组，6个植被型，13个群系。

调查中记录到湿地脊椎动物5纲13目26科46种。其中，鱼类4目7科19种，两栖类1目5科7种，爬行类1目3科4种，鸟类2目3科4种，哺乳类5目8科12种。

目前没有建立专门的保护管理机构。

主要受到人为采集泥炭藓威胁。

31. 云贵水韭保护点湿地区

云贵水韭保护点湿地区调查面积5046.38公顷，其中湿地面积73.03公顷，主要湿地类型为永久性河流湿地和库塘湿地。地理坐标为东经106°12′~106°20′，北纬26°23′~26°27′；位于平坝县内。

调查中记录到湿地高等植物1门13科18属19种。国家重点保护野生植物1种。记录到外来入侵植物3科3属3种。

湿地植被可划分为3个植被型组，4个植被型，5个群系。

调查中记录到湿地脊椎动物5纲12目23科39种。其中，鱼类2目3科10种，两栖类1目3科6种，爬行类1目2科3种，鸟类5目9科11种，哺乳类3目6科9种。

记录到国家重点保护野生动物1种，为国家Ⅱ级保护野生动物。

受平坝县林业局管理。没有建立专门的保护管理机构。

主要受到污染、外来物种入侵等威胁。

32. 龙里南部沼泽化草甸湿地区

龙里南部沼泽化草甸湿地区调查面积16587.03公顷，其中湿地面积8322.36公顷，主要湿地类型为永久性河流湿地、沼泽草甸湿地。地理坐标为东经106°46′~107°00′，北纬26°18′~26°25′；位于龙里县内。

调查中记录到湿地高等植物3门32科62属70种。记录到外来入侵植物4科5属5种。

湿地植被可划分为2个植被型组，7个植被型，15个群系。

调查中记录到湿地脊椎动物5纲16目33科64种。其中，鱼类3目5科11种，两栖类2目6科7种，爬行类1目4科13种，鸟类6目8科22种，哺乳类4目10科11种。

目前没有建立专门的保护管理机构。

主要受到基建和城市化、围垦、过牧等威胁。

33. 盘县娘娘山湿地区

盘县娘娘山湿地区调查面积167.07公顷，其中湿地面积167.07公顷，主要湿地类型为藓类沼泽湿地、灌丛沼泽湿地。地理坐标为东经104°50′~104°51′，北纬26°06′~26°07′；位于盘县、水城县内。

调查中记录到湿地高等植物3门14科16属16种。

湿地植被可划分为2个植被型组，2个植被型，3个群系。

调查中记录到湿地脊椎动物5纲13目22科36种。其中，鱼类3目4科5种，两栖类1目4科8种，爬行类1目2科5种，鸟类3目6科8种，哺乳类5目6科10种。

记录到国家重点保护野生动物11种，全部为国家Ⅱ级保护野生动物。

目前没有建立专门的保护管理机构。

主要受到人为采集泥炭藓威胁。

34. 三板溪库区湿地区

三板溪库区湿地区调查面积58508.39公顷，其中湿地面积5344.55公顷，主要湿地类型为永久性河流湿地、洪泛平原湿地、永久性淡水湖湿地，湖泊为淡水湖。地理坐标为东经108°39′~109°24′，北纬26°24′~26°43′；位于剑河县、锦屏县、黎平县内。

调查中记录到湿地高等植物2门28科60属65种。记录到外来入侵植物6科6属6种。

湿地植被可划分为3个植被型组，7个植被型，14个群系。

调查中记录到湿地脊椎动物5纲17目33科67种。其中，鱼类4目8科24种，两栖类1目4科7种，爬行类1目4科7种，鸟类7目10科21种，哺乳类4目7科8种。

记录到国家重点保护野生动物1种，为国家Ⅱ级保护野生动物。

目前没有建立专门的保护管理机构。

主要受到污染、过度捕捞和采集、水利工程和引排水等威胁。

35. 龙滩库区湿地区

龙滩库区湿地区调查面积116164.03公顷，其中湿地面积5074.05公顷，主要湿地类型为永久性河流湿地、季节性或间歇性河流湿地、库塘湿地、输水河湿地。地理坐标为东经106°31′~107°00′，北纬25°05′~25°30′；位于罗甸县内。

调查中记录到湿地高等植物1门13科23属24种。记录到外来入侵植物3科4属4种。

湿地植被可划分为2个植被型组，6个植被型，11个群系。

调查中记录到湿地脊椎动物5纲22目37科78种。其中，鱼类5目7科16种，两栖类1目3科5种，爬行类1目4科9种，鸟类9目14科32种，哺乳类6目9科16种。

记录到国家重点保护野生动物4种，全部为国家Ⅱ级保护野生动物。其中，湿地鸟类3种。

目前没有建立专门的保护管理机构。

主要受到基建和城市化威胁。

36. 天生桥电站库区湿地

天生桥电站库区湿地调查面积78607.81公顷，其中湿地面积6558.52公顷，主要湿地类型为永久性河流湿地、库塘湿地。地理坐标为东经104°36′~105°09′，北纬24°37′~25°04′；位于安龙县、兴义市内。

调查中记录到湿地高等植物3门21科39属40种。记录到外来入侵植物4科5属5种。

湿地植被可划分为3个植被型组，4个植被型，10个群系。

调查中记录到湿地脊椎动物5纲16目28科48种。其中，鱼类4目5科14种，两栖类1目4科7种，爬行类1目2科6种，鸟类6目12科15种，哺乳类4目5科6种。

记录到国家重点保护野生动物1种，为国家Ⅱ级保护野生动物。

目前没有建立专门的保护管理机构。

主要受到外来物种入侵威胁。

37. 百花湖湿地区

百花湖湿地区调查面积9944.45公顷，其中湿地面积1252.70公顷，主要湿地类型为永久性河流湿地、库塘湿地、输水河湿地。地理坐标为东经106°26′~106°35′，北纬26°34′~26°43′；位于乌当区、清镇市内。

调查中记录到湿地高等植物1门14科24属25种。记录到外来入侵植物3科3属3种。

湿地植被可划分为3个植被型组，4个植被型，5个群系。

调查中记录到湿地脊椎动物5纲19目29科70种。其中，鱼类3目5科18种，两栖类1目4

科7种，爬行类1目1科3种，鸟类10目14科34种，哺乳类4目5科8种。

记录到国家重点保护野生动物2种，全部为国家Ⅱ级保护野生动物。其中，湿地鸟类1种。

于2007年建立饮用水源保护区，组建贵阳市“两湖一库”管理局，于2012年经批准成立贵阳红枫湖—百花湖城市湿地公园。

主要受到污染、水利工程和引排水等威胁。

38. 红枫湖湿地区

红枫湖湿地区调查面积26573.37公顷，其中湿地面积5434.29公顷，主要湿地类型为永久性河流湿地和库塘湿地。地理坐标为东经106°18′~106°28′，北纬26°21′~26°37′；位于清镇市和平坝县境内。

调查中记录到湿地高等植物4门19科27属29种。记录到外来入侵植物4科5属5种。

湿地植被可划分为4个植被型组，5个植被型，9个群系。

调查中记录到湿地脊椎动物5纲22目34科81种。其中，鱼类4目5科14种，两栖类1目4科5种，爬行类1目2科6种，鸟类11目15科49种，哺乳类5目7科7种。

记录到国家重点保护野生动物1种，为国家Ⅱ级保护野生动物。

于2007年建立饮用水源保护区。于2012年经批准成立贵阳红枫湖—百花湖城市湿地公园。组建了贵阳市“两湖一库”管理局。

主要受到基建与城市化、泥沙淤积、水污染、过度捕捞和采集、水利水电工程与引排水和盐碱化等威胁。

39. 盘县大麦塘湿地区

盘县大麦塘湿地区调查面积25.40公顷，其中湿地面积25.40公顷，主要湿地类型为库塘湿地。地理坐标为东经104°41′~104°42′，北纬25°47′~25°48′；位于盘县内。

调查中记录到湿地高等植物1门11科19属19种。记录到外来入侵植物4科4属4种。

湿地植被可划分为2个植被型组，2个植被型，3个群系。

调查中记录到湿地脊椎动物5纲14目23科37种。其中，鱼类2目3科4种，两栖类1目3科7种，爬行类1目1科5种，鸟类7目12科14种，哺乳类3目4科7种。

目前没有建立专门的保护管理机构。

参考文献

[1]白军红，邓伟．长白山苔原湿地资源及可持续利用研究[J]．山地学报，2002(4)：228～231.

[2]鲍达明，谢屹，温亚利．构建中国湿地生态效益补偿制度的思考[J]．湿地科学，2007，5(2)：11～15.

[3]陈放鸣．长江中下游湿地资源土地期望价评估[J]．农业经济问题，1995（7）：45～49.

[4]陈国栋．花溪湿地公园建设中的问题探讨[J]．重庆科技学院学报(社会科学版)，2012(11)：82～92.

[5]陈浒，李厚琼，吴迪，秦樊鑫．乌江梯级电站开发对大型底栖无脊椎动物群落结构和多样性的影响[J]．长江流域资源与环境，2010，19(12)：1462～1470.

[6]陈谦海．贵州植物志[M]．贵阳：贵州科技出版社，2004.

[7]陈宜瑜．湿地功能与湿地科学研究的方向[J]．中国基础科学，2002(1)：19～21.

[8]陈宜瑜，等．中国动物志·硬骨鱼纲·鲤形目(中卷)[M]．北京：科学出版社，1998.

[9]褚新洛，郑葆珊，戴定远，等．中国动物志·硬骨鱼纲·鲇形目[M]．北京：科学出版社，1999.

[10]褚新洛，等．云南鱼类志(上册)[M]．北京：科学出版社，1989.

[11]褚新洛，等．云南鱼类志(下册)[M]．北京：科学出版社，1990.

[12]代应贵，陈毅峰．清水江鱼类资源现状及保护对策[J]．水利渔业，2007，27(4)：75～78.

[13]戴建兵，俞益武，曹群．湿地保护与管理研究综述[J]．浙江林学院学报，2006(3)：328～333.

[14]但新球，但维宇．湿地生态文化[M]．北京：中国林业出版社，2014.

[15]但新球，吴后建．湿地公园建设理论与实践[M]．北京：中国林业出版社，2009.

[16]邓琳君，吴大华．贵州省湿地生态补偿立法刍议[J]．贵阳市委党校学报，2012(4)：14～17.

[17]邓琳君．贵州省湿地保护立法评析[J]．贵州民族学院学报(哲学社会科学版)，2011(3)：37～40.

[18]邓伦秀．贵州湿地常见植物图谱[M]．贵阳：贵州科学技术出版社，2013.

[19]邓培雁，陈桂珠．湿地价值及其有关问题探讨[J]．湿地科学，2003(2)：32～36.

[20]董金凯，贺峰，肖蕾，等．人工湿地生态系统服务综合评价研究[J]．水生生物学报，2012(1)：109～118.

[21]段素明，黄先飞，胡继伟，等．人工湿地研究进展[J]．贵州农业科学，2012(3)：211～216.

[22]段瑜，王珏．多样性湿地景观的成都实践——以成都198环城湿地公园案例区景观规划为例[J]．城市道桥与防洪，2012(12)：186～190.

[23]费梁，胡淑琴，叶昌媛，等．中国动物志·两栖纲(中卷)·无尾目[M]．北京：科学出版社，2009.

[24]费梁，等．中国动物志·两栖纲(下卷)·无尾目·蛙科[M]．北京：科学出版社，2009.

[25]管毓和．湿地保护与生计替代[J]．世界环境，2010(3)：29～31.

[26]贵州百科全书编辑委员会．贵州百科全书[M]．北京：中国大百科全书出版社，2005.

[27]贵州省统计局．贵州统计年鉴2012[M]．北京：中国统计出版社，2012.

[28]韩至钧，金占省．贵州省水文地质志[M]．北京：地震出版社，1996.

[29]季必金，熊源新，郭彩清，等．贵定岩下大鲵自然保护区苔藓植物的物种组成[J]．山地农业生物学报，2008，27(1)：33～41.

[30]匡其羽，张朝晖．贵阳市南明河河流湿地苔藓植物初步调查[J]．贵州师范大学学报(自然科学版)，2010(4)：75～78.

[31]乐佩琦，等．中国动物志·硬骨鱼纲·鲤形目(下卷)[M]．北京：科学出版社，2000.

[32]李建华，陈振雄，孙华．天鹅山林场森林景观异质性分析[J]．国土与自然资源研究，2008(2)：54～55.

[33]李兴中．贵州之水三面流[J]．森林与人类，2013(277)：36～41.
[34]李振宇，解焱．中国外来入侵种[M]．北京：中国林业出版社，2002.
[35]李子忠．贵州野生动物名录[M]．贵阳：贵州科学技术出版社，2011.
[36]刘红玉，赵志春，吕宪国．中国湿地资源及其保护研究[J]．资源科学，1999(6)：34～37.
[37]陆天友，吴江，雷文俊，饶正凯．贵州省城镇污水处理"十二·五"建设规划探析[J]．贵州大学学报(自然科学版)，2011，28(2)：118～120.
[38]吕建树，刘洋．黄河三角洲湿地生态旅游资源开发潜力评价[J]．湿地科学，2010(4)：43～47.
[39]吕咏，陈克林．中国湿地与湿地自然保护区管理[J]．世界环境，2010(3)：25～28.
[40]农村生态环境，2003(3)：61～64.
[41]皮里阳．湿地保护的国际法发展——以《拉姆萨公约》为例[J]．湖北社会科学，2009(11)：63～67.
[42]齐建文，李矿明，黎育成，等．贵州草海湿地现状与生态恢复对策[J]．中南林业调查规划，2012(2)：39～56.
[43]冉景丞．暗世一生喀斯特洞穴的生物世界[J]．森林与人类，2013(277)：120～125.
[44]冉景丞．荔波洞穴鱼类初步研究[J]．中国岩溶，2000，19(4)：327～332.
[45]粟海军，喻理飞，马建章．贵州岩下自然保护区的野生大鲵资源现状及历史动态[J]．长江流域资源与环境，2009，18(7)：112～116.
[46]孙毅，王铁良，单鱼洋．湿地对重金属镉、铬、砷的去除效果[J]．贵州农业科学，2011(8)：209～215.
[47]孙志高，刘景双，李彬．中国湿地资源的现状、问题与可持续利用对策[J]．干旱区资源与环境，2006，20(2)：37～42.
[48]谭少华，倪绍祥，周飞．苏北里下河地区湿地资源可持续利用的思考[J].
[49]汪达，汪明娜，汪丹．国际湿地保护策略及模式[J]．湿地科学，2003(2)：155～161.
[50]汪松，赵尔宓．中国濒危动物红皮书·两栖类和爬行类[M]．北京：科学出版社，1998.
[51]王辰，王英伟．中国湿地植物图鉴[M]．重庆：重庆大学出版社，2011.
[52]王义，黄先飞，胡继伟，等．湿地价值评估研究进展[J]．广东农业科学，2012(1)：146～150.
[53]吴金明，娄必云，赵海涛，等．赤水河鱼类资源量的初步估算[J]．水生态学杂志，2011，32(3)：99～103.
[54]吴金明，赵海涛，苗志国，等．赤水河鱼类资源的现状与保护[J]．生物多样性，2010，18(2)：162～168.
[55]吴寿昌，黄婧．贵州黔东南稻作梯田的历史文化及生态价值[J]．贵州农业科学，2011，39(5)：81～83.
[56]吴征镒，王荷生．中国自然地理—植物地理(上册)[M]．北京：科学出版社，1983.
[57]吴征镒，王献溥，等．中国植被[M]．北京：科学出版社，1995.
[58]吴征镒．世界种子植物科的分布区类型系统[J]．云南植物研究，2003，25(3)：245～257.
[59]吴征镒．世界种子植物科的分布区类型系统的修订[J]．云南植物研究，2003，25(5)：535～539.
[60]吴征镒．中国种子植物属的分布区类型[J]．云南植物研究，1991 增刊Ⅳ：1～139.
[61]伍汉霖，钟俊生．中国动物志·硬骨鱼纲·鲈形目(五)·鰕虎鱼亚目[M]．北京：科学出版社，2008.
[62]伍律，等．贵州鱼类志[M]．贵阳：贵州人民出版社，1989.
[63]熊康宁．奔流在贵州地下的河[J]．森林与人类，2013(277)：52～59.
[64]严承高，张明祥．中国湿地植被及其保护对策[J]．湿地科学，2005(3)：210～215.
[65]颜俊．中国湿地生物多样性资源的保护及其可持续开发[J]．贵州教育学院学报，2006(2)：89～93.
[66]杨滨，杨荣芳．贵州省水能资源开发现状及前景浅析[J]．人民长江，2009，40(9)：10～11.
[67]杨昌雄．稻田养鱼——贵州苗族区稻田养鱼调查记[J]．贵州农业科学，1984(6)：73～77.
[68]杨朝东，熊源新．贵州湿地藓属 *Hyophila*(丛藓科 Pottiaceae)植物分布及其新记录[J]．贵州大学学报(农业与生物科学版)，2002(2)：99～104.
[69]杨华，马继侠．人工湿地在农业面源污染治理中的应用[J]．工程建设与设计，2009(10)：66～70.
[70]杨胜元，张建江，等．贵州环境地质[M]．贵阳：贵州科学技术出版社，2008.

[71]杨秀春，朱晓华，黄家柱，等．江苏省湿地资源现状及其可持续利用研究[J]．经济地理，2004，24(1)：74~81.

[72]袁军，吕宪国．湿地功能评价研究进展[J]．湿地科学，2004(2)：153~160.

[73]袁旸旸．贵州草海湿地水花生疯长危害及控制对策[J]．农技服务，2010(5)：598~599.

[74]曾芸，王思明．稻田养鱼的发展历程及动因分析——以贵州稻田养鱼为例[J]．南京农业大学学报(社会科学版)，2006，6(3)：79~83.

[75]张峰，上官铁梁．山西湿地资源及可持续利用研究[J]．地理研究，1999(4)：102~105.

[76]张华海，李明晶，姚松林．草海研究[M]．贵阳：贵州科学技术出版社，2007.

[77]张礼安，李明晶．贵州省森林和野生动物及湿地类型自然保护区[M]．贵阳：贵州科学技术出版社，2004.

[78]张立，William J. Mitsch，程颂．湿地功能与重建[J]．四川林业科技，2005(1)：39~41.

[79]张孟闻，宗愉，马积藩．中国动物志·第一卷·总论·龟鳖目和鳄形目[M]．北京：科学出版社，1998.

[80]张荣祖．中国动物地理[M]．北京：科学出版社，1999.

[81]张树仁，袁军，张明祥，等．中国常见湿地植物[M]．北京：科学出版社，2008.

[82]张珍明，张清海，林绍霞，等．贵州草海湖湿地水体污染特征及污染因子分析研究[J]．广东农业科学，2012(20)：183~187.

[83]赵尔宓，黄美华，宗愉，等．中国动物志·第三卷·有鳞目·蛇亚目[M]．北京：科学出版社，1998.

[84]赵尔宓，赵肯堂，周开亚，等．中国动物志·第二卷·有鳞目·蜥蜴亚目[M]．北京：科学出版社，1999.

[85]赵正阶．中国鸟类志·上卷·非雀形目[M]．长春：吉林科学技术出版社，2001.

[86]赵正阶．中国鸟类志·下卷·雀形目[M]．长春：吉林科学技术出版社，2001.

[87]郑光美．中国鸟类分类与分布名录[M]．北京：科学出版社，2005.

[88]郑作新，等．中国动物志·鸟纲·第十二卷·雀形目·鹟科Ⅲ·莺亚科和鹟亚科[M]．北京：科学出版社，2010.

[89]《中国河湖大典》编纂委员会．中国河湖大典珠江卷[M]．北京：中国水利水电出版社，2013.

[90]中国科学院中国植物志编辑委员会．中国植物志．第二十一卷[M]．北京：科学出版社，1996.

[91]《中国湿地百科全书》编辑委员会．中国湿地百科全书[M]．北京：北京科学技术出版社，2009.

[92]中国湿地植被编辑委员会．中国湿地植被[M]．北京：科学出版社，1999.

[93]钟晓，廖国华，孙伟．红枫湖、百花湖网箱养鱼对湖库水质的影响分析及水资源保护[J]．贵州师范大学党报(自然科学版)，2004，22(4)：34~38.

[94]周建平，钱钢粮．十三大水电基地的规划及其开发现状[J]．水利水电施工，2011(1)：52~56.

[95]朱惊毅，方嗣昭，李兴中，等．贵州湿地[M]．北京：中国林业出版社，1998.

[96]朱惊毅．大坪箐：乌江上游的沼泽[J]．森林与人类，2013(277)：74~77.

[97]朱惊毅．湖泊：贵州的湿点[J]．森林与人类，2013(277)：60~63.

[98]朱开茗．造福贵州的水[J]．森林与人类，2013(277)：6.

[99]Andrew T. Smith，解焱．中国兽类野外手册[M]．长沙：湖南教育出版社，2009.

[100]Hilton – Taylor C, Mace GM, Capper DR, et al. Assessment mismatches must be sorted out：they leave species at risk[J]. Nature, 2000(404)：541.

[101]Mace G. M. , Lande R. Assessing extinction threats：toward a re – evaluation of IUCN threatened species categories [J]. Conservation Biology, 1991(5)：148 – 157.

[102]Wei Gang，Bin Wang，Ning Xu，Zizhong Li，Jianping Jiang. Morphological evolution from aquatic to terrestrial in the genus Oreolalax (Amphibia，Anura，Megophryidae) [J]. Natural Science，2009(19)：1403 – 1408.

[103]Wei Gang，Jian – Li Xiong，Mian Hou & Xiao – Mao Zeng. A new species of hynobiidsalamander (Urodela：Hynobiidae：Pseudohynobius) from Southwestern China[J]. Zootaxa，2009(2149)：62 – 68.

附　件

贵州湿地资源调查单位及主要参加人员名单

国家林业局中南林业调查规划设计院： 但新球　刘世好　吴照柏　吴协保　吴后建

贵州省林业厅： 刘　浪　冉景丞　张华海　朱惊毅　陈东升　江亚猛　林　虹　陈　燕

贵州省林业调查规划院： 刘隆德　顾永顺　曹小飞　唐荣逸　林风华　李世杰　张光辉　戴应发　杨　健　刘明礼　龙启德　岑　纲　冯陆春　官加杰　李秉略　张江平　赵　华　许正亮　肖　玲　吴学卷　杨旭东　蒲应春　刘　晓　王应泉　刘建忠　金　祺　王六平　王　华　卢永飞　李明军　李　磊　卢　鹏　刘坚定　蒙光伟　刘　晓　何志友　陈　岭　李明刚　曾　辉　胡雪勇　张新方　陈爱民　杨　武　王太法　孟志忠　夏　婧　熊　华　赵正珍　刘成荣　李　超　陆廷开　甘桂春　王洪波　李兴春　何盛松　安忠平　骆　诚　殷定霞　陈令君　房　灵　周　新　杨　兰　杨德柱　赵敏冲　杨时健　余　娜　袁　林

贵州省生物研究所： 李筑眉

贵州大学： 粟海军　张海波　杨　萍　王伟旭　陈　勇　梁红丹　周玉洪　袁小泳　陈彦君　郭小洪　徐细亮　何　超　罗　云　李　燊　罗家振　曾松明　田流江　韦凤优　郭晓旭　杨忠亚　蔡国俊　杨秀仁　李先周　伍廷婷　潘胜壮　赵　松　袁　磊　陈应江　韦龙晚　陶光永　龚忠山　赵祥翔　国　欣　刘　磊　周　杰　毕　兴　杨月吉

贵阳学院： 魏　刚　徐　宁　吕敬才　王宇俊

贵州省林业科学院： 杨成华

草海国家级自然保护区管理局： 李振吉　史云勋　王汝斌　陈颜明　陆　丹

百里杜鹃省级自然保护区管理局： 杨钰灏　李　平　孙庆才

梵净山国家级自然保护区管理局： 邱　阳　石　磊　杨华江　杨　宁　牛克峰　杨嘉伟　杨　妮

茂兰国家级自然保护区管理局： 熊志斌　谭成江　覃龙江

雷公山国家级自然保护区管理局： 潘成坤　王子明　陆代辉　杨绍琼　姚伦贵　袁　明　唐秀俊　苏　浩　顾先锋　张前江　李　萍　郃昌德　余永富　吴必锋　侯德华　李　杨

麻阳河国家级自然保护区管理局： 张　鹏　肖　志　王　彬　李立斌　杨　德　邹　浩

佛顶山省级自然保护区管理局： 周胜伦　杜茂恒

宽阔水国家级自然保护区管理局： 李继祥　王文芳　姚小刚

大沙河省级自然保护区管理局： 冯育才　勾　伟　韩继怀　文小红

习水国家级自然保护区管理局： 吴贞文　陈翰林　李崇清　杨　坤　罗　浪　邹　念　穆　君　郭峻源　何　伟　宋起亮　张海鹏

贵阳市南明区林业局： 关向前　施　煜

云岩区林业局： 左凌云　赵　勇

花溪区林业局：李昌栋　蒋泽波
乌当区林业局：杨　群　刘记刚
白云区林业局：罗　卫　罗建新
小河区林业局：刘思华　田　力
开阳县林业局：赵乐平　刘　军
息烽县林业局：洪　杰　朱成林
修文县林业局：唐文平　严首祥
清镇市林业局：张　椿　钟　卫
六盘水市钟山区林业局：徐友权　王　敏　罗东华　宋小强
水城县林业局：袁　政　刘延欢　彭　靖
六枝特区林业局：张　刚　李志邦　曾凡龙　刘安贵　韦　俊　徐　洪　杨培发　艾　艳
盘县林业局：郭　应　路元礼　何龙方　孙中录　李宗华
遵义市遵义县林业局：马义平　周　林　宋光伟　田茂芬　黄元清　李明生　罗应松　李光勇　刘雪松　黄忠良
桐梓县林业局：韦大强　何国凯　周平阳　梁大洪　姚　林
道真自治县林业局：余建容　周黔勇　韩　岭
湄潭县林业局：赵敬钊　张道贵　田茂会
赤水市林业局：张玉峰　刘　磊　刘小平
凤冈县林业局：敖维武　李仕兰　聂　勇　王俊怀　马家强　田景容
习水县林业局：吴贞文　陈翰林
余庆县林业局：袁愈樵　高　兵
红花岗区林业局：徐　洪　肖立诚
绥阳县林业局：王仲军　胡晓林　查承捷　杨林海　吴晓敏　舒德建　谌业贵　蔡　宁　童德磊
汇川区林业局：江　林　宋　杰　夏　珊　樊中亮　陈　翔
仁怀市林业局：陈　乾　李登泰
正安县林业局：陈正伟　宋聚学　吴廷亮　王　伦　刘成敏　唐现宇　张帮伟　郑维勇　龙志永　王海燕　项　俊　杨家松　曾克勇
务川自治县林业局：付全尧　文忠勇　甘　凤
安顺市西秀区林业局：谢家铭　朱　青　袁　寅
普定县林业局：张顺磊　勾成馥　潘祖兴
镇宁自治县林业局：程　燕　袁恩贤
紫云自治县林业局：王开琳　赵　杰　王仕念
平坝县林业局：廖正武　黄纯忠　陈玉富
关岭自治县林业局：邹章祥　黄　勇　陈发勇　张永红　吴德洪　周洪标　李　毅　雷荣刚　杜维娜　张斌斌
毕节市七星关区林业局：尚　鹏　卢德玉　赵　勇
大方县林业局：罗克贵　贺福元　杜庭凤　董　路

黔西县林业局：张　硕　吴　祥
金沙县林业局：戴延强　廖　宁　张　杰
织金县林业局：宋栋永　段忠玉　李永平　全永贵
纳雍县林业局：荣元国　郑　希　刘登贤
威宁自治县林业局：周明全　马武德
赫章县林业局：尹晓龙　胡天斌
铜仁市碧江区林业局：张建军　李亚林　雷存见　杨晋升　曾鹏宇　周化成　杨　林　李革慧　唐　雯
万山区林业局：潘　贵　徐启刚　刘水平　张志平　龚秀佩
江口县林业局：陈贵云　骆成明　陈德发　廖永军　张春才　杨昌智　陈淑明
玉屏自治县林业局：王永生　杨　毅　杨远春　舒玉屏　徐　慧　刘　珣
松桃自治县林业局：成朝清　何邦海　龙丽萍　许茂林　邬义明　黄志军　李祖伦　向胜兵　龙维刚　龙再刚　邱会万　黄志军　刘唐松　冷小荣
印江自治县林业局：田　杰　游云军　田朝阳　祝　江　冯帮才　杨印铭　陈　祥　张建芳　袁贤超
石阡县林业局：周银昌　童祖民　田　聪　鲁瑞林　李之茂　杨正国　肖兴明
德江县林业局：刘定强　文玉进　袁红军　朱克洲　何丽强　黎启顺　孙光乾
沿河自治县林业局：陈吉祥　杨　刚　田文波　田　军　周克松　谌贵生　田应欢　曾　勇　吴小驹　黎　刚
思南县林业局：郜发新　李昌权　吴　杰　李朝虎　邵　阳　苏　亚　王玉发　藤树文　陈　磊　刘正文　严　肃
黔西南州兴义市林业局：黄方云　邓　涛　唐　燕　张　健
晴隆县林业局：刘卫国　唐海燕　刘　丽　马筑琴
望谟县林业局：王　斌　黄江华
兴仁县林业局：潘开芬　彭龙富　徐　丽　陈　波
册亨县林业局：王少雄　郭忠选
贞丰县林业局：杨正伦　韦　鼎
普安县林业局：郭远川　李本祥　郑维玉
安龙县林业局：彭　德　陆永佳　杨兴立　罗路生　白诗坤　刘启斌
黔东南州凯里市林业局：王青元　张智勇　杨　军　李帆羽　李天佑　杨正帅　龙英国　何永平
锦屏县林业局：陆显兴　杨　辉　杨　杰　杨章平　杨再奎　单　斌
从江县林业局：余永生　梁明景　杨再辉　陆昌益
黎平县林业局：吴芳明　曾贤祥　杨大圣　韦启勇　姚世义　吴万豪　朱守祥　陆再黔
丹寨县林业局：梁建军　陈庆明　张智慧　王青元
麻江县林业局：吴方祥　欧品军　熊忠成
雷山县林业局：杨　军　李天佑　杨正帅　李帆宇
榕江县林业局：尹　毅　吴国武

剑河县林业局： 龙 海 黄 健 彭顺平 杨再伍 龙家贤 龙跃平

台江县林业局： 顾先林 王安文

施秉县林业局： 杨荣富 杨通文

三穗县林业局： 张燕明 曾小俊 张晓冬

镇远县林业局： 姚亦武 李博恒

岑巩县林业局： 吴永堂 聂秀静 赵昌武

天柱县林业局： 吴德庆 杨政才 杨 杰 杨章平 吴 刚 潘林东

黄平县林业局： 吴寿昌 潘 忠 杨通海 冯朝东 付玉铭 简君松 龙英国 何永平

黔南州都匀市林业局： 刘 曦 张应勇 黄小兵 岑 彪

荔波县林业局： 易利龙 潘本学

独山县林业局： 李荣贵 白万堂 黎兴义 莫仕伟 文浩斌 魏真义 鲍莉娜 唐小华 黎富辉 李向华 吴观松 刘亦平 梁开恩 刘振坤 蒙焕和 韦自勇 吴宗文 莫秀模 岑兴松 龚志平

平塘县林业局： 李良玮 付庆英 冉启富 罗龙才 邹廷勇 陈 勇 聂天学 罗再良 陈义富

三都自治县林业局： 何绍智 石本琼 吴加光 潘忠松 雷登江 王穆琼

福泉市林业局： 李洪辉 王建军 陈 夙 吴瑞华

贵定县林业局： 罗政康 莫光应 滕 宏

瓮安县林业局： 何宏波 余 琼 马明鹤 曹永康

罗甸县林业局： 沈光举 何陈攀

长顺县林业局： 陆秋生 周 松

龙里县林业局： 税 爽 陈海英 宋应宏

惠水县林业局： 张 晗 唐拥军 潘盛涛 郭振斌 王 铦 李芳念 高贵龙

后　记

在顺利完成全国第二次湿地资源调查的基础上，2014 年 5 月，国家林业局下达“中国湿地资源系列图书”的编写任务，贵州省林业厅承担了《中国湿地资源·贵州卷》的编写工作。为保质按时完成任务，林业厅成立了由金小麒厅长担任主任的编辑委员会，指导编写组进行工作。编写组成员本着认真负责的态度，在全省第二次湿地资源调查成果的基础上，对调查数据进行了进一步的分析。因此，本书既立足于全省第二次湿地资源调查成果又有很大突破，是编写组成员将全省第二次湿地资源调查成果与各自多年来积累的工作经验与成果相结合后形成的文稿。全书共分六章，包括第一章基本情况、第二章湿地类型、第三章湿地生物资源、第四章湿地资源利用、第五章湿地资源评价、第六章湿地保护与管理。其中第一章由李世杰完成，第二章、第四章、第六章由朱惊毅完成，第三章第一节及湿地植物名录由杨成华完成，第三章第二节及湿地动物名录由冉景丞完成，第五章及重点调查湿地概况由刘建中完成。特别值得一提的是，本书还收集到 178 张精美的照片，从多角度形象生动地展示了贵州湿地，增加了可读性。

“中国湿地资源系列图书”是我国第一套湿地资源系列丛书，我们编写组的每个成员都很开心有机会参与了这套丛书的编写工作，这将成为我们职业生涯乃至人生旅程中值得回忆的经历。在《中国湿地资源·贵州卷》完稿交付印刷之际，倍感轻松和喜悦，同时感激之情再次涌上心头。俗话说“万丈高楼从地起”，本书是在全省第二次湿地资源调查的基础上编写完成的，是全省各保护区管理局、各区(县、自治县)及省林业调查规划院的同仁、朋友们默默地付出和扎实地工作，确保了湿地资源调查的顺利完成并为本书提供了宝贵的基础数据，在此，诚挚感谢每位参与全省第二次湿地资源调查的人员。此外，还要感谢众多默默提供后勤服务的同仁和朋友，正是大家的奉献与敬业成就了本书。在本书编写过程中，得到了国家林业局湿地保护管理中心、国家林业局中南林业调查规划设计院、贵州省林业调查规划院、贵州大学、贵阳学院、贵州科学院生物研究所、各市(自治州)和县(区、市)林业局、贵州省水利厅等单位的关心、支持，特别是雷公山保护区管理局、贵阳市生态文明建设委员会、草海国家级自然保护区管理局、阿哈湖国家湿地公园管理处在收集照片过程中给予了极大的帮助，杨龙教授为审核书稿贡献了大量的时间与精力，金小麒厅长、聂朝俊总工为书稿修改提出了许多宝贵的建议和意见，在此一并表示衷心感谢！此外，还由衷感谢中国林业出版社各位出版人为本书付出的辛苦努力，与你们的合作愉快而难忘。

由于时间仓促、工作量大，难免存在错漏不详之处，敬请读者批评指正。

《中国湿地资源·贵州卷》编写组

2015 年 11 月